U0839895

主编 郑电波

中篇小说系列（一九七七年至二〇一二年）

第三十一卷

中國鄉土小說名作大系

平凹题

中原出版传媒集团
大地传媒

中原农民出版社

图书在版编目(CIP)数据

中国乡土小说名作大系.第31卷/郑电波主编.—郑州:中原出版传媒集团,中原农民出版社,2014.12
ISBN 978-7-5542-1005-5

Ⅰ.①中… Ⅱ.①郑… Ⅲ.①中篇小说-小说集-中国-当代 Ⅳ.①I247

中国版本图书馆CIP数据核字(2014)第278513号

中国乡土小说名作大系

出 版 人 刘宏伟
总 编 审 汪大凯

总 策 划 刘宏伟
策划编辑 郑电波
责任编辑 郑电波 高燕燕
责任校对 杨 玲
装帧设计 吴丹青
装帧制作 董 雪
封面题字 贾平凹
插　　图 董 钺

出版发行	中原出版传媒集团 中原农民出版社		
地　　址	河南省郑州市经五路66号	**邮　编**	450002
网　　址	http://www.zynm.com	**电　话**	0371-65751257
邮购热线	0371-65724566	**传　真**	0371-65751257
承印单位	河南省瑞光印务股份有限公司		
开　　本	787mm×1092mm	1/16	
印　　张	23		
字　　数	446千字		
版　　次	2014年12月第1版	**印　次**	2014年12月第1次印刷
书　　号	ISBN 978-7-5542-1005-5	**定　价**	98.00元

本书如有印装质量问题,由承印厂负责调换

《中国乡土小说名作大系》
编辑工作委员会

顾　　问　张　炜　贾平凹　李佩甫

编　　委　（以姓氏笔画为序）
王守国　田中禾　孙广举
刘思谦　刘　恪　何　弘
罗阿波　耿占春　原　非
魏世祥

纲目总审　张　炜

主　　编　郑电波

原始资料搜集查询

李秋海　胡家模　尚书娉　郭保林　孙　涛
黄小娜　安建国　谭静波　杨继红　朱光琼
高殿石　董志辉　吕金国　汪　筠　黄海舟
张廷双　任庆文　尚　钊　王进喜　黄昌之
张月华　王向阳　王　刚　才　让　赵文玺

凡 例

本大系全套共36卷，精选了1977年至2012年在中国国内公开发表、出版的乡土小说作品中的短、中篇名作。其中前6卷为短篇小说，后30卷(7卷—36卷)为中篇小说。其中包括荣获全国大奖的乡土短、中篇小说；被小说选刊选载且极具影响力的作品；在当时受到社会广泛关注、在读者记忆中留下深刻印象的优秀作品。

本套书的选编原则上是以发表、出版的时间顺序排列的，每卷从作品的品质考量前后有所微调，但大的格局不变。

上世纪整个80年代，是中篇乡土小说创作的黄金时段，名作灿若群星，该大系收录此时段的作品较多。短篇小说系列每卷分上、中、下三部分，而中篇小说系列不作界分。

每卷的字数大致相当。由于上世纪80年代及90年代初，一般中篇小说的篇幅比后来的较长，因此每卷的篇数较少，这也是全套各卷选篇数目不均的原因。

卷首语

三十多年来，中国农村发生了翻天覆地的变化，而中国农村题材小说的创作，正是对应了这段历史。它们是如此的丰富、瑰丽、饱满和激越，如此的斑驳陆离色彩纷呈。它们是心史，是一次不曾间歇的歌哭相随——过人的敏感，欣悦和忧郁，惊愕与绝望，大喜过望以及突如其来的沮丧，肤浅的赞许和陡峭的情感——这一切情愫一切境遇的全面记录和生动描摹。

张　炜

2013 年春

卷首语

中原农民出版社出版《中国乡土小说名作大系》，是当今文化界一个大事件。

中国现代文学过去多少年取得的成就主要是乡土小说。

现在我们国家的改革进入到了城乡一体化阶段，农民进城，小城镇的人到县上，县上的人到省城，省城的人到北京上海等大城市，中国社会已是迁徙的社会。我估计将来再过一两代人，乡土小说类型慢慢就要消退了，肯定不会再成为中国文学的主流了。但是，消亡我觉得是不可能的，因为大量的农村还在，更重要的是中国农村文明的思维还在，只要土地在，思维在，农耕的思维观念在，不管在哪儿，就是你在美国，到月球上去，你还是中国的，中国式的，写中国人的文学就不会消失，因此乡土小说也不会真的消失。

在中国，你想真正了解这个社会，获得一些更深层的东西，就去看一看乡土小说。乡土小说就好像馆藏一样，那里有丰富的宝藏。现在它已经不出现在街头了，就像庙堂或者说茶室一样，有闲时可以去坐一坐，静一静，慢慢品味它。

贾平凹

2014 年春

前　言

中国是一个乡土性很强的大国，诚如社会学家费孝通所说，中国是一个“乡土中国”。

乡土，几乎是每个中国人的精神家园。

在新时期文学中，乡土文学堪称最敏感的文化神经。新时期当代文化思潮的演进变化，许多是从乡土小说中透露出重要信息的。应该说，从中国乡土小说中可以读懂当代中国。

农民在我国的文学中，历来处于一个突出而显赫的地位。农民的社会地位不高，而文学地位不低。这是由中国作家的乡土情结、生活阅历、审美情趣及价值取向所决定的。在文学对民族文化心理的反思中，农民作为民族文化心理的主要载体，自然成为小说家关注和表现的对象，故乡土小说天然地在新时期小说中，有着举足轻重的地位。

改革开放的三十多年，这是一个伟大的时代，一个中国前所未有的大变革时代。农村生活的改变，农民心气的勃发，新一代农民在精神、意识、思想上的吐故纳新，新与旧在现实生活中的冲突与较量，以及对于腐败现实的理性批判，随后成为乡土小说在一个时期里反复吟唱的主旋律。作家成了这个时期乡村广大农民理想的抒发者和愿景诉求的代言人。农民在内心理想的感召下奋发向前，作家与之击鼓前行。

改革开放以来的文学，我们称之为新时期文学。新时期文学有三个相互联系的阶段：“伤痕文学”、“反思文学”和“改革文学”。许多作品系统地反映了农村农民生活命运的变化，社会的深层变革，抒写了自己的社会理想。有些作家把思想的锋芒指向乡土文化与农耕文明，以自己的眼光与理性来发现和表现乡土中国的浑重、复杂与嬗变。当然，也有不少作家在作品中多有对自身命运的描述和情感宣泻。

新时期文学初期，印象深、乡土味儿较浓的有何士光的短篇小说《乡场上》，高晓生的《陈奂生上城》《李顺大造屋》，张炜的《一潭清水》，贾平凹的《黑氏》，铁凝的《哦，香雪》，邵振国的《麦客》，张石山的《镢柄韩宝山》，王润滋的《内当家》，史铁生的《我的遥远的清平湾》，田中禾的《五月》，乔典运的《满票》等。中篇小说有郑义的《老井》，路遥的《人生》，张贤亮的《绿化树》，张一弓的《犯人李铜钟的故事》，叶蔚林的《在没航标的河流上》，莫言的《红高粱》，张炜的《秋天的愤怒》，映泉的《桃花湾的娘儿们》，王安忆的《小鲍庄》等等。

新时期文学的早期，是一个激动人心的时期，是一个重建希望的时代，人的内心如同枯木逢春，激情被时代精神所鼓舞并迅速地再度燃烧起来。人们在思想解放运动的昭示下又一次看到了未来的希望，并热情地期许这一切尽快变成现实。深怀理想主义文化信念的作家，无论用什么样的创作方法，骨子里都潜伏着浓重的浪漫主义基因，时代气氛使这浪漫潜滋暗长。那个时代的作家极少悲观，历经再多的苦难也不能告别乐观。作家几乎对未来用承诺的方式描绘着生活，读者的期待使写出好作品的作家一夜成名，自发阅读小说的人超过以往任何时代。人们最大的自由就是对美好的向往，人们在想象的话语中得到满足。

时间在飞驰，中国的变革在加深、加快。二十世纪九十年代引发的经济热潮、商业大潮席卷而来，文学受到很大冲击，一些作家纷纷下海弃文经商，文学创作受到了影响。然而乡土小说的创作，因与政治思潮、商品大潮都有一定程度的疏离，也由于作家的坚守，似乎并没有出现中断或萎缩的情形，无论是中、短篇小说还是长篇小说，都在坚守中有所拓展，且成就了乡土小说创作的特有景观，其作家创作形成了楚文化群落、吴越文化群落、齐鲁文化群落、燕赵文化群落、秦晋文化群落、中原文化群落、东北文化群落、巴蜀滇黔文化群落等，乡土小说内容丰富，五彩斑斓。

九十年代的乡土小说不再是单色的，而是多色的，很耐人寻味。如陈源斌的《万家诉讼》，李佩甫的《无边无际的早晨》，关仁山的《九月还乡》，余华的《活着》，迟子建的《雾月牛栏》，张宇的《乡村情感》，韩少功的《马桥人物》，杨争光的《公羊串门》，赵德发的《通腿儿》等等。

这一时期的长篇小说数量不太多，但质量很高，作家开始向家族、人生命运深处思考，审察人性、反思历史、反观传统，因此作品更显得有分量。长篇小说取得了重大成就。先有张炜的《古船》初现端倪，继有陈忠实的《白鹿原》，莫言的《丰乳肥臀》，阿来的《尘埃落定》的联袂冲刺，掀起长篇小说创作的第二个新高潮，是继八十年代古华的《芙蓉镇》，路遥的《平凡的世界》，贾平凹的《浮躁》之后第二个创作高峰。

新世纪阶段比之于前二十年文学文化领域，因面临着商业文化、传媒文化与信息科技的多重冲击，更由于人们价值观的变化，乡土小说读者的减少，作家浪漫情怀的式微，总体来说乡土小说创作出现了下滑和萎缩的趋势。然而，乡土小说并未到这部乐曲的尾声，不少乡土作家还在这片“土地”上耕耘，他们的笔墨自由而灵动，多元的叙事与多元化的观念已出现，令人感到振奋的是长篇小说的进一步繁荣，乡土长篇小说的创作出现了新的景观。贾平凹的《秦腔》，蒋子龙的《农民帝国》，孙慧芬的《歇马山庄》，铁凝的《笨花》，张炜的《你在高原》，刘震云的《一句顶一万句》，莫言的《蛙》等，其中有的作品的水平，已达到乡土长篇小说的新高。这是由于一些乡土小说作家一直在创作的深刻思考之中，他们甘于寂寞，其思考已抵达生活、社会、历史、人生甚至哲学的深处。

中国乡土小说可以说是新时期文学的精华与支撑，几乎所有的小说名篇都与“乡土”血脉相连，这不但有广泛的共识，也是不争的事实，它们占据了文学、文化、出版价值的制高点。

它是我们这个时代特有的文学形态，具有深厚的人文价值，就中国乡土小说而言，可以说达到了中国文学史上“前无古人”的思想和艺术高度，而且由于我们社会的深度变革，农耕文明的逐渐瓦解，这种形式的文学必将终结，因此可以说，它不仅是空前的，也是绝后的，它的辉煌如同唐诗宋词在中国文学史上的辉煌一样。

乡土小说植根于中华民族精神深处汲取营养，又表现并滋润着民族精神和意识，形成了新时期的文化景观。它不但被中国有识之士充分肯定和赞许，同时也被世界看重。“越是民族的，越是世界的”，莫言获诺贝尔文学奖，就是一个有力的证明。

多年来，从鲁迅到沈从文，中国作家无不有着共同的诺贝尔文学梦，可是直到去年，莫言才为中国作家实现了这个梦想。我认为，莫言获诺贝尔奖，不是他一个人的胜利，而是一大群中国乡土小说作家的胜利。这片热土，造就了这一批作家；这个时代的气候，滋润了这一批作家的成长。如张炜、贾平凹、陈忠实等一批作家，其文学创作的实绩和水平，也大都进入了这个层面。我们为中国乡土作家的成功而鼓掌，为中国乡土小说的辉煌而欢呼。

这是一套乡土小说的精选本，我们这套书重在推出改革开放35年(1977—2012)来中国乡土小说的精华部分，它们绝大部分是获奖名篇或被小说选刊选载、被评论家和广大读者所关注、极具影响力的作品。这些作品是时代的一面镜子，较深刻地反映了一个时期的社会现实。

本套书重时代感，所选作品的排序按照原作初次发表的时间先后顺延。选篇首重乡土气息、时代精神和文学价值，以作品品质为标杆(作家名气、地位作第二位考虑)以期展示35年中国农村变革、农民精神嬗变的文明进程，使内涵巨大的乡土小说所构成的文字画卷，具有以文学纪录时代史诗般的价值。

虽然过去也有一两家出版社出版过一些乡土小说选集版本，但大多是以作家为标杆选择篇目，规模小，不全面；而这套书以整个大改革时代为着眼点，登高望远，选篇宏观铺陈，将散失于长达35年间奇珍般的乡土小说，用一根乡土彩线串系在一起，这是对乡土小说的寻找与抢救，也是在打造我们中国人共同的心灵家园。

由于书的印张所限，有不少影响大、水平高的乡土小说未能选入，对此我们深感遗憾。我们希望这套书的出版，不但能让热爱乡土小说的读者喜欢，而且能让更多的农民兄弟读到。让农民了解农民，了解农村的变化，关心自身命运，关心社会变革，这是我们的初衷。

郑电波

2013年初春

目　录

歇马山庄的两个女人——孙惠芬 001
松鸦为什么鸣叫——陈应松 036
遥远的温泉——阿　来 075
讲案——阙迪伟 122
地气——葛水平 164
乡事——刘学林 193
牌坊村——夏天敏 224
土炕和野草——胡学文 250
七月黄——陈中华 279
我们的成长——罗伟章 317

歇马山庄的两个女人

孙惠芬

李平结婚这天，潘桃远远地站在自家门外看光景。潘桃穿着乳白色羽绒大衣，脸上带着浅浅的笑。潘桃也是歇马山庄新媳妇，昨天才从城里旅行结婚回来。潘桃最不喜欢结婚大操大办，穿着大红大紫的衣服，身前身后被人围着，好像展览自己。关键是，潘桃不喜欢火爆，什么事情搞到最火爆，就意味已经到了顶峰，而结婚，只不过是女孩子人生道路上的一个转折，哪里是什么顶峰？再说，有顶峰就有低谷，多少乡下女孩子，结婚那天又吹又打披红挂绿，俨然是个公主、皇后、贵妇人，可是没几天，不等身上的衣服和脸上的胭脂褪了色，就水落石出地过起穷日子。潘桃绝不想在一时的火爆过去之后，用她的一生，来走她心情的下坡路。于是，她为自己主张了一个简单的婚礼，跟新夫玉柱到城里旅行了一趟。城就是玉柱当民工盖楼的那个城，不小也不算大，他们在一个小巷里的招待所住了两晚，玉柱请她吃了一顿肯德基、一顿米饭炒菜，剩下的，就是随便什么旮旯小馆，一人一碗葱花面。他们没有穿红挂绿，穿的，是潘桃在镇子上早就买好的运动装，两套素色的白，外边罩着羽绒服。他们朴素得不能再朴素，平常得不能再平常，然而越平常，越朴素，越不让人们看出他们是新婚，他们的快乐就越是浓烈。他们白天坐电车逛商场只顾买东西，像两个小贩子，回到招待所，可就大不一样。他们晚上回来，犹如两只制造了隐私的小兽，先是对看，然后大笑，然后就床上床下毫无顾忌地疯。事实证明，幸福是不能分享的，你的幸福被别人分享多少，你的幸福就少了多少。这是一道极简单的减法算式，多少大操大办的人家，一场婚事下来，无不叫喊打死再也不要办了，简直不是结婚，是发昏。可是在歇马山庄，没有谁能逃脱这样的宿命。潘桃这看似朴素的婚礼，其实是一种精心的选择，是对宿命的抗拒。潘桃的朴素里，包含了真正的高雅。潘桃的朴素里，其实一点儿都不朴素，是另外一种张扬。它真正张扬了潘桃心中的自己。有了这样巨大的幸福，有了这样巨大的与众不同，从城里回来，潘桃与以前判若两人，见人早早打招呼说话，再也不似从前那样傲慢。不但如此，今天一早，村东头于成子家的鼓乐还没响起，潘桃就走出屋子，随婆婆一道，站在院外墙边，远远地朝东街看着。

同是看光景，潘桃的看和婆婆的看显然很不一样。潘桃尽管在笑，但她的看是居高临下的，或者说，是因为有了居高临下的态度，她才露出浅浅的笑。她笑里的目光，是审视，是拒绝与光景中的情景沟通与共鸣的审视，好像在说，看吧，看能热闹到什么程度！也好像在说，看呗，不就是热闹吗？婆婆的看却是投入的，是极尽所能去感受、去贴近那热闹的。她先是站在院外墙边，当鼓乐通过长长的街脖传过来，就三步并成两步窜到大街对面的菜地里。婆婆张着嘴，目光里的游丝是顺着地垄和街脖爬过去的，充满了眼气和羡慕。歇马山庄多年来一直时兴豆子宴，潘桃的婆婆为儿子结婚攒了多少年的豆子，小豆、黄豆、绿豆、花生豆，偏厦里装豆的袋子烂了一茬又一茬，陈换新新压陈，豆子里的虫子都等绿了眼睛，可是，就在临近结婚半个月的时候，潘桃亲自上门宣布旅行结婚的计划。大妈，俺想旅行结婚。潘桃语气十分柔和，眼里的笑躲在两湾清澈的水里，羞怯中闪着小心翼翼的波光。可是在婆婆看来，潘桃清澈的眼睛里躲的可不是笑，而是彻头彻尾的严肃；羞怯里闪动的，也不是小心翼翼，而是理直气壮的命令。因为潘桃说完这句话，立即又跟上一句“玉柱也同意旅行结婚”。婆婆的眼睛于是也像豆子里的虫子，绿了起来。潘桃婆婆嫁到歇马山庄，真就没憷过谁，她当然不会憷潘桃，但是她还是没有说出自己的想法。她淡淡地说，玉柱同意旅行那就旅行吧。

其实潘桃婆婆最了解自己，她憷的从来都不是别人，而是自己，是自己在儿子面前的无骨。她流产三次保住了一个儿子，打月子里开始，儿子的要求在她那里就高于一切。儿子打喷嚏她就头痛，儿子三岁时指着大人脚上的皮鞋喊要，她就爬山越岭上县城买，儿子十六岁那年，书念得好好的，有一天放学回来，把家里装衣服的木箱拆了，说要学木匠，她居然会把另一只木箱也搬出来让他拆。村里人说，这是命数，是女人前世欠了别人的，这世要她在儿子身上还。潘桃从她最无骨的地方下刀子，疼是阵疼，空虚却是持久的。儿子带儿媳出去旅行那几天，看着空落寂寞的院落，她空虚得差点儿变成一只空壳飘起来。别人家的热闹当然不是自己家的热闹，但潘桃婆婆还是像看戏一样，投入了真的感情，只要投入了真的感情，将戏里的事想成自家的事，照样会得到意外的满足。

李平是十点一刻才来到歇马山庄屯街上的。这时候人们并不知道她叫李平，大家只喊成子媳妇。来啦，成子媳妇来啦。男人女人，在街的两侧一溜两行。冬天是歇马山庄人口最全的时候，也是山庄里最空闲的时候，民工们全都从外边回来了。男人回来了，女人和孩子就格外活跃，人群里不时爆出一声喊叫。红轿子在凹凸不平的乡道上徐徐地爬，像一只瓢虫，轿子后边是一辆黄海大客，车体黄一道白一道仿佛柞树上的豆虫，黄海大客车后边，便是一辆敞篷车，一个穿着夹克的小伙子扛着录像机正瞄准黄海大客车的屁股。成子家在屯子东头，女方车来必经长长的屯街，这一来，一场婚礼的展示就从屯西头开始了。人们纷纷将目光从鼓乐响起的东头拉回来，朝西边的车队看去。人们回转头，是怕轿车从自己眼皮底下稍纵即逝，可万万没想到，领头的红轿车爬着爬着，爬到潘桃家门口时，会停下来。红轿车停下，黄海大客车也停下，唯敞篷车不停，敞篷车拉着录像师，越过大客车越过红轿车开到最前边。敞篷车开到前边，录像师从车上跳下来，调好镜头，朝轿车走去。这时，只见轿车门打开，一对新人分别从两侧走下，又慢慢地走到车前，挽手走来。山庄人再孤陋寡闻，也是见过有录像的婚礼，可是他们确实没有见过刚入街口就下车录像的，关键这是大冬天，空气凛冽得一哈气就能结冰，成子媳妇居然穿着一件单薄的大红婚纱，成子媳妇的脖子居然露着白白的颈窝。人们震惊之余，一阵唏嘘，唏嘘之余，不免也大饱了一次眼福。

坐轿车、录像、披婚纱，这一切，在潘桃那里，都是预料之中的，最让潘桃想不到的是车竟然在她家门口停了下来。车停下也不要紧，成子媳妇竟然离家门口那么远就下了车。因为出其不意，潘桃的居高临下受到冲击，她本是一个旁观者，站在河的彼岸，观看旋涡里飞溅的泡沫、拍岸的浪花，那泡沫和浪花跟她实在是毫无关系，可是，她怎么也不能想到，转眼之间，她竟站在了旋涡之中，泡沫和浪花真的就湿了她的眼和脸。距离改变了潘桃对一桩婚事的态度，不设防的拉近使潘桃一时迷失了早上以来所拥有的姿态。她脸上的笑散去了，随之而来的是不知所措，是心口一阵慌跳。慌乱中，潘桃闻到冰冷的空气中飘然而来的一股清香，接着，她看到了一点儿也没有乡村模样的成子媳妇。一个精心修饰和打扮的新娘怎么看都是漂亮的，可是成子媳妇眼神和表情所传达的气息，绝不是漂亮所能概括，她太洋气了，太城市化了，她简直就是电影里的空姐。她的目光相当专注，好像前边有磁石的吸引，她的腰身相当挺拔，好像河岸雨后的白杨。她其实真的算不上漂亮，眼睛不大，嘴唇略微翻翘，可是潘桃被深深震撼了，刺疼了，潘桃听到自己耳朵里有什么东西响了一下，接着，身体里某个部位开始隐隐作疼，再接着，她的眼睛迷茫了，她的眼睛里闪出了五六个太阳。

潘桃和成子媳妇的友谊，就是从那些太阳的光芒里开始的。

一

同样都是新媳妇，潘桃结婚，人们还叫她潘桃，潘桃从歇马山庄嫁到歇马山庄，人们不习惯改变叫法。成子媳妇却不同，她从另一个县的另一个村嫁过来，人们不知她的名字，就顺理成章叫她成子媳妇。至于成子媳妇结婚那天到底有多风光，潘桃只看那么一眼，就能大约有所领会。那一天鼓乐声在村头没日没夜地震响，村里所有男女老少都跟了过去。一些跟成子家没有人情来往的人家，为了追求现场感，都随了礼钱,潘桃婆婆现跑回家翻箱底儿。她的儿子没操没办没收礼,她是可以理直气壮不上礼的,豆子霉在仓里本就蚀了本,再搭上人情,那是亏上加亏。可是,成子和成子媳妇在街上那么一走,鼓乐声那么大张旗鼓一闹腾,不由得不叫人忘我。那一天东头成子家究竟热闹到什么程度,成子媳妇究竟风光到什么程度,潘桃一点儿都不想知道。她其实心里已经很想知道,她只是不想从别人嘴里往深处知道。她本是可以往深处知道的,一早站在院墙外等待,就是抱定这样一个姿态,谁知看那一眼使事情的性质发生了变化。可是潘桃越不想知道,她的忘我参与过的婆婆越是要讲,呀,那成子媳妇,那么好看,还温顺听话,叫她吃葱就吃葱,叫她点烟就点烟。婆婆话里的暗弦,潘桃听得懂,是说她潘桃太各色太不入流太傲气。潘桃的脸一下子就紫了,从家里躲出来。可是刚到街上,邻居广大婶就喊,去看了吗潘桃?那才叫俊,画上下来似的,关键是人家那个懂事儿。潘桃的脸一下子就白了,又不能马上调头,只有嗯呵地听下去。就这样,那一天成子的热闹,成子媳妇的风光,在潘桃心中不可抗拒地拼起这样一幅图景:成子媳妇,外表很现代,性格却很传统,外表很城市,性格却很乡村,一个彻头彻尾的两面派!

别人的好心情有时会坏掉自己的好心情,这一点人生经验潘桃没有,一个与自己毫不相干的别人的婚礼,一次性地坏掉了潘桃新婚之后的心情,潘桃猝不及防。以往的潘桃,在歇马山庄可是太受宠了,简直被人们宠坏了。潘桃的受宠有历史的渊源,是她母亲打下的基础。她的母亲曾是歇马山庄的大嫂队长,一个有名的美人儿。一般的情况下,女人的好看,是要通过男人来歌颂的,男人们不一定说,但男人走到你面前就拿不动腿,像蜜蜂围着花蕊。潘桃母亲既吸引男人又吸引女人。潘桃的母亲被女人喜欢,其原因是她那双眼睛。她的眼睛温和安静、清澈。她的眼睛看男人,静止的深潭一样没有波光,没有媚气,让男人感到舒适又生不出非分之想。她的眼睛看女人,却像一泓溪流直往你心窝里去,让女人停不上几分钟,就想把心窝里的话都掏出来。潘桃母亲当了十几年大嫂队长,女人心中的委屈、苦难听了几火车,极少有谁家女人没向她掏心窝子,男女间的口风却从没有过,这是多么难能可贵的事情啊!女人们说,是人家嫁了好男人,人家男人在镇子上当工人,有技术又待她好,她当然安心。自以为懂一些男女之事的男人却说,怪不得男人,风流女人嫁再好的男人该守不住照样守不住,这是人家祖上的德行。潘桃三四岁时,母亲领到街上,就有人上来套近乎,说俺儿比桃大一岁,男大一,黄金起。也有的说,俺儿比桃小三岁,女大三,抱金砖。潘桃小时看不出有多么漂亮,但却比母亲幸运,母亲用多少年的实际行动换来了大家的宠爱,而她,头上刚长满细软的头发,就吸来了那么多父母的目光。潘桃六七岁时,能在街上跑动,动辄就被人揽到怀里,潘桃十几岁时,上到初中,身边男孩一群一群地围。十几岁的潘桃招人喜欢已经不是依靠母亲的光环,潘桃到十几岁时已经出落得相当漂亮,走到哪里,像一朵云一样,早上的日光照去,是金色的;正午的日光照去,是银色的;晚上的日光照去,是红色的。

潘桃走到哪里，都能听到啧啧的赞美声。那些赞美声是怎样误了她的学业还得另论，总之被宠的潘桃自认为自己是歇马山庄最优秀的女子是有道理的。

女人的心里装着多少东西，男人永远无法知道。潘桃结了婚，可以算得上一个女人了，可潘桃成为真正的女人，其实是从成子媳妇从门口走过的那一刻开始的。那一刻，她懂得了什么叫嫉妒，还懂得了什么叫复杂的情绪。情绪这个尤物说来非常奇怪，它在一些时候，有着金属一样的分量，砸着你会叫你心口钝疼；而另一些时候，却有着烟雾一样的质地，它缭绕你，会叫你心口郁闷；还有一些时候，它飞走了，它不知怎么就飞得无影无踪了。从腊月初八到腊月二十三，整整半个月，潘桃都在这三种情绪中往返徘徊。某一时刻，心口疼了，她知道又有人在议论成子媳妇了，常常，不是耳朵通知她的知觉，而是知觉通知她的耳朵，也就是说，议论和她的心疼是同时开始的。某一时刻，烟雾绕心口一圈圈围上来，叫你闷得透不过气，须长吁一口，她知道她的目光正对着街东成子家了。潘桃后来极少出门，潘桃不出门，也不让玉柱出门，因为只有玉柱在家，她的婆婆才不会喋喋不休地讲成子媳妇。玉柱一天天守着潘桃，玉柱把潘桃的挽留理解成小两口间的爱情。事实上，小两口的爱情确实甜蜜无比，潘桃只有在这个时候，整个人才轻盈起来，放松起来。过了小年，玉柱身前身后绕着，潘桃都快把那个叫作情绪的东西忘了，可情绪这东西要多微妙有多微妙，就在玉柱被潘桃缠得水深火热的夜里，那莫名的东西从炕席缝钻了出来。当时玉柱正用粗糙的手抚着潘桃细腻的小脸亲吻，亲着亲着，自言自语道，要不是旅行结婚，真的不会发现你是那么疯的一人，看在城里那几天把你疯的。潘桃突然僵在那里，眼盯住天棚不动了。她不知道那个东西怎么又来了，它好像是借着“旅行”这个字眼来的，它好像一场电影的开头，字幕一过，眼前便浮现了一段洁白的颈窝，一身大红婚纱，耳边便响起了欢乐的鼓乐声，婆婆尖锐的话语声：看人家，叫吃葱就吃葱。潘桃的眼窝一阵阵红了，一种说不出的委屈，像被冲击的饭渣一样泛上来，潘桃把脸转到玉柱肩头，任玉柱怎么推搡追问，就是不说话。

一场婚礼成了潘桃的一块心病，这一点成子媳妇毫无所知。结婚第二天，成子媳妇就换了一身红软缎对襟棉袄下地干活了。成子媳妇没有婆婆，成子的母亲去年八月患脑溢血死在山上，刚过门的新媳妇便成了家庭里的第一女主人。成子媳妇早上六点就爬起来，她已经累了好几天了。前天，娘家为她操办了一通，她人前人后忙着，昨天，演员演戏一样绷紧神经，挺了一整天，夜里，又碎掉了似的被成子揉在骨缝里。但新人就是新人，新人跟旧人的不同在于，新人有着脱胎换骨的经历，新人是怎么累都累不垮的，反而越累越精神。成子媳妇脸蛋红红的，立领棉袄更兀现了她的几分挺拔。她烧了满满一锅水，清洗院子里沾满油污的碗和盆。院子里一片狼藉的静，偶尔，公公和成子往院外抬木头，弄出一点声响，也是唯一的声响。这是可想而知的局面，宴席散去，热闹走远，真实的日子便大海落潮一样水落石出。作为这海滩上的拾贝者，成子媳妇有着充分的精神准备。她早知道，日子是有它的本来面目的，正因为她知道日子有它的本来面目，才有意制造了昨天的隆重和热闹，让自己真正飘了一次，仙了一次。一个乡下女人的道路，确实是过了这个村就没有这个店了，告别了这个日子，你是要多沉就多沉，你会结结实实夯进现实的泥坑里。这是成子媳妇和潘桃的不同。潘桃怕空前绝后，成子媳妇就是要空前绝后，因为成子媳妇了解到，你即使做不到空前，也肯定是绝后的。成子媳妇过于现实过于老到了。成子媳妇之所以这么现实老到，是因为她曾经不现实过。那时她只有十九岁，那时她也是村子里屈指可数的漂亮女孩，她怀着满脑子的梦想离家来到城里，她穿着紧身小衫，穿着牛仔裤，把自己打扮得很酷，以为这么一打扮自己就是城里的一分子了。她先是在一家拉面馆打工，不久又应聘到一家酒店当服务小姐。因为她一直也不肯陪酒又陪睡，她被开除了好几家。后来在一家叫作悦来春的酒店里，她结识了这个酒店的老板，他们很快就相爱了。她迅速地把自己苦守了一个季节的青春交给了他。他们的相爱有着怎样虚假的成分，她当时无法知道，她只是迅速地坠入情网。半年之后，当她哭着闹着要他娶她，他才把他的老婆推到前台。他的老婆当着十几个服务员的面，撕开了她的衣服，把她推进要多肮脏有多肮脏的万丈深渊。从污水坑里爬出来，她弄清了一样东西，城里男人不喜欢真情，城里男人没有真情。你要有真情，你就把它留好，留给和自己有着共同出身的乡下男人。用假情赚钱的日子是从做起又一家酒店的领班开始的，用假情赚钱的日子也就是她寻找真情的开始。没事的时候，她换一身朴素的衣服，到酒店后边的工地转。那里面机声隆隆，那里全是她熟悉又亲切的乡村的面孔，可是，就像她当初不知道她的迅速坠入情网是自己守得太累有意放纵自己一样，她也不知道她的出卖假情会使她整个人也变得虚假不真实。她在工地上、大街上，转了两年多，终究没有一个民工敢于走近她。那些民工看见她，嬉皮笑脸地讥讽她、挑逗她，小姐，五角钱，玩不玩？与成子相识，就是这样一次遭到挑衅的早上。她从一帮正蹲在草坪上吃早饭的民工前走过，一个民工喝一口稀粥，向天上一喷，嗷的一声，小姐，过来，让俺亲一下。她没有回头，可是不大一会儿，只听后边有人厮打起来，一个声音像摔碎了瓦片似的，粗裂地震着她的后背——她是谁她是俺妹，你要戏俺妹就是不行。一行热泪蓦地流出了她的眼窝。与成子的相识是她的大德，他人好，会电工手艺，是工地上的技术人员。为了她的大德，她辞掉领班，回到最初打工的那家拉面馆；为了她的大德，她在心里为自己准备了一场隆重的婚礼，她要用她挣来的所有不干净的钱，结束那场城市繁华梦——那哪里是梦，那就是一场十足的祸难！

一场热闹的婚宴既是结束又是开始，结束的是一个叫着李平的女子的过去，开始的是一个叫着成子媳妇的未来。腊月的日子，小北风在草垛间穿行，掀动了带有白霜的草叶，空气里到处弥漫着冻土的味道，田野、屯街，空空荡荡。腊月的日子，无论怎么说都更像结束而不像开始。但是，你只要看看成子家门楣上的双喜字，门口石柱上的大红对联，看看成子媳妇脸颊上的光亮，你就知道许多开始跟季节无关，许多开始是隐藏在一张红纸和门板之间的，是隐藏在一个人的内心深处的。成子媳妇在结婚之后的第一个上午，脸颊上的光亮是从毛孔的深处透出来的，心里的想法是通过指尖的滑动流出来的。她洗碗刷锅，家里家外彻底清扫了一遍，她的动作麻利又干净，一招一式都那么迅捷。因为不了解歇马山庄邻里乡亲们的情况，她没有参与公公和成子还桌还盆的事，到了正午，她在锅里热好剩菜剩饭，门槛里一手扶着门框，响脆的声音飘出屋檐，爸——成子——吃饭啦——女主人的派头已经相当的足了。

就像一只小鸟落进一个陌生的树林，这里的一草一木，成子媳妇都得从头开始熟悉，萝卜窖的出口，干草垛的岔口，磨米房的地点，温泉的地方。因为出了腊月就是正月，出了正月就是民工们离家出走的日子，成子媳妇不想忽视每顿饭的质量，包饺子、蒸豆包、蒸年糕、炸豆腐泡。成子媳妇尤其不想忽视每一个同成子在一起的夜晚，腿、胳膊、脖子、后背、嘴唇、颈窝、胸脯，组合了一架颤动的琴弦，即使成子不弹，也会自动发出声音。它们忽高忽低，它们时而清脆悦耳，时而又沙哑苍劲。当然成子是从不放过机会的。她的光滑，她的火热，她的善解人意，都没法不让他全身心地投入，彻头彻尾地投入，寸草寸金地投入。被一个人真心实意地爱着的感觉是多么幸福！在这巨大的幸福中，成子媳妇对时光的流逝十分敏感，每一夜的结束都让她伤感，似乎每一夜的结束对她都是一次告别。到了腊月二十八，年近在眼前，成子媳妇竟紧张得神经过敏，好像年一过，日子就会飞起来，成子就会飞走。于是大白天的，就让成子抱她亲她，成子是个粗人，也是一个不很开放的人，不想把晚上的事做到白天，就往旁边推她，这一推，让成子媳妇重温了从前的伤痛，她趴到炕上，突然就哭了起来。她哭得肝肠寸断，一抽一抽的，仿佛受了天大的委屈。成子像傻子一样站在那里，之后趴下去用力扳住她的肩膀，一句句地追问到底怎么啦，可越问成子媳妇越哭得厉害，到后来，都快哭成了泪人。

二

日子过到年这一节，确实像打开了一只装着蝴蝶的盒子，扑棱棱的就飞走了。子夜一过，又一年的时光就开始了，而正月初一刚刚站定，不觉之间，准备送年的饺子馅又迫在眉睫。接着是初六放水洗衣服，是初七天老爷管小孩的日子又要吃饺子，是初九天老爷管老人的日子要吃长寿面，是初十管一年的收成要吃八种豆的饭，当那面乎乎的绿豆黄豆花生豆吃进嘴里，元宵节的灯笼早就晃悠悠挂在眼前了。被各种名目排满的日子就是过得快，这情形就像火车在山谷里穿行，只有有村庄树木、河流什么的参照物，你才会真切地感受到速度，而一下落入一马平川的荒野，车再快也如静止一般。在这疾速如飞的时光里，潘桃没有像成子媳妇那样，一进婆家门就忘我地干活。潘桃旅行结婚，潘桃的婚事没有大操大办，没有大操大办的婚礼如同房与房之间没有墙壁没有门槛，你家也是我家。仪式怎么说都是必要的，穿着一身素色衣服从城里回来的潘桃，一点儿都不觉得跟从前有什么两样，不觉得自己从此就是人家的媳妇，就是人家的人了。一早醒来睁开眼睛，身边出现的是玉柱，是公婆而不是爹妈，反而让她感到委屈，更懒得做活。当然，潘桃不能死心塌地投入刘家日子的重要原因还在她的婆婆身上，她的婆婆对她太客气了，一脸的谦卑。只要潘桃在堂屋出现，她就慌得不知该做什么，对着潘桃的脸儿傻笑，好像潘桃是她的婆婆；要是潘桃想去刷碗，人还没到就会被她连推带拽推回屋里，这让潘桃一直就觉得自己是一个局外人。在这疾速如飞的时光里，潘桃一点点从一种莫名的阴影中跋涉出来，虽然不时地，还能从婆婆嘴里、邻居嘴里、娘家母亲嘴里，听到一些有关成子媳妇的袅袅余音，但她已经不能真切地感受那到底是一种什么东西了。感觉这东西，是会被时间隔膜的，感觉这东西，也会在时间的流动中长出一层青苔。有时，潘桃会不由自主地想，当初那是怎么了呢？怎么会被俗不可耐的大操大办搞坏了心情？再怎么讲，旅行结婚也是与众不同的，自己要的，难道不是与众不同吗?！潘桃隔膜了最初的感觉，也就不太忌讳人们怎么谈论成子媳妇了。当然人们在谈论成子媳妇时，总不免要捎上她：桃，你怎么不能大张旗鼓办一下，让我们看看光景？你就顾自个儿上城看光景，那里就是好吗？潘桃不会讲为什么不办，也不会讲城里光景好不好，那一切都是自己的事，自己的事要不得别人掺和。但在这疾速如飞的时光里，有一个东西，有一个看不见摸不着的东西，却一直在她身边左右晃动，它不是影子，影子只跟在人的后边，它也没有形状，见不出方圆，它在歇马山庄的屯街上，在屯街四周的空气里，你定睛看时，它不存在，你不理它，它又无所不在；它跟着你，亦步亦趋，它伴随你，不但不会破坏你的心情，反而叫你精神抖擞神清气爽，叫你无一刻不注意自己的神情、步态、打扮；它与成子媳妇有着很大的关系，却又只属于潘桃自己的事，它到底是什么？

潘桃搞不懂也不想搞懂，潘桃只知道无怨无悔地携带着它，拜年、回娘家、上温泉洗衣服。潘桃再也不穿旅行结婚时穿的那套休闲装了，对于休闲的欣赏是需要品位的，乡下人没有那个品位。潘桃换了一套大红羊毛套裙，外面罩上一件红呢大衣，脚上是高腰皮靴。她走起路来脚步平推，不管路有多么不平，都要一挺一挺。她见人时，满脸溢笑。潘桃一旦把自己打扮起来，一旦注意起自己的举止，喝彩声便像冬日里的雪片一样飘然而下，好像来了一场强劲的东风，把昔日飘荡在村东成子媳妇家的喝彩一遭刮了过来。潘桃几乎都感到村东头的空荡和寂寞了。

如此一来，原来是潘桃自己都没有搞清楚的想法，被人们口头表达了出来：你说是成子媳妇好看，还是潘桃好看？当然是潘桃，那成子媳妇要是不化妆，根本比不上咱村的潘桃。你说是成子媳妇洋气还是潘桃洋气？怎么说呢，早先真没觉得潘桃洋气，就是个俊，谁知这结了婚，那么有板有眼打扮起来，还真的像个城里人。人们把这些比较当着潘桃说出来，是怎样满足着潘桃失落已久的心情呵！潘桃脸上的笑毫无拘束地向四处溢开。潘桃不谦虚，不否定，也不张扬，该干什么干着什么，一如既往。但是人们在这句话后面，往往还跟着另一句话：这两个新媳妇，还比上了。这样的话，就没有前边的话含蓄，也没有前边的话中听，好像一只扒苞米的锥子，一下子就穿透本质。潘桃在心里说，谁比了，分明是你们大家比的嘛，俺自从大街上看过她一眼就再没见过面，她长什么样都记不得了，俺凭什么跟她比，但是嘴上没说。

不管在心里怎么跟别人犟，潘桃还是不得不承认，成子媳妇，已经驱之不去地深入了她的内心，深入了她的生活。她最初还是隐蔽的、神秘地绕在她的身边，后来，她被人们揭破，请了出来。她一旦被人们揭破，请了出来，又反过来不厌其烦地警醒着潘桃——她在跟成子媳妇比着。这是一个剪不断理还乱的事实，也是一个不容置疑的事实，许多时候，走在大街上，或上温泉洗衣服，她都在想，成子媳妇在家干什么呢，成子媳妇会不会也出来洗衣服呢，为什么就一次也见不到她呢？

真正清楚这个事实的，还是农历三月初六这天，这是歇马山庄大部分民工离家的日子。这一天一大早，潘桃就把玉柱闹醒，潘桃掀着被窝，直直地看着玉柱。潘桃看着玉柱，目光里贮存的，不是留恋，也不是伤感，而是一种调皮。潘桃显然觉得分别很好玩，很浪漫，她甚至迅速穿上衣服，一边高跳到地下，一边捉迷藏似的躲着玉柱对她身体的纠缠，一边像一只挑逗老猫的耗子似的叽叽笑着。潘桃真的是过于浪漫了，不知道生活有多么残酷，不知道残酷才是一只隐藏在门缝里的老猫，一旦被它逮住，你是想逃都逃不掉。直到看着玉柱和一帮民工乘的马车消失在山冈，潘桃还是带着笑容的。可是，当她返回身来，推开堂屋的门，回到空荡荡的新房，闻到弥漫其中的玉柱的气息，她一下子就傻了，一下子就受不了了。她好长时间神情恍惚，搞不清楚自己为什么会来到这里，来到这里干什么，搞不清楚自己跟这里有什么关系，剩下的日子还该干什么。潘桃在方寸小屋转着，一会儿揭开柜盖，向里边探头，一会儿又放下柜盖，冲墙壁愣神，潘桃一时间十分迷茫，被谁毁灭了前程的感觉。后来，她偎到炕上，撩起被子捂上脑袋躺了下来。这时，她眼前的黑暗里，出现了一个人，这个人不是离别的玉柱，而是成子媳妇——她在干什么？她也和自己一样吗？

成子媳妇第一次知道潘桃，还是听姑婆婆说起的。成子母亲走了，住在后街岗梁上的成子的姑姑，就隔三岔五过来指导工作。成子奶奶死得早，成子姑姑从小拉扯成子父亲和叔叔们长大，从小就养成了当家做主说了算的习惯，并且敢想敢干，哪里有困难，哪里就有她的身影。出嫁那天，正坐喜床，忽听婆家的老母猪生崽难产，竟忽地就跳下炕，穿过坐席的人群跳进猪圈。后来媒人引客人到新房见新媳妇，就有人在屋外喊，在猪圈里哪。这段故事在歇马山庄新老版本翻过多次，每一次都有所改动,说于淑海结婚那天是跟老母猪在一起过的夜。翻新的版本自然有夸张的成分,但成子的姑姑爱管闲事爱操心确是名副其实。还是在蜜月里,姑婆婆的身影就云彩一样在成子家飘进飘出了。她开始回娘家,并不说什么,手卷在腰间的围裙里,这里站站那里看看。成子媳妇让她坐,她说坐什么坐,家里一摊子活儿呢。可是一摊子活儿,却又不急着走。姑婆婆想拥有婆婆的权威,肯定不像给老母猪生崽那样简单,老母猪生崽有成套的规律,人不行,人千差万别,只有了解了千差万别的人,你才能打开缺口。过了年,也过了蜜月,瞅两个男人不在家的时候,姑婆婆来了。姑婆婆再来,卷在围裙里的手抽了出来,袖在了胯间。姑婆婆进门,根本不看成子媳妇,而是直奔西屋,直奔炕头。姑婆掀开炕上铺的洁白的床单,不脱鞋就上了炕,在炕上坐直坐正后,将两只脚一上一下盘在膝盖处,就冲跟进来的成子媳妇说:成子媳妇你坐,俺有话跟你讲。成子媳妇反倒像个客人似的偎到炕沿,赶忙溢出笑。大姑,你讲。姑婆婆说:俺看了,现在的年轻人不行,太飘!姑婆婆先在主观上否定,成子媳妇连说是是。姑婆婆说,就说那潘桃,结了婚,倒像个姑奶奶,泥里水里下不去,还一天一套衣裳地换,跟个仙女似的,那能过日子吗?姑婆婆从别人身上开刀,成子媳妇又不知道潘桃是谁,便只好不语。姑婆婆又说,当然啦,你和潘桃不一样,俺看了,你过门就换过一套衣裳,还死心塌地地干活儿,不过,光知干活儿不行,得会过日子!什么叫会过日子,得知道节省!节省,也不是就不过了,年还得像年节还得像节,俺是说得有松有紧,不能一马平川地推。姑婆并没有直接指出成子媳妇的问题,但那一层层的推理,那戛然而止的语气,比直接指出还要一针见血,这意味着成子媳妇身上的问题大到不需要点破就可明白的程度。成子媳妇眼睑一点点低下去,看见了落到炕席上的沉默。这沉默突然出现在她和姑婆婆中间,怎么说也是不应该的,眼睑又一点一点抬起来,从中射出的光线直接对准了姑婆婆的眼睛。成子媳妇开始检讨自己了,成子媳妇说,姑姑你说得对,年前年后我天天做这做那的,是有些大手大脚了,我只想到爸和成子过了年又要走,给他们改善改善,就没想到改善也要有时有刻。话里虽有辩解的意思,但目光是柔和的,声调也是柔软的,问题又找得准确,姑婆婆在侄媳妇面前的权威便从此奠定了基础。

节俭,可以说是乡村日子永恒的话题,也是乡村日子的精髓,就像爱情是人生永恒的话题,是人生的精髓一样。姑婆婆由这样的话题打开缺口,一些有关日常生活如何节俭的事便怎么扯也扯不完了。缸里的年糕即使想吃,也不要往桌子上端了,要留到男人离家的时候。打了春,年糕不好搁,必须在缸盖上放一层牛皮纸,纸上面撒一层干苞米面,苞米面吸潮又隔潮。圈里的壳郎猪不用喂粮食,刷锅水上漂一层糠就行,猪不像人,猪小的时候喝浑水也会疯长……耐心而细致的教导如河水一样无孔不入地渗透着成子家的日子。没人知道,成子媳妇吸纳着、接受着这一滴滴水珠的同时,清晰地照见了自己的过去。她十九岁以前在乡下时,满脑子全装着外面的世界，就从没留心母亲怎么过的乡村日子，十九岁之后进了城里，被影子样的理想吊着，不知道节气的变化也不懂得时令的要求，尤其见多了一桌一桌倒掉的饭菜，有时真的就不知自己从哪里来到哪里去，不知道自己是谁了……因为一心一意要操持好这个家，过好小日子，成子媳妇对姑婆婆百般服从百般信赖，开始一程一程用心地检讨自己。成子媳妇想到自己的大操大办，成子原本是不太同意的，只说简单摆几桌，都是她的坚持。于是成子媳妇说，要是没结婚时就跟姑姑这么近，大操大办肯定就不搞了，当时只图一时高兴，只想到一辈子就这么一回，就没想到细水长流。成子媳妇的检讨是由浅入深完全发自内心的，时光的流动在她这里，也同样隔膜了最初的感觉，长出了一层青苔，让她忘记了锣鼓齐鸣张灯结彩送走一个旧李平，划出心目中一个崭新的时代对她有多么重要。然而正是成子媳妇的检讨，使潘桃的名字又一次出现在姑婆婆的话语中。不能这么想啊成子媳妇，这一点儿浪费俺是赞成的，庄稼人平平淡淡一辈子，能赶上几个好时候？有那么一半回吹吹打打，风光一下，也展一展过口子的气象，提一提人的精神。不都讲潘桃吗，她和你一样，也找了咱屯子里的手艺人，人也好看，没过门那会儿，她在咱屯子里呼声最高，可就因为你操办了她没操办，你一顿家伙就把她比下去了，灰溜溜的。听说你结婚那天从她家门口走过，看你一眼，笑都不自在了。咱倒不是为了跟谁比好看不好看，咱是说结婚操办总是会办出些气象，气象，这是了不得的。

姑婆婆的节俭经是有张有弛的，并不是一成不变的，这一点让成子媳妇相当服气，也对自己的盲目检讨不好意思。然而从此，让成子媳妇格外上心的，不是如何有张有弛地过节俭日子，而是一个叫着潘桃的女子。有事没事，她脑中总闪着潘桃这两个字，她是谁？她凭什么吃醋？

那是歇马山庄庄稼人奢侈日子就要结束的一天。这一天，成子、成子父亲和出民工的男人一样，就要打点行装离家远行了。在成子的传授下，成子媳妇效仿死去的婆婆，在男人们要走之前的两天里，菜包菜团弄到锅里大蒸一气。在此之前，成子媳妇以为婆婆的蒸，只为男人们准备带走的干粮，当她真正蒸起来，将屋子弄出密密的雾气，才彻底明白这蒸中的另一层机密。有了雾气，才会有分离前的甜蜜，蒸气灌满屋子看不见人的时候，平素粗心的成子，大白天里就在她身后蹭来蹭去。雾气的温暖太像一个人的拥抱。往年这个日子，是母亲把成子支出去，如今，公公一大早就出了院门，吃饭时不找绝不回屋。雾气里的机密其实是一种潮湿的机密，是快乐和伤感交融的多滋多味的机密，那个机密一旦随雾气散去，日子会像一只正在野地奔跑的马驹突然闯进一个悬崖，万丈无底的深渊尽收眼底。送走公公和成子的上午，成子媳妇几乎没法待在屋里，没有蒸气的屋子清澈见底，样样器具都裸露着，现出清冷和寂寞，锅、碗、瓢、盆、立柜、炕沿神态各异的样子，一呼百应着一种气息，挤压着成子媳妇的心口。没有蒸气的屋子使成子媳妇无法再待下去，不多一会儿，她就打开屋门，走出来，站在院子里。眼前一片空落，早春的街头比屋子好不到哪儿去，无论是地还是沟还是树，一样的光秃裸露，没有声响，只有身后猪圈的壳郎猪在叫。这时，当听到身后有猪的叫声，成子媳妇有意无意地走到猪圈边，打开了圈门。成子媳妇把白蹄子壳郎猪放出来，是不知该干什么才干的什么，可是壳郎猪一经跑出，便飞一般朝院外跑去。成子媳妇毫无准备，惊愣片刻立即跟在后边追出来。成子媳妇一倾一倒跟在猪后的样子根本不像新媳妇，而像一个日子过得年深日久不再在乎的老女人。壳郎猪带成子媳妇跑到菜地又跑到还没化开的河套，当它在冰碴儿上撒了个欢又转头跑向中屯街，成子媳妇发现，屯街上站了很多女人，她还发现，在屯街的西头，有一团火红正孤零零伫在灰黄的草垛边。看到那团火红，成子媳妇眼睛突然一亮，一下子就认定，是潘桃——

三

大街上遥遥的一次对视，成子媳妇是否真正认出了潘桃，这一点儿潘桃毫不怀疑。虽然成子媳妇从外边嫁过来，如夜空中滑过一颗行星，闪在明处，不像潘桃，在人群里，是那繁星中的星星点点，在暗处。但不知为什么，潘桃就是坚信，那一时刻，成子媳妇认出了自己。人有许多感受是不能言传的，那一双迷茫的眼睛从远处投过来，准确地泊进她的眼睛时，她身体的某个部位深深地旋动了一下。

在大街上远远地看到成子媳妇，潘桃的失望是情不自禁的。在潘桃的印象中，成子媳妇是苗条的、挺拔的，是举手投足都有模有样的，可是河套边的她竟然那么矮小、臃肿，尤其她跟着猪在河套边野跑的样子，简直就是一个被日子沤过多少年的家庭妇女。与一个实力上相差悬殊的对手比试，兴致自然要大打折扣，一连多天，潘桃都懒洋洋地打不起精神。

在歇马山庄，一个已婚女人的真正生活，其实是从她们的男人离家之后那个漫长的春天开始的。在这样的春天里，炕头上的位子空下来，锅里的火就烧得少，火少炕凉，被窝里的冷气便要持续到第二天。在这样的春天里，河水化开，土质松散，一年里的耕种就要开始，一天要有一天的活路。在这样的春天里，鸡鸭禽类，要从蛋壳里往外孵化，一只只尖嘴圆嘴没几天就叽叽喳喳把原本平整的日子嘬出一些黑洞，漏出生活斑驳凌乱的质地。因为有个婆婆，种地的事，养鸡的事，可以不去操心，不去细心，可是你即使什么都不管，活路还是要干一点的；即使你什么都不管，时间一长，结婚的感觉和没结婚的感觉还是大不一样的。没结婚的时候，潘桃一个人睡在母亲的西屋，被窝常常是凉的，潘桃走在院子里，鸡鸭猪脚前脚后地围着，一不小心会踩到一泡鸡屎，但是因为潘桃的心思悬在屋子之外院子之外，甚至十万八千里之外，从来不觉得这一切与自己有什么关系。那时候，潘桃总觉得她的生活在别处，在什么地方，她也不清楚。但这不清楚不意味着虚飘、模糊，这不清楚恰恰因为它太实在、太真实了。它有时在大学校园的教室里，朗朗的读书声震动着墙壁；它有时在模特表演的舞台上，胯和臀的每一次扭动都掀起一阵狂潮；它有时在千家万户的电视里，她并不像有些主持人那样，一说话就把手托在胸间翻来倒去，好像那手是能够发音的，她手不动，但她的声音极其悦耳动听。这些实在且真实的场景组成的是另一个空间，它鬼魂附体一样附在了潘桃现实的身体里，使现实的潘桃只是一个在农家院子走动的躯壳。没结婚时，身边什么都有，却像是没有，有的全在心里。而结了婚，情形就大不相同，结了婚，附了体的鬼魂一程一程散去，潘桃的灵魂从遥远的别处回到歇马山庄，屋子里的被窝、院子里的鸡鸭、野地里长长的地垄，与她全都缔结了一种关系，屋子，明显是归宿，是永远也逃不掉的归宿，且这归宿里，又有着冰冷和寂寞；院子里的鸡鸭，明显是指望，是一天一个蛋的指望，且这指望里，要一瓢食一瓢糠的伺候；野地里的地垄，明显是一寸一寸翻耕的日子，且这日子里，要有风吹日晒露染汗淋的付出。结了婚，身边什么都有，也便真正是有，可是，因为心出不去，身边的有便被成倍成倍放大，屋子，是夜晚的全部，冷而空；院子，是白天里的全部，脏而旷；地垄，是春天的全部，旷而无边。没结婚的时候，你是一株苞米，你一节一节拔高，你往空中去，往上边去，因为你知道你的世界在上边；结了婚，你就变成一棵瓜秧，你一程一程吐须、爬行，怎么也爬不出地面，却是因为你知道你的世界在下边。在这漫长的春天里，潘桃确有一种埋在土里的瓜秧的感觉，爬到哪里，都觉得压抑，都感到是在挣扎——好容易走出冰凉的夜晚，又要走进叽叽喳喳的畜群里，好容易走出叽叽喳喳的畜群，又要走进长长的地垄里。关键是，玉柱和公公走后，潘桃的婆婆完全变了一个人，她再也不冲潘桃笑了，再也不挡潘桃手中的活儿了，以往小辈人似的谦卑一概地被大风刮去，这且不说，她的笑收了回去，话却从嘴边一日多似一日地淌了出来，仿佛那话是笑的另一种物质，是由笑做成的。十七岁那一年啊，俺妈找人给俺算命，说俺将来一准得儿子济。生玉柱那回，俺肚子疼了三天三夜，都不想活了，可一想起算命先生的话，就咬紧了牙。可那时谁也想不到，养个儿子大了会上外边，要媳妇守着，你说俺这当妈的真能得济？前年，俺在后腰甸子上耪地，和成子他姑耪到对面，她说二嫂呀，可不能这么惯孩子，这么惯早晚是祸根，没听说儿子上刑场前把妈妈奶头咬掉的故事吗，你得小心，你说她这不是狗咬耗子多管闲事，俺惯俺宠有俺惯和宠的福，你说对不对，潘桃。婆婆的话不管淌到哪儿，都跟儿子有关，婆婆的话不管淌到哪儿，都要潘桃表态。潘桃最初还能躲着，你在堂屋讲，我躲到西屋，你在院子讲，我躲到娘家——娘家成了潘桃的大后方。可是当春种开始，大田的长垄上就两个人，空气里的追赶和追逼无论如何都驱之不去了。这时的婆婆，好像深知你再躲也躲不到哪儿去了，淌出来的水竟卷了草叶和泥沙滚滚而下。淤积在女人人生沟谷里的水到底有多少，潘桃真是不曾知道也不想知道，它在潘桃耳畔流动时本是看不到面积也看不到体积的，可是用不了两天，潘桃的心里就满满当当了，流满了泥沙的水库一满，不及时泄洪便大有决堤的危险。

潘桃泄洪的办法之一还是回娘家。因为在一个屯子里，前街后街的距离，以往每天都是要回的。然而这次，潘桃不是回，而是住下不走了。潘桃泄洪，不是再把那些话流淌出去，那些话，一旦变成水淌到她的心里，就不再是话，而是一种心情了。潘桃的心情相当地坏，潘桃平素话就少，坏了心情之后，就更是什么也说不出了。母亲对潘桃要多好有多好，脸对脸地看着，眼对眼地瞅着，不让她上灶，不让她下田，她变成了这里的客人。母亲懂得女儿的不快乐是因为什么，母亲因为这懂得，便有意和她说一些有关玉柱的话，目的在以毒攻毒。分明在想一个人，你就是不提，岂不掩耳盗铃。可是潘桃的毒根不在思念，而在于自己变成了一个到处碰壁的瓜秧，是玉柱将她变成了这样一棵瓜秧，母亲的话反而让潘桃更烦。是这时候，潘桃看到了另一个泄洪的办法，那就是，去找成子媳妇。

经历了猪跑人撵那个日子，成子媳妇的心情十分沮丧，屯街上远远看着自己的那些女人的脸，潘桃的脸，常常浮现在她眼前。她想自己那天多么狼狈，简直像疯子。然而许多时候坏上加坏又是一种好，就像数学里的负负得正。惦念着村里女人怎么看她，倒使她从万丈无底的空虚中解脱出来。惦念，因为有那样一个惊心动魄的场景，变成了实实在在的内容，供她在静下来的时光里咀嚼。尽管咀嚼的结果让人脸红和难堪，但总比空落着好，总比在空落时，回想这个家曾如何热腾腾装满了雾气要好。那回想的一瞬倒是美好，可是只要定睛一瞅，不免又落到万丈深渊。因为羞怯和难堪常常在转念之中跳出来与她做伴，成子媳妇的心思开始往屯子女人身上转了。她非常想在某一个时辰，换上一身好衣服，大摇大摆地走到她们面前，像她结婚那天那样，让她们看看她还是原来那个样子。这种想法是如何拯救了家里彻底空下来的成子媳妇，她自己真是一点儿都不知道。

因为有姑婆婆的监督，成子媳妇没有常换衣服，但她每天早起，第一件事就是站在镜前描眉画眼。她在城里学会化一手淡妆，看似没化，其实比化了还叫人舒服。她脱掉了结婚时母亲给她做的絮得很厚的棉袄，换上一身锈红色毛衣外套。这件毛衣外套是在一家叫着沃尔玛的超市里买的，也是一次告别城市的挥霍，花了她四百块钱。这件衣服的好处是既现代又古朴，它的领子和袖子上镶着花边，是白线黑线两种，有一点不中规矩，但它的腰身却很收，也很长，是传统中式服装的样子，两边留着开气。结婚之后，她一直没舍得在家里穿，想留到开春后上集或回娘家时穿。现在，既然在家变得这么重要，成子媳妇便慷慨地从衣柜里抽出它。穿了锈红色毛衣外套的成子媳妇，不管是在堂屋烧火，还是在院子里喂猪，或是到大田翻地，都希望有人看她。乍暖还寒，一件毛衣风一吹就透，可是越冷越能提醒着什么。她在灶炕烧火，她的风门是打开的，她在院里喂猪，她的眼神是不看猪槽的，当她走出门口来到河套边的大田，她的后脑勺便又长出一双眼睛。事实上她确实看到了很多眼睛，门口的立柱上长着眼睛，墙头的枯草上长着眼睛，歇马山庄的大街到处都是眼睛，在这些眼睛中，潘桃的眼神尤其专注而投入，似要往她的心上看去的那种。事实上，在这空寂又漫长的春天里，成子媳妇只吸来了一双眼睛，那便是她的姑婆婆。姑婆婆的目光从敞开的大门口射进来，是藏在一条窄窄的缝隙里，她先是眯着上下眼皮，之后抻开了眼角睁开来，是把她推到远处再拉近的样子。姑婆婆把她从眼睛中推出去再拉进来，却没有一句批评，接着就去讲买什么样的鸡崽的事。但姑婆婆的不批评，是要告诉她她的问题已经相当严重。然而在这件事上，成子媳妇恰恰没有立即检讨，她希望用时间来告诉姑婆婆，她一春天也不会换掉它的，她会用日光和泥土来弄旧它，从而告诉她，这其实就是下地干活儿穿的衣服。

然而，成子媳妇做梦也不曾想到，在她目光跳到躯体之外，常常以局外人的角度打量自己，因而很少向自己的真实生活细看时，她的家里来了潘桃。地瓜的须蔓从村西爬到村东经历了怎样的难度，成子媳妇无法知道，地瓜的须蔓在爬进一方孤零的宅院时，一张苍白的脸上嵌着两只葡萄一样黑幽幽的眼睛。当时成子媳妇正在为新买的鸡崽夹园子，突然转头，看见了潘桃。成子媳妇初见潘桃，一下子惊呆了，你……潘桃笑了，葡萄里闪出两颗灵动的核，没有说话。

你是潘桃！

做出这样果断的判断之后，成子媳妇眼睛一亮，蓦地站起，扔掉手中的苞米秸子。成子媳妇在最初的一瞬，还肤浅地想到了自己身上的毛衣，以为是毛衣吸来了潘桃。后来，当看到潘桃灵动的眼仁儿，她的心一下子从半空落到底处。这种落，不是落到踏实的平地，而是往泥坑里陷，因为潘桃的眼仁儿里，正扩散着蒙蒙雨雾一样的忧伤，成子媳妇的眼窝一下子就潮湿了。

你叫什么名字？

李平。

你的毛衣挺好看的，显得人苗条。

唔……

走在路上时，潘桃并不知道见到成子媳妇该说什么，更不知道自己会进门就夸她，都因为潘桃心中的成子媳妇，还是河边那个臃肿的成子媳妇。

人怕见面，这是一句颠扑不破的真理。对于一个善良的人而言，见了面，就意味着见了心，见了心底的真。而一旦见了心底的真，说了真话，局面便立即变成另一个样子。成子媳妇十分清醒潘桃夸自己，并不是她的本意，但她也十分清楚潘桃的夸绝对是发自内心的。因为有了这样一层感受，成子媳妇觉得自己在从泥坑往上升，往上浮，眼睛的潮湿瞬间蒸发，留下一股微微的凉意。随之，成子媳妇眼睛里汪满了笑，说，都说潘桃是咱村最漂亮的媳妇，果真不假。

相互道出肺腑之言，两人竟意外地拘谨起来，不知道往下该怎么办。那情形，就仿佛一对初恋的情人终于捅破了窗户纸，公开了相互的爱意之后，反而不知所措一样。她们不是恋人，她们却深深地驻扎在对方的内心，然而那不是爱，也不是恨，那是一份儿说不清楚的东西，它经历了反复无常的变化，尤其在潘桃那里。她们对看着，嘴唇轻微地翕动，目光实一阵虚一阵，实时，两个人都看到了对方目光中深深的羞怯；虚时，她们的眼睛、鼻子、脸，统混作了一团，梦幻一般。一阵迷乱之后，成子媳妇终于笑出声来，说，看我，还不请你到家里坐。

屋子一如所有乡村人家的屋子，宽大的灶台，宽大的餐桌，公公的屋是两间屋连着的，长长的炕能睡十几个人的样子。炕与柜之间，便是一个长长的空间，犹如城市里的客厅。这是歇马山庄新时期里最时尚的房屋结构，有没有客人来并不重要，重要的是要有客厅的感觉。潘桃娘家、婆家全是这个样子。与潘桃的娘家婆家不同的是，成子媳妇家客厅里的餐桌上，蒙的不是塑料布而是米色台布；柜子上放的，不是塑料花而是一株灰蓬蓬的干草；炕上铺的，不是地板革而是雪白的床单。这一点儿不经意间勾起了潘桃某种感觉，是早已被时光掩埋起来的疼。应该承认，成子媳妇家里的样子与她结婚那天留给潘桃的印象相当一致，是静静中有着一种洋气和高雅的。然而，昔日的潘桃可以躲避，今天的她无法躲避，今天的潘桃也根本不想躲避，因为她看到，纵有天大的差别，天大的不同，独一种东西她们是相同的——她们都是新媳妇，她们的新房里都是空落的，没有男人。她们是因为这相同才来的，她们有着相同的命！潘桃说：李平，你真行，还能用心过日子，玉柱一走，我的心一下子就空了，我就像掉了魂，还心烦。

成子媳妇看着潘桃，脸一层层热起来，是那种通电般的胀热。潘桃一句话直通她的心窝，成子媳妇不由得靠到潘桃身边，握住她的手。潘桃，我其实也一样，你心空，还有烦，我心空，连烦都没有。

四

潘桃主动上门——这是多么重要的举动呵！为了答谢潘桃，李平在一周以后，锁了家里的房门和院门，带上一条黑底白点的纱巾从街东走到街西，来到潘桃家。因为潘桃在成子家喊了自己的名字，成子媳妇在往潘桃家走时，觉得自己不是成子媳妇而是李平。潘桃无意中把李平从以往的岁月中发掘出来，对李平并非什么好事，但李平并不计较，潘桃是无辜的，这恰恰看出潘桃对她这个人的尊重。其实，那一天她们由心烦开始的许多话题，都是关于结婚前的，都是属于李平而不是成子媳妇的。她们讲她们曾经有过多么美好的理想，为那些理想走了一圈才发现她们原来原地没动。潘桃说，刚下学那会儿，一听到电视播音员在电视里讲话，就浑身打战，就以为那正在讲话的人是自个儿。李平说，我和你不一样，光听，对我不起作用，我得看，一看见有汽车在乡道上跑，最后消失到远处，就激动得心跳加速，就以为那离开地平线的车上正载着自个儿。潘桃说，我这个人心比天大胆却比耗子小，就从来不敢出去闯，有一年镇上搞演讲，我准备了两个月，结果，还是没去。李平说，我和你不一样，我想做什么就敢去做，刚下学那年，拿着二十块钱就离家上了城里，找不到活儿竟挨了好几天的饿。潘桃说，所以最终我连歇马山庄都没离开，空有了那么多理想。李平说，其实，离开与不离开也没有什么不同，离又怎么样，到头来不也一样嫁给歇马山庄。咱俩的命其实是一样的，只不过我比你多些坎坷多些经历而已。李平在打开自己过去岁月时，尽管和潘桃一样，采取了审视自己的姿态，但终归是一种抽象的、宏观的审视，是只看见山而没有看见岩石，只看见水而没有看见水里的鱼的审视，而一个抽象的李平，十九岁出门，在城里闯荡五年，挣了一点儿钱，又遇到了厚道老实的手艺人，并不是太坏的命运。那一天，与潘桃谈着，李平有好长时间转不过方向，仿佛又回到了从前，潘桃让她又回到了从前，不是因为她们谈起从前，而是她们谈话那种氛围，太像青春期的女伴了。

李平能在几日之后就来潘桃家，是在潘桃预料之中的。地瓜的须蔓爬到另一垄地之后爬了回来，带回了另一棵须蔓，这是一份极特殊的感觉。那天离开李平，从街东往街西走着，潘桃就觉得有条线样的东西拴在了手中，被她从屯东牵了回来；或者说，她觉得她手上有把无形的钩针，将一条线样的物质从李平家勾到了自己的家，只要闲下来，她就在心里一针一针织着。看上去，织的是李平，是李平的人和故事，而仔细追究，织的是自己，是漫长的时光和烦躁的心绪。从李平家回来，时光真的变得不再漫长，潘桃也能够老老实实待在家里了，也能够忍受婆婆随时流淌的污泥浊水了——婆婆不管讲什么，她都能像没听见一样。这时节，潘桃确实觉得那股烦躁的心绪已被自己织决了堤，随之而来的，是近在眼前的、实实在在的盼望。

盼望李平登门的日子，潘桃把自己新房、堂屋、婆婆的房间好一顿打扫，那蒙被的布单，那茶几上的蒙布，还有门帘，从结婚到现在，已经四五个月了，就一直没有洗过，尤其脸盆盆架，门窗框面，上边沾满了灰尘。等待李平登门的日子，潘桃发现，她结婚以来，心一点儿也没往日子上想，飘浮得连家里的卫生都不讲究了，这让潘桃有些不好意思。等待李平登门的日子，潘桃心中仿佛装进一个巨大的气球，它压住她，却一点儿也不让她感到沉重，它让她充实、平静，偶尔，还让她隐隐地有些激动、不安。她时常独自站在镜前，一遍遍冲镜子里的自己笑，把镜子里的自己当成李平。这是多么美妙的时光呵，它简直有如一场恋爱！

李平如期而至。李平走到潘桃家门口时，潘桃正在院子里晾晒衣服。潘桃听到大铁门吱扭一声响，血腾一下升上脑门，之后李平李平叫个不停。李平与潘桃两手相握，都有些情不自禁。潘桃细细地看着李平，一脸的能够照见人影的喜气。李平还穿那件锈红毛衣，李平的脸比前几天略黑了些，上边生了几颗雀斑，这又有什么关系呢。李平先是跟潘桃一样，认真端详对方，可没一会儿，她就把目光移到另一个人身上——潘桃的婆婆。潘桃的婆婆此时正在园子里搭芸豆架，看见李平，赶

忙放下手中的槐条。李平背过潘桃，走向她的婆婆。李平隔着院墙，喊了声大婶——潘桃婆婆立即三步并成两步，从园子里跑出来，一声不罢一声地喊着，成子媳妇怎么是你？

被潘桃冷了多日的婆婆见了李平，会热情到什么程度是可想而知的，在媳妇都是人家的好、姑娘都是自己的好这铁的事实面前，整整有二十分钟是潘桃的婆婆跟李平说话，而潘桃只好一动不动地站在一边。二十分钟之后，实在有些忍不住，潘桃开口，潘桃说，李平，快到屋里坐吧。

在潘桃房间，潘桃有两三分钟一直不说话，任李平怎么夸她的衣柜实用窗帘好看，就是不接言。李平愣住了，毫不设防地愣住了。李平知道潘桃着急，但她想不到潘桃会生气。她也不愿意和老人说话，但这是礼节。结婚前，李平的母亲曾告诉过她，必须放下为姑娘时的架子，尤其在村里的女人面前，她们的嘴要是没遮拦就能一口一口吃了你。李平直直地盯着潘桃，好像在问，你怎么啦？潘桃哪里知道自己怎么了，她就是不想说话。潘桃起初是知道自己怎么了的，可是不想说话这种现实，让她越发地有些迷失，越发地不知道自己怎么了。潘桃的迷失造成了李平的迷失，李平看着潘桃的目光里，几乎都流露出痛苦了。

不知过了多久，潘桃终于说话了，潘桃说，李平，你太会做人了，你可给我婆婆弄住了。

李平将目光里的痛苦眨巴了一下，说，你这是……

潘桃说，你千万别以为我和我婆婆之间有矛盾，不是的，我是说，咱俩真的不一样，我知道该对她们好，可是我做不到，我一见她们就烦。

李平不语，李平没有想过这个问题，在这一点上，她们有什么不一样吗？

潘桃说，你看上去很洋气，像是很浪漫，实际你很现实，我和你正好相反。

李平终于警醒过来，是被现实和浪漫这样的字眼警醒的。她想，她并不是没有想过这个问题，这个问题在她还没有变成成子媳妇的时候早已经想透了，她是因为想透了，才要那样大张旗鼓地结婚，她那样结婚，就是要告别浪漫，要跟乡村生活打成一片。李平目光中的痛苦淡下去，有一些明亮映出来。潘桃，你说对了，咱俩确实不一样，你是因为没有真正浪漫过，所以还要当珠宝戴着它，我不行，我浪漫得大发了，被浪漫伤着了，结了婚，怎么都行，就是不想再浪漫了，现实对我很重要。

不管是李平还是潘桃，都没有想到，她们在热切地盼着的第二次见面里，会一开场，就谈起这么深刻的话题。关键是，这话题搞坏了她们之间的感情，这话题，好像王母娘娘划在牛郎织女之间的那条河，把她们不经意间隔了起来。

潘桃被罩在云里雾中。在她心里，浪漫是一份最安全的东西，它装在人的思想里，是一份轻盈的感觉，有了它，会让你看到乌云想到彩虹，看到鸡鸭想到飞翔，看到庄稼的叶子想到风，它能把重的东西变轻，它是要多轻就有多轻的物体，它怎么会伤人？

现实、浪漫、伤人，李平在开始说这些话时，还以为找到了一些能够说清楚自己的宝贝，可是说着说着，就觉得这些宝贝变了脸，变成了一根阴险狠毒的细针，向她心口的某个部位刺去，它们后来还不光是针，而是铁器，是砸到心上的铁器，让她感到一种麻麻的疼。

是怎么从潘桃家走出的，李平一点儿都不知道，她只知道，潘桃在门口送她时，眼里流动着深深的疑惑和失望，她还知道，她精心备好的送给潘桃的纱巾，又被她揣了回来。

从潘桃家回来，成子媳妇把黑底白点的纱巾掖到箱子底下，转身就拿起锄头朝大田走去。其实大田里的苞米苗已经间完，草也已经除掉，她是将这一些活做完才上潘桃家的。可是此时此刻，她就是要上大田，只有上大田才能离开什么甩掉什么，那东西好像只有距离才能解决。成子媳妇往大田走时，故意拐了好几个弯，并且脱了入春以来一直穿在身上的毛衣。在大田边坐着，晒着烈烈的日光，看着绿油油的庄稼，成子媳妇一点点看到自己内心的疼瘦成了像除掉的蚂蚱菜一样的干尸。

成子媳妇决定，再也不去找潘桃了。潘桃倒没什么不好，只是潘桃能够照见自己的过去，这比一般的不好还要不好，她不要过去，她要的只是现在，是一个山村女人的日子，是圈里的猪，院子里的鸡，地里的庄稼，是屋子里的空荡和寂寞。经历了一次揭疼的成子媳妇，在后来很长一段时间里，都忘了在那空落日子中走进一个潘桃曾让她多么高兴，忘了成子和公公刚离家时自己空落成什么样子。经历了一次揭疼的成子媳妇，在后来很长一段时间里，觉得屋子里的空荡和寂寞是她最想要的，只要走进屋子，就觉得日子是殷实的充实的。倒是姑婆婆要时常走进这空荡里，给她的寂寞撒一点儿露带一点儿风，不过这没什么，姑婆婆的露和风都是现在的露现在的风，即使有过去，那过去也不跟她发生关系，是关于歇马山庄的过去，是关于公公婆婆舅公舅婆的过去，而在成子媳妇那里，凡是她不知道的事情，不管是谁的，都是她的现在。

可是，成子媳妇怎么也不会想到，正是因为现在，她才再一次想起潘桃。现在，时光进入了夏季，大量的农活儿已经结束，山庄里的人闲成了一摊泥。现在，李庄一个叫张福广的养车人从城里捎回了成子和公公脱下来的棉衣棉裤，棉衣的内兜里，夹了一封成子写来的信。成子的信，使早已散去的蒸气又在屋子弥漫了起来。成子媳妇读着读着，就掉进了一汪迷雾里。那伸腿撸胳膊的字迹，仿佛节日里杵在锅底的木棒，将她的心烧得嘎巴嘎巴直响的同时，蒸出她一身一身潮湿。读成子来信之后的日子，成子媳妇既不愿离开屋子又怕留在屋子，不愿离开，是因为屋子里的雾气有成子汗津津的手和热乎乎的嘴唇，怕离开屋子，是因为成子的手和嘴唇只要你一用心去体会，就悄没声地离她而去，扔下她仿佛掉进油锅的小兽，扑棱挣扎。不知是第几次扑棱、挣扎，正眼睁睁地追着成子远去的背影，视线里，走来了潘桃，她眼睛黄黄的，一脸憔悴。潘桃朝她正面走来，潘桃一看见她眼窝就红了起来，潘桃说，想死人啦！

想念的本是成子，走来的却是潘桃。事实上，当断守和见面都不能成为事实，想念变成一种煎熬时，成子媳妇看到了她跟潘桃相同的命运，潘桃走来，不是因为她想潘桃，而是因为她们相同的命运。可是，一旦因为同命相连想起潘桃，想见潘桃的愿望比任何时候都更强烈。

成子媳妇毫不顾忌地就走上了通往潘桃家的路。而只要走向通往潘桃家的路，成子媳妇就知道自己不是成子媳妇而是李平。不过这没有关系，李平又怎么样呢，她本来就是李平嘛。歇马山庄的屯街有多短促真是只有李平知道，她迈着碎步，没用五分钟就来到了潘桃家。可是，潘桃的婆婆却告诉她，潘桃上镇烫头去了。

歇马山庄的屯街有多么漫长真是只有李平知道，从街西通往街东的路，她走了整整一个世纪。

掌灯时分，潘桃一个新锃锃的人走进了成子媳妇家，这也是成子媳妇预料之中的事。成子媳妇由街头拐进院子，刚刚打开房门，她的脑中就出现了这样的信息。因而，成子媳妇过了一个充实又有奔头的下午，她先是把黑底白点的纱巾从箱底再一次翻出来，放到炕梢最显眼的地方；然后打一盆凉水放到井台边晒，当水在盆子里被烈日滋滋地烤着的时候，她趴到炕上踏踏实实睡了一觉。好几天了，她都白天也是晚上晚上也是白天，困死了。下半晌，成子媳妇醒来，把晒好的水端进偏厦，坐到里边洗了个透澡，好像要洗掉所有的煎熬。洗着洗着，姑婆婆来了，姑婆婆一进院就大声吵叫，怎么大敞着门不见人，死到哪里去了？姑婆婆自从在成子媳妇跟前找到做婆婆的感觉，用词越来越讲究，什么话都要流露点骂意。成子媳妇的声音从偏厦飘出来，姑姑，在这儿，洗澡哪。姑婆婆一听，语气更泼，男人不在家洗给哪个死鬼看嘛，再说大夏天的干吗不去河套？成子媳妇赶忙说，就不兴为女人洗。这是一句即兴的玩笑话，可是说完，成子媳妇美滋滋地笑了。

潘桃进门时，成子媳妇的姑婆婆已经走了，堂屋里，成子媳妇正在扒土豆，眼睛不时地瞅着门外。当挎着红色皮包、穿着紫格呢套裙的潘桃在视野里出现，成子媳妇眼眶里突然涌满泪花。她从灶坑徐徐站起，她站起，却不动，定定地看着潘桃，任潘桃在她的泪花中碎成万紫千红。

见李平的眼泪在腮上滚动，潘桃一拥就将李平拥进怀里，低吟道，真想你。

潘桃的一拥，拥进了太多太多，拥进了从春到夏她们之间所有的罅隙。潘桃紧紧拥着李平，许久，才松开来，开始自己的诉说。她说自从上次分手，她一直很后悔，后悔那天不该生李平的气；她说像她婆婆那样的人，即使你不理她也不会放过你，先和她把话说尽了反而更清静，当时都因为太盼李平太想李平，一时间昏了头脑；她说这些日子天天都想过来看李平，向她赔不是，可是天天都下不了决心，不是放不下面子，而是怕李平不给面子；她说她三天一趟河套两天一趟河套，以为能在那里遇上，可后来有人说，李平根本不上河套洗澡；她说今天回家来，听说李平来过，门都没进就过来了。

潘桃不停地诉说，每一句话、每一个字都是真实的，可是说着说着，被自己的真实吓住了。她低下头，打开身上的包，从中取出一个发夹，往李平刚刚洗过的头上别。李平戴上发夹，抹一把眼泪，把潘桃拽进里屋，拿起放在炕上的纱巾，打开，给潘桃系上。李平说，上次去你家就带去了，结果……两个人说着，同时来到镜前，见她们的双眼皮都有些红肿，又禁不住孩子似的笑了起来。

第二天，潘桃一早起来，梳洗完毕，吃完早饭，系上李平给的纱巾，就朝李平家走去。纱巾的位置看上去是在脖子上，而实际这是朋友友情在心目中的位置——纱巾的位置有多显赫，朋友在你心中的位置就有多显赫。潘桃朝李平家走去，可是刚刚走出家门口不远，就见李平戴着她送的发夹款款走来。她们会意地向对方走近，脸上洋溢着喜悦——既为看到对方喜悦，又为看到对方的积极喜悦。因为离潘桃家近，她们就势返回潘桃家，而这一次，在院中看到潘桃婆婆，李平礼节性地笑笑，一步不停地朝屋里走，好像一旦停下就伤害了潘桃。

因为第一次的任性导致了不该有的熬煎，友谊伊始，两个人都小心翼翼，仿佛那友谊是个鸡蛋，不能碰，一碰就会碎掉。就这样，她们今天你家明天我家，后来，为了减轻没有必要的负担，她们干脆就上李平家，或者就到门口的树荫下，或者，找一个理由到镇子上逛。

夏天的美好是用水做成的。白日里树下的倾谈是那山里小溪的水，有着潺湲的、晶莹的形态，去往镇子的公路上，肩并着肩的倾谈是那渠道里的水，有着丰满然而规则的势头，夜晚里，一铺炕上头对头的倾谈是那湖里的水，有着深不见底幽暗无边的模样。水的流动推动了时光的流动，时光的流动全然就是水的流动，霞光满天的早上流走的是每日一小别之后各自细琐的经历，蝉声嘶哑的午间流走的是身边一些女伴和同学的故事，寂静无声的夜晚流走的，却是她们自己的故事。有时，她们就那么静静的，谁也不说话。她们眼睛看着路上的行人，远处的山脊，灯光下的天棚，任时光流成一眼深井里的水。但更多的时候，她们心中的水和时光的水还是要同时流淌的。她们有时是平铺直叙，没有选择，遇到什么讲什么。路上看到青蛙跳到水里，潘桃就说，小时候看到青蛙，常常想要是托生个青蛙多么不幸，一辈子就坝上坝下地跳，有什么意思，谁想到自个儿长大了，也和青蛙差不多，只在街东街西地走。李平说，还说你浪漫，浪漫的人是绝不会悲观的，人怎么能和青蛙一样，人街东街西地走，是为了寻找知音，有知音的人和只知哇啦哇啦叫的青蛙能一样吗，有知音的人和没有知音的人都不能一样。讲到青蛙和人，自然就讲到了命，讲到命，自然就讲到了那个决定她们命运是这样而不是那样的恋爱。而讲到恋爱，她们却要讲一点儿技法，要倒叙或者插叙，要搞一点儿悬念卖一点儿关子。潘桃说，你知道我是怎么爱上玉柱的吗？李平说，还不是他答应你把你的户口办到城里到城里安家，好多做美梦的女孩都是这么被人骗到手的。潘桃说才不是呢，有条件在先那叫什么爱情？李平说，你难道没有条件？潘桃说，要不怎么说我浪漫，那时候我高中毕业，在镇上开理发店，到理发店里追我的人相当多，镇长的儿子、厂长的侄子都有，可是我没一个往心里去。那时我正迷恋孙国庆《走四方》那首歌，其实也说不清是迷孙国庆还是迷《走四方》，有一天下班，往家走的路上，正唱着，就发现前边有一个人背着行李，大步流星地走在夕阳里的山冈上，那山冈就是歇马山庄的山冈，因为是下坡，那个人走起路来一冲一冲，简直就跟 MTV 中的孙国庆一模一样。我放开车闸，快速冲下山冈，撵上那个人，我喊了一声孙国庆，你猜听到我的喊他怎么样？怎么样？他听我喊，顿了一下，接着，嗷的一声就唱了起来："走四方，路迢迢水长长，迷迷茫茫一村又一庄——"当天晚上，我们就在小树林里约会了。李平静静地看着潘桃，羡慕地说，你真是爱情的宠儿，够浪漫的。

她们有时尽量给对方一些机会，让对方说，自己静静地听，似乎多说了，就多占了便宜，而她们都宁愿对方多占便宜。但有时，却是需要交换的，是需要你一段我一段的，比如潘桃讲了自己的恋爱，李平就必须讲她的恋爱。这种时候，不用潘桃逼，一个静场，李平就知道该自己投罗网了。在进入夏季之后，在与潘桃有了密切交往之后，李平发现，她一点儿也不在乎提起过去了，这并非因为只有过去，才能解决她们的现在，而是她已经拥有了挑选和省略某些过去的能力，拥有了虚构过去的能力。这其实一点儿都不难，只要你略微地谨慎稍微地用心。李平说，你知道我是怎么爱上成子的吗？潘桃说，我当然知道，肯定是他答应你在城里给你盖栋高楼，要不一个在城里打工的小姐哪肯嫁他。李平说，你真聪明，我这人确实和你不同，我开始是有条件的，我把条件看得很重，我从进城打工那天，就没想再回乡下，所以我的眼光就从来没想看什么民工。与成子相识，完全是个偶然，他跟他的包工头到酒店吃饭，我给上茶倒酒，一下撞了他的手，后来就老来纠缠我，我开始反感他反感得要命，觉得是癞蛤蟆想吃天鹅肉，可是有一天，他给我送来一封信，信上说，我不是一般的民工，我是我们包工头的侄子，我在城里不但有房子，还可以给你找工作。我看完信就约了他。就这么的，我被骗回了歇马山庄。李平在说自己恋爱过程时，没有讲出属于爱情肌理的那一部分，但这一点儿潘桃并不追究，她不追究，不是相信李平就是那样务功利的人，而是把这看成是李平对自己的一份情谊——故意用自己的不好衬托别人的好。潘桃说，好你个李平！

李平和潘桃好上了，这在歇马山庄两个新媳妇中间，既是心理的，又是身外的。心理上，她们谁也离不开谁了，她们一早醒来，只要睁开眼睛，就看到对方的笑脸。她们的好，既像是恋爱中的女孩，又有别于恋爱中的女孩。像的是，她们都因为生活中有着另一个人，才有了交谈的内容和热情，不像的是，恋爱中的女孩没有敞在院子里漫长的日子，而她们有日子。现在，她们发现，她们彼此就是双方的日子。有一回，她们正趴在墙头，彼此眼对眼地看着，李平突然说，潘桃，你想没想过，一个人一生中，面对的和感兴趣的，其实就一个人。潘桃懵懂，轻轻地眨巴眼睛，你什么意思？李平说，我上小学时，有一个叫兰子的女伴，她皮筋跳得好，我俩只要离开课堂，天天一起；上中学，又有个叫迟梅的同学，她妈是知青，我被她头上的红发卡吸引，上学放学，总要一起走；进城，在第一家饭店，有一个比我小一点儿的同乡，普通话说得好，有事没事，我都愿去找她，听她讲话；结了婚，有了成子，就谁都不在心上了，谁知，成子一走，心里空了，老天就派来了你。有了你，我都快把成子忘了。潘桃不语，似在琢磨。李平说，细细想，女人的世界其实没多大，就两个人，两个人就是世界；细想想，世界多大都跟你没关系，玉柱是你丈夫，可是现在，此时此刻，你能说他跟你有什么关系吗？潘桃终于琢磨出头绪，说，李平，你很深刻。潘桃一边佩服地看着李平，一边用手抚着李平肩上的头发，那样子好像她与李平的关系，因为李平深刻的提示而更加深入了一层。地瓜蔓爬到这一程，真的是不可只用长度来度量。

心里的东西，无疑要溢到身外，就像瓜熟了总要裂出沟痕。潘桃和李平相好之后的那个秋天，动辄就肩并肩地穿过屯街穿过田野向镇上走去。潘桃一直是注重打扮，现在则更加地注重了，不过她再也不化浓妆，不穿艳丽衣服，而像李平那样化淡妆，穿灰调子的衣服。随着与李平友情的加深，她认识到，李平的洋气，是从对色彩的选择开始的。李平自从那件穿了一个春天的毛衣外套脱掉，再也不守一件衣服只要穿就穿脏穿旧的原则了，不换衣服其实是对自己青春时光美好时光的作践，她开始由最初的半月一换到后来的一周一换。随着与潘桃友情的加深，李平渐渐认识到，结了婚就逼迫自己进入一种乡下女人的日子是多么大的错误，人生不会有几度青春，在青春里要毫不气馁地抓住，青春这东西，你抓住一百，才能留住五十，你如果只抓五十，就连二十都留不住。潘桃身上那种不向现实就范的孩子气，确实唤醒了李平一段时间来极力用理性包裹的东西。事实上，理性永远是理性，理性包不住热情，就像纸包不住火。两个人由友情的加深开始了相互的欣赏，由相互欣赏开始了形影不离，好像只有这样，才能使她们有一种相加的力量——她们在大街上走时，心底里感到的是一种相加的力量。

潘桃和李平好上，这是大家有目共睹的事实。入秋之后，一些不很中听的议论便像秋雨后的蘑菇一样长了出来。现在的年轻人，学好不能，学坏可是太快了，那成子媳妇，刚来时还本本分分的，现在可倒好，日子都不想过了，地里的庄稼十天半月也不去看一回。要俺看，不是潘桃把成子媳妇带坏，而是成子媳妇把潘桃带坏，她在城里待过，再说，潘桃她妈在咱村子里，谁不知道是最会过日子的人，根儿在那呢。

对于谁带坏谁的问题，潘桃婆婆和李平的姑婆婆都表现得比较谦虚，潘桃婆婆一再说是让她的儿媳妇带坏了，成子媳妇刚结婚时，并没这样，人家一春天就穿一件衣服。李平姑婆婆却说，还是让她的侄子媳妇带坏了，怎么说潘桃是天天上她的侄子媳妇家，而不是她的侄子媳妇上潘桃家，要是她的侄子媳妇不拿什么引逗她，她怎么能老去，再说，潘桃早先搞过烫发，也没变过发型，现在可倒好，几天一变几天一变，绝对是她的侄媳妇带坏了潘桃。然而，不管谁带坏了谁，不管有多少议论，潘桃和李平是不在乎的。对于不在乎的人，议论，就像肥料对于一株已死的稻苗，不会起半点儿作用。相反，有村里人的议论，有两个婆婆的议论，潘桃和李平不向山庄女人就范的理想更清晰起来。

好是真好，但是偶尔的，一点儿微妙的不快，也还时有发生。有一次，在镇子一家理发店烫头，一个曾经追过潘桃的小伙子一边梳理潘桃的头发，一边开玩笑说，有一种办法可以叫你们烫头不花钱。李平说，什么办法？小伙子说，亲一口。李平说，这可是个不错的交易，我看行。小伙子分明是撩人，李平也分明是迎合了这种撩，潘桃一下子就生气了。从理发店出来，潘桃绷着脸，一路上不跟李平说话。见潘桃生气，李平知道不经意间，露出了自己在城里学坏的小尾巴，快到家门口时，就主动邀请潘桃，说，今晚到我家睡吧。其实，走到半路，潘桃已经不生气了，可是一时又拉不回来，听李平邀她，便赶紧答应，好，不回家了，就让婆婆痛痛快快讲去吧。一场不快，引出的就是这样一个结果，往友情的深度再走一步，像赎罪，更像奖赏，且这奖赏又往往是你给一寸我给一尺，你给一尺我给一丈。潘桃冒着婆婆面前夜不归宿的风险住了下来，李平便毫无疑问要掏自己最最真挚的东西。然而那东西是什么，一时并不清楚，还需一点点留心一点点寻找。关门之后，屋子一下变得温馨起来，宁静起来，以往，潘桃也在晚饭后到李平家坐过，但因为没有想不走，感觉还是很不一样。要走的夜晚，温馨和宁静往往浮在表面，与人的肌肤和喘息离得很近，让你时刻担心它会一瞬之间溜走；而决定不走的夜晚，温馨和宁静却是沉在墙壁里和天棚上，是那种旷远的、与人隔着距离的凝视，专注而深情。关了屋门，拉了窗帘，洗了脚，放了褥子和被，钻进被窝的潘桃和李平，第一次萌生了孤独的感觉。村庄的山野，黑夜，万事万物都离她们那么远，它们注视着她们，却离她们那么远。或者，它们是因为注视，才让她们觉得远，觉得孤独，孤单。有了孤独的感觉，同病相怜的感觉尤其重了，看着潘桃黑幽幽熟透了葡萄一样的眼睛，黑里透红的瓜子脸，丰满的小猪一样蜷在被子里的身体，李平突然就知道该给潘桃什么东西了。李平说，潘桃，咱俩好是不是？潘桃说，这还用问！李平说，要好，就该像姐妹那样掏心窝子，不能说谎是不是？潘桃翘起脑袋，警觉道，我跟你说什么谎了吗？李平笑了，说，你觉什么惊嘛，我是说我自个儿。潘桃翘起的脑袋又陷下去。你说谎了吗？李平收回笑，目光里有一泓清澈的水雾喷出来。潘桃，李平说，语调十分的轻也十分的亲。我其实骗了你，我和成子的恋爱，其实并不是我上次讲的那个样子。潘桃说，这你不说我也知道，你是故意把自个儿说得很坏。李平说，不，不，你不知道，你不可能知道，我其实嫁给成子时，已经不是女儿身了。潘桃愣住，眼睛直直地瞅着李平。李平说，十八九岁时，我比你浪漫，我那时太幼稚，以为只要有真心，城里肯定有我的份儿，实际上完全不是那么回事，城里狼虎成群，你有真心，只能是喂狼喂虎。进城第二年，我爱上一个酒店经理，也确定是因为他的身份吸引了我，可是他骗了我，他有老婆，他和我好只是为占便宜，后来，他让他老婆当着众人的面寒碜我……受了伤害，堕落两年，赚了些钱，那时我以为自己从此就完了，那时我对男人充满仇恨，对人生十分绝望，也想不到还会有什么真情……算是老天可怜我，让我遇到成子……遇到成子，我就发誓，我要把自己最真的东西给他，一生一世……李平说得十分平静，仿佛在说别人的故事，可是，泪却从她的眼眶漫了出来。潘桃伸出手，抹了李平眼角的泪，紧紧攥住李平的手，说不出话。李平说，那些男人，没一个好东西，越是知道你是假的，越是要上，真的，他们反而吓得往后退，就不知道这是为什么。潘桃往李平身边挪了挪，靠得更近了。潘桃说，李平，不能想象那是什么样的日子，真的不能想象，不过，有些经历，并不是坏事，不管好经历坏经历，我其实很羡慕一个人有经历，经历是财富。潘桃说着，赶紧揭开被子，钻到李平被窝。李平感激地搂住潘桃，说，你真的是这么想吗？你不觉得我脏吗？潘桃说——气哈在了李平脸上，当然是真的，在我眼里，你是世界上最最干净的人。

这样的夜晚，你一尺，我一丈，你一丈，我十丈，她们一步步往前走，走出一片沼泽，一片湖泊，走出一条康庄大道。她们没走进时，根本不知道那里有什么，会怎么样，她们一旦走进去，便看到了无穷无尽的景色——她们不管穿过的是什么，最终的结果，都是看到了无穷无尽的景色。

五

有了伴的日子要多快有多快，转眼之间，夏天过去，秋天也过去了，整个歇马山庄的苞米都收光了，只剩成子家的苞米还在地里独立寒秋。见再不收已经说不过去，李平便携了潘桃来到自家苞米地里。这一天，听到树叶哗啦啦响，从另外的空间感受了时光的流逝，李平想起，自己居然四五个月没有回一趟娘家了。她于是告诉潘桃，苞米收完，她要回趟娘家，住个三天五天。李平正说着，潘桃砍苞米的手不动了。许久，她转过脸，对李平说，娘家这么远，看不看其实都一样，全是形式，我都不怎么回。李平说，这可不是形式，是牵挂，你不回，隔三岔五总能望见，能听见。潘桃明知道李平的话是在理的，可是偏偏不往理上说。她说你总改不了你的面面俱到，把自己搞得不像自己，你要走，我就上城里去看玉柱，不叫有你，我不知去了几千回了。这一回，仿佛一颗子弹打中了李平，潘桃上城看玉柱，这和李平没有一点儿关系，可是这话却像一颗子弹，一下子就制服了李平，她长时间不语。事情弄到这步田地，这么你一尺我一丈地往深处走，她们都看到，等在前边的，绝不是什么美好景色，谁就此打住谁才是聪明的。李平当然不是傻子，再也不提回娘家的事了。她不提回娘家，潘桃也不说上城，两个人便一心一意地砍着地里的苞米。

然而，这一事件之后，无论是李平还是潘桃，都隐隐地感到，她们之间，有了一道阴影。那道阴影跟她们本人无关，而是跟她们所拥有的生活有关，但又不是她们眼下的生活，而是在她们眼下的生活之外，是她们的更大一部分生活，只是她们暂时忘了它们而已。还好，她们并没有就此想得更多，她们也根本没往深处想，她们只是希望在她们暂时的生活中发生一些什么事情来驱走阴影。

事情确实发生过，是在第一场霜落到歇马山庄山野地面那天发生的。那一天，李平的姑婆婆天还没亮，就来到成子家拽开了屋门。姑婆婆显然没有洗脸，眼角滞留着白白的眼屎。姑婆婆进到屋里，不理李平，两手捏着腰间的围裙，气哼哼直奔李平新房。当她站在新房中央，看到了炕上被窝里确如她预料的那样，还躺着一个人，嘴唇一瞬间哆嗦起来。你……你……姑婆婆先是指着炕上的人，然后仿佛这么指不够准确，又转向了从后面跟进来的李平。姑婆婆的脸青了，如一张茄子皮，之后，又白了，如干枯的苞米叶。姑婆婆看定她眼中的成子媳妇，眼里有一万支箭往外射。姑婆婆终于说出话来：我告诉你成子媳妇，我们于家说的可是一个媳妇，不是两个！看你把日子过成什么样子，弄那么一个妖不妖、仙不仙的人在身边，这是过日子吗?！李平起初还决定忍让，让姑婆婆尽情抖威风，可是见她出语伤人，伤的又是潘桃，便说，大姑，别这么说话，不好是我不好。这时，潘桃从炕上翻了起来，嗷的一声，李平你没有错，你凭什么认错，要错是你大姑的错，她嫁出去的姑娘泼出去的水，凭什么回来管你于家的事！于家的日子怎么过，跟她有什么关系！然而潘桃刚说完话，堂屋里就冲出了另一个人的声音：潘桃你是谁家媳妇，你能说你不是老刘家的媳妇吗，谁允许老刘家的媳妇住到老于家?

进门的是潘桃的婆婆。显然，李平的姑婆婆和她早已串通好；显然，两个年轻媳妇形影不离时，两个老媳妇也早就形影不离剑拔弩张了。见两个婆婆一齐指向潘桃，李平终于忍不住，李平说，这确实是我的家，你们这么一大早闯进别人家吵架，是侵犯人权，都什么时候了，都新世纪了。李平的声音相当平静，语调也很柔和，但谁都能听出其中的不平静，其中的凌厉。这一点儿潘桃很感意外，似乎终于从李平身上看到了她对浪漫的维护。

李平能说出这样的话，自己也毫无准备，但那话一旦出口，就有了一种理直气壮的感觉，站稳站直的感觉。这感觉对此刻的她，要多重要就多重要。有了这感觉，可以从骨子里轻视姑婆婆们的尖刻话语，可以冲她们笑，可以听了就像没听到一样。说出那样的话之后，李平转身就离开屋子，到院子里打水洗脸。潘桃也跳下炕，随她来到院子里，留下两个婆婆在屋子里疯狂地自言自语。

人与人之间的关系，说来也是非常奇妙，你硬了，她反而软了，两个婆婆从屋里走出来时，居然彻底地改过脸色，好像刚才满脸乌紫的她们从后门走了，现在走出来的是她们的影子。她们在院中央停了下来，潘桃的婆婆说：桃，我都是为了你好，都是村里人在说。李平的姑婆婆说:侄媳妇,就算俺狗咬耗子多管闲事,你可千万别生气,你俩可要好长远点。说罢,她们飘出院子,剩下潘桃、李平四目相对。

一场胜利不但将潘桃和李平的友谊往深层推了一步,抹去了阴影,且让她们深刻地认识到,她们的好,绝不是一种简单的好,她们的好是一种坚守、一种斗争,是不向现实屈服的合唱。她们友谊有了这样的升华,真让她们始料不及,有了这样的升华,夜里留在李平家睡觉的意义便不再是说说话而已,睡觉的意义变得不同凡响了。因为睡觉的意义有了这样重大的不同凡响,后来的日子,她们即使没有话讲,也要在一起。她们在一起,看一会儿电视,就进入睡梦,仿佛是个简单的睡伴。

然而,她们的未来生活,潜伏着怎样的危机,姑婆婆那句意味深长的话,到底有着怎样的寓意,她们一点儿都不曾知道。

那个山庄女人现有的生活之外的生活,那个属于她们的更大一部分生活,是在什么时候又转回山野,转回村庄,转回家家户户的,谁也说不清楚。它们既像地球和太阳之间的关系,又是公转的结果,又像地球和自己的关系,是自转的结果。说它公转,是说它跟季节有着紧密的联系,说它自转,是说它跟乡村土地的瘠薄留不住男人有着直接联系。它最初磕动山庄女人们的心房,是从寒风把河水结成冰碴那一刻开始的。其实是那日夜不停的寒风扮演了另一部分生活的使者,让它们一夜之间,就铺天盖地地袭击了乡村,走进了乡村女人等待了三个季节的梦境。它们先是进入乡村女人梦境,而后在某个早上,由某个心眼直得像烧火棍一样的女人挑明——上冻啦,玉柱好回来啦——她们虽然心直,挑明时,却不说自家男人,而要从别人家的男人打开缺口。而这样的消息一经挑明,家家户户的院子里便有了朗朗的笑声,堂屋里便有了霍刺霍刺的铲锅声。潘桃,正是从婆婆用铲子在锅灶上一遍一遍翻炒花生米时,得知这条消息的。到了冬天,在外做民工的男人们要打道回府,这是早就展现在她们日子里的现实,可一段时间以来,她们被一种虚妄的东西包围着,她们忘掉了这个现实之外的现实,或者说,她们沉浸在一个近在眼前的现实里。那个属于山庄每一个女人的巨大的现实向潘桃走近时,潘桃竟一时间有些惶悚,不知所措,那情景就仿佛当初玉柱离她而去的那个早上。潘桃将这个消息转告李平,李平的反应和潘桃一样,一下子愣在那里。她俩长时间地对看着,将眼仁投在对方的眼仁里,看着看着,眼睛里就同时飞出了四只鸥鸟。它们开始,还羞羞答答,不敢展翅,没一会儿,就亮开了翅膀,飞向了眼角、眉梢,飞向了整个脸颊。对另一部分生活的接受不需要太多的时间,它们原本就是她们的,它们原本是她们的全部,她们曾为拥有这样的生活苦苦寻觅,她们原以为一旦觅到就永远不会离开,可是,它们离开了她们,它们毫不留情,它们一走就根本不管她们,让她们空落、寂寞,让她们不知道干什么好,竟然把猪都放了出去,让她们困在家坐觉得自己是一个四处乱爬的地瓜蔓子。一程一程想到过去,李平感激地看着潘桃,潘桃也感激地看着李平。李平说,真不敢想象,要是不遇到你,我这一年怎么打发?潘桃说,我也不敢想象，要是你也旅行结婚，不在大街走那么一回，让我看见你就再也放不下，我的生活会是什么样子。李平说，其实跟怎么结婚没有什么关系，主要是缘分，还是命运，谁叫我们都是歇马山庄的新媳妇。潘桃说，我同意缘分，也同意命运，但有相同命运的人不一定能走到一块儿，就说你姑婆婆家的两个闺女，结婚当年就生了孩子，就乳罩都不戴了，整天晃着脏乎乎的前胸在大街上走，你能跟这样的人交往？潘桃说完，两人竟咯咯地笑起来，最后，李平说，潘桃，看来我们需要暂时地分开了。潘桃说，可不是，真讨厌，他们回来干什么?!

矫情归矫情，盼望还是一点点由表及里地进入了她们的日常生活。潘桃不再动辄就往李平家跑了，而是在家里里外外收拾卫生。李平不但地下棚上家里家外扫了个遍，还到镇子上买来天蓝色油漆，重新漆了一遍门窗。盼望在她们做完了这一切之后，又由表及里地进入了她们身体，在夜深人静的时候，在她们分别从内心里赶走对方，一个人在新房里默默地等待一个如胶似漆的拥抱的时候，一种刻骨铭心的身体里的饥渴竟天塌地陷般率先拥抱了她们。

冬月初三，歇马山庄的民工们终于有回来的了。他们先由后街的王二两带头，然后山路那边，就蘑菇一样，一个一个钻出来。他们由小到大，由远到近，几乎两三天里，就一股脑儿涌进村子。他们背着行李，大步流星走在山路上，歇马山庄，一夜之间，弥漫了鸡肉的香味烧酒的香味。这是庄户人一年中的盛典，这样日子中的欢乐流到哪里，哪里都能长出一棵金灿灿的蜡梅。

然而，欢乐不是乡村的土地，不可以平均分配。在欢乐被搁浅在大门外的人家，蜡梅是一棵只长刺不开花的枝条。当捎口信的人说，玉柱和他的父亲，和一家装修公司临时签了合同，要再干俩月，空气里顿时就长出了有如梅花瓣一样同情的眼睛。在外边，谁能揽到额外的活儿，谁就是英雄好汉最被人羡慕，可回到家里，就完全不同，回到家里，捎信人倒变成了英雄好汉。捎口信的人刚走，潘桃就晃晃悠悠回到屋子，一头栽到炕上。

在婆婆眼里，潘桃的表现有些夸张了，无非是晚回来几天，又不是遇到什么风险，是为了赚钱，大可不必那个样子。再说啦，就是真的想男人想疯了，人面上也得装一装，那个样子，太丢人现眼了。但是，婆婆没有说出对潘桃的不满。自从寒风把男人们要回来的消息吹了回来，婆婆也变了样子，变回到年初潘桃刚结婚时那个样子，一脸的谦卑，好像寒风在送回山庄女人丢失在外的那一部分生活时，也带回了温和。潘桃的婆婆不让潘桃干活，不停地冲潘桃笑，当天晚上，还做了两个荷包蛋端到西屋，小心翼翼地说，桃，起来吃呵，总归会回来的嘛。

一连好几天，潘桃都足不出户，她的母亲闻声过来叫过她，要她回娘家住几天，潘桃没有答应。父亲回来了，娘家的欢乐属于母亲而与她无关。婆婆劝她上外边走走，散散心，或到成子媳妇家串串，潘桃也没有理会。山庄的女人一旦被男人搂了去，说话的声调都变得懒洋洋了，她不想听到那样的声音。李平倒不至于那么肤浅，会当她的面藏着掖着，故意说男人回来的不好，甚至会说多么想她。可是，好是藏不住也掖不住的，相反，越藏越掖越露了马脚。冬月，腊月，两个月的时光横亘在潘桃面前，实在是有些残酷了，它的残酷，不在于这里边积淤了多少煎熬和等待，而在于这煎熬和等待无人诉说，而在于这煎熬和等待里，抬头低头，都必须面对一个人——婆婆。

女人的世界其实没多大，就两个人。李平实在了不起，李平的总结太精辟了。李平的男人回来了，就有了她的又一个世界，李平有了那样男人女人两个人的世界，便抛下她，撇下她，婆婆便成了她唯一的世界。最初的日子，潘桃对婆婆是拒绝的，不接受的，婆婆冲她笑，她不看她，婆婆把饭做好，喊她吃饭，她爱理不理，即使吃，也要等着婆婆的喊停下十几分钟之后，那样子好像是婆婆得罪了她，是婆婆导演了这天大的不公。结婚以来，她一直拒绝着与婆婆交流，她将一颗心从李平那里收回来，等待的本是玉柱那巨大的怀抱，现在，那怀抱不在，却出现了躲避大半年的婆婆，这哪里是什么不公，简直就是老天爷冥冥之中对她的惩罚，那意思好像在说，这一回看你怎么办？

老天爷对潘桃的惩罚自然就是对潘桃婆婆的奖赏，老天爷把儿媳妇从成子媳妇那里夺回来，又不一下子送到儿子怀抱，潘桃婆婆真是不敢相信这是真的。十几年来，男人一直在外边，独自守日子惯了，男人早回来晚回来，已不是太在乎，换一句话说，在乎也没用，你再在乎，为过日子，他该出去还得出去，该什么时候回来，还是什么时候回来，凡是命中注定的事，就是顺了它才好。而儿媳妇就不一样，命中注定儿媳妇要守在你身边，如何与她相处，做婆婆的可是要当一回事的。潘桃婆婆也知道，这新一茬的媳妇心情飘得很，跟那秋天的柳絮差不多，你是难能捉到的，尤其一进门男人又扔下她们走了。但她抱定一个想法，她们总有孤寂的时候，她们孤寂大发了，她们那颗心在天空中飘浮得累了、乏了，总要落下来，落到院子和灶坑。她们一旦落下来，便和婆婆要多缠绵有多缠绵，有时候，都可能缠绵得为一句话、一个眼神争得脸红或吵起架来。歇马山庄新媳妇不到半年就闹分家，就跟婆婆打得不可开交的实在太多了，为了能和儿媳处好，潘桃婆婆在潘桃孤寂下来那段日子，拼命和她说话，恨不能把自己大半生心里的事都敞给她，有时说得自己都不知为的哪一出，可是想不到这反而把儿媳说完了，把儿媳推给了成子媳妇。她怎么也想不到，村子里居然出了个成子媳妇。那段日子，做婆婆的心底下翻腾得什么似的，都快成一块岩浆了，飘飞的柳絮没落到自家的院子落进了人家，实在叫她想不通，这且不说，忽而的进进出出，她看她都不看，把这个家当成了一个旅馆、饭店，这也可以不说，关键是，她从来就没叫她一声妈！这就等于她们还没缠绵就吵了起来，等于她们压根儿就没有好过。她们为什么要这样呢？这样子其实两边不讨好，人们会说，一边没娶上好媳妇，一边没遇上好婆婆，这实在是丢了刘家祖宗的脸。也是的，拉不近儿媳，心里气不过，就和成子媳妇的姑婆婆好上了，也是同病相怜的好，她们原来一点儿都不好。成子媳妇的姑婆婆曾苦天哀地地买了潘桃婆婆家一只老母鸡，说是娘家老爹得了风湿病，要杀给老爹吃，结果，潘桃婆婆在让利十块钱卖给她的第二天，就听人说她拿到集上卖了十五块，为此她们三四年没有说话。两个被儿媳妇和侄媳妇抛弃的女人不得不又好上，把各自的媳妇讲得一塌糊涂，然而潘桃婆婆无论怎么讲，有一点儿是清醒的，那就是，只要儿媳妇回到她身边，她是肯定不会再讲她的。现在，这样的机会终于来了，虽然做婆婆的还弄不清楚，儿媳妇人在身边，心是否也在，可是她想她的心不在这儿又能在哪儿呢，人家成子媳妇抛了她。人在自信时总会变得明智，儿媳的心从外边收回来了，潘桃婆婆为了这个收，就尽量找一些合适的话来说。婆婆知道说别人潘桃不会感兴趣，就说成子媳妇。她当然不能说她好，成子媳妇现在已经够好的了，好得都把潘桃忘了，再说她好她就该飞上天了；也当然不能说她的不好，毕竟她是潘桃的朋友，她们好时差不多穿了一条腿裤子。婆婆的话是那些不好也不坏的中间性的话。这有些不好把握，如履薄冰，但自信有时候还给人勇气，潘桃婆婆是一步步度探着往前走的。婆婆说，成子媳妇也不容易，爹妈都不在身边，又没有婆婆。这话的潜台词是，哪里像你，爹妈在身边又有婆婆，你该知足。婆婆说，成子媳妇倒挺随和，可怎么随和，那脸上都有一些冷的东西，叫人不舒坦。这话的潜台词是，你尽管不随和，各色一些，但面相上还是看不出的。婆婆说，成子媳妇看上去老实本分，其实村里人都说她很风流，是那种不显山不露水的风流，她脸上那一点儿冷，就是遮盖着她的风流。这句话的潜台词是，你尽管看上去很浪，但其实骨子里是本分的。婆婆所有的话，都是要从潘桃和成子媳妇的比较中找到潘桃的优势，从而巧妙地达到安慰的效果。然而，这些话恰恰是最致命的。安慰本身，就是一种照镜子，婆婆实际上是搬了成子媳妇这面镜子来照自己，自己无论怎么样，都在这面镜子里。自己难道是要成子媳妇来照的吗?！当然，最致命的，还不是这个，而是那些关于谁最风流的话，风流，在歇马山庄，并不是歌颂，是最恶毒的贬斥，这一点没有人不清楚，可是此时此刻，在潘桃心中，它经历了怎样的化学反应，由恶性转为了良性，潘桃一点儿都不知道。她只知道在听到婆婆强调李平的风流时，她的心一瞬间疼了一下，就像当初在街门口，看到成子媳妇与成子挽手走过时，心疼了一下那样，她想我潘桃怎么就不风流呢？她的眼前出现了李平被成子拥在怀中的场景，出现了李平被许多城里男人拥在怀里的场景。李平被成子拥在怀中，被一些城里男人拥在怀中，并不是在歇马山庄里与自己厮守了大半年的那个李平，而正如婆婆说的，是风流的，是从眼睛到眉梢，从脖子到腰身，通通张狂得不得了的李平。堂屋里的空气一层层凝住了，有如结了一层冰。这让潘桃婆婆有些意外，她说的话在她看来是最中听的话。潘桃婆婆先是从潘桃眼中看到了冰凌一样刺眼的东西，之后，只听潘桃说，当然成子媳妇风流，你们哪里知道，她结婚之前，做过三陪，跟过好多男人了。

说出这样的话，潘桃自己没有防备。她愣了一下，目光中婆婆的眼睛也瞬间瞪大，愣了一下。但是话刚出口，她就觉出有一股气从肺部蹿了出来。多日来，那股气一直堵着她，在她的胸腔里肺腑里鼓胀，现在，这股气变成了一缕轻烟，消失在堂屋里，潘桃感到了从未有过的轻松。

六

在与成子团聚的时候，李平并没像潘桃想象的那样多么放纵多么恣肆，李平十分收敛，新婚时毫无顾忌的样子一点儿都不见了，好几次，成子从院里走进堂屋，顺手往她的胸上摸一把，她都没好气地说，你——粗鲁！晚上，成子不顾一切，把炕上的石板弄出声响，也希望李平有点儿动静，可李平就是不出声。成子着急，胳肢她笑，李平恼怒着说，怎这么没脸皮。李平不够放松，有意收敛，激起了成子的恼火，你，刚分手不到一年就变了心，为什么？见成子恼火，李平直直看着他，目光忧郁着说，成子，你才变了，年初你还是个孝子，怎么不到一年就变得这么粗，你不想想，咱们是两个人，可爸在外干了一年回来，还是一个人，你不为他想想。见媳妇的拘谨是出于一份善良，成子的恼火转成感动，热烈的亲密便只缩到被窝深处，并且，一场酣畅淋漓的亲密之后，两个人往往看着天棚，听着窗外寂静的夜声，会立即陷入一种静默，好像他们做了什么不该做的事，有了罪过。刚进于家，因为不能设身处地，李平并没有这么深入地体会公公，那天，成子和公公从外面回来，她做了一桌好菜，她和成子有说有笑，可是公公吃了几口就放下筷子出去了，公公出院，李平也放下筷子跟了出去，见公公直奔西山顶婆婆的坟地。那一刻，李平知道这个春节、这个团聚的日子该怎么过了。她绝不让成子在大白天走近她，而且有的活，比如杀鸡，她和成子追上抓着，却要一手拿刀一手拿鸡走到公公跟前，要公公杀。而干活时，又总是跟公公无话找话，说夏天的干旱，说村长收了几回水利费和农业税，说壳郎猪不知为什么有几个月不爱吃食，说养了十只母鸡结果就三只下蛋。李平所说的一切，都是乡下人一年当中最最关心的事情，是乡村日子在一年中的重要部分。李平说这些，单单没提潘桃。在过去的一年中，潘桃是李平日子中最最重要的部分，可是李平没说。李平没说，绝不是有意回避，而是当着公公，她根本想不起潘桃。和公公说话，过去生活中那些被忽视的、不重要的事情，你方唱罢我登场似的，纷纷涌到她的眼前，而与她朝朝夕夕在一起，险些让她忘了鸡鸭猪狗的潘桃，却像云一样，转眼间无影无踪了。

压抑着团聚的欢乐，每时每刻替公公着想，是李平目前面临的最大的现实，这样的现实又牵连出过去生活中另外一部分现实，使潘桃变成了与现实对立的一个虚无。此刻，潘桃确实成了李平生活中的一段虚无，她已把她忘了，她的每一时刻都是有着紧凑的具体的安排的，比如什么时候磨米磨面，什么时候杀鸡杀猪，什么时候浆洗衣服，什么时候买布料做衣服。唯有上集时，李平才想起了潘桃，想应该喊她一块儿去，可是在家里一直放不开手脚与媳妇亲密的成子早就骑车等在村西路口了。

这一天，与成子上集采买年货的这一天，李平还真的一程一程想起了潘桃，因为李平顺便在镇上烫了头。李平在烫头时，想起了潘桃曾跟她讲过的跟玉柱恋爱的故事，那故事因为有着黄昏的背景，有着音乐的旋律，极其的浪漫美丽。李平从理发店出来，与成子肩挨肩往百货店转，心里突然起了一份伤感，为潘桃——直到现在，她还没有跟玉柱见面，她一定是很苦的。李平真实地感受到了潘桃的痛苦，真实地同情潘桃，一路上都在想着潘桃的事，可是，回村路过潘桃家门口，却没有拐进去。非但如此，李平在潘桃家门口走过时，还格外加快了步伐，好像生怕潘桃看见。李平确实是怕潘桃看见的，尤其是跟成子一起，就像在家里不愿意让公公看到他们在一起一样。

一转眼，腊八到了，腊月初八是吃八样豆做的米饭的日子，但是，成子父亲和成子商量，这一天杀年猪。成子父亲要成子提前一天到村里请几个人喝酒。姑姑姑夫，村长和会计，还有和他们在一个工地干活的于庆安、单进奎。这一天，成子家每个人都有了自己的活路，成子请客，父亲劈柴，李平切萝卜和酸菜准备杀猪菜。劈柴活累，要动力气，请客活轻，只动动嘴，但成子还是不愿父亲一个人挨门挨户走。一个孤单的人在街上串，总有一种流落街头的感觉。这一天里，于家家里家外都充满了活络的气息，院外，有噼噼啪啪的劈柴声；屋里，有哐当哐当的切菜声；锅底，有忽忽忽忽火苗的蹿动声；锅上，有咕噜咕噜水的翻开声。李平的脸粉里透红，红里透着灿烂的微笑。公公脸上尽管没有笑容，但也是平展的、安详的。成子中午回来吃饭向父亲汇报时，语速很快，声调很高，透着压抑不住的自满自足：我先去了黄村长那儿，他一听就答应了，说谁请我不到，你爸请我不能不到。成子的汇报，自然让父亲和李平都平增了士气。日子在这样的节骨眼上，该是它最有滋味的时候。下午，成子再一次离家时，李平破例喊住他，说，你该把棉袄穿上，外边起风了。成子回屋穿棉袄时，李平抿着嘴，朝成子狠狠看着，看上去面无表情，但成子一下子就看出来那满得快要溢出来的幸福。其实它已经溢了出来，只是他不点破而已。

日子在这样的节骨眼上，若说有滋味，也是一种农家里极其平常的滋味，若说它平常，其实是说它没有什么波澜不是什么奇迹，是日子正常运行中必须有的事情。然而，这滋味因为一年当中并不多见，因为难得，它也便是农家里最不平常的滋味，是那平静中的波澜，平实中的奇迹。拥有这样波澜和奇迹的于家人，统统表现了一份知足，一份安定，他们一点儿也不知道他们的生活里还潜藏着什么。

事情是在下半晌露出水面的。事情在露出水面时，没有半点儿前兆。下半晌，公公劈完柴，到街外的草垛边抽烟去了。李平从锅里捞出鲜绿的萝卜片，正要往热水里切海带，成子从外边大步流星回来。李平因为有了中午时分跟成子的分别，以为这大步流星里携带的是兴奋，是欣喜，忙抬头迎住他。这一迎可把李平吓坏了，成子的脸扭曲得仿佛一只苦瓜，粗重的喘息从鼻腔传出时，顶出一股李平从没见过的愤怒。应该说，他脸上的愤怒和鼻腔里的愤怒呈一种你争我抢的趋势，把成子整个人都改变了，变成了一副穷凶极恶的样子。成子逮住李平目光后，擒小鸡一样把李平从灶台边擒到里屋。成子威逼的目光和手中的力气，让李平感到自己一瞬间变成了一粒尘屑，渺小、轻飘，而成子却仿佛一座山一样高大、威严。李平不知道发生了什么，李平目不转睛地盯着成子，心悬到嗓子眼，堵得她喘不过气息。这时，成子哆嗦的嘴唇中吐出了几个字，是石头，但落了地。你骗了我，你跟了城里人，你骗了我。他是希望李平把石头捡起来，扔掉它，可是，李平不但没有捡起来扔掉它，反而将它夯实——迷乱之中，李平也从哆嗦的嘴唇中吐出几个字：是的，我是骗了你，我是跟过城里人，可是，我确实是爱着你的。字是石头一样沉重，落地有声，可是在成子听来，不是石头，而是一枚炮弹，它落在他与李平之间，轰然滚起万丈浓烟，弥漫了他的视线，弥漫了他的生活。成子一松手，将李平推到墙边，后脑勺与墙壁砰的一声撞响之后，成子大喊，你给我滚——

李平当天下午就夹包离开于家，离开歇马山庄，回娘家去了。李平走时，用围巾把自己出过血的后脑勺包扎得很严，从走出门槛的第一步，就再也没有回头。

成子家的猪没有杀成，父子俩关门三天三夜没有起炕。

潘桃是在李平离村的第五天才从婆婆口中得知消息的。她得知消息，异常震惊，立即清醒是谁搬弄的是非，眼睛直直地盯着婆婆，目光中含着质问。可是盯着盯着，想起自己在说出那样一个事实时的痛快，不由得低下了头。

玉柱和他的父亲在腊月十三那天回来了。玉柱没有得到想象那样热烈的拥抱，潘桃也抱他亲他，但总好像心中有事。玉柱一再追问到底发生了什么，潘桃坚决不说。潘桃不说，却要时而地叹息，眼神的顾盼之间，有着难以掩饰的惆怅。那惆怅蚕丝似的，一寸一寸缠着日子，从腊月到正月一直到二月。二月底的一天，潘桃婆婆在外面喊，看，李平回来啦——潘桃立时扯断眼中的惆怅，跳下炕，跑出屋子，跑到大街。李平确实回来了，正和成子俩走在街上。然而他们却不是结婚那天那样，一左一右，而是一前一后。李平脸色相当苍白，眼窝深陷着，原来的光彩丝毫不见。李平看见潘桃，立即扭过脸，仰起头，向前方看去。脖颈上，耸立着少见的、但潘桃并不陌生的孤傲。

潘桃本是要同李平说句什么，可是李平没给机会。

三月底，歇马山庄的民工又都离家出走了，李平家常去的，不再是潘桃，而是李平的姑婆婆。潘桃已经怀孕，每天握着婆婆的手，大口大口地呕吐，像说话。婆婆听着，看着，目光里流露出无限的幸福与喜悦。

孙惠芬

女。1961年出生，辽宁庄河人。1986年毕业于辽宁大学中文系。历任庄河县文化馆创作员，文化局副局长，《海燕》杂志编辑，专业作家，辽宁作家协会第六届理事。1982年开始发表作品。1991年加入中国作家协会。著有中篇小说集《孙惠芬的世界》，中短篇小说集《伤痛城市》，中篇小说《还乡》等。短篇小说《小窗絮雨》获1987年辽宁省优秀文艺作品奖，《平常人家》获首届东北文学奖佳作奖及辽宁省第三届优秀青年作家奖，《台阶》获1997年《小说选刊》奖，《歇马山庄的两个女人》获第三届鲁迅文学奖。

松鸦为什么鸣叫

陈应松

忽然下起了大雪。伯纬已经踏上了雪线之上的公路。传说过去翻过皇天垭，再翻过韭菜垭，便有一条通往房县的古盐道，伯纬没有走过。那得走上几天，要经过杀人冈、打劫岭、百步梯、九条命——这是实实在在的地名；九条命是九个背盐工的命，而韭菜垭六十年代发生的杀死七个人事件却是并不遥远，两个房县挑夫杀了来神农架踏勘的林业部和省林业厅的技术员们（有的才大学毕业，刚刚结婚），那两个挑夫就是沿着那条藏在原始森林的路，挑着抢劫来的钱财往房县逃窜的。现在，那条路已经掩埋在荒无人迹的深山老林中，眼前的这条大道取代了它。深厚的冰，还有路边石崖上的冰瀑，这一线，那一堆。雪花大且夹杂着生硬的雪霰。从这里四下望去，整个皇天垭露出了森严的气象，遥不可及的山头和山坳间蒸腾着深蓝色的雾气，连枫杨树也因恐怖而竖起了干瘦的枝条。只有落叶松在舞蹈着，展开玉色的裙子；看久了，它们会成为一群树精。伯纬发现，公路上有影影绰绰的人正在冒雪砌护路的水泥墩子。

这是好事情。伯纬甩了一记羊鞭，怕羊群在人群和沙石堆里走散了。还有一些临时工棚。他很高兴，看了看那些已经砌好的护墩，先用石头，再周边用一个框子灌水泥砂浆。因为那些木框子就摆在路边，很大很大的一个，简直像些棺材。不过伯纬掂量这样的墩子是否能阻挡得了出事的汽车。小车马马虎虎，大车一样会把它们撞飞了坠下山谷。

山上没有草，雪线之上的山头，雪把草都覆盖了，羊没啥可吃的。他赶着羊下了山，他要把这儿的情况告诉家人。

“山上全在砌护路的水泥墩子。”他对他的老婆三妹说，对女儿、女婿和孙子说。

“羊还在叫嘛。”他的老婆三妹从厨房里出来，吃力地睁着被冬天的火塘熏得红肿糜烂的眼睛。没有谁理他，没有谁在乎他说的这件事：砌护路墩。

他坐在火塘边，开始抽烟。从野外拉屎回来的狗顶开门进来了，伯纬还以为是一只因为饥饿窜进来的羊呢。狗的身上沾满了浮雪，爪子是湿的。伯纬呆呆地吃了几口烟，闻到一股焦煳味。是狗，把自己的毛给烫了。

“如果护墩这么修下去……”可是他的心情并不那么乐观，尽管那些影影绰绰的人和零乱的工地给了他整个冬天的惊喜。雪会越壅越厚，羊的叫声会更难听。砌墩子的工人们会龟缩在工棚里然后将那些石头和砂料遗留给翻浆的春天，成为一桩有头无尾的工程……然而事情总在变化。但他已经老了。他吧嗒着烟，吧着吧着，一颗牙齿吐了出来。

早先的伯纬还是十分完好的，光溜的面孔像刚刚换了皮的红桦，两只手十个指头一个也不少，牙齿整齐、耐看，单眼皮，没有多少心思，劲很大。这大概是二三十年前的概况了。有一天，他研究着皇天垭通往村里的那个挂榜岩。油光泛亮的挂榜岩上面传说是一部天书，说谁研究出来了谁就可能被招为皇帝的驸马。这儿的人总爱谈论皇帝，但是他们不知道离皇帝有多远。千百年来，这个傻笑话还真让一些人上当。清朝同治年间，举人坪的红、白、黑三个举人，硬是在这里坐死了。伯纬这天终于看出了一点儿门道。他看清楚了至少有两个字，一个是草写的“路”字，一个是草写的“缘”字。于是，伯纬跑回村里对人说：

“那上面我认出了两个字！”

村头的皇榜庙已经改成队部了，上头有许多毛主席语录和“大办民兵师”之类的标语。门口总是坐着一些老人和面相疲软而实质凶恶的狗，还摊晒着一些腌制的猪头皮，一些药材如升麻、扣子七、淫羊藿、头顶一颗珠等。狗和大胆的山猫、松鼠在那个小石潭边饮水。这时候，几个老人就笑他，并唆使狗朝他狂吠，他们看他不顺眼，以及他身上不知从哪儿弄来的绿军装。他们说：“伯纬，你认得几个字？”他们手头拿着手抄的歌本如《七姐思凡》、《黑暗传》，嗤笑这么一个敢胡说的不知天高地厚的年轻人。“草写的？草字不合格，神仙不认得。是怀素的草书呢还是张旭的草书？嘀嘀，哈哈……”“如果你也把字都认出来了，皇天垭不知要出多少状元。”

第二天出坡之前，背着大挖锄的伯纬又偷偷地去了挂榜岩，那两个字——“路”、“缘”清晰地向他迎来。的确是这两个字。满壁都飞动着这两个字：路路路路……缘缘缘缘……

二十多岁的后生娃子伯纬背着挖锄并不在乎村里那些人的嘲讪，这没有什么。他若是没认出来，他也不会相信这种鬼话。

皇天垭村从山下牵来的路像一条汪亮的绳子，看着那条小心翼翼、大弯大拐的路，人们的眼睛有时会无缘无故地湿润起来。小路爬上了坡上的人家，可它不声不响。溪水跌跌撞撞地把路冲断了，而溪水却依然发出那种不卑不亢的、干干净净的声音。紧接着，路又蹿上了悬崖。一个在路边耕地的农民和他的牛一起摔下了悬崖。那一天晚上，伯纬哭了一整夜。他问自己：“莫非我失恋了？”其实伯纬没有女人，没有接触过。

过几天，伯纬就要到红旗岩修路了。

这完全是一种巧合。

公社要人去房（县）——兴（山）公路建设指挥部修路，每村至少要出两个壮劳力。队部的庙台上，正在议论伯纬和另一个地主子弟王皋去修路放炮炸石头的事，几个老先生恶狠狠地说，让伯纬去修路，让石头砸死他。

早先，神农架可没有这样恶毒的人，现在这种人出现了，他们就像伐木队的恶狠狠的斧头，见什么都想砍一刀，其实他们并无什么恶意。他们看见伯纬和王皋背着行李卷儿离开村子时，打着招呼说："去京城啦？你娃子真有福气，果然要当驸马了。"

伯纬和王皋懒懒地沿着山脊的小路走，这是一次寂寞的旅程。要过很多山，要过很多河。要不停地脱鞋，卷裤腿儿。要认方向，还要砍树砍藤子才能找到路。

天黑的时候他们只找到了一个岩屋（就是岩洞），只好在岩屋里铺了被子过夜。中午的糁子已经吃完了，再没有吃的，汗在身上作祟，山里全是野兽的嗥叫。伯纬燃起了火，王皋掏出一瓶辣酱来拧开盖子，递到伯纬面前，对他说："你吃这个吗？"伯纬知道王皋一天都没有拿出来肯定是珍贵的，他就在黑暗中把辣酱倒了一点儿在口里，真香，辣，辣得香，又趁黑暗往口里倒了一些，呱唧呱唧地嚼着。伯纬说，你妈做的？王皋说，三妹做的。三妹是他新婚的妻子，吴三妹。伯纬说，嫂子的辣酱做得这么好！看着看着就要辣出汗了，就要浑身通泰了，王皋却突然哭起来：

"咳咳，这回我死定了。"

"你如何能说这种话，怎么死定了？"

"他们不是说要砸死伯纬吗？"

"砸死伯纬又不是砸死你。"

"反正我死定了……"

山里的风像一把雕骨的刀子，卡在石头缝里的松树和冷杉，发出了野狼般的荒吼。伯纬发脾气了，他记得他那一天怒火中烧，狠狠臭骂了一通王皋，击退了鬼怪以后才捡了条命。而鬼怪附了王皋的身。

"……你是在说屁话，伙计！你饿昏了头吗？你趁早闭住你的臭嘴，好好睡觉！"

王皋说："我总觉得我这次是去死的，我真的有这种感觉。可我不能反对，谁叫我是子弟呢。"又说，"兄弟，如果我死了，就剩下一把骨头，你能够用双手把我捧回去吗？"

"好，好。这行，这没有问题。"

"如果你跌了一跤，把我的骨头弄散了呢？"

“够了！散了我捡起来不就得啦！”伯纬冷汗直冒。

“假如都掉下了悬崖呢？”

“我实在忍无可忍了，伙计！”伯纬说，“我把你背回去不就完啦，我死了卵朝天，我不找你。睡一会儿不行吗？你看月亮到哪儿了！”

“那我们起个誓吧。”

“睡一会儿不行吗？！”

第二天继续赶路。走到第三天，到了工地。

报到后，俩人就分到工程四队去炸岩了。

炸岩就是炸岩。男人炸岩，女人刷边坡、挖水沟、铺路面。炸岩早晨背了炸药、雷管、钢钎、八磅锤出去，晚上带一身硝烟味回来，全在悬崖上吊着过日子。

王皋怕，他是个胆小鬼，怕炸药又怕悬崖，他曾经说过，我吓也要吓死。上了工地，系安全带、领雷管的时候，先是两条腿发颤，然后全身哆嗦。“我能不能唱一个歌呢？”他唱了许多的歌。王皋有一副好嗓子，可他唱歌就像打摆子。王皋本来想凭他的嗓子去宣传队的，但因为他是子弟，去不了，没人要。刚开始的几天王皋连唱都不敢唱，后来，他的胆子大了，开始唱歌了，先唱《好不过毛泽东时代》，又唱《做人要做这样的人》，再唱：“妹妹住在对河坡，喂条黄狗恶不过，别人来了动口咬，哥哥来了顺毛摸，狗儿也爱有情哥……”这是偷偷地唱的，只与伯纬在一起时；神农架的情歌也像丧歌，是如此的哀伤悲切，味儿深厚，但不悠长，好像随唱随忘那歌中情感似的，好像不让人知晓，一个人偷偷唱给自己听似的。

伯纬找后勤组弄了个炸药箱装东西，上把锁就是很好的衣物箱了。王皋不要，王皋宁愿趁休息时去山上砍树，找木工组做了个箱子。他的那一瓶酱，自上工地就不给伯纬吃了，放在自己的木箱里，躲着伯纬偷偷地戳几筷子。

四队是专在崖上打点炮的，就是在崖上打了落脚点，炸宽了，让二队来放坑炮，也就是打竖井。四队干的是下地狱的活，四队差不多全是子弟，还有不少从宜昌来的劳改犯。因此工地上就流行一个歌子：“洋二队，土四队，不土不洋是三队，久经沙场数一队。”

王皋学会了这首歌，就天天拉长喉咙唱这首歌，他一定是在感叹自己的命运。有一天晚上，睡在另一头的王皋蹬醒伯纬说：“我梦见了死人，全是死人。”

伯纬说：“你是醒着的哪。”

“我梦见河里伸出好多手来，拉我们崖上放炮的人，要死人了。”

“你分明睁着眼睛说梦话。”

“我一眯着就全是那些手，肯定要死人了。”

“我看你要发疯了。”

“我估计也差不离……”

第二天，在竖井里放炮的二队，炸飞了六个人。对面的崖壁上到处贴着炸飞的肉，树上挂着炸飞的膀子和腿。

四队跟二队隔着一点儿距离，听到地动山摇的爆炸声，王皋就吓软了。俩人在悬崖上一个掌钎，一个甩锤。掌钎的王皋把钎就吓掉了，掉进了万丈深渊。那些炸飞的人伯纬他们都见了，看见一些人的肢体飞到对面崖上去，有一个脑袋——就一个光秃秃的脑袋，往崖上飞去，好像要啃那儿的一棵倒挂香柏。伯纬定眼看，那脑袋果真啃住了香柏，没有身子，切切实实的一个脑袋。接着，松鸦就铺天盖地来了。这些松鸦，它们先前藏在哪儿呢？说来就来了。

松鸦的叫声又嘈又乱，还有那些嗡嗡作响的爆炸回声。王皋的钢钎又掉下了崖，俩人只好荡绳回到半山的一个凹处。

“伯纬我们还活着吗？”

伯纬就听见王皋用几乎是被石头埋齐脖子的声音沙哑低沉地说。王皋的手抠在一个石缝里，另一只手抓着伯纬背上的绳子。

“你唱，你现在正是号丧的好时候。”

“我不想唱了，活着比死了还可怜。”

峡谷里黄烟不散，一股股浓郁呛人的火药味让人忍不住咳嗽，风好像也突然没有了，风也炸蒙了，松鸦们的翅膀在烟雾中扑腾，看得到它们灵巧的头，黑色的羽。渐渐地，硝烟散去，更多的松鸦正在石壁上寻找那些血腥和碎肉，它们四处乱撞，哇哇哇，你可以听出是一种慌慌张张的狞笑，一种不能自持的幸灾乐祸，哇——哇——

他们静静地、无望地听着，看着那棵香柏上的头掉下去了，一群松鸦利箭一样地跟着，笔直地插入峡谷深处。

伯纬那天听见王皋自编了一首用“哭嫁歌”唱出的歌子：

神农架山高坡又陡，
羊肠小道难行走，
一年到头修公路，
修到何时才出头……

伯纬说：“你还不如唱‘狗儿也爱有情哥’。”

这时候，伯纬看见王皋的腿不颤了，正拼命地伸出一只手往悬崖边挤！

王皋想干什么？王皋前面有一块花布，挂在悬崖边的一蓬匍地蜈蚣上。在这样的时刻出现一块花布，在这么荒僻之处，在上不沾天、下不沾地的地方。伯纬想阻止王皋去得到那块来历不明的花布，可是王皋的手上已经攥到了那块花布。是从哪儿飘来的呢？王皋兴奋地说一定是头上砌护坡的女工掉下的，而伯纬想，说不定是咬着香柏的那颗人头上飘下的呢？

没有血迹，所以他高兴，也不发抖了，大嚷道："给三妹做件小褂子还有多的。做娃娃服最好。"娃娃服就是女人们当时穿的一种胸衣。

王皋把花布揣进了怀里，这天回到工棚，王皋就把花布悄悄放进了箱子。

追悼会和誓师大会是经常开的，不过像这一次这么多棺材还没有过，还出动了直升机，听说是从武汉飞来的，停在山顶把一些伤员运走了。王皋见死了这么多人，就不敢晚上出去尿尿了，找后勤班弄了条废板车内胎，剪断，从床边的棚壁上挖个洞，通到外面。这一下屙尿方便了，可是没两天，那日晚上屙着屙着，尿漫上了床铺，王皋在半夜时分大喊："是哪个坏蛋搞了破坏呀！"原来，有人开了个玩笑，在外头把他的废内胎打了个结。又过了两天，王皋打开箱子时，那块花布不见了，成了块桦树皮。王皋当时愣在那儿半天，脸白了，气急了，对伯纬说：

"我碰上了岩包精。"

那一天王皋就恍恍惚惚的了，丢三落四，上工去的时候竟然没穿鞋子，队长要他领五个雷管他领了八个。那天他的任务是挑竿炸石，就是竹竿上挑一包炸药，在隐蔽处贴悬崖炸，炸出石窝子能踏脚后，再去打眼。王皋用竹竿挑了炸药，荡下绳子就下去了。他点上了火后炸药不响，他以为自己未把引线点燃，从岩边伸出头去看竹尖上的炸药，头一伸出去，炸药响了，他的半个头也没了。

伯纬那天在崖顶作业，他伤了风，又腹泻，与一些姑娘运石渣。死人的事是经常发生的，工地大了，死个把人不稀奇。但死的是王皋，这就不同了。晚上他对木工班两个专门做棺材的师傅说："王皋的棺材就不做了，我背他回去的。"

他把事情的原委一说，指挥部就准了他几天假，要他把王皋背回去。

因伯纬与王皋打伙同睡，他留下了王皋的棉絮，拆了包单子，将王皋一裹，用麻绳捆得严严实实。这之前，木工班的师傅给王皋雕了半个木头脑袋安在他头上的缺损处，再用一条劳保毛巾一缠，也看不出缺损了什么。就这样，伯纬背着王皋的尸体就上路了。

太阳牛卵子热，农历九月的太阳为何还如此浓烈呢？不过你只有爬山，背个百把斤的东西才会觉得太阳还存在并且有夏季的企图。其实太阳是不动声色的，是你冒犯了太阳。只要你坐下，山风一吹，又凉了，背脊上、胯子里的汗变成了恶作剧的凉水，就是这样。

烘热的秋天是因为山要成熟，山要把东西蒸熟，只剩下最后一把火了，或者火烧完了，要焖一焖，要等它跌气，东西就能端上桌了。所以伯纬有时歇下来摘"猫儿屎"吃时还是发涩，五味子又酸，苦李子苦，堂梨像木渣。能摘到一串好五味子，他就连籽带皮都吞进去。

进了河谷的时候，他数了数，至少有七八只松鸦跟着他，在他的前后左右怪叫，它们闻到了死尸的腥气。伯纬不敢肯定，这些松鸦是不是从他启程时就跟上了，盯上了，还是在半路上招惹了它们？伯纬望着它们，比它们的叫声更响亮更悠闲地说着话:“别开洋荤哕!我不会把王皋给你们吃了!”

九月,连老林子都是明亮的,空气里流溢着干燥的、带点酒味的气息,像谁的酒坛打泼了。山楂和红枝子、蔷薇都成熟了,一串串地打着他的脸,它们喧宾夺主的气势把空气都映红了,并且让人精神抖擞。第一天走得还算轻松,说轻松,是因为王皋已不能说话了,这使伯纬觉得他背的并不是一个人,而是一捆山货,药材啦,苞谷啦,门方啦。想怎么背着怎么背,横着,顶着,扛着,夹着,都可以。过去背门方时,一根至少有一百八十斤,可小小的王皋满打满算不过一百一十斤甚至更少。第一天下坝店,过响水河谷,再走庙垭,邱家坪,到了赵家屋场——不知不觉已经近晚了。他才想到,他得喝水,他得吃东西,烧两个苞谷也可以,最主要的是,抹了汗睡觉。

这怎么睡呢?他在赵家屋场的山脊上看着那山坡上的两三户人家。没有炊烟,狗正在远远地朝他吠叫。我总不能背个死尸进门讨歇吧。我把他藏在人家菜园边,放在老林里?半夜被野兽啃了那我不白背了,我怎么好跟王皋家人交差呐!

正在犯难的当儿,他看见了不远的石崖下有一汪水,在暮色中泛着美妙的白,他先不想那些,就走下石崖去水坑里喝水。他埋头喝了一气,直喝得打出嗝来,再洗脸,洗身上的汗,人就轻松多了,恰好水坑边有人点种的矮苞谷,掰了几个,半生不熟,汁儿也是麻涩的。吃到后来,吃出点儿味来了,竟把肚子撑饱了。再下面,有一个牛棚,他把王皋背起来,钻进去,找了些干草塞在自己的背下,一躺就睡着了。

年轻的伯纬一觉睡到大天亮,醒来时霜色镀银。他迷迷糊糊地不知自己在哪儿,回头看到那捆被被单裹着的东西,想了半天,才想起是被炸死的王皋。

“王皋!王皋!”

他赶快看王皋被野物啃吃了没有,翻来覆去后,总算松了一口气,心想,今晚一定放到人家里去,保险些。

早晨,依然照晚上的办法,吃苞谷,喝水,然后准备翻猴子垭。

再想背起王皋,背不动了。我昨天背得动,而我今天就背不动了?伯纬十分诧异。我还是我,为什么我今天就背不动了呢?这样的问肯定会把他问得挺起腰杆来,背了几步,又背得动了。

天是晴的,而且是大晴天,晚上好像下了一场小雨。

“王皋,你不要吓我呀,我是把你背回去的,你不要耍鬼板眼,我晓得你喜欢开玩笑的。你再一用劲,老子就把你丢下崖去,让你喂老熊了。我把你丢下去,哪个晓得,给你妈讲,给三妹讲,说是把你埋在半道上了,死无对证,你对我有什么法!”

这样一说,王皋就不在背上作怪了,服帖了,趁着晨风背了三里地,就闻见了臭味。

昨天的七八只松鸦还紧紧跟着他,而且老飞在他的前面,好像知道他该怎么走。伯纬说:“叫吧,叫吧,让你们饿死吧!”他放下王皋休息,发现被单里的王皋发胀了。“怪不得这么死沉的。”他说。

上猴子垭的路有时候陡，有时候平，有时候还有那么点儿下坡。喘口气的下坡，迂回的下坡，死尸在背上就很轻松，还有弹性，伯纬就会感谢他。再上坡，又沉了，伯纬就吼了：“不要作法，啊！”伯纬想到兜里有王皋的一个酱瓶子，瓶子里还装着由花布变成的桦树皮，他是把它紧紧盖着的，现在他想把它打开——当然是在看到对面坡上有两个人干活的时候，他把树皮取出来，为了压邪，在树皮上吐了口涎水，插在捆王皋的绳子里。

“王皋，我晓得你哪个都不怕，就怕岩包精。”

这么说着，浑身的皮肤有点发紧。他把桦树皮又抽出来，放在地上，狠了心，咬破了一块指甲皮，挤出两滴血，滴在桦树皮上。

没有什么变化，没有现原形。他对桦树皮说：“我是不怕鬼的，你只管管好王皋这王八日的，他怕你。”

他这下狠狠地把桦树皮插进了绳子，拍拍王皋，扛起他来，分量的确轻了许多。

路时阴时阳，时阴的地方一色的高山栎和刺叶栎，青枝绿叶，长得比春天还好。时阳的地方混杂着灌木和小乔木，落叶的，不落叶的，浆果，核果，坚果，什么都有，都在加紧与太阳勾结，圆满自己的野心。

只有令人头晕的死寂留给了山路。伯纬就对王皋说：“伙计，你唱点什么好？”

尸体没有任何动静。莫非他要激将？于是戳着包单子，说：“几只鸦雀也比你唱得好。至少，它不会像你总是吓得屁滚尿流的。”

想到了什么，伯纬哈哈大笑起来。伯纬换了个肩继续说：“我不喜欢你唱鸡娃子的洋二队土四队，洋二队又怎么样？死的人比咱们多。我还是喜欢你唱‘狗儿也爱有情哥’……狗子也爱有情哥？那是想舔他的卵子……你个哑糊苕，唱出这样的歌来，我唱一首，包比你的有味。”

伯纬突然扯起喉咙就向山冈上喊了起来：

十八姐儿二十岁的郎，
一夜摇断九张床。
打一张铁床摇断榫，
开一个地铺蹬倒墙。

伯纬喊得青筋暴暴，声音是直的。伯纬发现泪水沿着他的面颊往下淌，伯纬腾出一只手来揩泪。伯纬稳稳地踩着石头。伯纬下陡坡了，伯纬说：

“王皋，你一句话，就让我今天要背你。昨天我也在背你，明天也要背你。明天背得到家吗？王皋，我答应的事我做了，我不骂你，算我倒霉了，臭得稀烂也要把你背回去的……”

伯纬越想越伤心，把王皋往地上一扔，指着他说："我臭了你会背我回去见我的爹娘？为什么我硬把你丢不下？听听吧，听听天上是什么在叫吧，已经两天了，我又没有枪。我用石头吓唬不了它们。你死了，我疯了。我前世欠了你八斗，还是欠你五吊？……你还是个饱死鬼咧，你鸡娃子跟标致的三妹睡了，你还是个子弟都跟她睡了，我贫下中农没摸到女人一根毛。你鸡娃子今天给我老实交代，你跟三妹摇断了几张床？……"苍蝇出现了。他看见了苍蝇，在松鸦混乱持久的叫声中。那些个顶个的苍蝇，跟吸花蜜的蓝喉太阳鸟差不多大。他重新背起了王皋。从东南隘口吹来的风简直像一千头怪兽，横扫千军，把身体的热量一下子掏空了，人歪歪欲倒。怪模怪样的巴山冷杉吐出了怪模怪样的啸叫声：呜——呜——，头上的那些松鸦也在怪叫着斗风前行。它们因为无处下口被激怒了，加上这阴森的风，让它们突然变成一些可怜的小飞虫，没有吃食，疲惫，绝望，不耐烦了。伯纬前倾着身子，他都扛不住了，背上还压了个死尸。他想今晚在这个鬼地方非得借宿了，不然他会冻死。前两个月那么炎热的天几个四川来的采药人，就在凉风垭遇冰雹冻死在山洞里。神农架的夏天冻死人并不稀奇，何况现在已经到了深秋。只有绕一里路到杨爹的家里去。杨爹一个人住在东坡，砍木为火，挖芋为食。听说他有个儿子，但谁都没见过。

一颗亮星出来了，猛一抬头，又看见了一轮满月。天空呈挨黑前的蛋青色，单调寥廓。天的确要黑了，还没有见着杨爹的屋影。就听见"嘣"的一声，麻耳草鞋的耳子断了，鞋散了。他把王皋放在一个坡上，四处去寻葛藤，用藤子把草鞋绑在脚上。走了几步，不对劲，硌人，比石子硌得还疼，只好停下来。一只有鞋，一只赤脚，伯纬欲哭无泪，走不了。此时冷月隐藏在冷杉林间，像一只鬼鬼祟祟的豹猫。伯纬对搁在树干边的死尸说："王皋，碰上老虎，我只好把你扔下了。"嘿，这时他瞅见了王皋脚上的一双鞋，是解放鞋，指挥部给死者发的寿衣寿鞋，不管三七二十一，就去扯他的鞋，"嘿嘿嘿，伙计，借我用一下，我背你，又不是背我自己，费鞋。"扒了王皋的鞋，俩人互换了，让王皋穿上那双破草鞋，自己套上新解放鞋。耶，夹脚，蜷起趾头凑合，踏在地上舒坦，摸夜路也不怕鹅卵石子了。

一条疯狂吠叫的狗也无法阻挡他去拍杨爹的门。杨爹的门没有关，他一头闯了进去，并麻利地把王皋塞进了门旮旯里，神不知鬼不觉。

杨爹在吃什么或者已经吃完了，他放下筷子打量着进来的伯纬。他是一个五十岁，也许六七十岁的荒废了的老头儿，头发荒了，眼神荒了，动作也十分荒凉，牙齿外露，微笑，不停地咀嚼。

"喔。"他说。

"我从红坪来。"伯纬对他说。

于是伯纬坐下了，看着他的碗。碗是破的，筷子一支红，一支白。他的衣裳是破的，手也是破的，结着血痂，还有许多泥渍。他站起来，有点儿步态不稳，用巴掌的下部揩着鼻涕，同时唤狗。狗来舔他的碗，舔干净了，他收了碗放到窗台上，摇摇晃晃地钻进床铺睡下了。

没有灯，伯纬只好把火塘的火加大，吹火，又从墙角的一个畚箕里抓了几个洋芋埋进火里。

"你就这样睡了吗？"伯纬朝他说。

那个人没有说话，好像在整理床铺和衣裳，发出木板压榨的痛苦响声。

"我莫非今晚要坐一夜？我也要睡觉！"

他赶紧翻洋芋吃，生的熟的半生半熟的就那么吞，然后找盆子洗脸，也不管主人的毛巾有多腻多脏了。他舒舒服服地洗脸，发觉狗盯着王皋！

"嘁！嘁！"他用毛巾小声而严厉地赶狗。

门没有闩，他索性把门大打开了，用手示意狗出去。

狗并不出去，哑哑糊糊地望着他，又朝那被单里捆着的东西淌涎汁。伯纬想着怎么把狗赶开，他跨出门槛，在台阶上故意褪下了裤子蹲下。这一招很灵，狗以为伯纬要拉屎了，赶快跟出去候在伯纬身边。伯纬瞅准时机，冲进屋里，把门关上，狗被关在门外了。

他摸索着上了杨爹的床，试试探探地挤出了半边被窝。他睡着了。突然，在洪荒烟云的梦中舒服解乏的伯纬感到身上的某一个部位焦辣火疼，醒了，抽着冷气想想哪儿不对劲，是卵子，喔，是卵子。可恶的杨爹把他蹬醒了。他听见那老头结结巴巴地说："你你你好臭……好、好臭……"

我好臭吗？伯纬完全清醒了。他妈的，我好臭？黑暗中，他也闻到了一股从哪儿飘来的臭味。伯纬只好坐起来，因为横蛮的杨爹将他快要蹬下床去。

这样的哑糊苕还能闻出臭味来，证明他过去是打猎的，鼻子跟狗一样灵敏。他抱着双膝，狗不停地在外面啃门，并发出求救的呜呜声。杨爹的耳朵是聋了，要不然，狗一进来，什么都完蛋了。

他听着狗啃门的声音，缩在床头的一角，再试着重返被窝。睾丸疼，迷糊了一会儿，天发白了。他只好下床，喝了一瓢凉水，揣了一大兜洋芋，背上王皋，开门就走。

晨鸟的啁啾不一会儿被远远近近的松鸦声代替了。松鸦又与他会合了。他一口气走了几里地，穿过了阴魂岭、八人刨、锅厂河，又上了狼牙尖。嫣红的晨光全贴在狼牙尖上，灿烂夺目。因此群山向阳的一面该白的白，该红的红了，该黄的黄了，该绿的绿了，袒露出它们坚硬的气派来。而在背阴的一面，一切似尚在沉睡中，被梦魇陷得很深很深。

"呵呵，"他对王皋笑着说，"我为你鸡娃子背了黑锅，害得老子差一点儿没得后代了。喂，听见没有，你说怎么补偿我吧，我没有别的要求，我不要你整十盘八碗，也不要你提烟提酒，借你的三妹陪我焐一夜脚……不同意？不表态？……嘿嘿，小气鬼，一瓶酱都舍不得的，还舍得老婆让别个睡……”

天又变了，下了一场呼呼啦啦的雨，天又晴了。但是雾气上来了，两米开外不知是人间还是地府。他在寻脚下的路，扑通一跤，跌了个嘴啃泥，在雾中摸那个长长的包裹，不见了。

雾越来越浓，一时半会儿摸不到那个人了。他喊：“喂，王皋，你躲在哪儿了，你还有心思给老子躲猫迷！”

伯纬的膝盖不听使唤，破了，流血。雾慢慢消散了，他顺手就扯到了几根地锦草，又捋了几片南星叶，放在嘴里嚼烂，敷在膝盖上，血止住了。他又用一片南星叶盖住伤口，找了根藤子系住，再去找王皋。

王皋掉到悬崖下去了。

不过不是直陡的，又有树可以攀爬，就往下蹬去，从一蓬华钩藤刺蓬里扯出了王皋，扛起，往上爬。这一趟损失了伯纬的许多气力，上了崖人就虚脱一般冒黄豆大的汗珠。而松鸦的叫声现在变得更凄厉了，在这没人的老林中莫非它们要作法了唤什么东西来加害我？

伯纬一定要甩开它们，伯纬发了狠，要走得比松鸦还快，要甩开它们，甩开它们！

老林的阴影只会越来越淡天空会豁然开朗。他的腿有劲儿，像风钻一样要钻透恐怖的老林。

他跑，他拼了命，有时候把命赌上了，风就呼呼地向后面倒去，再沉的东西都没了分量。看不见任何东西：鬼、怪、老林子、野物、陡坡和河水。

松鸦在前面等着他。松鸦在出一个隘口的树林上叫得正欢，还有杜鹃的叫声，斑背噪鹛的叫声，长着红尾巴的林鸲的叫声。可是，它们的叫声为何如此狂乱？

他的眼睛在换肩时被王皋那破烂的身子挡住了，前面好像有个影子，一阵揪心的感觉让他抬头就直击到一头红鼻子的老熊！

“我的命苦哇！”他轻轻地叫了出来。

老熊站着。他也站着。他跑不能跑，动不能动。他背着那么沉的一个死人，可他不能动。他知道，他爹就是个老猎手。他爹反复告诉过他，见了熊你千万不要动弹。熊是不吃死人的，它不会吃王皋，它想吃的是背王皋的人，活赳赳的伯纬。可你不动，你只管盯着它也是有用的，野兽都怕人，没有不怕人的野兽，包括老虎。只要你不去先伤害它，它是不会主动攻击你的。爹曾经碰到过一群野猪，硬是一双眼睛把它们盯跑了，但老熊服这个吗？你盯着它，它是个熊瞎子，屁用！

伯纬还是要盯，不动，像一根树桩。熊也盯着他，熊站着就像个人，像个绅士，老林中的绅士。现在，绅士要走了吗？绅士没走，小眼睛眨巴着望着伯纬，温和，淳朴，憨厚，暗藏杀机。

伯纬快疯了，他的腿正在被什么东西掏虚了，肩上的那个死人像一堆石头压着他。他要成为那个死者的垫背人，与那人一起到地府同游。

阳光从老熊的背后射过来，毛茸茸的影子落在伯纬的脚前。它在移动吗？慢慢地，那个影子与他拉开了距离。红尾的林鸲正在啄一只松鸦，也许它也太紧张了，而松鸦的叫声让它讨厌。老熊在一棵被人伐倒后已经腐烂的大铁桦上斜斜地站着，歪过头朝伯纬最后看了一眼，就窜进了一片冷杉林中。

伯纬依然一动不动，脚下像生了根一样。后来，腿一软，王皋把他压趴在地上。

伯纬送回了王皋的尸体，路就打通了最险的红旗岩，看着看着将要翻过皇天垭了。伯纬高兴了，春节也不回家，就在工地上值班。

晚上大家吃肉喝酒，喝多了酒，到了十二点，远近的村子里都响起了"出行"的鞭炮声，工地上没鞭炮，伯纬高兴，就摸出两个雷管出去甩。开了门出去，那天晚上下起了大雪，冻了凌，他一脚没踏稳就摔倒了，两个雷管在手上炸了。

伯纬在黑暗中绝望地喊："完了！"他爬起来围着工棚跑，双手疼痛，跑了一圈又一圈，手上的疼甩不掉，十个指头都炸得筋筋吊吊了。值班的人跑出来寻他，拉他，拉不住，他疼，他说："娘，给我拿点儿毒药来喝吧！"

一辆指挥部的汽车到三点多钟才把他运走。这辆苏联嘎斯车的师傅大家都叫他阎王爷，专门收尸的。工地上死了人，都是他的车拖，且只有他敢走夜路，冰多厚雪多深他都敢走。伯纬一上了他的车就被他吼了一顿："我说你别号丧了，我跟你说，哭也要三个小时走，不哭也要三个小时走。那还得看车况和路况。"

伯纬不能不哭，这样的时刻一双手都没有了会不哭？傻子哑糊也要哭。哭到医院，四肢就冰凉了。伯纬醒过来是因为医生撬他的牙齿。他听见医生说没有血输，都在过春节。撬他的牙齿是让他吞一种强力养血丸，一颗又一颗，吞了一大把。那时他已经在手术台上了。一个医生说："这下麻烦了，这人醒过来了，又得费麻药。"于是要他坚持住，便往他鼻子里灌麻药。医生边灌边问："还疼不疼？"伯纬说疼。另外的医生就用一个铁夹子夹他的脖子，不让他摆头。灌麻药的医生又问："你的手是怎么搞的？"伯纬回答说是雷管炸的，医生问："你结婚了没有？"伯纬说没有。医生又让他数数字，一、二、三、四、五、六、七……三十三、三十四……大概数了不到五十下，伯纬就被麻翻了。

伯纬再醒来他看到的世界很有点异样了。这源于他的手，他的两个手五花大绑，伸出四只角来，那就是手指，其他的手指没有了。这些手指还是嫁接的；嫁接了五个，有三个没活。谢天谢地，活了的是右手的两个，一个能动，一个上部分能动，实际上是一个半，这是后来的情形。他看到了他的哥、嫂、爹。伯纬的血流尽了，血管细得像头发丝，全瘪了。给他吊点滴，只好在脚踝那儿切开一条口子进针。

伯纬不让进针，蹬那个针头，喊道："让我死，死了好些！"他的哥和爹把他按不住，叫来两个年轻力壮的医生，把他捆在病床上。医生说："不进针你感染了烂死。""那也比活着好！"他在绳子里哀鸣。捆了他五天，把他捆服了，脸上渐渐有了一点儿人的颜色。针允许打了，也咽粥。

吴三妹提了十二个鸡蛋来看他。六个没煮，六个煮了。没煮的要他早晨喝生的，说是补血的。吴三妹说："是我妈让我来看看伯纬兄弟的。"伯纬躺在床上嘀咕说："只怕是你妈让你上街来换盐的吧。"吴三妹说："绝没有这回事。"说到后来，她就哭了，她站在伯纬的床前，拿着他包得像一株包菜的手，只是哭，又不说话，这让伯纬难受，伯纬也就拍着床沿号啕大哭，谁劝都劝不住。他说："谁说王皋不是享福去了，我这哪还叫人哪！不就是一只鸟了吗？只能用嘴啄食了，我又没有鸟嘴那么硬那么尖，鸟吃那么一点点就饱了，我每天吃那么几大碗，谁给我吃啊！"

家里人说："我们养你。"那是宽他的心。

伯纬能端碗了。在手术台上，医生就给他的左手残掌设计了一块平掌，然后用两个残指一卡，还行。

伯纬用勺子吃饭。伯纬穿橡筋裤。伯纬拿勺子拿一次掉一次，苞谷粥溅得他满脸都是。他后来笑了，他说："我像猫子舔食。"

伯纬出院回到了村里，村里人一见他那一双手，白净的脸上也没有了阳气，都说，伯纬要到宜昌讨米去了。

"伯纬怎么还没有走呢？"

他们后来看到伯纬上了山。他不是去修路的，他在砍竹子。

他砍了竹子，他研究砍刀。他最先研究的是砍刀，怎么抓住它，怎么用力。好歹砍了一捆，放在爹的屋山头。

砍刀的柄细些，能抓住它了，跑不掉了，还没让血痂掉壳，又去抓斧头，用斧头砍树。

伯纬在清晨的山上嘿嘿地砍树，砍得木屑四散飞溅。有人看见了，那些下地的人，看到的是伯纬在砍树，而不是别人，伯纬用什么攥斧头呢？他们左看右看横直看不懂，雾气和树枝挡住了他们，可的确是伯纬在砍树。一棵树倒下了，期期艾艾地让葛藤左牵右绊，倒了很久，总算倒下了。

伯纬扛着犁上了山。伯纬还能拿犁？莫非还能甩响牛鞭？牛鞭是在夕阳下山的时候响的，牛铃也响了，那是伯纬赶着牛回来了，犁尖上缠着新鲜泥土的气味，这表示，他耕过了。

他像一个什么也没发生的人，一个出坡、吃烟、喝瓦罐茶，然后回家弄点小酒喝喝，吃饱了，在门槛上抽袋烟睡觉的地道农人。他能干，残指、残掌、腕儿、肘、膀、腋窝，都帮他重新认识农具，一桩桩，一件件，漫长的认识，用血，用茧，用咬牙切齿。

他每次出坡都背一捆竹子下来，还背一捆茅草下来。

有一天，他突然说："爹，我们分家吧。"

他爹、他哥吓了一跳，"分家？你自己吃？"

"我当然自己吃。"

他要在屋后的坡上搭一间茅屋。家里只好给他搭了，全是他自己从山上弄来的料。然后，爹和哥给他一床被子，一张床，五个碗，一口锅，还有一个吹火筒。后来爹把自己烫酒的小铜壶也给他提来了，说是他变天时手疼，喝点酒活血止疼。

他开始刨洋芋自己打火做饭，可他抓不住洋芋。他练了很多天，还是抓不住。上山又把裤裆剐破了，不想给嫂子去补，自己补，可他抓不住针。他把很大的工具都征服了，但征服不了洋芋和针。洋芋是生命中的生命噢，可是我奈它不得；没有针，我的体面就没有了，我不能强作镇静，出坡，到人家里吃酒，揣着手在裤兜里晃来晃去，我还是个叫花子。伯纬捧着针线，泪水簌簌地往下落。

三妹的公爹用儿子王皋的死亡补助款烧了一窑木炭给已经到了皇天垭的修路指挥部。第一窑没事，第二窑刚点火时，支书派人来给他的窑里丢了三枚雷管，然后说他家开地下工厂，没收了他家的房子，把他全家赶到村里一间四壁透风的锯木场里。

已经到了四月，可山上的雪还没有化，从垭口那儿吹来的风依然是雪风，不仅仅是半夜凶猛，有时白天也狂暴，锯木场里陈年的锯末被吹得满天都是，背阴的地方依然滴水成冰。三妹和公爹婆婆及弟妹们一大帮子，还有王皋的一个哑巴叔叔，都挤在锯木场里，盖着单薄的被子甚至是稻草。

伯纬见了三妹，看着她已经出怀了，鼻子和眼睛冻得通红，偎在稻草里，就对三妹说：“到我窝棚里避避寒行吗？”

他于是扶着手脚麻木浮肿的三妹到了自己的茅屋里。

开春了，挨了几次批斗又要不回房子的三妹公爹一家，要搬到巴东去了。巴东来的亲戚有十几个人，十几个脚篓来搬锯木场的东西，桌椅板凳，犁耙锅灶，还有两张矮床，一口三妹与王皋结婚时嵌玻璃的红漆柜子。十几个人要背着那么大的东西翻山越岭，要从鸦子口进去，要走大龙潭、小龙潭，过巴东垭、三十六把刀，再过长江。

三妹的哑巴叔叔来喊她，咿咿呀呀地比画说：“东西都走了，你也要走了。”

四月莫非是搬家的季节？映山红在山岭上一下子全绽开了，推开腐叶枯枝，推开藤蔓浓雾，翻出了春的衣物，要晒一晒两百天漫长的冬季了。

三妹跟着王皋的哑巴叔叔走了，一步一回头，身上背者小巧的花篓，花篓里装了些伯纬给的洋芋。那是他自己种的。

可是到了晚上，三妹又出现在伯纬小屋的门口了。

“你怎么又转来了呢？”伯纬从火塘边拿着一把正砍柴火的斧子站起来迎接她说。

“我给你把洋芋都剐了，我给你煮洋芋吃吧，伯纬。”三妹的袖子上别着一根针。针到了女人的手上，熠熠闪光，楚楚动人。

三妹留下来了。

那天晚上没有被子，俩人只好滚在一床垫絮里。伯纬说："没一床被子，我过意不去。"

"这好。"三妹说。

"我也不会花言巧语，"伯纬说，"有一颗米，我掰半颗米给你和娃儿吃。我会凭良心的。"

"那就让你受累了。"三妹抹着泪说。

伯纬上了山，他要刨地种苞谷。他背着盛种的袋子，背着挖锄出门。三妹拉着他的手说："这一双手怎么挖得出土？"

伯纬说："我总要让你和娃儿有饭吃。"

那一天，伯纬烧了一块火田。他把看中的坡地四周砍出了一道防火墙，然后点火烧山地上的灌木、下木和葛藤腐叶。三妹跟着伯纬去了，她的镰刀下面也割倒了一些能引火的葛藤和枯枝。那一天把天都烧穿了，那一天的火真大。那一天三妹露出的歌喉让伯纬都惊住了：

口衔种子手扒窝，
上山种下苞谷坨……

伯纬说："三妹，你唱得好哇。不过我还是喜欢听王皋唱，王皋总是发抖，可他发抖唱的歌最好听。那叫什么……那叫颤音。"

三妹说："王皋的歌是我教的。"

"我早就知道了，"伯纬说，"不过还有一个歌你教不了：洋二队，土四队，不土不洋是三队，久经沙场是一队……还有一个：神农架山高坡又陡，羊肠小道难行走，一年到头修公路，修到何时才出头……"

"公路已经到挂榜岩了。"

公路的确修到挂榜岩了。炸石的声音轰——轰——，从山隘口腾起的黄烟和碎石，一直溅到了他们的坡地边。伯纬边挖树蔸边说："那都是我们修过来的。"他往手掌上吐了几星唾沫，三妹看到，伯纬的掌心全是血，他压根儿就没有掌心。

"你还能不能唱一点儿什么呢？"等炮声止息了，伛着腰挖地的伯纬对三妹说。

在地的另一头的三妹大声说："生个儿子长大以后让他来养你，给你还债。"

伯纬抬起头，他听清了："难道不是我的儿子？难道不跟我传宗接代吗？"

"你是个好心人，伯纬。"三妹说着说着就哭了。

晚上挂榜岩那儿的锤声叮叮当当，三妹就在锤声里生了，生了个妮子。

妮子瘦得像根筋，除了眼睛，其他都不像人。

秋上，伯纬从山上背回了七八百斤苞谷，卖了给妮子去治病。在镇上治了五天回来，一家三口没了吃的。伯纬又背着背篓给道班去背碎石子。伯纬用在风雪中背上坡的石子换回了苞谷，磨了粉，做成了糁子糊糊，给差一点拉痢疾死掉的妮子吃。伯纬的手指已经扣不好扳机了，就挖了几个陷阱逮野物。他在山上的窝棚里守了三天三夜，总算逮住了一只青麂子。那一年的冬天青麂是怎样掉进他的陷阱里去的，简直是个神话。冬天里，麂子加糁子，还有什么话可说呢。

第二年春天，又烧了一块田。一场雨下来，火田里生出了一大片油亮亮的油菜。哪儿来的油菜呢？又没下种？这就怪了。嫩油菜掐了菜薹，再长成菜籽，收割了换油，三妹的肚子还是瘪的。

运木材的大汽车轰轰隆隆地开进山了，又开出山了，一车一车带着树脂死亡芳香的大木头碾压着新开的碎石公路，好像要从山上栽下来一般往香溪河开去。一天，伯纬家的一条母狗也跑上公路，去看热闹，一下子压伤了屁股，两条后腿就没劲了，拖着爬了回来。

狗快死了，后来又活了，支着两条前腿。母狗有两只小狗，因母狗的后腿萎缩，哺乳的奶也干瘪了，两只小狗还是去吮。伯纬见了就踢小狗，说："就往裆里钻！"还踢那条母狗，"生这么一窝，好像就你能耐。自己都快死了。"狗被踢得嗷嗷叫，大的，小的。

那时三妹抱着妮子正在择野葱，看母狗被伯纬踢得拖着后腿去了屋后的蜂箱处。三妹哀哀地说："伯纬，我对不起你，给你生不来娃子，我们娘俩走吧。"

三妹说风是雨，就去堂屋的石磨柄上收衣服，从猪草堆里拿背篓把哇哇大哭的妮子往背篓里塞。伯纬冲进去一把抢过来妮子，说："三妹，你多心了。我从来没有嫌弃过你们。你走，走到哪里去？你若走了，我还有什么滋味？"

妮子要上学了，伯纬决定把她送到离家五里之外的学校去住读。学校在狼牙岩下，有一栋紧靠岩壁的房子，有一溜通铺，睡着二十几个住读的孩子，有大有小。学校门口有一条河，孩子们在河里舀水喝，洗脸，寒冬腊月也是。到了星期六，伯纬就赶着一头山羊去接妮子。那山羊是三妹从她娘家牵来的。原因是一次伯纬挖洋芋，残破的双手攥锄柄使不上劲，薅到了自己的脚，烂掉了一个趾头，三妹就不再要伯纬出坡了，她自己出坡干男人的活，让男人放几只羊，就这么，从娘家牵来了一头种羊。

伯纬放羊，腰里用背叉子插一把开山刀，还拿了一把手锄头，砍柴加挖药材，细辛啦，柴胡啦，蛇菰啦，独活啦。伯纬的羊越放越多，最多时达二十只，吃了，卖了，死了，总在十多只。他总是喜欢把羊赶到山顶上去，在皇天垭的口子上，看公路和公路上的汽车。有时候，往山下走的时候，车轮子就悬在他头顶。车是这山里唯一的活物，假如没有云彩，没有野兽，这静静的山冈上，公路就像趴在那儿喘气的蛇，没有一点儿生机，被人抽了筋。如果喇叭声来了，车来了，车满满当当地瞎响，嘀嘀，嘀嘀，路就活了，山也活了。羊开始惊慌地叫，嘴里含着青草。伯纬喜欢公路。

他常常掰着自己那几只不能动弹的手指，摩挲着，想着它们与眼前这条公路的关系。在下雨的时候，雾气蒙蒙，他在想，王皋会不会从那隘口走下来，浑身湿漉漉的，说："要点炮了。"

公路已经安静了，不再有炮声。可是，有一天，下雪的一天，轰地一阵声音，过去炸石松动的石头大块大块地垮了下来，砸到了一辆安徽来这里拖木材的汽车。车跑得太凶，太沉，把路也压坏了。进山的是空车，出山的是重载，一车一车的松、杉、桦、栎，都是做枕木，做榨木的料，还有香果木、麦吊杉、青檀。有一个团的军人在这里砍树，团政委转业回家时，不仅带了好香柏家具，还带走了五斤麝香。一只大公香獐子只产一两麝香，小的产十钱，也就是说，他要射杀近百只香獐。运木材的车源源不断，总会砸到车的。山的身子炸松散了，神也散了，挎不住，只好往下狠狠掉。

伯纬看见在风雪中清理路基的工人，只清理了一些小石头，腾出一条路来，让其他的汽车可以勉强行走，更大的巨石和压在石头下的车，就那么撂在公路上了，雪往上落，撕扯下来的树和树根也哀哀伤伤地横竖在那里，雪一个劲落着，神农架的雪就是那样，没有一点声响，却很严厉，但是到了晚上，你听吧，那树林里冰凌炸裂的声音简直像鬼魅，对这个世界是不留情面的。那是因为树枝和树干不堪紧缚，穿透冰雪而拼命呻唤。

但是现在没有声音。快过年了，伯纬想到快过年了，他一个人站在那里，手握着羊鞭，去看那还未全被雪掩埋的石头和石头下瘪了的解放牌汽车。是解放牌。一车上好的山毛榉，根根水桶粗。喔，他看不见那个人，驾驶室的那个人(只有一个吗?)，可他看见了一只可怜的手！那手是在呼救吗？那手从车窗里伸出来，从一块深褐色的巨石缝里伸出来，是手，还是树枝？人的手，上面全是比石头更深的紫黑色血！他看见了那人断断续续的身子，或者说是衣裳。现在雪越下越紧，好像雪知道了，不想让伯纬看清这一切。这不好，看这样的惨事毕竟不好，快过年了，不吉利。

可那只手！

他也曾经有一双鲜血淋漓的手！也是在年关里，在一个雪如飘絮的时辰。

伯纬赶着羊群回家了，他魂不守舍，进门就对三妹说："给我烫一壶酒。"

当伯纬提着空酒壶回来，他的老婆三妹才问他到哪儿去了。他告诉了她公路上的一切。

"那你说了什么呢"

"我说，我说师傅，你冷么，你是安徽的车，安徽一定没有我们神农架冷的，你喝点酒暖暖身子……我还说，我说了些什么，让我想想……噢，我说了我们这儿有酒规的，我敬你一个(杯)，我就先喝一个，再给你一杯，然后你再回杯，回一个……回你就免了，我自己来，我斟满，神农架的人喝酒从不耍赖。我一杯，他一杯，看着看着酒壶就空了。"

"你是疯了吧?"三妹看着冻得鼻子发红的伯纬,他成了雪人。

"你说什么,你竟敢说我疯了?! 你这个狗杂种,你敢说我疯了!"伯纬喷着酒气。他骂人了,他指着三妹的鼻子,他从来没有骂过她的。后来三妹看见伯纬在那儿愤怒地流泪。

过年的那些天,伯纬都要提着一壶酒去公路上,酒在伸手可及的驾驶室内外。刚开始几天,他都能看见一只松鸦在岩石垮塌的山崖上叫着,在一棵落光了叶子的火漆树上,孤零零地叫,叫得人心里全是些阴暗、黏稠的东西。不知哪一天,他再抬头看时,树上什么也没有了。他对那个人说:"山上越来越寒。快开春的这段时辰,总是最冷的。你喝几口去去寒气。"

有一天他说:"不是供销社卖的火酒,我不喝那个,自家酿的,地封子酒,度数低,不打头……冬天来的客少,酒还是有的,喝不完。这么寒冷的季节,哪个到咱们神农架来呀……"

又有一天他说:"想你的亲人快来了吧,我反正会供你的酒喝,一直等他们来。要说错,修这路我也有错,我这双手还不是修这条路炸坏的! 那时候天寒地冻,咱们也赤膊下河,筑路基呀,取河道下铁笼呀,靠啥,靠几口酒,所以,有酒了你也别怕了,阴间阳间我看差不多,一杯酒,什么都能对付过去……"

春节在那种持久的高寒中悄悄地过去了,太阳出来过几天,但山上的积雪不为所动,仍然占据着显眼的地方,掩盖了山区的真相。

吊车开上山了,死者的弟弟也来了。他们把死者挖出来后,发现驾驶室那儿一股浓郁醇厚的酒气,还有碗、菜、饭。后来他们问明白了,这是一个叫伯纬的残疾人干的。他们把伯纬从看热闹的人里拉出来,大家看到,死者的弟弟单膝向伯纬跪下,在泥水中向伯纬磕了几个响头,说:

"我哥总算没冻着,他天天有酒暖身子。"

那些人看见死者的弟弟从手上捋下一块表来,硬要给伯纬戴上,说是一点谢意。在推推搡搡中那块表硬是戴在了伯纬的手腕上了。伯纬说:

"这块表对我们乡下人也没有啥益,你们搞工作的人才用得上,又金贵,我是受之有愧。"

死者的弟弟在运走他哥哥的遗体时对伯纬说:"我是不会忘记你这个好心人的。"

神农山区的山好像渐渐地矮了。那不是矮了,是因为参天大树都砍光了。没有砍光的是一些不成材的歪脖子树和小树秧子,路祖露出来,看得清清楚楚,在山壁上,在河沿上,先是拖木材的车,后是拖门方的车,再是拖棍棒子的车,拖木炭的车,再就是拖树枝的车了,再呢,没有了。大车少了,小车却多了起来。哪些小车呢？先是吉普，后是切诺基，还有拉达，再是桑塔纳，后来，沙漠王子也出现了，奔驰也出现了……名堂越来越多了，还夹杂有许多小轻卡，拖点人、货的，还有个体户不知从哪儿弄来的破客车，摇摇晃晃，叮叮哐哐的。在夏天，山还是绿，绿得想再长成一个森林的样子，暴雨还是下，泥石流，也有把什么都晒枯的干旱。冬天的雪却小了，也推迟了。但是，在雪线之上，在皇天垭，风雪年年依旧。雨雪霏霏的日子车一样地横冲直撞，在厚厚的油光凌上，各式各样的车轮依然有人驱动，开过去，开过来，你追我赶，去房县，去兴山，甚至去更远的宜昌和汉口。吱吱的刹车声令人心惊肉跳。赶着一群羊的伯纬看着那些刹声中的车轮擦着悬崖，心想，现在的司机咋就胆子越来越大了，吃了豹子胆吗？其实是因为钱。但当官的呢？坐桑塔纳和红旗、奥迪车的呢？也是因为钱吗？坐在山石上的伯纬想不明白：他们为何这么匆匆忙忙？他们是在赶杀场？——这当然是在公路上有人翻车，又听说死了几个之后。

有一天，伯纬赶了头羊去镇上卖，在十八拐路边上，一个司机停了车在烧黄表纸。一问，是这儿翻车死了一对年轻男女，在此合埋了一个长坟，司机说，车开到这里不烧纸，你的车上坡就熄火。司机告诉他，所有跑这条路的司机，经过这里总要带点纸烧的，你不烧，那小两口就作法，把你的车熄火，这叫留下买路钱。有的师傅不晓得，一到下雨夜，往这一带走，总会见一男一女拦车，你让他们搭车，他们就嘻嘻哈哈爬上去了，搭一段就喊停车停车，说到了。荒郊野地，两边都是老林，到哪儿啦！你若不让他们搭车，你的车不是抛锚就是滚下山去。

这个故事越传越完整，细节越多，谁谁见到过，谁谁不让其搭车，赔了小命。可是，伯纬经常在这一带转悠，有时也到夜里，却从未见到过那一男一女。坟上的草长得老高了，上面的花开过花了结絮，结过絮了开花，坟上遗了松鸦、夹鼻乌鸦的粪便，藏着蓝喉太阳鸟小小的暖巢。就是在阴雨霏霏的扰人季节里，看走神了也没见到过那两个冤死鬼的魂影。

但是车祸却实实在在地多了起来。司机们烧多少堆纸也不管用。

有小翻的，有大翻的；有滚下几百米悬崖，有被树挡住了的；有死了，有没死的；有伤了，有没伤的。

在一个下雨天的黄昏，一个农妇搭乘一辆解放军的军车，上面装有一具棺材。农妇披了雨布站在车厢里，车行至十八拐，天已经全黑了，农妇听说过这儿鬼魂的事，心情异常紧张，紧盯着车上那口水淋淋的棺材，突然，那棺材盖子移动了，从里面伸出一只手来，搭便车的农妇当即吓得掉下车来摔死了。其实棺材里是个活人，运棺材的那老头，下起雨来，没处躲雨，就钻进棺材里，后来，他伸出一只手来，想试试雨是否停了，他哪知道又上来了一个搭便车的人，结果把人吓死了。

可是，据司机们说，你要翻过皇天垭，不管你紧不紧张，耳朵里就会突然像打鼓一样，下坡时更厉害，头就大，像一团气化开了，眼睛看哪儿呀，脑壳就一团气儿，虽然只是一阵，可方向盘一闪失，车轮就离了路，往下一栽，你还能知道是死是活？一切都靠天安排了。

海拔三千米的垭子，有人说是高山反应，大脑膨胀，也有人说，这儿的磁场可能扰乱了你的整个生物电波，也有人说，皇天垭是鬼垭子。

“轰——咚——咚……咚——轰——喀——轰……”

这不绝如缕的翻车声是在妮子满十六岁定亲的夜里。伯纬喝了些地封子酒，一觉醒来，清清楚楚听见了山上传来的恐怖声。第一下，滚下去了，第二下、三下、四下，是撞在石头上，再打翻滚，再被树或什么撕开了（或者劈开了树），再滚，就没声息了，躺进了山谷。从前后发生的响声判断，车大约滚下了两百到三百米。

那时候三妹并没有睡觉，在收拾着亲戚们吃过的酒席后的残局。伯纬坐了起来，虽然是一个严冬，窗子紧闭，但跳闪的油灯似乎带来了汽车坠岩时卷过来的风。

他在黑暗中坐着，他比较熟悉了汽车翻滚下的声音。如果你听到闷雷似的“轰隆……轰隆”声，持续不断，忽大忽小，那就是装运木材的车，一车的木筒子散落后滚动的声音，宛似一列在老铁路上行走的闷罐火车；而尖锐的响声来自小车：“哧——哗——叭——轰喳——哐当——”个体户的旧客车摔下去的声音是最不中听的：“轰——哐——哐隆——哐啷——”间或夹杂着一种哧儿哧儿的奇怪嚣声。伯纬通过声音，知道车是在哪一个地段上出事的，哪儿的石头与树抗拒车子毁灭性的冲撞会发出什么样的怒吼。他知道，任何石头和树木，你若招惹了它，它是会发出声音的，它们都有自己的个性，伯纬对山上的东西都摸透啦。车子和山石、树木的对抗时常会发出不共戴天的声音——人的喉咙在这个时候是微不足道的。面对灾难的沉默，是人的最软弱之处。也许是因为太远，他听不到。反正，只有当你走近现场，你搜寻，找到那些一息尚存的人之后，才能听清楚他们在微微地呻吟，命若游丝。

伯纬因为听这样的声音，脖子伸长得像桉树。他下了床，穿好衣服。他从房里出来，对厨房里的三妹说：“我去看看。”

“我怎么没有听见？”三妹知道他要去干什么，这么说。

伯纬已经往坎下去了，他在猪圈里拿了一把竹子，又上来，在火塘里点燃。竹子烧着的声音，噼噼啪啪地响。

过去，车出事的不多，垭子口还有个小小的养路站，现在搬走了。所以，如果他不去看，也就不再有其他人看了。

他听见了松鸦的叫声。那是从呓语到清啼的过程，含糊的、直觉的叫声和十分清醒的、充满了暗示的叫声、应和声是不同的。在黑夜中昏睡的松鸦们除非闻到新鲜的、浓烈的血腥，不然它们是不会在这样的时刻惊起的。

天空真是出奇的好，星星出奇的多，月亮出奇的亮，山也是出奇的静。在这荒僻而神秘的高山上，月亮的光似乎煞住了整个世界向更深的寒冷坠去的脚步。冷是冷点，如果没有松鸦的叫声，人心绝不会打战，至少对于从出生起就在这儿生活的伯纬来说是如此。

在去现场的途中，他会突然蹦出一个感觉：什么事都没有发生，是一个惊梦罢了。当汽车完成了它的死亡之旅后，总会有一个沉寂的间隙，那时候，受伤的人连呻吟都还没有学会。疼痛还没有开始出现，也许膀子断了，肝脾裂了。

他从几块陡峭的苞谷地抄小路上了垭子口，他很容易就找到了汽车摔下去的地方。他用残损的手高举火把，大喊道：

"喂，有人吗？有人没有？回答我一下！"

确切地说，是松鸦的叫声把他引向这样的悲恸之地。在这里，至少有一群松鸦，因为无数的夜晚从嗜血的梦中醒来，练就了一双夜鸮般的眼睛。

因为举着火把，所以他的视野极其有限，在一路往岩坡瞠下去时，寻找那岩缝里、灌木丛、葛藤刺棵中的人影是一桩难事，他只好走一步喊一声：

"有人吗？人呢，你们在哪里？"

在看到谷底下的汽车之前，他找到了一个男的。喝多了酒的伯纬现在知道他在干什么了。在这之前，他还在给客人敬酒，他面前的酒杯加上自己的门杯一共有十几个，一个杯子要喝两杯才能还回去。所有的人认为他入赘的女婿以后一定会孝顺的。"就跟自己的儿子一样。"他们这样说。这是恭维他。他的乱糟糟的脑子在听到翻车时早就平静了下来，对于没有亲生孩子的遗憾一上床便忘了。现在，他忽然想起这个事来，想到自己的家伙不行。他看到了那男的家伙——那人没有裤子，私处缩得像棵枯蘑菇，头上、大腿上血糊汤流。

"还有没有人？"伯纬问那个男的。

"还有。一个女的。"那个还活着的男人说。

"噢。那我先下去找女的好吗？"

"你能不能给我找条裤子，想办法把我包包吧。"那个男的用很沙哑的喉咙在他后头求情说。

包包当然指的是下身而不是伤口，看来，羞耻心在这种时候也是很重要的。伯纬只好又转过身来，放下火把，思考着怎么把他包起来，天很冷，他的伤口的血已凝固了，赤身露体的确不妥。于是他与那个人商议，能否先把那人的工作服脱下来包包。那人答应了。可是当他去脱那人的衣服时，那人说："膀子断了。"

有一件毛衣，但伯纬隔衣已摸到了刺棱棱的骨头，的确膀子断了。伯纬只好脱下自己的棉袄，包住了那人的下身，并要他不要动弹，免得疼痛。伯纬说："我找到下面的那个了我再来背你，要得啵？"

伯纬探到坡底并不是一件轻松的事，虽然摔下去的汽车把好些树都压断了，但冬季那些坚韧的刺藤把下脚的空间几乎全堵住了，手上的火把弄得不好会引燃那枯黄的茅草、落叶，引发一场山火。为什么偏偏是在夜晚呢？他想，莫非真有岩包精和树精？还有那作法的阴魂？

一辆汽车庞大的躯体卡在岩缝里，它的前端耷拉在一个险隘上。菩萨保佑，一个朝天的车门口仰面躺着一个女子，好家伙，爬上石头又爬上车子去看时，女子也光溜着下身。

"喂！"他喊。

火星落在那个女人身上，他欠下身去看时，女的好像已经死了，脸煞白煞白。

他俯身去抱那个女的，还年轻，长头发，模样也不错，就是死了，软的，脸上有血，屁股、下身都有血。而且那女的浑身的骨头都似乎断了，像小时候他爹给他做过的翻筋斗的小木人。死了，就好说，他用手腕去夹那个女的，然后移到腋下，把她拖下石崖。他正在喘口气时，上面的那个男人却喊了起来：

"我的裤子，还有被子！"

喔，还有一床被子，在驾驶室里。湿漉漉的，有血腥味，全是血。那个女的爬出车门时一定没死，后来死了。他在那女的腋窝里触到了一丝热气，但那已经属于死亡了。

真是麻烦，他拖出被子，又要背那个女的，又去翻寻男的裤子，的确没有。没有就是没有。他抱上被子，扛上女的，又拿着所剩无几的火把，爬上去。看到那男的已经靠着一棵树站了起来，吓了他一大跳。

"没有裤子？"那男的气呼呼地问。

"没找到。"伯纬说。伯纬心里说，你就不问问这女的死了没有。他背着那个女的，把被子给了那个男的，让他顶着，伯纬问："你可以走？"

"走吧走吧。"那男的说。

这人是人是鬼？他为什么这么不耐烦？他们是那一对……

伯纬感觉到了那女人的重量。他又背着死人了，那个男的顶着一床被子在向上移动，看上去像一个怪物，这使伯纬心里一阵阵发寒，虽然汗珠子从头发深处往外冒。

"车子是怎么了咧？"他问，他拼命问。

那个顶被子的男子却不再说话。刺和树枝总是挂他的裤腿。究竟是刺条还是鬼的手扯他？

好在，他们终于爬上了公路，那个男的没要他扶一下。在他拼命问话时，他听见肩上的那个女人这里响一下，那里响一下，全是骨头断裂摩擦的噪音。他坐在公路的中央，他说："我这就去捡树枝。"

他在公路边捡树枝了，那个男的用被子紧紧捂住自己。后来火生起来了，照亮了，照亮了一切，路、树、被子、死人和他自己。还有天上那儿的松鸦，都照亮了。寒风劲吹。他说："会有车的，会有车的。"他坐在那儿，口舌干燥，现在，他开始回味那些血腥味，他所见到的男人和女人的血腥味。他想喝水，或者吃花椒。

他拼命地想吃花椒时，车来了，是一辆手扶拖拉机慢慢吞吞而且声音洪大地开过来了。多好的声音啊，越大越好。对，最好是手扶拖拉机。他张开双臂，站在路中央，大喊："出事了！出事了！"

手扶拖拉机像是从天而降，活生生的师傅开着它。他终于看见手扶拖拉机停下来了，只是机器还在隆隆地响。师傅问道：

"又出了什么事？"

"翻车了。"

伯纬先把那个女的搬上车厢。车厢里只有几根门方，然后和司机一起把那个男的抬上车。那男的从被子里扔出伯纬的上衣，说："能不能把你的裤子借我用一下？"

反正是一条破裤子，里面还有件绒裤，伯纬就把外面那件沾了泥巴和血水的裤子脱下来给了那男的，并对他说："车我给你照看着。"

伯纬把火堆移到靠山崖的避风处，又找了些树枝来烧。不知不觉，天就亮了。

他正靠着石头打盹，就听见了羊叫。那是自己的羊，他的老婆三妹赶着羊上了山，手上挥舞着鞭子。

早晨没有一点儿雾，天空很干净，现在透过山下的林隙可以清楚地看见那辆摔下去的汽车。

"你的裤子呢？"三妹问他。

"我给了那个男的。"伯纬说。

"他未必没有裤子？"

"没有裤子，那男的还活着，女的死了，两个都没有裤子。他们的裤子可能还在车里。"

一转眼，家里多了两个人，女婿和外孙。因是招婿，外孙成了孙子，跟伯纬的姓。伯纬很高兴，有了把谱系传下去的人了。伯纬赶羊上山，也要把孙子牵着，"憨娃，跟爷爷捉叽溜子（蝉）去。""憨娃，跟爷爷打老虎去。"伯纬没有手，就两只不能动弹的怪头怪脑的指头，牵着孙子，赶着羊群上了山。孙子哭，不愿跟他，要跟着出坡的爸爸妈妈和婆婆，伯纬不干，伯纬就爬上树去捉叽溜子，但是女儿和女婿早把孙子抱走了。

伯纬总能把孙子抢过来，他才不管他哭不哭呢。"你再哭，红毛大野人就来了！"他吓唬孙子说。有一次，孙子在山上摔了一跤，额角跌破了，脸上被石头划了好深一条口子，伤愈之后，脸上就有了条亮疤。老婆和女儿女婿就一定不让孩子出门了，于是伯纬也不出门，缠着孙子要给他讲古："……盘古的爹是哪个？是江沽，江沽咬死了浪荡子，尸分五块，落在水中，长起一座昆仑山，也把江沽包起了，像个鸡蛋壳，一万八千年，江沽就变成了盘古。江沽的爹又是哪个？是幽泉，幽泉的爹是哪个，是混沌，混沌的爹呢，是混元，混元的爹就是黑暗……黑暗老母空中转，身怀有孕一万八千年……”后来他唱了起来，唱的是《黑暗传》。“你晓得岩包精么？岩包精能把树皮变成花布……”“红毛大野人其实就是山混子、岩包精、树精……有一天，一个打猎的人进山打猎，下好大好大的雪，雪地上有几十双小娃儿的脚印，到了一个悬崖那里，脚印不见了……”

他太喜欢他的这个孙子，每当这时，羊圈里的羊就会饿得直叫唤，没有人放出去吃草。

这样是肯定不行的，家里的人执意要他天亮后就出去放羊，家里的活儿有老婆三妹做了，包括带孙子，坡上的活儿有女儿女婿做了，包括打猪草。开山刀、手锄子、背叉子，他都放下了，他只是放羊。再说，山上如今已没药可挖，连柴胡都挖光了，生麻还有一些，党参、头顶珠是少而又少了。独活和杜仲都家养了，他家就栽培了一亩多地的独活，杜仲树也有十七八棵。他干些什么呢？他在山上，羊吃着马胡骚，有时候也啃一些带刺的小叶淫羊藿，他一个人在山上，他想给谁说点什么，唱点什么，山始终不说话，羊也始终不说话。

他好几天都无缘无故地盯着皇天垭子的垭口，垭口像一张巨大的嘴巴。有一天早上，他终于看见垭口动了，像山的两片嘴唇动了，垭口里伸出一条舌头——一簇密匝匝的树。山说话了，山发出了“嗷——”的低吼声，又像是打呵欠。山懒洋洋地开始说话了，那哪叫说话呀，也就是活动活动。他对山垭子说：

“老哥，你终于开口说话了。”

这不过是一种错觉。他在期待什么呢？

羊发展到三十多头了。他总是让羊吃马胡骚和淫羊藿，在垭子下的油桐包那里，背阴的地方大片大片的淫羊藿无人采挖，他让羊吃了这些东西不分季节地交配，跟人一样，羊就发展得很快。

这一年到了腊月，伯纬就熏了十六只羊胯子，也就是杀了四头羊。冬天的野花椒籽遍山都是，这种花椒籽压羊腥味很好。他想给在松香坪工作的哥和嫂嫂送两只羊胯去，还有羊骚、羊肝和羊肾什么的，给哥补补。另外，他打了一斤野花椒籽。他准备停当了，背着羊胯走到了公路上。

他想搭个便车，不花钱的，于是他选择了车招手。小车是不敢招的，那上面坐着干部，不会停下来带他这个又脏又破又残的农民，他招手的是货车。

他总算在寒风中截上了一辆拉木地板的货车，货车也在他身边停下来，司机把头从车窗里伸出来，伯纬看到，正是那个穿走了他一条裤子的男人。他又开上了一辆新东风。

“我到松香坪去。”他对那个司机说。

司机指着驾驶室的人：“都坐满了，下次再带你。”

说完，车就开动了。伯纬缩着被冻硬的鼻子，他被丢在路边。明明还可以坐一个人嘛，他浑身的气都不顺畅。他无意间回头看到了垭口的那张大嘴，他对高远的垭口伤心地说:“我其实知道这伙计姓嵇,他是个鸡娃子!”他那“子”字的弹舌音滑溜溜地向上走着:“鸡娃子——”他大喊。“你还穿走了我一条蓝咔叽裤子咧,你们两个都不穿裤子,搞什么哟！鸡娃子!”

给哥嫂送羊胯子的那一趟,他来去共花了四块钱,坐的小“面的”,挤死人。主要的是,他实在想不通救了那个姓嵇的一条命为何搭个便车也不让,这是神农架山区的人吗?他想到他那冻得像枯蘑菇一样的下体,还有隔着衣服也能摸到的断骨头,现在他又攥上方向盘了。假如它又断了呢?从山头轱辘轱辘地滚下去,我还会半夜爬起来背他们吗?

夜里,老婆三妹锉牙齿的声音比呼啸的风声还大。伯纬听见的却是垭口说话的声音,山吼了。它在吼什么啦?老婆什么也不知道,山开口说话的事,还有那个嵇师傅不带他一程的事,他已经不能在家里说这些了,他们烦他。

然而皇天垭又翻了两辆车。是不是垭子开口就要吞掉一辆车呢?一辆大车,一辆小车,小车是白天翻的,大车是半夜翻的,大车在半夜翻下了挂榜岩,只有结结实实的一声,没有铺垫,也没有余音,咚!一声山塌下来的声音,伯纬一听就知是从那陡壁直上的挂榜岩往下掉的,四百米的崖,伯纬想,人和车都报销了。

这太可惜了,我又得去背尸吗?

伯纬看了看堂屋的火塘里还有余火,还可以点燃一把竹子。他慢慢地坐了起来,被子里和被子外的气温是不同的,而屋外呢?

他在穿衣裳时把锉牙的三妹弄醒了。她在黑暗中问:

“你又听见了什么?”

“我总是睡不着。好像挂榜岩出事了。”

“那我陪你去。”

“算了算了,挂榜岩出事,神仙也白搭,我看看就回。”

在火把照耀的雪野,人好像是去进行一次犯罪似的,给人的感觉总是鬼鬼祟祟,畏畏缩缩。尤其是一个人。他咯吱咯吱地走在冻住的雪上面,到了公路,老远就看到一个黑影朝他走来。

那个黑影拖着沉重的脚步,还有长长的影子,穿得十分臃肿,看起来就像个独行的野人。野人穿过公路的镜头已经被许多人看见过了。伯纬喊:

“喂,你是哪个?”

“我的车翻了,我跳了车。”

“你怎么样?要不要我送你到医院去?”

那人说:“我还好,就是不晓得车咋样了。”

“你人还活着么,你人跑出来了,好,你到我家去把衣裳烤干,去喝口茶?”

他让那人走前面,他举着火把在后头跟着,又回头看了看没有什么东西跟上来，才为那人指路。从阎王爷的腋窝下跑出的这个司机还惊魂未定，脸上像涂了石灰一样，烤火时嘴里还发出咝咝的寒战声。

“过十八拐，你没有烧纸么?”伯纬问。

“我烧了。”

“你是怎么跳出来的?”

“我完全记不清了。”

伯纬烧旺了火，让那人烤得鞋底发出难闻的橡胶味，又给他冲了一杯糖水。三妹也起床了给那人烧苞谷吃，并对那人说:“我还是第一次看见我们当家的带个活人回来。”

那人抓住满头的脏发说:“不是我跳得快，现在不早成肉饼了。”

那人吃了两个烧苞谷，打了几个嗝，停止了寒战声，站起来跺跺脚:“我现在还能走，这不晓得托了哪个的福，我这就回镇里去报警。我想请你们帮我保护一下现场。”

那人丢下二十块钱，在走出门槛时又被伯纬塞回了他的口袋:“阎王爷不敢要你的命，我就不敢要你的钱，我去帮你守守便是了。”

伯纬跟那个人一起出去，三妹塞给了他一壶酒。在挂着冰瀑的挂榜岩下面，车子已经四分五裂了。他依然先点起火，把酒放在火边，再去捡拾一些捡得动的东西，比如坐垫啦，挡板啦，轮胎啦，腾出一条路来好让其他车通过。然后，伯纬就坐下来拢了拢衣裳喝酒。

他品着并不太浓烈的苞谷酒，自己酿的，刚好够自己要的那个劲儿。他就想到有自己的酒喝是一桩极幸福的事，自己种下的哪一颗苞谷变成了现在的酒汁儿，自己种下的、掰下的、搓下的，又蒸熟的、发酵的。总之不会像那个人一样，深夜了从阎王手里挣脱后还要一个人摸黑走十五里路去报案。其实一个人只要苞谷酒，你就会省下许多事儿，要那么多东西做什么，要车，要执照，要汽油，要大把的票子，要木材通行证，最后要了你的命……

火星飞舞在空中像一些四处飘散的萤火虫，到处闪烁着它们的趣味。伯纬抬头看看天空，星不多，气温寒冷，皇天垭的那张大嘴巴闭住了，黑魆魆的，它忽然好像暗示给伯纬:今天没有松鸦闹事。

真的，一声那种不祥的叫声都没有，它们的翅膀和嘴巴也都像垭口的那张嘴给冻住了吗?冰瀑是凝固的气势，而岩上的树白森森的，没有鸟禽飞动的迹象。噢，没有见一滴血。就是这样的，今天没有见一滴血，于是，他感觉到十分清闲起来。坐在火边还是冷，公路上的积雪并不厚，但结成了硬壳;在火边的冰凌烧化了，又冻住了。伯纬只好站起来，围着火堆，然后又围着汽车的残骸跑圈儿。他还摔了几跤，不过他笑了。像他这个年纪，滑倒了以后是会笑的。

他后来在火堆边做了一个梦，梦中见到了他的爹，在老林的一间茅屋前晒衣裳。爹已经死去很多年了，后来又看到有一只毛冠鹿用白色的嘴唇舔他，醒过来一看，他的老婆三妹在往他手里塞糁子，但是没有羊。

“人家都在忙年，我看你忙什么。”三妹说。

“嘀嘀，我忙什么。”伯纬嚼着老婆做的喷香的糁子，掺了蜂糖的。蜂糖是自家的蜂糖，还有一丝儿山里的百草香味儿。

不久，那个司机带着交警和保险公司的人来了。伯纬把他晚上捡的一堆东西交给那个人，然后说：“那我走了，我还要去放羊了。”那人说：“你先莫走，你也是一个见证人。”又对保险公司的人和交警说：“我就是碰见他的，我还到他家喝了杯糖水，他老婆还给我烧了苞谷吃。”

伯纬对交警和其他几个陌生人说：“这个师傅是我看到的命最大的人了，嘿嘿。”

那人不让伯纬说话，一说就阻拦他：“算了算了。”

伯纬只好沉默了，看那些人拉尺、拍照、记录。其中有一个人对那司机说：“你吃了人家的苞谷，我们今天吃什么呀，喝皇天垭的西北风？”

伯纬这下找到了说话的机会，他说：“到我家去，到我家搞饭去吃，顺便跟我孙娃儿照一张相好么？”

那些人就跟着伯纬去了他家。

伯纬家从来没来过这么多有头脸的客人，穿制服，背照相机。伯纬和他的家人赶快刷羊胯子，用斧头砍，下锅，煮洋芋。

热气腾腾的羊胯子就放在火塘上，用一个铁架子架着，苞谷酒搁在一张矮桌子上。围着火塘的一圈人筷子碰筷子，吃得有人冒汗了，脱衣了，话多了，脸上的酒血也不自觉地走窜起来了。

“……那可真是吓死我了。”那个交警说，“我在十八拐的下头走了一整夜，我想抄小路翻过垭子的，明明快到公路上了，又往回头走，心里想，走错了，可脚偏要往回走，直来，直去，直来，直去。那时我在派出所，有枪，我就记起我有枪，掏出来，连开了三枪，人就清醒了，上了公路。”

他讲的是他几年前的一次半夜迷路。

死里逃生的司机说：“一翻皇天垭我就会听到敲锣打鼓的。”

他们问伯纬见到过什么稀奇事没有，伯纬说：“我住了几十年，啥都没碰到过。”

后来他们问到他的那一双手，就谈到修这条公路死了多少人，有多少稀奇古怪的死法。伯纬没说什么，只是搓着一双残手给他们敬酒，他说：

“你们多喝点，这是掺了蜂蜜的酒，又不打头。”

保险公司的人说：“一进你的屋就有一股蜂糖酒的香气，你还是蛮能干的啊。”

伯纬笑笑说：“反正就这一坛子酒，你们今天要把它喝完。”

果然，一坛子为过年准备的蜂蜜酒喝了个底朝天。交警趁着酒兴在屋外为伯纬的家人照了几张相，说是在春节前一定洗好了捎过来。

伯纬想坐个便车去县城卖两头羊，那些人便牵羊的牵羊，撵尾的撵尾，把他带到县里去了。

过了几天，来了两个保险公司的人，没有给伯纬捎来他想要的照片，是来调查那晚车祸的事的。那两个人因为不愿意走这严寒中的路，其中一个加上被伯纬的狗咬了一口，一肚子火气，手上拿着爬山的竹棍，进屋了还没放下，倒是喝了伯纬女儿泡的茶水，没说上两句话就问伯纬：你是什么时候看到那个人的？你是何时见到那辆摔坏的车？你在车摔下来之前没有见到那辆车吗？车是不是早就停在挂榜岩上了？你真的不认识他？你总是半夜出来走动，一摔了车你就起来救人？是一碗糖水？两个苞谷？他当时的情况怎样？他的心情轻不轻松？你是几点几分离开的？你替他守车没要他一分钱？出事现场你看见破坏没有？

伯纬不想接待这样的两个没有好言语的人。他悄悄跑进厨房对三妹说："不要做饭给他们吃了。"三妹的刀正放在一块羊排骨上。但是，他出来后还是听到他的老婆把刀剁下去了，且发出很响的响声。

"他是骗保摔车。"那两个人对伯纬说，"你也没有什么好怕的，问一问，你照实说就行了。"

"我当然不怕。"伯纬掰着自己没有知觉的半截指头，"我怕什么，我又没做坏事，我怕什么。我只晓得车翻了，我应该去帮别人一把。我从来就是这样，不管是夜里是雪天。"

"嗯，"那两个人说，"就是这样的，你不知道，这当然不怪你，你一番好心，可是被坏人利用了。"

他们向他解释骗保摔车是怎么一回事，他们讲着保险行业的一些名词，让伯纬听不顺耳。后来留他们吃饭，他们走了，对伯纬说："请你把你的狗抓住，我还得赶快回去打狂犬疫苗。"

三妹是真心诚意地想留那两个客人吃饭，她张开两只油腻腻的手出来送客。送走了客，她埋怨伯纬应该把两个人留下来。

"他们把我当犯人一样在盘问。我还惹了一身臊咧，好心当作驴肝肺了。"

"我在听，他摔了车，别人还跟他赔车？"

"那当然。"

"有这么好的事？"

"人家一年投保了两三千块钱，他们为什么不赔？"

"现在不是说不赔吗？"

"不赔总有他的道理。不过莫非硬要把人也摔死了就是真翻车，否则就是假翻车？"

"那哪个搞得懂。"

“莫非他真把坏车摔了？”

“他吃多了么？”

“真骗保，那要坐几年牢。”伯纬抽了一口烟说，“刚从阎王手里逃脱，又要到公安手里去了。”

“为什么会出现这种稀奇事呢，这年头？”三妹问道。

她看见伯纬正在吃力地摇头，被烟火熏得像枣子的眼睛泪汪汪地一片。

“你总是见到一些鬼事。你早晨起来的时候把眉毛往上抹三下，火气就升起来了，你爹妈没告诉过你么？”

伯纬是第一次听到往上抹眉毛就能避邪秽，于是他就听从了三妹的建议，早起的时候往额上抹眉毛。

松鸦的叫声在这一天还是出现了。公路上汽车来往如梭，似乎没有任何出事的迹象，可松鸦开始叫了，而且叫得很凶。一种短促的声音“哇”，那就是松鸦，而叫得很长的，叫得更恐怖的：“哇——”是寒鸦或者秃鼻乌鸦，这一带，在松林、巴山冷杉和刺楸的密枝上，多是那种听起来寂寞而微微发寒的松鸦声，而且，它们的样子并不怪诞，你也很难发现它们，除非哪儿有了血腥或者即将有血腥。还有另一种声音——你若在床上不愿离开被窝时，听到好像捏着鼻子叫“要”或“娘”的鬼鬼祟祟的声音，是松鸦中的母鸦和雏鸦。它们在早晨的叫声，如果是晴天，晨光明晃晃地照在山崖或树枝上，天空的衬景显现出一种光溜溜的靛青之色的话，这些鸦声还多少给早晨带来一些活气；如果声音渐飞渐远，在另一片老林扒子里鸣叫的话，那就像隔山说话，没有事的，只当是一种平常的鸟叫，只当是一个人踏空了一块悬石，让它滚落下去；如果是在雨雾天呢，在将雪不雪的日子，在浓密的冰雪冻得人欲生不能、欲死也不能的时刻，松鸦的叫声，它们轮换地变换各种腔调的表演，就暗含着一种命运的诡谲，好像你的一切都早已捏在了谁的手里，所有该发生的，都是上苍安排好了的。

没有事。

伯纬抹了抹眉毛，只是朝漫天的云霞打了三个喷嚏。牛在石坎边的水洼里舔水，水太冰冷，是它用蹄子把冰砸个洞才能舔到的，它不敢狂饮，只能一点一点地舔食。猪在垫圈沤肥的枯草中瑟瑟发抖，把它们的嘴拱在更深的草叶中。狗在跳跃着，追逐并凌辱家里饥饿的猫。那猫连在那早晨伸懒腰的机会都没有，哀哀地叫着，想说话，想伸冤，有时竟能说出一两个与人一模一样的单音来。

女婿和女儿都到田里挖冬花去了，三妹正用腿夹堵着调皮的孙子给他喂一种很稠的苞谷糁子。他们坐在火塘边，浓烟朝门外飘去。

“你听见什么没有？”三妹问。

“我昨晚睡得死。”伯纬故意岔开说。

“早晨唉！”三妹不耐烦地说，“你抹了眉毛没有啦？”

伯纬打开羊圈把它们赶了出来，趁这难得的好晴天去把它们喂饱。羊群沿着山壁挨挨擦擦地前行，遗下光亮的羊屎，从翻起一层层外皮的红桦林间往里走，然后，这些羊群追着山脊的影子上山。它们喜欢太阳，总是在山巅痴痴地对着太阳看上几个小时，白髯飘飘，像一些仙风道骨的老者。

的确没有什么事，公路上的阳光像银带子一样四处飘摇着，比别处的阳光显得更集中。

“快过年啦。”他在说，他向更高的难以翻越的皇天垭口子说。

垭子的大嘴没有说话。

“老哥。”他又说。

有两辆车向那张大嘴爬去，像两只小金龟子蠕动。

什么声音也没有。

他记起来，在他出来的时候，他听见三妹在给他说：“你去多了，那儿就出事。”

他妈的，鸡娃子。我未必是个灾星！

他躺在已经化完了雪并被风吹干的阳坡上，有些草还真柔软，紫羊茅啦，老鹳草啦，蓝韭啦。

“可我喜欢公路。”他说。他自言自语地说。他看着自己晒在阳光下的手，那不是手，是个树蔸子。

他现在是在山上，在人迹罕至的山上，冬日的苞谷地里只有一些茬子，没有人，一棵野棠梨上有什么在晃动，不是人在摘果，是两只毛猴子。一簇丛生的粗榧间飞出一只山凤，遗失下两支蓝色的长羽。

可是天麻黑的时候松鸦的叫声又像烟雾一样呛过来了，很凶。他听见了汽车喇叭不停的叫声，是小车的。他刚把羊赶回圈里，他对惊慌出来观察的三妹说：“我没有到公路上去。”

他现在要去了，谁都阻挡不住的。这时候谁都不敢阻挡他。他是那么的麻利，取竹子，点火，拢在残指上，精神亢奋，双耳赤红，连脚下的力士鞋也系得紧紧的，落地轻轻的，醉了，不醉，都是这个样子。

喇叭叫得急，是因为失去了控制，翻在了八字槽槽底。槽是个泄洪的槽子，只长着些小树，挡了几下，响声不大，也就轰轰几声便翻下去了，都是一眨眼间的事。

伯纬站在公路边朝下看，他在想车为何走到这边来了呢，除非它是上坡。上坡又为何开出了公路？那么慢，未必是个没出师的学徒小伙子？

松鸦在头顶上叫，它们还没来得及睡觉呢，那一定是死了人。在早晨它们就嗅出来了，它们为何有这么好的鼻子？如果它们能通知人们这儿今晚有血光之灾，那又会怎样呢？可怜它们不会说人话。司机和车上的人们也听不见，他们从老远来，自我感觉良好，匆匆路过，谁知道哪儿会要他们的命。

死了一个，伤了两个。

伤的两个，一个是司机，一个是局长。司机被伯纬从喇叭长鸣的瘪车子里拉出来时，指着高处挂在了一棵榛子树上的人说："那是我们局长。"

说话的司机从一开始伯纬就没见到他的嘴脸，也没见到鼻子和眼睛。伯纬把他从车里拖出来就是这个样子。他的鼻子眼睛和嘴巴全被撕下来的头皮盖住啦。

伯纬说："你叫马山槐，你经常走这条线，我知道你的名字。"

"我是马山槐。你放羊吗，你就是在这条路上……放羊的那个瘸手啵？"

"我是不是身上有羊臊味？"

"嗯嗯。"

"你的鼻子好灵。"

"你帮忙把我的眼睛弄出来。"

伯纬正准备去弄他奄下的头皮，那个挂在榛子树上的人就喊了："你们在说什么，看我的姑妈怎么样了。"

伯纬说："您的姑妈已经没气了。我是先背您姑妈呢，还是先背小马？"

小马说："背局长吧。"

那局长在朝槽下面的他们发脾气了："背什么呀，给我搞杯茶来，我干死了，我的血都流光了。"

伯纬嘿地笑了一声说："这到哪儿弄茶去，凉水都没有。"

局长说："看看我的杯里还有没有。"

伯纬说："杯子在哪儿？摔破了没有呢？"

那个懒得说话的小马指了指汽车。伯纬又高举了火把到四轮朝天的车里去找，一个杯子压在那个局长死去的姑妈屁股下，他的姑妈好重，好像故意压着不让他取那个杯子。取出来了，划了他的手，是个破的。

这时，那个局长却在黑暗里瞎叫起来："救命哪，救命哪，救命的为何还不来？"

伯纬拿着那个杯子说："我在给您找杯子，是个破的。"

那个局长喊他，要他去，但伯纬不好离开小马，小马明明比他的局长伤重些。他见得多了，他知道谁的命还有几分。

"您能不能先让我帮小马把血止住？"他伸长脖子说。

他的火光已经照到了小马白疹疹的颅骨，连皮带毛都扯下了，中间还有个小月牙似的口子，在一团一团地往外冒血水。

可是那局长依然喊救命，声音尖长，已经盖过了在他身边飞舞的鸦鸣。伯纬看到，有两只松鸦已经站到那吉普的轮子上去了，这让伯纬慌乱起来。他仿佛伸手就能触到松鸦，不是一只，而是成百上千只。那个喇叭的叫声也让人心惊肉跳；他钻进车里去找茶杯时也在找那个电开关，可惜没有找着，他不懂车。

他就只好去背局长。

局长被一根很有韧性的树枝托住了，这是他的福气，他的脚下，是比铁还坚硬的石头，还有个高坎，多么可怕！

局长的伤也不轻，他的一条腿断了，手也断了，额上还有个洞，也在间歇地涌血。伯纬踮起脚去取他，局长呼出一股恶臭的血腥气加胃气来，差点儿把伯纬压趴掉下石坎去了。他哇哇地叫唤着，诉说着他的不幸：“我什么都经过了，坐牢，被人砍杀，火灾，心肌梗塞，就差车祸了，我算是齐全了，我的妈耶！”

伯纬说：“您先不要慌，这么冷的天，越慌心越寒，血又流得多。我先给您把血止住。”

伯纬拿眼四下寻找，他记起好像看到了一株南星，叶子止血挺不错的，可是局长却说：“你不要动我的包！”

噢，有一个包就在那株南星后头，黑漆漆的。

“那里面也没啥东西，你给我一下，哎哟，我的手。”

伯纬掐了两片南星，把包也拾起了，边拉拉链边说：“有毛巾把伤口捆住最好。”

在局长发出厉声阻止时，拉链已经露出了嘴巴，里面是大沓大额的钞票，几千块，甚至上万块。

“要你别动，要你别动！”

“我是找毛巾帮您包扎。”

“你是个好人，我看得出来，你救我上去了，我会感谢你的，好不好？”

“我不会要钱。”伯纬说，“我要钱，十几万我都得到手了，”他故意夸张地说，“这里翻车的，大老板，省里的干部都有，上次，有一个厅长……”

“你是好人，你是好人。”

伯纬用南星叶给他的伤口垫上再包扎时，局长一直絮絮叨叨那几个恭维他的字。他说：“我是个倒霉货，我是个局长，你的衣裳这个样子了，我到时把两套新工作服给你，我的血都流到你身上了，蛮对不起呀。”

局长只有一只好手，又要拿包(包吊在腕儿上)又要抱住伯纬的脖子，同时还举着火把。

伯纬不能举火把，他要抓住局长，他又没有手，几个硬戳戳的指头还要去勾树，或者抓石头往上爬。他呼噜呼噜地喘着气，可是局长已经没有话了，局长反正在他身上。

竹子熄了两支，又常常被树枝挂住，一条一条发烫的火屎飞到局长和伯纬头上、手上时，俩人会同时叫起来，还有血，局长的血没有止住，往伯纬的脖子里流，流进去时像一条条滑溜冰凉的蚯蚓。

他跪着往上爬，局长的骨头断得厉害，不能帮他一点点，他的膝盖把冻硬的雪压得嘎吱嘎吱响，就像一路打破着玻璃。

太陡了，槽子太陡，他们总算爬上了平坦的公路。伯纬要把火烧起来，这样才好拦车，又能取暖，同时还可以把熄灭的竹子点起来。伯纬的裤子连磨带剐，膝盖已破了。他又去背小马。他先前给小马留了条毛巾，现在毛巾正攥在小马的手里，他没有自救，头皮还耷拉着，还是看不见鼻子眼睛。

“喂喂，你冷吗？”

得到应声后，知道小马还活着，他就去掀小马的头皮，并揩他的脸，终于露出那个熟悉的小马来，是那个人，马山槐。头皮捆住了，但小马的眼睛依然闭着。伯纬问他哪儿不得劲，他说，全身都不得劲。

“那我们准备上去了，上面说不定拦到车了。”

“你不能正面背我，我的肋骨好像刺到肝里面去了，里面疼得很。”

说这些话的时候车喇叭的嚣声正慢慢地停息下去，最后变成一线呜咽，取而代之的是松鸦，现在只剩下它们的声音了，在阴暗的角落里响彻云天。这使伯纬鼓起了劲一定要尽快把小马背上去。“松鸦叫得好凶。”小马无力地说。

伯纬正把他从侧面扛起来，说：“你不要这么想，让它们叫去，那是因为局长的姑妈。”

“我们局长还没有死吗？”

“你们局长没有死。”

松鸦的翅膀包围了他们，形成一个圆圈。伯纬总是钩不住树，滑，伯纬差一点儿把小马摔下槽底去了，他一步滑下了十几米。他抓住了小马，可是他的手，他听见了自己皮肉撕裂的声音。他要冲出松鸦的叫声，背着活人总比背着死人强。不过眼下背上的活人跟死了一样，就一口气了，有时候还打出很响的嗝来，仿佛要把最后一口气呛出来似的。

他上了公路彻底软了，头顶上没有松鸦，只有几颗寒星在闪烁。松鸦的叫声、车喇叭的呜咽都和槽底下的风声混杂在一起。风声里有灌木和一些大树的惊乍。他又去背那个死去的局长的姑妈。

他第三次爬上公路，看到他的老婆和女婿都在火堆边上。他的老婆三妹抱着一床破烂的棉絮。他听见他的老婆在埋怨：“老鸹都飞到我们屋顶上去了。”

他们一共拦了三辆车，车才停。前两辆车有一个完全不理茬儿，另一辆说到前面去调头，也一溜烟跑掉了。第三辆车装一车橘子，是个面包车。伯纬说：“我们帮你把橘子卸下来救救两个人，怎么办呢。”

一家人七手八脚把袋装的、篓装的、散放的上千斤橘子给搬下来了，把伤的死的三个人抬了进去。伯纬对老婆和女婿说：“你们看橘子，我送他们去医院。”

到了镇上的医院，伯纬按医生的交代把局长的姑妈先背到后头的太平间里去了。太平间叫“后头”，医生都这么叫。“后头”伯纬很熟悉，没有灯他也摸得到，一个未锁的门，进去有几块大木板子，用砖搁着，能放一个人。

回来以后，他又背局长和小马去拍片。医生看了片，看了人，对里面的一张手术床说：“哪个先上？”

小马说："局长先上。"

局长也没谦让，哼哼唧唧地进去了，门也关上了。

镇医院半夜没有生火，也没有人，所有的医生护士都到手术室里去了。伯纬陪着小马坐在冰凉的条椅上。门外的风又大，伯纬把门关好了，要把小马扶到靠里面的一张条椅上，说："里边风小些。"小马就坐了过去。他的一只棉衣袖子还剪开了，因为那只胳膊断了。他淌满了血的膀子就露在外面，一些骨头从肉里钻出来，看起来就像个跟人打过恶架的失败者，样子十分可怕。伯纬想同他说话，最好还多一个人，或者有点儿歌声就好了，自己唱的，录音机里、收音机里唱的都行。他自己的膝盖也露在外头，破了，也有血，也没有了知觉。两个残手冻得像紫茄子，他想起听到手上出现的撕裂声，他这才有时间看，是右手，过去的虎口与掌子连在一起的地方破了，他动了动那半截大拇指，虎口就生疼。

"都腊月二十六了，再过三天就要过年了。"他捏着伤口对小马说。

小马没出声，闭着眼睛坐在那儿，头上缠着湿漉漉的毛巾。

"也不知道你们局长的手术大不大，估计那鼻子上额头上的两个洞儿针就缝了，手和脚上夹板。"

小马点了一下头，又好像没点，没动。

"你坚持一下，这儿条件有限，就一个手术室。这儿我蛮熟悉的，我当年手炸了，就是在这儿做的手术，现在医生都换了，又混熟了，凡是我救的人，我都要送过来，放心些。"

小马好像睡着了，好半天，他忽然说："我们局长的包……他拿着？"

"当然他拿着。"

"他死了也会拿着。"

伯纬看着小马："你说这话？"

"也会拿着。他的钱嘛。"

"他不会死的，进了医院，进了手术室，就放心了。人哪这么容易死呀。我当年的血压高压只有二十，低压只有八了，还没死，活到如今好好的。医生说，我再晚来五分钟就没命了。我就是再晚来五十分钟，我也会活着。人就是这样，哪会那么容易丢命哪，不会的，你只要想活，你就能活。除非你不想活了，还有人帮你活呢。"

他不停地给小马说话。手术室没一个人出来，仿佛医院里没人，手术室也是空的。电灯又暗，伯纬看着小马突然害怕起来。他提高了嗓音说："喂，小马，你说点儿话看看，要不我喊医生来给你吊点儿盐水。"

"更冷。"小马说话了。

"你是说吊盐水更冷么？不吊？那就不吊。小马，你饿不饿呢？你想不想喝点儿水？你上不上厕所？做手术时一针把你麻翻了，想撒尿都撒不好了。"

小马摇摇头。

“为什么有那么多钱？单位的么？”伯纬在找话说。

小马又摇摇头。

“局长自己的？”

小马还是摇摇头，很不情愿似的。

“你不知道，你左右不知道。你们局长说，准备给我两套工作服……那么多钱，我总算搞懂了一个问题，我要是有这么多钱，我也会把车挂到四挡五挡往家里飞。我现在才晓得车祸是怎么来的了。”

小马还是在摇头。

“你蛮难受么，小马？”他看到小马的身子一阵阵发紧，“你是不是冷哪，我去搞床棉被来。”

伯纬就去拍手术室的门，他不停地拍，他害怕。他顾不了那些。

门终于打开了，一个穿着白大褂的女同志欠身出来说：“有什么事？”

伯纬听到手术台上有敲打声，忙哪，但是他要说：“外面的伤员冷，能不能搞床被子？”

女同志说：“被子？除非做过手术了上床。那不行啊。”

伯纬说：“你们还要多长时间呀？”

“马上完了，别急别急。”

他扶在门框上的手只好缩回了，因为那女的又要关门，当然是笑着关上了那扇手术室的门。

他只好又坐到小马的身边，抱怨说：“都是些新手，新来的小医生，手脚又慢。”又对小马说：“医生手脚要快，你们手脚要慢。以后开车，你千万要慢点，跑那么快做什么，慢一点儿，图个安全，到头来受罪的是自己……”

他这么说着，劝着他，他好像觉得小马已经死了。小马还是坐在那儿，闭着眼睛，垂着头，一动不动，但像死了。伯纬不用去触摸他，一看就知道他是个断了气的人，他见得多了，瞟一眼就感觉出来了。

伯纬瞟着他，不知如何是好。他的脚往旁边挪了挪，想离开小马尽量远一点儿。他用手去试试小马的鼻子，的确没气了。

“外头的死了！外头的人死了！”他猛拍手术室的门。

门开后里面的医生终于知道伯纬说的什么，一个男医生和一个女护士跑出来，他们要伯纬帮忙把小马平放在条椅上，男医生捏起拳头砸小马的胸脯，又用手掌压。女护士拿来一个大针筒，一根粗针管，俩人嘀咕了几句什么，女护士捋起小马的衣服就朝肉里面扎去。一筒药水推完了。男医生用手去摸小马的脉搏，又用听筒去听他胸前，然后站起来，摇了摇头说：“不行了。”

伯纬站在那里，那一刻从头到脚颤抖不止，仿佛心里边残存的最后一坨热量被什么卷走了。他把目光停留在那张被他擦过、又被他包扎过的脸上。他看灯，看墙，看医生，又看那张悄没声息的脸，很年轻，又安静，好像遽然间缩小了，瘪陷了，归顺了某种很强大的势力。伯纬哭了起来！伯纬说：

“小马，不是我不救你，我是把你背上公路了的，只怪你的命了。”

他对医生说：“我把他背到后头去吗？”

医生说：“可以。”

伯纬抹了抹眼，用一双脏兮兮的手抄小马的腋窝，弓起身背上他，去了后头，才知外面正大雪纷飞。他在黑暗中把局长的姑妈挪动了一些，把小马放下来，挤上木板，放稳了，摆平了，再进医院的走廊。没有医生了，都进了手术室。在那个空荡荡的走廊里伯纬又一阵好哭，泪水简直像挖穿了的泉眼，就觉得今天让人一阵好哭。他离开了医院，摸黑往家里赶。

十几里路，雪又下得紧，风也刮得寒。好在，鸡叫了。

看到家就有了一股人气和温暖，天已经大亮，羊在叫，牛铃在牛屋里发出了骚动，牛又渴了。鸡在叫，孙子也在叫——他站在门口，单衣单裤地站着撒尿，尿把裤子也打湿了。

怎么没一个大人管他，寒冬腊月下雪天，一大早的，让他一个人站在门口？他迈开山里人的大步就上前去抱他，想把他抱进屋去。这时，在里屋的三妹丢下一个舀潲水的瓢就飞快地一把从伯纬手里将孙子夺过去了。

“你不要碰他，腊时腊月的，你刚背了死人回来！”

说啥啦？伯纬愣在那儿，像一截糟木头。他站在自家的门口，看到了屋里的几个人：两男两女；三妹，那个头发垂落下来已经花白的，另一个，妮子，胡子拉碴、像根犁拐的女婿，孙子，四个人。

他们是谁？搞什么的？是他的家里人吗？这不是他的家！是谁的？他不愿意想，不愿在意识里把它明晰起来，就像他不愿细看那些变幻不定的云朵一样。

伯纬好伤心，伯纬的双手还没有放下，还是抱孙子的那个姿势，僵持在那里。又一次，他颤抖不已。他本来不想说的，他终于说话了，他说：

“我这辈子就是个背死人的命。”

他说完，进屋，舀水喝，脱了衣服，上床睡觉。一屋的人，那四个人，都听他清清楚楚地说出这句话来，然后看着他把一身血壳的衣裳摔在糠柜上，发出很响的声音。

春节有两个人来看他，都是被他救过的，提了橘子、酥食和火酒。火酒让女婿提回家去了，伯纬自己不吃火酒，商铺里买的火酒，总是打头，喝了又不容易出汗，闷得慌。

开春了，雪化了，又来了一个客人，是安徽的。伯纬差一点儿认不出来了，就是那个压在石头下的安徽司机的弟弟，说是路过，来看看恩人。那个人说：

“我现在算是下岗了，又没有发财。没发财也要来了，我欠您的一笔人情。”

“哈哈。”

伯纬笑着给了那人一拳，然后留他吃饭。那人也不客气，喝了半斤酒，吐着满嘴的羊胯子腥膻味对伯纬说：“我给您钱，您会骂我；我不给您钱，您也会骂我，骂我忘恩负义，您先不要说话，听我说完。我想了个点子，我帮您在公路边搞个小卖部，卖点东西。现在人也多了，车子也多了，守着这么好一条公路，不生钱划不来……听我说，生钱是来路正大的钱，不是收费站的钱，也不是交警乱罚款的钱。”

怎么推脱，也不行，就这么办了，那人早就在村里叫了人，买了些木板、青瓦、檩条及椽子，不到两天，花了几百块钱，就把个小卖部拾掇得清清爽爽了。那人临走时又一膝跪下，涕泗横流，说：“我哥生前也是个识好歹的人，他会保佑您发财的。”

伯纬说：“我只求平安，不求发财，恭祝你也一样。”

伯纬进了些烟、酒、麻花馓子、鞭炮、洗衣粉、力士鞋什么的，还找人进了点蝴蝶标本、木制的刻有“神农架旅游”的小钥匙扣。他守着店子。有时，三妹来打打招呼，他就去放羊，他知道哪儿有好草。

生意不咋样，一天卖不出去十块钱。歇脚的人歇脚，还白搭上茶水。一些司机飞快地开着车在车上给他打招呼，没有闲空停车，忙着赶路挣钱。于是伯纬就在小屋后砌了个羊圈，把几十头羊赶来了，没生意就关了门伺候羊儿们。

这一天，他赶着羊群经过挂榜岩，就见一个老师模样的人正在给一群来这儿旅游的学生讲解：

“……你们中说不定就有谁能破解这神农架天书，我相信我的眼力。不管是我们的祖先留下来的，还是外星人留下来的……”

他走近去，他还听见那个老师正口沫乱飞地给那些年轻人讲什么神秘的北纬30°文化带，什么野人啦，恐龙化石啦，金字塔啦，魔鬼三角区啦。听着听着，那些年轻人转过头对他的羊群发生了兴趣，有的男的学着羊叫，女的尖叫，然后和他的羊一起拍照，叽叽喳喳。

情形太乱了，羊到处挤挤擦擦地跑，他要那些年轻人帮他吆喝，后来，汽车发动了，那些人又雀跃般地往车上钻去，留下四散的羊，它们咩咩的叫唤声太让人激动了，伯纬好久都没有这么高兴过。他骂它们，骂羊，用鞭子抽它们，抽空气，抽这个早晨。

太阳直通通地照在岩上，现在他被温驯的羊们簇拥着，他手抚着头羊的角，他仰望着岩壁，是什么字呀？一个“路”字，还有一个是“缘”字还是“情”字？

他都记不得了，是二三十年前的事，他认出来过，现在，他恨不得把两个眼珠子伸出来，扒着那些天书的缝看个究竟，啥字呀？啥字？

这样眼就看花了，什么字都没见着，那些天书里是腾起的烟雾，是密密匝匝的老林，是一群扑打着翅膀四处飞散的松鸦，还有呼啸的手臂、深壑般的喉咙……它们全像蛇一样纠缠着，冲撞着，翻滚着，煎熬着。

这时，从岩壁的天书间弹出了一片歌声，怪清亮的，比犁铧的敲打还有钢性：

洋二队，土四队，
不土不洋是三队……

鸡娃子有点怪呀。今天洗懒(脸)我没有抹眉毛？

他抹着眉毛，说：

"王皋，你还在吓我！"

他赶着羊群上了山，山上有极好的草甸。

陈应松

原籍江西余干县，1956年生于湖北公安县。出版有长篇小说《猎人峰》《到天边收割》《魂不守舍》《失语的村庄》《别让我感动》，小说集《鲁迅文学奖获奖作家丛书——陈应松小说》《陈应松作品精选》《巨兽》《呆头呆脑的春天》《暗杀者的后代》《太平狗》《松鸦为什么鸣叫》《狂犬事件》《马嘶岭血案》《豹子最后的舞蹈》《大街上的水手》《星空下的火车》，随笔集《世纪末偷想》《在拇指上耕田》《小镇逝水录》，诗集《梦游的歌手》等30多部，《陈应松文集》6卷。

遥远的温泉

阿 来

上 篇

我们寨子附近没有温泉，只有热泉。

热泉的热，春夏时节看不出来。只有到了冬天，在寨子北面那条十多公里纵深的山沟里，当你踏雪走到了足够近的距离，才会看见在常绿的冷杉和杜鹃与落叶的野樱桃与桦树混生林间升起一片氤氲的雾气。雾气离开泉眼不久，便被迅速冻结，失去了继续升腾的力量，变成枯黄草木上细细的冰晶。那便是不冻的热泉在散发着热力。试试水温，冰冷的手会感到一点点的温暖，在手指间微微有些黏滑，水不能饮用，因为太重的盐分与浓重的硫黄味。盐、硫黄，或者还有其他一些来自地心深处的矿物，在泉眼四周的泥沼上沉淀出大片铁锈般红黄相间的沉积物。

冬天，除了猎人偶尔在那里歇脚，不会有人专门去看那眼叫卓尼的热泉。

夏天，牛群上了高山草场。小学校放了暑假，我们这些孩子便上山整天跟在牛群后面，怕它们走失在草场周围茂盛的丛林里。嗜盐的牛特别喜欢喝卓尼泉中含盐的水，啃饱了青草便奔向那些热泉。大人不反对牛多少喝一点这种盐水。但大人又告诫说，如果喝得太多，牛就会腹胀如鼓，吃不下其他东西，饥饿而死。所以，整个夏天，我们随时要奔到热泉边把那些对盐泉水缺乏自控能力的牛从泉眼边赶开。如今，我的声带已经发不出当年那种带着威胁性的长声吆喝了，就像再也唱不出牧歌中那些逶迤的颤音一样。当年，沉默的我经常独自歌唱，当唱到牧歌那长长的颤动的尾音时，我的声带在喉咙深处像蜂鸟翅膀一样颤动着，声音越过高山草场上那些小叶杜鹃与伏地柏构成的点点灌丛，目光也随着这声音无限延展，越过宽阔的牧场、高耸的山崖，最后终止在目光被晶莹夺目的雪峰阻断的地方。

是的，那是我在渴望远方。

远方没有具体的目标，而只是两个大致的方向。梭磨河在群山之间闪闪发光奔流而去，渐渐浩大，那是东南的远方。西北方向，那些参差雪峰的背后，是宽广的松潘草原。

夏天，树荫自上而下地笼罩，苔藓从屁股下的岩石一直蔓生到杉树粗大的躯干，布谷鸟在什么地方悠长鸣叫。情形就是这样，我独坐在那里，把双脚浸进水里，这时的热泉水反而带着一丝丝的凉意。泉水涌出时，一串串气泡迸散，使一切显得异样的硫黄味便弥漫在四周。有时，温顺的鹿和气势逼人的野牛也会来饮用盐泉。鹿很警惕，竖着耳朵一惊一乍。蛮横的野牛却目中无人，它们喝饱了水，便躺卧在锈红色的泥沼中打滚，给全身涂上一层斑驳的泥浆。那些癞了皮的难看的病牛，几天过后，身上的泥浆脱落后，便通体焕然一新，皮上长出柔顺的新毛，阳光落在上面，又是水般漾动的光芒了。

牧马人贡波斯甲说："泥浆能杀死牛马身上的小虫子。"

贡波斯甲还说："那泥浆有治病的功效。"

贡波斯甲独自放牧着村里的一小群马，他的马也会来饮盐泉。通常，我们要在这个时候才能在盐泉边上碰见他。

他老说这句话，接着，孩子们就哄笑起来，问："那你为什么不来治治你的病?"

贡波斯甲脸上有一大块一大块的皮肤泛着惨白的颜色，随时都有一些碎屑像死去的桦树皮从活着的躯干上飘落一样，从他脸上飘落下来。大人们告诫说，与他一起时，要永远处在上风的方位，不然，那些碎屑落到身上，你的脸也会变成那个样子。一个人的脸变成那种样子是十分可怕的。那样的话，你就必须永远一个人住在山上的牧场，不能回到寨子里，回到人群中来，也没有女人相伴。

而我恰恰认为，这是最好的两件事情:没有女人和一个人住在山上。

住进寨子的工作组把人分成了不同的等级，让他们加深对彼此的仇恨。女人和男人住在一起，生出一个又一个的孩子，这些孩子便会来过这半饥半饱的日子。我就是那样出生长大的孩子中的一个。

所以，有一段时间，我特别想一个人和贡波斯甲一样，没有女人并一个人住在山上。

我的舅母患很厉害的哮喘，六十多岁了，她的侄女格桑曲珍，我好些表姐中的一个，是寨子里歌声最美的姑娘，工作组说要推荐她到自治州文工团当歌唱演员，不知怎么她却当上了村里的民兵排长。她经常用她好听的嗓子对着舅母的房子喊话。她喊话之后，那座本已失去活力的房子就像死去了两次一样。喊话往往是人们集体劳动从地里归来的时候，淡淡的炊烟从一家家石头寨子里冒出来，这一天，舅母家的房顶便不会冒出如深山间暮色的温暖炊烟。舅母从石头房子里走出来，脸也像一块僵死的石头。她从自家的柴垛上抽出一些木柴，背到寨子中央的小广场上，这时，天空由蓝变灰，一颗颗星星渐渐闪亮，夜色降临远离世界的深山，舅母用背去的木柴生起一大堆火。人们聚集在寨子中央的小广场上，熊熊火光给众人的脸涂抹上那个时代崇尚的绯红颜色。舅母退到火光暗淡的一隅。火把最靠近火堆的人的影子放大了投射出去，遮蔽了别人应得的光线与温暖。我们族人中一些曾经很谦和很隐忍的人，突然嗓音洪亮，把舅母聚集家庭财富时的悭吝放大成不可饶恕的罪恶，把她偶尔的施舍变成蓄意的阴谋。

最近的阴谋之一是给过独自住在山上的花脸贡波斯甲一小袋盐，和一点儿熬过又晒干的茶叶。

这个传递任务是由我和贤巴完成的。后来，贡波斯甲的表弟的儿子贤巴又将这个消息泄露给了工作组。总把一件军大衣披在身上的工作组长重重一掌拍在中农儿子贤巴的瘦肩膀上说："你将来能当上解放军!"被那一掌拍坐在地上的贤巴赶紧站起来，激动得满脸通红不知所措。结果，当天晚上，寨子里又响起来了表姐的好嗓门，舅母又在广场上升起一堆火，大家又聚集起来。又是那些被火光放大了身影的人，奇怪地提高了他们的声音。那些年头，大家都不是吃得很饱，却又声音洪亮，这让人很费猜量。

我看着天空猜想，云飘过来，遮住了月亮。天上有很大的风，镶着亮边的乌云疾速流动，嗖嗖作响。

第二天，贤巴的半边脸便高高肿胀起来，有人说是他父亲打的，有人说，是花脸贡波斯甲打的，甚至有人说，那一巴掌是我那一年就花白了头发的舅母打的。从此，我与贤巴就不再是朋友了。有人在我们之间种下仇恨了。这仇恨直到他穿上了军装回到寨子给男人们散发香烟，给女人们分发糖果时也没有消散。我是说，那时，他已经不恨我了，但我仍然恨他。

从此以后，我才在放牛的时候和贡波斯甲说话。他坐在泉水一边，低一点儿的地方，让我坐在泉水另一边，高一点儿的地方，他告诉我一些寨子里以前的事情。经他嘴讲出来的故事，没有斗争会上揭发出来的那么罪恶。他好像也没有仇恨，连讲起自己得病后跟人私奔了的妻子时，他那花脸甚至浅浅地浮现出一些笑意。

但他一看到侄儿贤巴，脸上新掉了皮的部分便显得特别鲜红，但他从来不说什么，只是不看他，而别过脸去望那些终年积雪的山峰。

他也问我一些寨子里的事情。这时，牛们使劲甩动尾巴，抽打叮在身上的牛虻。我告诉他，我想像他一样，一个人住在山上。他脸上露出痛苦而怜惜的表情，伸手做出一个爱抚的动作，虽然他的手伸向虚空，但是隔着泉眼，我还是感到一种从头顶灌注到脚底的热量。

我不敢抬起头来，却听见他说："但是，你不想有跟我一样的花脸。"

我更不敢抬头应声了。

突然，他说："其实，只要让我去一次温泉，在那里洗一洗身子，洗一洗脸，回来时，就光光鲜鲜地不用一个人住在山上了。"

这是我第一次听人说起温泉。

他告诉我温泉，就是比这更烫的泉水，跟这水一样的味道，但里面没有盐。他说，温泉能治很多的病症，最厉害的一手就是把不光鲜的皮肤弄得光鲜。双泉眼的温泉能治好眼病与偏头痛，更大的泉眼疗效就更加广谱了，从风湿症到结核，甚至能使“不干净的女人干净”。

我不知道女人不干净的确切含意，但我开始神往温泉。于是，那眼叫作措娜的温泉成了我有关远方的第一个确切的目标。我想去看一眼真正的温泉，遥远的温泉，神妙的温泉。我不爱也不想说话，父母又希望我在人群中间能够随意说话，大声说话。我想，温泉也是能治好这种毛病的吧。

我问花脸温泉在什么地方。他指指西边那一列参差着的雪峰，雪峰间错落出一个个垭口。公路从寨子边经过，在山腰上来来回回地盘旋，一辆解放牌卡车要嗡嗡地响上两三个钟头，才能穿过垭口。汽车从东边新建中的县城来，到西边宽广的草原上去。村里的孩子既没有去过东边，也没有去过西边。除了寨子里几个干部，大人们也什么地方都不去。以至于我们认为，人是不需要去什么太远的地方的。但是，贡波斯甲告诉我，过去，人们是常常四处漫游的，去拜圣山，去朝佛，去做生意，去寻找好马快枪，去奔赴爱情或了结仇恨。还有，翻过雪山，骑上好马，带上美食，去洗那差不多包治百病的温泉。

“但是，如今人像庄稼一样给栽在地里了。”花脸贡波斯甲叹了一口气，无奈地说。

回到山下，我去看种在地里的庄稼。

豌豆正在开花，蜜蜂在花间嗡嗡歌唱。大片麦子正在抽穗，在阳光下散发着沉闷的芬芳。看来，地里的庄稼真是不想什么远方，只是一个劲地成长。一阵轻风吹来，麦子发出絮絮的细语。我却不能像庄稼一样，站在一个地方，什么都不想。

有一天我受好奇心驱使，爬到了雪山垭口，往东张望，能看到几十里外，一条河流闪闪发光，公路顺着河谷忽高忽低地蜿蜒。影影绰绰地，我看到了县城，一个由一大群房子构成的像梦境一样模糊的巨大轮廓。转身向西，看到宽广的草原，草原上鼓涌着很多姑娘胸脯一样浑圆的小丘。那就是很切近的遥远。用一个少年的双脚去丈量这些目力所及的距离，不能用一个白昼的时间抵达的地点，就是我那时的遥远。而且，有一眼叫作措娜的温泉就在草原深处的某个地方。

我从雪山下来，贡波斯甲问我：“看到了吗？”

我说看到了草原，比我们山脊上的草场更宽更大罢了，上面有闪闪发光的河流与湖泊罢了。

贡波斯甲这个自卑的人，第一次对我露出了不屑的表情：“我是说你看到温泉了吗？”

我摇头。

贡波斯甲说：“啧，啧啧，就在那座岩石铁红的小山下面嘛。”

我没有看见那座小山。那一天，我觉得他脸上一直隐现出一种骄傲的神情。

但我安坐在温泉边上，突然觉得自己永远也去不了那样的地方，永远也想象不出一座铁红色的山峰是个什么样子。三只野黄羊从热泉里饮了水走开了，我觉得自己就像这些什么都不知道的野羊一样。

贡波斯甲说："那个时候去温泉嘛，糟老头子是去医病，年轻娃娃是去看世界，去懂得女人。"

晚上，山风呼呼地吹过牧场的帐篷顶，我想，女人，好嗓门的表姐那样的女人，还是舅母那样苦命的女人。我睡不着，披着当被子的羊毛毯子走出帐房，坐在满天的星星下，坐在雪山的剪影前。看见远远的山谷那边，一团灯火，那就是贡波斯甲孤独的家。打从他花了脸，走了女人，他就成了寨子里的牧马人。其实，那个时候马已经没有什么用处了。老人们说，打从一个又一个工作组来了又走，走了又来，人就像上了脚绊的马给永远限制在一个地方了。他们只能常常在老歌里畅游四方。歌里唱的那些人，有的畅游之后回来了，有的就永远消失在遥远的地方。从我懂事起，人们就老说着从来不见人去的温泉。温泉就在雪山那边的草原上，那是过去的概念。现在的说法是，雪山这边是一个县的某某公社某某大队某某生产队。草原上的温泉又是另一个县的某某公社某某大队某某生产队。牧场也划出了边界。我们的牛群永远不能去到垭口那边的草原。而在过去的夏天，人们可能赶着牛群，越过垭口，一天挪移一次帐房，十多天时间便到了温泉的边上。温泉就是上百里大地上人群的一个汇集，一个庞大的集市，一次盛大的舞会，和满池子裸浴的男女。

一个特别醉心于过去男人们浪游故事的年轻人酒醉后说了一句话，结果，只好自己在寨子里的小广场上生起熊熊大火，然后，垂着头退后，把脸藏在火光开始暗淡的地方。情形就是这样，生起火堆的人不该照到灼人的火光。

但他那句话还是成了一句名言，他说："他妈的生产队就像个牛圈。"

没人知道这句名言算不算真理，但过去驮着男人们走向四方的马，现在却由花脸照看着，因为什么事都不用干，长得体肥膘满。偶尔使用一下，也是给套上马车，把工作组送回县城或接进寨子里来。再就是拉着马车，把有资格开各种会的人送到公社去开会。马车也载回来一个小学教师，从此，我们识了字。马车也从公社供销社拉回来棉布、盐、茶叶、搪瓷盆子、碗和姑娘们喜欢的方格头巾与肥皂。有了这一切，还有什么必要在马背上忍受长路的艰辛呢。

我们的老师说："安居乐业是社会进步的标志。"

道理堂堂正正，远方的欲望却是鬼鬼祟祟的。

又一个工作组走了。会跳朝鲜舞的工作组长没有把表姐送进文工团，而且因为睡了我的表姐，自己也犯下了错误。错误的名字有两个。一个叫"生活作风不好"，一个叫"影响民族团结"。表姐的错误只有一个："腐蚀革命干部"。民兵排长是当不成了，再见到她时，舅母便敢于往两人之间的地上唾上一口。表姐的父亲看见了，生气地说："不就是跟个男人睡了觉吗？你年轻的时候也跟好些男人睡过。"

人们都说世道变了。

当然，大家觉得这世道变得也太快了一点儿。这些都是我坐在牧场的帐房外面，背后的天空上缀满了冰凉的星星那个夜晚所想到的事情。

我看着花脸住处孤独的灯光，觉得我心里有个地方也像那有比没有还要糟糕的灯火一样。表姐就睡在帐篷里，重新成为牧场上的挤奶女。一般而言，每一群牛后面，会跟着一顶帐房。因为寨子与青稞地在山下的河谷里，而牧场在山上，在漫山的森林开始消失的地方。一顶帐房里有一个男人，背着猎枪，白天巡行牧场，驱逐豺狼。晚上则和几个挤奶女住在一顶帐篷里，这样，其中一个很容易成为他的情人。我这样的孩子，只是在很短暂的假期来看守盐泉。差不多每天夜晚，我都会听到他们弄出些奇怪的响动。今天晚上也是一样。风很猛，夜很冷。我坐在外面的星空下，却突然想起了温泉：集市、舞会、赤身裸体的男女。我笑了。而风更猛了，夜更冷了。我披着毯子回到帐篷，这回却发现是表姐的羊毛毯子下发出奇怪的声音。别人只是低声地哼哼，而她真是好嗓门，好像是在欢快地歌唱。后来，那个好枪法的男人回到了自己的毯子底下叹息不止。另两个挤奶女发出斑鸠咕咕低鸣那种笑声。这个人我要叫他堂哥，但我不知道为什么要这么叫他。另两个女人一个我要叫她婶子，一个也要叫表姐，我也不知道为什么要这么叫她们。但寨子里所有人好像都是亲戚，即或彼此在旧怨中又添上了那么多强烈的新恨，也要彼此以亲戚的名目相称。但我知道，眼下这个被男人压迫着欢叫过后，又开始低声啜泣的女人是我真正的表姐，就像舅母是我真正的舅母一样。

表姐啜泣得有些抑制不住时，那个我要叫他堂哥的男人打起了响亮的呼噜。而那两个女人依然咕咕地笑个不止。我突然为之心痛，走过去，手脚无措地站在表姐身边。她突然一把把我拉进了她的毯子。只是一瞬间，一个女人身体的全部奇异都被我感觉到了。这时，表姐开始放声大哭。她一边哭，一面亲吻我，说："弟弟，弟弟。"结果把鼻涕眼泪蹭了我一脸。这时，那男人醒来了，走过来把我从表姐怀中拉了出来。我想不到表姐在快乐放纵后如此悲伤的更远的原因，只能把一切都归结于这个男人，这个我不知道为什么要叫他堂哥的男人身上。他更不该有些炫耀地拿出了村里只有两三个人才有的手电筒，先把强烈的光柱照在姐姐身上，然后，又照在了我的脸上，于是，我的双眼给晃得什么都看不见了。于是，平时心里所有的积郁都变成了愤怒，从心中冲上头顶。愤怒与仇恨在我脑袋中嗡嗡作响，这个嗡嗡作响的脑袋疯狂地顶了出去，撞在那个男人的肚子上，我听见了与牛蹄子踩进泥沼类似的声响。然后，男人哼了一声，猝不及防的身子向后仰去，倒向身后的火塘。一声响亮，架在铁三脚架上的铜锅里的开水，浇到了余火里，浇到了那个男人身上某个地方，连我的脚背上也溅上了一点儿。两个咕咕笑的女人惊叫起来："他疯了！他疯了吗？"表姐哈哈大笑，而那个男人却一边恶毒咒骂一边忍不住发出痛苦软弱的呻吟："杂种！哎哟，我的屁股，我要杀……该死，我站不起来了，哎哟！"

听着这些声音，特别是表姐的笑声，我脑袋里那些止不住的嗡嗡声停息了，我也想放声大笑。有人点燃了马灯。看臭男人的光屁股一半还坐在翻倒在地的锅沿上，一半坐在火塘里烫人的灰烬里，一脸痛苦的表情，我便把胸膛中涌动的笑声释放出来了。

想不到，刚才还在大笑的姐姐，跳到我面前，嚷道："你这狗东西，闭嘴吧，还笑得出来！"她一脸愤怒确实是冲着我来的，而且，衣襟下面没有掩住的一对乳房也蹦跳着，像被铁链拴住却想蹿出去咬人的狗。

我冲出了帐房，毫无目标地奔跑在夜半时分的高山牧场上。草抽打着，纠缠着我的双脚，冰凉甜蜜的露水飞溅到脸上、手上。有生以来，我第一次感到了自由的舒畅与快乐。这不是逃跑，而是第一次冲出了世界上那些声音的包围：斗争会上那些突然爆发出来的仇恨的声音，家里人因为贫贱而互相怨怼的声音，表姐那突然叫我懂得了、又让我突然不懂的哭笑与斥骂。

我继续奔跑，把身后表姐惊慌地呼喊我的声音远远地抛到身后，再也听不见了。跑过一个山坳，身后帐篷里的灯光不见了，我才放慢了脚步。夜露一颗颗沉沉地砸在我的脚背上。我穿过山谷来到了花脸那小窝棚跟前。窝棚里灯火已经灭了，我听到如雷的鼾声，从屋后的马圈里传来马匹浓重的腥膻气息。我在花脸门前一根大木头上坐下来，看着明亮的启明星越升越高，只裹着一条羊毛毯子的光身子越来越冰凉，被开水烫伤的脚背也隐隐作痛。但我不好意思敲门，我觉得自己是一个男人了，一个男人便应该忍受着痛苦一声不吭。

是忍不住的咳嗽声把贡波斯甲给惊醒了。

我听到他摸索着点亮马灯，咿呀一声打开柳条编成的柴门。于是，温暖的灯光笼罩在我身上，也让我看见了他关切的脸。他看着哆嗦不止的我，真的只是关切，而没有吃惊。他望望我所来的那个有着男欢女爱的帐篷的方向，一脸什么都懂的表情，从门那里闪开身子，把我让进了屋里。他一句话也没有说，便把我裹在一条更厚更大的羊毛毯子里，又往我口里灌进几口烧酒，然后，我便睡着了。醒来的时候，已经是满屋子金黄的阳光。火塘边一把擦得锃亮的铜壶中茶水翻沸有声，柳条编成的篱墙边一具马鞍上棕色的皮革发出铜器一样的光芒。这种景象对我而言，那种静谧中的诗意就像天堂。既然是天堂，我就要躺在那里一动不动，没有地老，也没有天荒，天堂里充满了干燥的木头特别的芬芳。这时，随着木门轻轻的咿呀一声，一片更强烈的阳光照进了这小小的屋子，晃得我睁不开眼睛。接着，对这又窄又低的木门来说，一个相当高大的身影遮挡住了光芒。我想，他就是天堂的主人，但我看不清他背着强光的脸。于是，我索性闭上眼睛。现在，我知道他就是花脸，也记起了昨天晚上那些事情。但我不愿睁开眼睛，仍然希望他就是天堂的主人。他走到我跟前来，嘴里哼哼了一句什么，又走开去，坐在了火塘对面，我悄悄睁开眼睛,看他给自己倒上满满一碗茶。他端起碗,在把脸埋进碗里前,他说:"醒了就起来吧。"

我只好起来,叠好羊毛毯子,出去在山泉边上洗了一把脸,回来坐在火塘边上与他面对着面。他让我自己弄些吃的。我这才感到了自己的胃已经是一只空空的口袋了,同时,脑子也隐隐作痛。他指指我背后的一只矮柜,那里头的碗啊盘的,都是给客人备下的,今天我来第一次使用了。我弄干净了碗筷,开始吃东西的时候,他又拿过那具已经擦得锃亮的马鞍,用一大块紫红色绒布擦拭起来。擦过鞍鞒上的皮子,又擦悬垂在两边的马镫,最后是银光闪闪的铁嚼口,他的眼睛里也有明亮的光芒在闪烁。他如此专注于手上的活路,好像我根本不存在一样。我咳了两声,他也没有理会我。这与在热泉边上时的情形恰好相反。在那里,这个鬼影子似的存在着的人物,总是带着一点儿讨好的笑容,打听一点儿山下的事情。

现在,这个人因了这座小木房子,因了这副漂亮的马具,显得真实起来。我又咳了两声。他才停住了手,从马具上抬起眼睛。他的眼睛在问我:漂亮吗?

我轻声说:漂亮。好像要是我说得大声一点儿,这些漂亮就不存在了。

他拍拍马鞍:"是的,漂亮,以前,我跟这个好伙计去过多少地方啊!要是再不走,我,和那些马都要老死在这片山谷里了。然后,这副鞍子会跟这房子一起腐烂。趁我和马都还走得动,我真的要走了。"

"你要走?"

他点点头,轻轻地放下马鞍,就像一位母亲放下自己熟睡的孩子,来到门口,和我一起望着远方。

我说:"你想去温泉?"

他说:"你不想,是因为你不知道温泉的好。"

"温泉真能治好你的病?"

"病?我去温泉的时候没有病。那时我是一个精精神神的小伙子,天哪,我在那里看见了多少漂亮的女人。那么多漂亮的女人出现在草原上,就像温泉四周一夜之间便开满了鲜花。当然,我现在是要去治这该死的病。温泉水一洗,从里到外,人就干干净净了。"

走出那间属于他的屋子,我在心理上就有了一点儿优势,听着他这些梦一样的话,差点儿没有笑出声来,据我有限的知识,人的里面是很肮脏的。不管是吐出来的还是拉出来的,都散发着难闻的臭味。

于是,我便拿这话难他。

他伸出手来,想拍拍我的脑袋,大概是我眼中流露出了某种光芒,伸到半途的手又像被风吹断的树枝一样掉下去了。他叹了一口气:"孩子,难道你不懂得人有两种里边。"

我不懂得两种里边是什么意思,但我懂得了他话中深深的怜惜之意。这种语气有种让人想流一点儿眼泪的感觉。于是，我站起身来，把目光投向更远的雪峰，然后，到就近的热泉边守候去了。

从另一个帐篷来的贤巴早已守候在那里了，看见我走近，他脸上露出了惊骇的表情，并且很敏捷地一跃便跳到盐泉的那一边去了。他像工作组长一样叉着腰站在上风头，脸上露出了居高临下的表情。他说："你跟花脸住在一起？"

我心里不平，但感觉自己已经低他一等，于是，嘴里便什么话也说不出来了。

他说："你表姐的裤带又不是第一次叫男人解下来，你还跑去跟花脸住在一起。"然后，他的嘴里就像面前不断咕咕地翻涌着气泡的盐泉一样，成串成串地吐出了一些平常从大人们口中才能吐出的肮脏的字眼。这些话和他突出的门牙使我的脑子里又响起了昨天晚上那种成群牛虻盘旋的嗡嗡声。这声音越来越大，越来越尖厉，最后的结果是，一块石头从我手边飞了出去。用工作组演讲的方式说着大串脏话的贤巴捂着额头，像电影里中了子弹的军人一样摇晃着，就是不肯倒下，最后，他终于站稳了，血从他捂着额头的指缝中慢慢流出来。这回，他倒是用正常的声音说话了："你疯了？"

我说："你才是疯子。"

他叫起来："笨蛋，快帮我止住血。"这下，我才真正清醒过来，奔到林间一块草地上，采了一种叫刀口药的止血药，一边跑，一边在口里将这药草嚼烂，奔到他身边时，他已经像电影里的英雄一样，仰面躺在一株高大的杉树下了。伤口不大，才嚼了两口药，就完全盖住了。我撕下一绺腰带，把伤口给缠上，腰带本身就是浸透了血一样的紫红色。这下，他就更像是一个英雄了。他脸上露出坚定的笑容："行啊，你小子，跟我来这一手。"这才像是平常我们之间说话的口吻。他就像电影里受伤的解放军一样躺在树下，我刚替他包扎好伤口，他便翻身站起来，用恶毒的眼光看定了我："离我远一些，你已经脏了，你跟花脸在一起，你再也回不到寨子里来了。"

我的嘴巴因为嚼了药草，舌头麻木得像一块石头，什么也说不出来了，眼睁睁地看着他得意扬扬地下山去了。剩下我张大了嘴巴站在那里，好像是他打伤了我，而不是我打伤了他。贤巴朝山坡下奔去，我知道自己就此失去了一位朋友。我的朋友不多，所以，仅仅失去一位便足以令我愤怒不已。我捡起一块石头，狠狠地往山坡下那个飞蹿的背影扔去。我的臂力还小，还是借助山的坡度，那石头在地上跳了好几跳，才软弱无力地滚动到了他身边。他回过身来望了我一眼，我想，他的脸上一定浮出了讥讽的笑容，然后转身从容地走下山去。

这是二〇〇一年四月十三日，一个星期五的早晨，我在东京新大谷酒店的房间里，看着初升的太阳慢慢镀亮这座异国的城市，看着窗下庭院里正开向衰败的樱花。此时此刻，本该写一些描写异国景物与人事的文字，但越是在异国，我越是要想起自己的少年时代。于是，早上六点，我便起床打开了电脑。一切就好像是昨天下午刚刚发生一样。高山牧场上杜鹃花四处开放，杜鹃鸟的鸣叫声悠长深远。风在草梢上滚动着，从山脊一气儿到谷底，波动的绿色上一片闪烁的银光，一直荡到脚前，盐泉里刺激的硫黄味灌满了鼻腔。

贤巴跑掉不一会儿，表姐来到盐泉边上，我以为她是来找我的。但她脸上露出了怨恨的表情，眼睛望着别处说："我自己来守着那些瘟牛，不要添乱的人来帮忙。"

我看她的样子非常可怜，想说点什么，但嘴巴麻木得什么都说不出来，只好像个傻子坐在那里一动不动。表姐肯定希望我说点什么，但那些药草把我的舌头给麻木了。终于，埋着头等待的表姐抬起头来，恶狠狠地瞪着我："你怎么不说话，嗯？你那么厉害，怎么现在不说话了。"然后，表姐的泪水顺着面颊一串串流了下来，"都是你们，都是你们这些该死的亲戚把我毁了。"说到这里，她几乎是在大喊大叫了："老天爷，你看看吧，看看我这些该死的倒霉亲戚把我的前途全给毁掉了！"

表姐好像疯了。

我从盐泉边逃开，回到贡波斯甲的窝棚里的时候，他坐在门前的木头台阶上用一块紫红的丝绒布擦拭鞍鞯。我看到他双眼里显出沉醉的光彩。他用那样的眼光看我一眼，立即，药草的魔法被解除了，我说："表姐说不要我回去了。"

"好啊，"他的眼睛再一次离开马鞍，落在我脸上，"好啊，那就跟我去温泉吧。"

"不是不准人随便到那么远的地方去吗？"

花脸没有回答，他把手指插进嘴里，打了一个响亮的呼哨，几匹马从山坡上跑来，站在了我们面前。它们喷着响鼻，机警的耳朵不断耸动，风轻轻掀起长长的鬃毛。贡波斯甲这时才低声地说："我管不了那么多规矩，再不去温泉，我的病就治不好，这些马也要老了。"

他眼看着马，手抚着马鞍，一脸的伤感让我心口发热发紧。他声音更加伤感地又说了一遍："你看，再不去，这些马就要老了。"

我假装没有听见，便转脸去看那些熠熠闪光的雪山。突然，他的声音欢快起来："咳，小子，想骑马吗？"

那还用说，长这么大，虽然生产队有一大群马就养在那里，我还不知道骑在马背上是种什么滋味呢！贡波斯甲一边给马上鞍子，一边说："好，或许我去温泉的时候，你这聪明的崽子也想跟着去呢，我们没钱坐汽车，不骑马可不成，再说，以前去温泉都是骑马去，再去也不能坏了规矩。"

然后，他把我扶上马背，刚刚把缰绳递到我手上，便声音洪亮地吼了一声，马便应声飞蹿而出了。我的身子向后猛然一仰，然后又往前一弹，同时嘴里发出了一声惊叫。我本能地用双脚紧钩住马镫，手上牢牢地握住缰绳，然后便是马蹄飞踏在柔软草地上的声音和耳边呼呼的风声了。眼前那些熟悉的景物，草地、杜鹃花和伏地柏丛、溪流、草地边高大的落叶松、比房子还要巨大的冰川碛石，这一切，都因为飞快的速度迎面扑来，从身旁掠过，落在了身后。一切都因为从未体验过的速度而陌生起来，新鲜起来。只有远处的雪山依然矗立在那里，巍然不动。马继续奔跑，我的身子渐渐松弛，听着马呼哧呼哧的喘息声，我的呼吸终于也和我的坐骑调和到一起。马要是再继续奔跑下去，我在马背上越发轻盈的身子便要腾空飞升起来了，升到比那些雪峰更高的天空中去了。骑手的后代第一次体会到了奔驰的快感。只要这奔驰永不停息，我便从这禁锢得令人窒息的生活中解脱出来了。

但花脸又是一声尖厉的呼哨，我的坐骑在草地上转了一个弯，差点儿把我斜抛了出去。但我用双腿紧紧夹住了马鞍，那种即将腾空的感觉让我快乐地大叫。然后，我又把身子紧伏在马背上，像一个老练的骑手听着风声灌满了双耳。最后，马猛地收腿站住时，我还是从马头前飞下来，重重地摔在了草地上。刚触地的那一刻，身体里面，从脑子到胸腔，都狠狠震荡了一下，我躺在那里，等震荡的感觉慢慢过去。花脸也不来管我，一边跟马咕叽着什么，一边卸他的宝贝鞍鞯。后来，一串脚步声响到我跟前，我还是躺在那里，眼望着天空。我心醉神迷地说："我要跟你一起翻过雪山。"

我闭上双眼，还是感觉到一个身影盖过来，遮蔽了阳光。我说："我要跟你一起骑马去温泉。"

然后，我听见了威严漠然的声音："起来，跟我回家。"然后，我看见了父亲那张居高临下的脸。我站起来时，父亲有些怜爱地拍掉我身上的草屑，但他和寨子里别的人一样，不跟花脸说话。他拉着我走出一段，花脸还木然站在那里，我也频频回头。父亲脸上又一次显出一丝丝隐忍着的怜悯，说："那么，跟人家告个别吧。"

于是，我父亲站在远处，看着我又走回到花脸身边。

我走到了花脸跟前，却不知说什么才好，最后，还是花脸开口了。他开口的时候，脸上浮现出了拒人于千里之外的高傲的表情："你永远也别想跟我去温泉，可是我，什么时候想去就去了。"

他这么一说，我想再说什么就让牙齿把舌头给压住了。我张了张嘴，声音快要冲出嘴巴时，又被咽回到肚子里，再次转身向父亲走去。花脸再一次在身后诅咒般地说："你永远也去不了温泉。"是的，我真的看不出什么时候能去传说中的温泉，雪山那边相距遥远的温泉。也许贤巴真的能当上解放军，也许表姐也可以再次时来运转，新一任工作组长会让她当上自治州文工团的歌唱演员，但是，当我随着父亲走下山去，看到山谷里就像正在死去一样的寨子出现在眼前时，彻底的绝望充满了心间。

也许是我眼中的什么神情打动了父亲，他有些笨拙地伸出手来抚摸我的脑袋，但我缩缩颈子躲开了他的手。他的手徒然垂下时，伴随着一声低低的叹息。

关于那一年，我还记得什么呢？只记得那一年很快就是冬天了。中间的夏天与秋天都从记忆里消失了。这种消失不是消失，而是一切都无可记忆。这种记忆的终止是好几年的时间。寨子里的生活好像一天比一天轰轰烈烈，但我的心却一天天沉入了死寂的深渊。从小学三年级到我离开村子上中学，只有三件事情，使一

些时间能从记忆中复活过来。

一个是第二年的秋天，表姐结婚了，她是生下了孩子后才和寨子里一个年轻人结婚的。表姐亲手散发那些糖果，到我跟前，表姐亲吻了我的面颊，并在我耳边说："弟弟，我爱你。"

旁边耳尖的人们便哄笑起来，问她："像爱你怀里的孩子还是男人？"

表姐说："就像爱我的亲生弟弟。"

舅母也上来亲吻她，说："孩子，你心里的鬼祟消除了。"婚后不久，很久不唱歌的表姐又开始歌唱了。冬天太阳好的时候，妇女们聚集在广场中央，表姐拿出丰盈的乳房，奶她第二个孩子，奶完之后，大家要她歌唱，她便开口歌唱。以前的很多歌那时工作组都不准唱了。表姐唱的都是工作组教的毛主席语录歌，但给她一唱，汉字的词便含混不清，铿锵的调子也舒缓悠长，大家也都当成民歌来听了。写到这里，我站起身来站在窗前吸一支香烟，窗外不是整个东京，我所见到的便是新大谷酒店一座林木森然的园子。黄昏就像降临一片森林一样，降临到这座园子四周的树木之上。有了阵风吹过，我的心，便像一株暮春里的樱花树一样，摇落飞坠着无数的花瓣。

一天表姐歌唱的时候，生产队的马车从公社回来，跟着穿旧军衣的工作组，一个穿着簇新军装的人从马车上跳下来，那是当上了解放军的贤巴。工作组对表姐的预言没有应验，但是，他们对贤巴的预言应验了。那个被工作组领着，因为穿了一身簇新衣服而有些拘谨，同时也十分神气的贤巴现在是一名解放军战士了。工作组马上下达命令，和舅母一样处境的几位老人又在广场上生起了熊熊的篝火，只是今天他们不必再瑟缩着站在火光难以照见的角落听候训示了。给他们的命令是"不要乱说乱动，回去老老实实待在家里"。

然后，举行了欢庆大会。贤巴站在火堆前，胸前扎着一大朵纸做的红花，同样的一朵红花也挂在了贤巴家低矮的门楣上。然后，工作组长当众用他把标语写满了整个寨子的毛笔蘸饱了墨汁，举在手上，看着人把一张红纸贴上了贤巴家的木门，然后，刷刷几笔，光荣军属几个大字便重重地落在了纸上。

贤巴参军了，但寨子里的大多数人依然觉得他不是一个好孩子。说他喜欢躲在人群里，转身便把听到的任何一点点事情报告给工作组。所以，这天众人散去时，会场四周的残雪上多了许多口痰的印迹，好像那一天特别多的人感到嗓子眼发堵一样。但是，我们这些同龄人却十分羡慕他。他才比我大两岁，才十五岁就参军了。这意味着这个年轻人在这个新的时代有了最光明的前途，以后，他再也不用回到这个村子里来了，即便他不再当兵，也会穿着旧军装，腰里掖一把红绸裹着的手枪，去别的寨子当工作组队员，甚至当上最威风的工作组长。

很多老人都说我不是一个好孩子，因为我不跟人说话，特别是对长辈没有应有的礼貌。工作组的人也这么说我，他们希望寨子里写汉字最好的学生能跟他们更加亲近一些，但我不能。父亲悲戚地说："叫人一声叔叔就这么困难吗？"但我一站到他们面前，便感到嗓子发紧发干，没有一点儿办法。小学校一年一度选拔少先队员的工作又开始了。我把作业做得比平常更干净漂亮，我天天留下来和值日生扫地，我甚至从家里偷了一毛钱，交给了老师，但是老师好像一切都没有看见。我们都十三四岁了，小学也快毕业了，但我还是没有戴上红领巾。而每年一度的这个日子到来的时候，我的心里仍然充满了渴望。一天，老师终于注意到了我的渴望，他说："你能把作文写得最好，你就不能跟人好好说几句话吗？"他还教了我一大堆话，然后领着我去见工作组的人。路上，我几次想开溜，但是那种进步的渴望还是压倒了内心的怯懦。终于走进了工作组居住的那座石头寨子。工作组长正在看手下人下棋，把双手交叉抱在胸前，他还不时耸动一下肩膀，以防披在身上的外衣滑落。他的手下人每走一手棋，他便从鼻子里哼一声："臭！"

老师不断用眼睛示意我，叫我开口，但我找不到一个合适的机会。因为工作组长几次斜斜眼睛看我和老师时，我都觉得他的眼光并没有落在我身上，而是穿过我的身体，落在了背后的什么东西上。人家用这样的眼光看你，只能说明你是一道并不存在的鬼影。

我感到舌头开始发麻，手上和脚上那二十个指头也开始一起发麻。我知道，必须在这之前开口，否则我就什么都说不出来了，否则红领巾便永远只能在别人的胸前飘扬了。终于，我黏到一起的嘴唇被气息冲开，嘴里发出了一点含糊的声音，连我自己都没有听清。

工作组长一下便转过身子来了，他说："哟，石菩萨也要开金口了！"

我的嘴里又发出了一点儿含糊的声音，老天爷如果怜悯我的话，就不应该让我的舌头继续发麻。可老天爷把我给忘记了，不然的话，舌头上的麻木感便不会扩展到整个嘴巴。

工作组长的目光越过了我，看着老师说："你看这个孩子，求人的时候都不会笑一下。"

老师叫我来，是表达进步的愿望，而不是求他。虽然我心里知道这就是求他，不然我的舌头也不会发麻。但他这么一说，我就更加委屈了。眼睛里有滚烫的泪水涌上来，但我不愿意在他面前流出泪水，便仰起脸来把头别向了另一边，这是我最后一点儿自尊了。

但别人还是要将它彻底粉碎，工作组长坐在椅子上，说："刚才你说的什么我没有听清，现在你说吧，看来，你说话我得仔细听着才行。"我的身后，传来了曾经的朋友、现在已经穿上军装的贤巴嘻嘻的笑声，而我的泪水马上就要溢出眼眶了。于是，我转身冲下了楼，老师也相跟着下来了。冬天清冽的风迎面吹来，我哇的一声哭了起来。

老师叹了口气，把无可救药的我扔在雪地里，穿过广场，回小学校去了。

我突然拔腿往山上跑去。我再也不要生活在这个寨子里了。曾经的好朋友贤巴找到了逃离的办法，而我还没有找到，所以，便只能向包裹着这个寨子的大山跑去。穿过残雪斑驳的树林，我一路向山上狂奔。我还看见父亲远远地跟在身后，等他追上我时，我脸上的泪水已经干了。我坐在雪地上，告诉父亲我不要再上学了。我要像花脸贡波斯甲一样一个人住在山上，我要把挣到的每一分钱都给家里。

父亲什么也没说，但我看到他的脸在为了儿子而痛苦地抽搐。

沉默许久后，他说："我们去看看贡波斯甲吧。"

是的，这是我最后一次看见花脸。最后一次看见的时候，我们已经看不清他的脸了。木门吱呀一声推开时，屋顶上有些积雪掉了下来。雪光反射到屋子里，照亮了他那副永远擦得亮光闪闪的马鞍。木头的鞍鞒，鞍鞒上的革垫，铜的马镫，铁的嚼口，都油光锃亮，一尘不染。花脸背冲着门，我叫了他一声，他没有答理我。我走进屋子，再喊一声，他还是不答应。然后，我感到一股阴冷的气息从他身上散发出来，就像寒气从一大块冰上散发出来一样。

死。

我一下就想到了这个字眼。

父亲肯定也感到了这个字眼，他一下把我挡到身后。花脸侧身靠在那副鞍具上，身边歪倒着两只酒瓶。他的脸深深地俯在火塘里，火塘里的火早就熄了，灰烬里是细细而又刻骨的冰凉。父亲把他的身子扶正，刚一松手，他又扑向了火塘。父亲叹口气，低声说了句什么，然后跪下来，再次将他扶起来。让他背靠着他心爱的马鞍，可以驮他去到遥远温泉的马鞍上。这下，我真的看到了死亡。这是我第一次如此逼近死亡的真实表象，贡波斯甲的脸整个被火烧成了一团焦炭。这时，NHK电视新闻里正在播放新闻，说是在日本这个伽蓝众多的国度，有一座寺遭了祝融之灾，画面上是一尊木头佛像被烧得模糊的面部。那也正是花脸贡波斯甲被烧焦的面部的模样。

我最后看到的花脸贡波斯甲就那样带着被烧焦的模糊面容背倚着那副光可鉴人的鞍具，我和父亲慢慢退到门口，父亲伸出手，小木门又咿呀一声关上了。于是，那张脸便永远地从我们视线里消失了。

我们在木屋的台阶上站了片刻，屋子四周是深可过膝的积雪。父亲砍来两段带叶的松枝，于是，我们一人一枝，挥舞着清除屋顶上的积雪。木屋依山而建，站在房屋两旁的边坡上，很轻易地，我们就够到了那些压在房顶上的积雪。雪一堆堆滑到地上，现出了厚厚的杉树皮苫成的屋顶。

一根火柴就将这座木头房子点燃了。

火光升腾而起，干燥的木头熊熊燃烧，噼啪作响。火光灼痛了我的脸，火的热力使身边的积雪嗞嗞融化，但我还是感到背上发冷，感到一股透心的冰凉。然后，房顶在火光中塌陷了。塌陷后的房顶更紧地贴着花脸的肉身燃烧着，火苗在风中抽动着，欢快地嚯嚯有声，一股股青烟飘到天上。好了，现在花脸的灵魂挣脱了肉身的束缚去到了天上。我抬眼仰望，四围的雪峰晶莹剔透，寂静的蓝天无限深远。

山下的人们看到了火光，也上山来了。

寨子里当了民兵的年轻人，由工作组率领着首先赶到。穿军装的贤巴也跟大家一起冲上山来，面对慢慢小下去的火和不再存在的木头房子和房子里的那个人，他的表情坚定，他的悲伤表情里都有一些表演的成分。最后，全寨子的人差不多全部赶到了，看着火慢慢熄灭，一种带着歉疚之感的悲伤笼罩着人群，我看见贤巴脸上那点夸张的表情也完全消失了。

并且，在下山的路上，他和我并肩走在了一起。

我不想理会他，但他抽了抽鼻子，又抽了抽鼻子，说："你也应该争取当解放军。"

我说："为什么?"

他压低了声音说："你也跟我一样，想永远离开这个该死的寨子。"他站住了，双眼直盯着我，而我确实有种被他看穿了内心的感觉。问题是，这种该死的生活不是想要摆脱就可以摆脱，就像不是想上天堂就能上到天堂一样。花脸是永远摆脱了。贤巴也永远摆脱了。现在，送他上到天堂的崭新皮鞋那么用力，踩得积雪咕咕作响。而我肯定离不开这个该死的寨子，想到这里，我的眼里竟然不争气地涌起了泪光。

泪光使贤巴表情复杂的面容模糊起来。

但是，我听见他有些骄傲，还有些厌恶的声音说："真的，你就像个长不大的孩子。"

然后，他便一路用新皮鞋踩着咕咕作响的积雪，赶到前面，加入到了喧闹的人群中间，把我一个人落在了后面。我再回看身后，花脸的葬身之处，他放牧的那些马，从山上下来，喷着响鼻，四处围在那座曾经的木屋周围，而雪地上反射的阳光掩去了意犹未尽的淡淡青烟。只是那些马，立在那里，一动不动，好像梦境里的群雕一般。

那天晚上，我真做了一个梦，梦见花脸牵着马，马背上是那副漂亮的鞍鞯，他的身后，是一树开满白花的野樱桃。他对我说："我要走了。"

他挥挥手里的马鞭，樱桃树上雪白的花瓣便纷纷扬扬，如漫天飞雪。他拂开飞雪的帘子，再次走到我跟前："我真的要到温泉去了。"

梦里的我绝望得有些心痛，我说："你骗我，你去不了温泉，山那边没有温泉。"

他有些伤心，伤心的时候，他垂下了眼皮，这种垂眼的动作有点儿美丽女人悲哀时的味道，有点儿佛眼不愿或不忍看见下界痛苦的那种味道。

花脸死后不久，一队汽车开到了村口，因为失去了远方而基本没有了用处的马群被人赶下山来。一匹匹马给打上了结实的脚绊，赶上了汽车被木栅分成一个个小格子的货厢，每一匹马被关进一个小格子，再用结实的绳子绑起来，这些在雪山脚下自由游走的生灵立即便带着巨大的惊恐深深地萎靡了。汽车启动的时候，很多人都哭了。从此，我们的生活中就再也不会有马匹的踪影了。

有个工作组的同志劝乡亲们不要伤心，他说，这些马是卖给解放军去当军马，听着军号吃饭，听着口令出操，迎着枪炮声奔跑。但是工作组长说："狗屁，现在是社会主义建设时期了，这些马闲在这里没有用处，要知道还有好多地方是用人犁地呢！"于是，我们知道这些生灵是要去服犁地的劳役了。而在我们生活中，马只是与骑手融为一体的生灵，是去到远方的忠实伴侣。犁地一类的劳役是由气力更大的牛来担当的。

晓得了这些马的命运，更多的人哭了。然后，人们唱起了关于马的歌谣。我听见表姐的声音高高地超拔于所有声音的上面，我的眼睛也湿了。在老人讲述故事讲到我们文明的起源时，总是这样开始，说："那个蒙昧时代，马与野马，已然分开。"那么，今天这个文明时代，马和骑手永远分开。

这些马匹换来了一辆有些凶恶地突突作响、大口大口喷吐着黑烟的手扶拖拉机。只是它不像书上说的那样用来耕地，而是成了运输工具，第一次运输任务，就是送走这一轮的工作组，再迎来另外一轮的工作组，工作组离开的时候，贤巴也跟着一起离开了。那天，全寨子的人都站在路口，看着突突远去的拖拉机冒着黑烟爬上山坡，然后便消失不见了。

时间在近乎停滞的生活中仍然在流逝，近乎窒息的生活中也暗藏着某些变化。几年后，我上了中学，回乡，又拿到了新的入学通知书的那一天，父亲对我说："如果寨子里永远都是这种情形，你就永远不要回来。"

说这话的时候，他正认真地为我的皮靴换一副皮底。父亲还让我上山，好好在盐泉里泡泡我的一双臭脚。他脸上的皱纹难得地舒展开来，露出了沟壑最深处从未见过阳光的地方，他说："去吧，好好泡一泡，不要让你的双脚带着藏蛮子的臭气满世界走动。"藏蛮子是外部世界的异族人对我们普遍的称呼，这是一种令我们气恼却又无可奈何的称呼。现在，父亲带着一点儿幽默感，自己也用上了这种称呼。

我去了山上，也在盐泉边泡了泡自己的双脚。把双脚放在像针一样扎人的冷水里，再探入盐泉底部质地细腻的泥沼里，给我的双脚一种很舒服熨帖的感觉。但我不大相信这种方法就能永远地去掉脚上的臭气，如果这种臭气真是我和我的族人们与生俱来的话。想到这里，我便把双脚从泥沼里拔了出来，去看那座曾经的木屋。现在那里什么都没有了，当年的屋基上长出了一簇叶子肥厚的大黄。大黄是清热降火的药材，我对着这簇可以入药的植物站立了很久，又在不知不觉间走到它们中间，然后，一个东西猛一下，在被我看见前便被意识到了。一颗人头，一个骷髅！在一小块空地上，那个骷髅白得刺眼，上下两排牙齿之间有一种惨烈的笑意，而曾是两眼所在的地方，两个深深的空洞又显得那么茫然。

我感到自己的牙根上有凉气在游走,我倒吸着这咝咝的凉气,有些惊恐的声音脱口而出:“花脸?”

没有回答。

当然没有回答。

然后我不由自主地跪下来,与这个骷髅面对着面。牙关里的凉意,此时像众多小蛇在背上游走。但我还是没有离开,而是与这个骷髅脸对着脸。这片山谷里,没有了马的踪迹,是多么的死寂无声啊!

我又对那骷髅叫了一声:“花脸!”

一阵风吹来,周围的绿色都动荡起来,那骷髅好像也摇晃了一下。我以为是他听见了我,便说:“我要走了。你的马也都走了。”骷髅没有回答。我就坐在那潮湿的泥地上,最初的惊恐消失了,无影无踪了。我扯来几片大黄叶子,把骷髅包起来,我说:“这里又湿又冷,还什么都看不见,来,我们去另找个地方。”

我找到了一棵冠盖庄严巨大的柏树,将那个头骨放在一个巨大的枝杈间。这样的地方,淋不到雨水却照得见阳光。这个位置也能让他像一个大人物一样坐北面南。加上他眼眶巨大,如果愿意,他不错眼也能同时看到东方与西方。东方的太阳升起来,是一切的开始。西边的太阳落下去,是一切的结束。当然了,西边还有雪山,雪山后面有草原,草原上很遥远的地方,据说有令一切生命美丽的温泉。

下 篇

没有想到,十年后,我的工作会是四处照相。

我不是记者,不是照相馆的,也不是摄影家,而是自治州群众艺术馆的馆员。身穿着摄影背心,在各种会议上照相,到农村去照相,到工厂去照相,也到风景美丽的地方去照相,目的只是为了把馆里负责的三个宣传橱窗装满。三个橱窗一个在自治州政府门口,一个在体育场门口,一个在电影院广场旁边。宣传部长总是说着文件上的话:“变化,要表现出伟大时代的伟大变化。”

但是,这个变化很难表现。

比如每一次会议,坐在主席台上的那些人都希望橱窗里有自己的大幅照片,主席台上的人一个个排下来,三五年过去,仍然一无变化。农民种庄稼的方式也好像没有什么变化,十年前,农民的地里有了拖拉机,又是十年过去,拖拉机都有些破旧了,倒不及变化刚刚发生时的那种新鲜了。然后是给家家户户送来了现代光明的水电站,但是,不变的水电站又怎样体现更多的变化呢?我们所能做的,就是用不同的风景照片来调剂这些短时间内很难有所变化的画面。结果,有了不同的风景照片,这些图片展览好像就能符合表现伟大变化的要求了。

所以，风景是一个好东西。

对我那双镜头后面的眼睛来说，风景也真是好东西。我挎着政府配置的照相机，拿着菲薄的出差补贴四处走动拍摄风景照片。另一些挎着政府配置的照相机的家伙也四处游荡，拍摄风景照片。在这种游走过程中，不只是我一个人，开始把自己当成是一个摄影家，或者是一个未来的摄影家。于是我把持着的那三个橱窗，在这个小城里，作为重要的发表阵地就有些奇货可居了。很多照片从四面八方汇聚到我这里，于是，我又有了一个身份，一个编辑，一个颇有权威感的业余摄影评论家。三个橱窗的影响越来越大，越来越时髦。那些年，干部越来越年轻，越来越知识化，越来越追逐新潮。这些领导都把相机当成了小汽车之外的第二项配备，就像是今天的手机与便携式电脑。

我因此成了好多领导的朋友，一个好处是他们去什么地方时，可能在他们性能良好的越野吉普里把我捎上。大家一起在路上选景，一起在路上照相，一起把作品发布在我把持的橱窗里。这些个橱窗使我成了小城里一个很多人都知道的人物。我成了很多领导的艺术家朋友。

甚至有开放的姑娘找来，想让我拍一些暴露的照片，作为青春的纪念。她们抱着人体画册，脸红红地说："就是要拍这种照片。"她们说，年老了，看看年轻的身体，也是一份很好的纪念。

布置橱窗时，我已经习惯有很多人围观，在身后赞叹。当然，这些赞叹并不全都是冲着我来的，虽然我摆放那些照片的位置很具匠心，虽然我蘸着各种颜料，用不同样子的笔写出来的不同的字总是美不胜收。但更多人的听上去那么由衷地赞叹，只有一小半是为了照片，一多半是为了照片后面那些熟悉的名字。人们说："啊，某局长！"

"看！某主任！"

这一天，我贴了半橱窗的照片，听了太多的这种赞叹，心里突然对自己工作的意义产生了一丝怀疑，便让对面小店送了一瓶冰啤酒过来，坐在槐树荫凉下休息。五月的中午，天气刚刚开始变得炎热。洁白而繁盛的槐花散发的香气过于浓烈，熏得人昏昏欲睡。

在很多人的围观下，我为一幅照片取好了标题《遥远的温泉》，并信笔写在纸上。是的，这是一幅温泉的照片。热气蒸腾的温泉里，有两三个女人模糊肉感的背影，不知是距离太远，还是焦距不准，一切看上去都是从很远的地方偷窥的样子。照片上的人影被拉到很近，但又显得模糊不清。这是我的橱窗里第一次发布这样的照片。前一天晚上，我与拍下这张照片的某位领导一起喝酒，听他向我描述他所见到的温泉里男女共浴的美丽图景。他也是一个藏族人，他说："他妈的，我们是退化了，池子里的人都叫我下去，结果我脱到内裤就不敢再脱了。"

"池子里人们笑我了。他们笑我心里有鬼，想想，我心里真是有鬼。"这张照片的拍摄者有些醉了，“伙计，你猜我怕什么？”

我猜出了几分，但我说我不知道。

他说：“温泉里那些姑娘真是健康漂亮，我怕自己有生理反应，所以要一条内裤遮着，所以，最后只有跑到远处用长焦镜头偷拍了这些照片。”有些照片异常的清晰，但我们下了好大决心，才挑了这张面目模糊的，作为一个小心的试探。

我坐在树荫下喝着啤酒，写下了那个标题，并从牛皮纸信封里拿出这张照片时，那几团模糊的肉色光影一下便刺中了人们的眼球，人们一下便围了上来。虽然不远处的新华书店里就在公开出售人体摄影画册，录像带租赁店里半公开地出租香港或美国的三级片。尽管这样，模糊的几团肉光还是一下便吸引了这么多热切的眼球。正是这些眼球动摇了我把这张照片公开发表的信心。我不用为全城人民的道德感负责，但在展览上任何一点儿小小的不慎，都会让我失去那些让我在这里生活愉快的官员朋友。

于是，那张照片又回到了牛皮纸信封里，那几个标题字也被撕碎了，我又灌了自己一大口冰凉的啤酒。这时，一个穿着黑色西服、领带打得整整齐齐的官员自己打开一把折叠椅坐在了我的对面。

说他是一个官员，是因为他那一身装束，因为他自己拿过椅子时那掩不住的大大咧咧的派头。他笑眯眯地坐在我面前，说：“请我喝杯啤酒吧。”我把茶杯里的残茶倒掉，给他把啤酒斟满，我有些慵倦的脸上浮现出的笑容有些特别的殷勤。

他问：“你不认识我了？”

我摇摇头，说：“真没见过，但我猜，起码是个县长。”

“好眼力。”他说，他是某个草原县的副县长。

我说：“那你很快就能当上县长。”凭我多年的经验，有两种人明知是假话也愿意听，一种是女人愿意你把她的年纪说小，一种是那些在仕途上走上了不归之路的官员，愿意听你说他会一路升迁。

他笑了，灌下一大口啤酒，说：“我们这种人身上是一种气味的，有狗鼻子的人，一下就闻出来了。”

我说：“你骂我呢。”

他说：“我不是把你我两个都骂了吗？”

他说的倒还真是实话，他把当官的人，和一眼就认得出谁是当官的人的人都给浅浅地骂了。

他说：“我认识你。”

我说：“哪次开会，不是我来照你们这些一个个大脑袋，你当然该认识我了。”

“那次你到我们县，我就想赶回来见你，带你去看温泉，你一直想看的温泉。结果我赶回来，你们已经走了。”

说起温泉，我有些恼火，因为莫名的担心，我取下了这张照片，但我待会儿还得去向这张照片的摄影者做一些解释，并且不知道这些解释能否说服对方。

看我经过提示也没有什么反应，他把刚才摘下又戴上的墨镜又摘下来，隔着桌面倾过身子来，说：“你这家伙，真不认识我了？”

这回，我看到了一双熟悉的眼睛，但没有到温泉一样遥远的记忆中去搜寻，最后，我还是摇了摇头。

他有些失望，也有些愤怒，说：“你他妈的，我是贤巴！”

天哪，贤巴，有好多年，我都牢记着这个家伙，却没有遇见过他。现在，我已经将他忘记的时候，他又出现了。当我记得他的时候，我心里充满了很多的仇恨。当我将他忘记的时候，那些仇恨也消泯了。所以，他这个时候在我面前出现，真是恰逢其时。因此，我想，神灵总是在这样帮助他的吧。

于是，我惊叫一声：“贤巴！”就像遇到多年失散的亲人一样。

他看着我激动的样子，显得镇定自若，他拍拍我的肩膀，看看表，用不容商量的官员口吻说：“我去州政府告个辞，你把这个赶紧弄完，再回家把照相机带上。两小时后，我来这里接你。”

他说着这些话时，已经走到了大街对面的一辆三菱吉普跟前，秘书下来把车门替他打开，而我不由自主地也相跟着与他一起走到了车子前。他在座位上蹭蹭屁股，坐牢实了，又对我说：“记住，一定要准时，今天我们还要赶路。”

而我还在激动之中，带着一脸兴奋，连连说：“一定，一定。”

当贤巴的座驾在正午的街道上扬起一片淡淡尘土，消失在慵倦的树荫下时，槐花有些闷人的香气阵阵袭来，我才想起来，这个人凭什么对我指手画脚呢？一个区区几万人的草原小县的副县长凭什么对我用这样的口吻说话，而我居然言听计从。街上有车一辆辆驶过，车后一律扬起一片片尘土，我被这灰尘呛住了。一阵猛烈的咳嗽使我深深地弯下腰去，等我直起腰来，又赶紧回到橱窗那里，把剩下的活干完，然后，回到办公室，打开柜子收拾了三台相机，和一大包各种定数的胶卷。

馆长不在，我在他办公室等了好大一会儿，也没见他回来，于是，我才放了一张纸条在他的桌子上。背上了相机，再一次走上大街，我心里开始嘀咕，这个该死的贤巴，十多年不见，好像一下便把过去的全部过节都忘记了。而我想起这一点，说明那些过节还枝枝杈杈地戳在我心口里，但我没有拒绝他的邀请。回去十几年，我想当年那个固执的少年是会拒绝的，但我没有拒绝。

仅仅是因为那个男女不分裸浴于蓝天之下的温泉吗？

我走到体育场前的摄影橱窗那里，贤巴乘坐的三菱吉普已经停在那里了。贤巴满面笑容地迎上前来，一开口说话，还是那种自以为是的腔调。他说：“我以为你要迟到了。”

“你以为？”

他仍然是一副官员的腔调：“你们这些文艺界的人嘛，都是随便惯了的。”

我只知道自己是群众艺术馆的馆员，而是不是因此就算文艺界，或者什么样的人才能算文艺界，就确确实实不大清楚了。

他很亲热地揽住了我的肩膀，好像我们昨天还在亲热相处，或者是当年的分手曾经十分愉快一样。

他又叫秘书从我手上夺过了两只摄影包，放进了车里。

后来，我也坐在了车里，他从前座上回过头来，笑着说："我们可以出发了吗？"

槐花的香气又在闷热的阳光下阵阵袭来，我点了点头。

车子启动了，贤巴很舒服地坐在他的座位上，后排是我和他的秘书。看着他那硕大肥厚的后脑，我心里又泛起了当年的仇恨，或许还有嫉妒。这时，我从后视镜里看到了他的目光，望着前方，仍然野心勃勃，但其中也有把握不定前途的迷茫。我用相机替自己拍过照片，就像那些大画家愿意对着镜子画一张自己的自画像一样。我从自己的每一张自拍照中都看到了这样的目光。第一次看见这种神情的时候，我被自己的目光吓了一跳，我一直以为自己是一个随遇而安的人，但是，我的眼睛里野火一样燃烧着的东西却告诉我自己一直在渴望着什么。我想，面前这个人也跟我一样，肯定以为自己一直志存高远，而一直回避着面对渺渺前程时的丝丝迷茫。

这时，他说话了："我看你混得很不错嘛。"

我直了直脖子，说："没法跟你比啊。"

"小小一个副县长，弄不好哪一天说下去就下去了。"

"我想体会一下这种感觉还体会不到呢。"

这时，他突然话锋一转，说："听说你搞摄影后，我就想，你总有一天会来拍我们县里的那个温泉，结果你一直没来。"

这使我想起了死去多年的花脸贡波斯甲，使我想起了已经淡忘多年的遥远的温泉。

贤巴从后视镜里看着我说："我说的这个温泉，就是当年花脸向我们讲过的那个温泉。"他还说，"唉，要是花脸不死的话，现在也可以自由自在地去看那些温泉了。"

"但是花脸已经死了。"我从后视镜里看着他的眼睛，说，"花脸死得很惨。"我的口气会让他觉得花脸落得那样的下场，和他是有一定关系的。但他好像没有觉得，他说："是啊，那个年代谁都活得不轻松啊。"我眼前又浮现出了花脸死去时歪倒在火塘里的样子，想起了他那烧焦的脸。现在，那个灵魂与血肉都已离开的骷髅还安坐在那株野樱桃枝杈上吗？这个季节，细碎的樱桃花肯定已经开得繁盛如雪了。风从晶莹的雪峰上扶摇而下，如雪的樱桃花瓣便纷纷扬扬了。

我没好气地说："就不要再提死去多年的人了吧。"

"我们不该忘记，那是时代的错误。"贤巴说这话时，完全是文件上的口吻。汽车性能很好，发动机发出吟咏道路的平稳声音，车窗外的景色飞掠向后。一棵树很快陷落在身后，一丛草中的石头，一簇鲜艳的野花，都一样地飞掠向后，深陷于身后的记忆之中了。记忆就像是一个更宽广的世界，那么多东西掉进去，仍然覆盖不住那些最早的记忆。我希望原野上这些东西，覆盖了我黯淡的记忆。但是该死的记忆又拼了命从光照不到的地方冒出头来，是的，记忆比我更顽强。

贤巴又说起了温泉。我告诉这位县长，他说到温泉时有两种口气，一种是官员的口气，他用这种口气谈温泉作为一种旅游资源，要大力加以开发。他谈到了资金，谈到了文化。就是这该死的人人都谈的文化，但他话题一转，谈到了男女混同的裸浴。他的口气一下变得有些猥亵了，他谈到了乳房、屁股、毛发，少年时代的禁欲主义使我们看待一切事物都能带上双倍色情的眼光。这种眼光使我们在没有色情的地方也看到淫邪的暗示，指向众多的淫邪暗示。

他一点儿也不生气，而是哈哈一笑，拍着司机的肩膀说："是的，是的，两种口气，官员的口气和男人的口气。"他的意思是说，谁让我又是官员又是男人呢？而我的意思是，如果我们奔向的是牧马人贡波斯甲向我们描述的那个温泉，是我们少年时代无数次幻想过的温泉，那他就不该用那样的口气。于是，我不再说话。

他的眼睛已经被这话题点亮了。

他说："到时候你拿相机的手不要发抖，不要调不准焦距。"

我没有说话。

"哈，我知道了，你只要饱自己的眼福，不愿意变成照片与人分享嘛。还是拍些照片，以后就看不到这种景象了。"

这一天，我们住在县城。贤巴请我去了他家里，他的妻子是个病恹恹的女人，周身都散发着一些药片的味道。但还是端着县长夫人的架子，脸上冷若冰霜。贤巴有些端不住了，说："这是我的同学，我的老乡。"

于是，县长夫人脸上那种冷漠的表情更加深重了，口里嘟哝了一句什么。

我自己调侃道："乡下的穷亲戚来了。"

县长夫人的表情有些松动，打量我一阵，说："你们那里真还有不少穷亲戚。"

我很好奇："他们到这里来了。"

县长夫人盘腿坐在一块鲜艳的卡垫上，手里拿着一把精致的木梳，说："他们来洗温泉。"

我心里有了一些恶意："我来也是因为温泉。"

贤巴赶紧插进来，说："他是摄影家，他来拍温泉。我们要把温泉这个旅游资源好好开发一下。"

县长夫人脸上的表情又松动了一些，眼睛看着我，话却是对她丈夫说的："给办公室打个招呼，让招待所好好安排吧。"

说完，她好像是做了一件特别累人的事情，叹口气捶着腰走进了里间的房子。

其实，此前她丈夫已经在招待所把我安顿好了。我害怕贤巴因此难为情，所以我不敢看他的眼睛。他把我送下楼，说："她跟我们不一样，她是从小娇生惯养的，她爸爸是我的首长。"他说出一个名字，那口气中的一点点歉疚就完全被得意掩盖了，"那就是她爸爸。"

当然，他说出的确实是一个尽人皆知的名字。

这时已经是夜里了，昏黄不明的路灯并没有把地面照亮多少，却掩去了草原天空中群星的光芒。贤巴又问我老婆是干什么的，我告诉他是中学教师。县长说："教师很辛苦。"

我说："大家都很辛苦。"

他又声音洪亮地笑了，笑完，拍拍我的肩，看着我走出了院子。街上空空荡荡，一小股风吹过来，吹起一些尘土。尘土里卷动着一些破纸片，一些塑料袋。尘土里的马粪味和远处传来的低沉狗吠和黯淡低矮的星空，使我能够确信，已经来到了草原。

第二天，贤巴没有出现。

一脸笑容的办公室主任来陪我吃饭，说贤巴县长很忙，开会，审查旅游开发方案，还有很多杂七杂八的事情。我只好说我不忙。吃完午饭，我上了街。街面上很多小铺子，很多露天的台球桌。有几个小和尚和镇上的小青年在一起挥杆，桌球相撞发出响亮的声响。不时有牧民骑着被太阳晒得懒洋洋的马从街上走过，我唯一的收获是知道了去温泉有六十里地。我站在街边看了一阵露天台球，然后，一个牧民骑着马走过来，身后还有一匹空着的马。我竖起拇指，就像电影里那些站在高速路边的美国人一样。两匹马停下来，斜射的太阳把马和人浓重的身影笼罩在我身上。马上的人身材高大，这个身影欠下来，说："伙计，难道我们去的是同一个地方？"

我说出了温泉的名字。

他哈哈一笑，跳下地来，拍拍我的屁股："你骑有鞍子这一匹，上去吧！"他一推我的屁股，我一下便升起来，在高耸的马背上了。那些打台球的人，都从下边仰脸望着我。然后，他上了那匹光背马，一抖缰绳，两匹马便并肩嗒嗒走动了，很快就走出县城，翻过两座小丘之间的一个山口，一片更广大的草原出现在眼前。

"嗬！"不知不觉间，我发出一声赞叹。

然后，一抖缰绳，马便奔跑起来。但我没有加鞭，只让马离开公路，跑到湖边，就放松了缰绳，在水边松软的小路上放慢了步伐。这是一个季节性的湖泊，水面上，水鸟聒噪不已。那个汉子也跟了上来，看着我笑笑，又抖抖缰绳，走到前面去了。这一路，都由他控制着节奏，直到草原上突兀而起的一座赭红色的石山出现在眼前。他告诉我山根下面便是温泉。看着那座赭红色的石山，看着石山缝里长出的青碧小树，我想到了火山。很多年前，就在这里，肯定有过一次不大不小的火山喷发。我把这个想法告诉他,他说:“这话像是地质队的人说的。”

“我不是地质队员。”

两个人正斜坐在马背上说话,从我们所来的草原深处,一辆飞驰的吉普车扬起了一柱高高的尘土,汉子突然猛烈地咳起来。我开了个玩笑,说:“该不是那些灰尘把你呛住了吧?”

他突然一下止住了咳嗽,很认真地说:“不只是我,整个草原都被呛住了。”

这一路,我们都避开了公路在行走,但又一直伴随着公路,和公路一起平行向前,我们又继续策马前行。汉子说:“以后你再来这个地方,不要坐汽车来。”

我说那不大可能,因为我是从很远的地方来的。

他挥了挥手,说:“得了吧,你的前辈都是坐着汽车来洗温泉的吗?”我的前辈们确实不是坐着汽车来洗温泉的,而且,是在有了汽车以后失去了四处行走的自由。当然,后来又恢复了四处行走的自由,但是,禁锢太久之后,他们的灵魂已经像山间的石头一样静止,而不是一眼泉水一样渴望奔突与流浪了。很多人确实像庄稼一样给栽在土里了。他说:“我知道你是怎么想的,我是说,如果你真的想看温泉,想像你的先辈们一样享受温泉,那你就把汽车放在县城,骑一匹马到温泉边上来。”

“就像今天这样?”

他说:“就像今天这样。”

那辆飞驰的吉普车从与我们平行的公路上飞驰而过时,我们已经到了那赭红色的山崖下面。抬头仰望,高高的山崖上有一些鸽子与雨燕在巢里进出。他在这个时候告诉我:“我叫洛桑。”

我看着那些飞出巢穴的雨燕在空中轻捷地盘旋,过了一会儿,才明白他说的是什么。我说:“对不起,我早该问你的。”

他跳下马,我也下了马,两个人并肩走在一起,他说:“你该告诉我你的名字。”

我又颇为尴尬地说了一声对不起,然后告诉他我的名字。

洛桑笑了:“你总是这么心不在焉吗?”

我告诉他:“我一直在想温泉。”

他看了看我,眼睛里闪过一丝惊讶的亮光,但立即就掩藏住了。他说:“哦,温泉。温泉。好吧,朋友,温泉已经到了。”

这时,我们脚下掩在浅草中的小路,正拐过从崖体上脱落出来的几块巨大的岩石,西斜的太阳把岩石巨大的影子投射在身上,风吹在身上有些凉。当我们走出岩石的阴影,身子一下又笼罩在阳光的温暖里,眼前猛然一亮:那不单单是阳光的明亮,而是被斜射的阳光镀上一层银色的水面反射的刺眼光亮。

温泉!

遥远的措娜温泉,曾经以为永远遥不可及的温泉就这样出现在了我的面前!

我站在那里,双眼中满是温泉上的光芒在迷离摇荡,浓烈的硫黄味就像酒香一样，增加了恍惚之感。我站在那里，不知站了多长时间，只记得马在身后噗噗地喷着响鼻。这些光芒慢慢收敛了刺眼的光芒，让我看清楚了。从孤山根下的岩缝中，从倾斜的草坡上，有好几眼泉水翻涌而出。温泉水四溢而出，四处漫漶，在青碧的草坡上潴积出一个个小小的湖泊。就是那些湖泊反射着一天里最后的阳光，辉耀着刺目的光芒。

我把牵着的马交给洛桑，独自走到了温泉边上。水上的阳光就不那么耀眼了，只是硫黄味更加浓重。旷大的草地中间，一汪汪比寻常的泉水带着更多琉璃般绿色的水在微微动荡，轻轻流淌。温泉水注入一个小湖，又很快溢出，再注入另外一个小湖。水在一个个小湖之间蜿蜒流淌时，也发出所有溪流一样的潺潺声响。

我坐下来，仿佛又回到了很多年前家乡寨子后面山上的盐泉边上。

鸟鸣与硫黄味都与当年一模一样，只是没有森林，也没有雪山。除了背后一座拔地而起的赭红色孤山，放眼望去，都是平旷的草原，一声浩渺叹息一样辽阔的草原。

洛桑用马鞭敲打着靴子，让我收回了远望的目光。他说："每一次，我都像第一次看见一样，都像看见一个新鲜的年轻姑娘。"

我说："但是，这不是我一直想来的那个温泉。"

然后，我向他描述了花脸贡波斯甲曾经向我们描述的那个温泉。那个温泉，不像现在这样安谧、宁静，而是一个四周扎满帐篷的盛大集市，很多的小买卖，很多美食，很多的歌舞，很多盛装的马匹，当然还有很多很多的人穿着盛装来自四面八方。他们来到泉边，不论男女，都脱掉盛装，涉入温泉，洗去身体表面的污垢，洗去身体内部的疲惫与疾病。温泉里是一具具漂亮或者不够漂亮的躯体，都松弛在温热的水中。

也许真正的情形并不是那么天真无邪，那么自由，那么松弛，但在我的童年，花脸和寨子里那些来过温泉的上辈人的描述为我造成了梦境一样美丽的想象。现在，我来到了这个梦幻之地，这里却安静得像被人完全忘记了一样。草地青碧，蓝天高远，温泉里的硫黄味来到傍晚时分的路上，就像有种女人把某种美妙的情绪带到我们心头一样。还有一个叫洛桑的汉子，照看着两匹漂亮的马。马伸出舌头，卷食那些娇嫩的青草。

我一直坐在泉边。

不知过了多久，太阳光中的热力减弱了很多。

身后的洛桑突然说："来了一个人。"

果然，一个人正往山坡上走来。来人是一个乡村邮递员，他走到我们跟前，向洛桑问好，却对我视而不见。洛桑拿来一瓶酒放在地上，又拿出了一块肉，乡村邮递员从包里掏出一大块新鲜奶酪，然后，两个人脱得干干净净下到了温泉里。我也学他们的样子，下到水里，然后，把头深深地扎进温热的水里。水，柔软，温暖，从四周轻轻包裹过来，闭上眼睛，是一片带着嗡嗡响声的黑暗，睁开眼睛，是一片荡漾不定的明亮光斑。一个人在母腹中就是这个样子吧。佛经中说，世界是一次又一次毁灭，一次又一次开始的，那么，世界开始时就这样的吧。洛桑和乡村邮递员把大半个身子泡在温水里，背靠着碧草青青的湖岸，一边享受温泉水的抚摸，一边享用刚才备下的美食：酒、肉和奶酪。我却深深地把头扎在水里，每一次从水里抬起脑袋，只是为了把呛在鼻腔里的水，像牲口打响鼻一样喷出来，再深深地吸一口气，再一次扎进水里。

就这样周而复始，一次又一次扎入水中，好像我的生命从这个世界产生以来就从来没有干过别的。扎进水里，被水温暖而柔软地拥抱，睁开眼睛，是动荡不已的明亮，闭上眼睛，是结结实实的带着声响的黑暗。于是，我的生命变得简单了，没有痛苦，没有灰色的记忆。只是一次次跃出水面，大口呼吸，让新鲜空气把肺叶充满，像马一样喷着响鼻把呛进嘴里的水喷吐出来，这是简单的结结实实的快乐。是洛桑狠狠的一巴掌结束了我的游戏。

这些穿成一串的温泉小湖都很清浅，当我把头扎向深水时，屁股便露出了水面。洛桑一巴掌把我拍了起来。看我捂住屁股的样子，乡村邮递员放声大笑。我从来没有想到过这个小矮人的腹腔里能发出这么大的声音，这太过洪亮的声音让我感到了尴尬。但是，洛桑递给我的酒化解了这种尴尬。

酒，还有乡村邮递员的奶酪，加上正在降临的黄昏，使我与温泉的第一次遭逢部分地符合了我的想象。酒精开始起作用了，我说：“如果再有几个姑娘，漂亮的姑娘，跟我们一样赤身裸体的姑娘。”

这句话使两个人大笑起来：“哦，姑娘，姑娘。”

“温泉里再没有姑娘了吗？”

两个人依然大笑不已。

很多年后，在东京，几位日本作家为我们举行的宴会上，大家谈起了日本的温泉。我问频频为我斟酒的老作家黑井谦次先生，是不是还有男女同浴的温泉。川端康成小说里写过的那种温泉。老作家笑了，说：“如果阿来君真的想看的话，我可以做一次向导。只是先听一个故事吧。”他说，他四十岁的时候，与阿来君差不多的年纪，离开喧嚣的城市，到北海道去旅行。一个重要的内容当然是享受温泉，同时，也想看看男女同浴的温泉。在外国人的耳朵里，好像整个日本的温泉都是这样。而在日本，你被告诉这种温泉在北海道，寻访到北海道，你又被告知那种温泉在更偏僻一些的地方。黑井谦次先生遇到的就是这种情况。他住在北海道一间著名的温泉旅馆，但那里没有男女混浴的地方。经过打听，人家告诉他有这种温泉，他走了很长的路去寻访。结果他说：“温泉里全是一些退了休的老头、老太太，他们对我说：‘可怜的年轻人，以前没有见过世面，到这里来开眼来了。’”黑井谦次先生这个故事，在席间激起了一片开心的笑声。黑井先生又给我斟上一杯酒：“阿来君，我告诉你这个温泉在哪个地方，只是，那些老太太更老了，一个四十岁的男人该被他们看成小孩了。”大家再次开怀大笑。

回到酒店，我开始收拾东西，明天就要出发去据说也有很多温泉的上野县的上田市。我眼前又浮现出了中国藏区草原上的温泉。草原宁静，遥远，温泉水轻轻漾动宝石般的光芒，鸟鸣清脆悠长，那光芒随着四时晨昏有无穷的变化。

我又想起那次在温泉时的情形了。

我说：“如果这时再有几个姑娘……”

洛桑和乡村邮递员说，如果我有耐心，多待一些时候，就可以碰到这种情形。但在花脸贡波斯甲和寨子里老辈人的描述里，从晚春到盛夏，温泉边上每一天都像集市一样喧闹，许多赤裸的身体泡在温泉里，灵魂飘飞在半天里，像被阳光镀亮的云团一样松弛。美丽的姑娘们肩披长发，眼光迷离，乳房光洁，歌声悠长。但是，当我置身于温泉中，这一切都仿佛天堂里的梦想。我把这种感觉告诉了身边两个男人。我们都喝得有点多了，所以大家都一声不响，躺在温水里，听着自己的脑海深处，什么东西在嗡嗡作响，看星星一颗颗跃到了天上。

洛桑说：“这种情形不会再有了。这个规矩被禁止了这么多年，当年那些姑娘都是老太太了。现在的姑娘，学会了把自己捂得紧紧的，什么都不能让人看见。男人们被土地，被牛群拴住了，再也不会骑着马，驮着女人四处流浪。一匹马关得太久，解开了绊脚绳也不会迎风奔跑了。”

“只有我，每天都在路上，”乡村邮递员还没有说完，洛桑就说：“得了吧。”

小个子的乡村邮递员还是不住嘴，他说：“我每天都在到处走动，看见不同的女人。”我看见他口里的两颗金牙上有两星闪烁的亮光。

洛桑说：“住嘴！”

邮递员又灌下一口酒，再对我说话时，他胃里的腐臭味扑到我脸上：“朋友，我是国家干部，女人们喜欢国家干部，因为我们每个月都有国家给的工资！”

洛桑说：“工资！”然后，两个耳光也随之落在了邮递员的脸上。邮递员捂着脸跳上岸，瘦小身子的轮廓被夜色吞没，使他看起来更像是一个不太具象的鬼影。他挨了打却笑出了声，话依然冲着我说：“这狗日的心里难受，这狗日的眼红我有那么多女人。”

洛桑从水里跳出来，两个光身子的人在夜色中绕着小湖追逐。这时，下面的公路上突然扫过一道强光，一辆吉普车大轰着油门离开公路向山坡上冲来，雪亮的灯光罩住了两个赤身裸体的男人。洛桑强壮挺拔，邮递员瘦小而且罗圈着双腿。车灯直射过来，两个人都抬起手臂，挡住了双眼。车子直冲到两人面前才吱一声刹住了。车上跳下一个人，走到了灯光里。邮递员放下手臂，嗫嚅着说：“贤巴县长。”

洛桑像牙疼似的哼了一声。

贤巴县长对他视而不见，径直走到洛桑面前，说：“我的朋友呢？”

洛桑一下没有回过神来："你的朋友？"

我在水里发出了声音："我在这里。"

贤巴说："我在乡政府等了你很久，我以为你会去乡政府。"

我说："我是来看温泉的，到乡政府去干什么？"

贤巴说："干什么？找吃饭睡觉的地方。"

"难道跟他们就没有吃饭睡觉的地方？"

副县长说："穿上衣服，走吧。"然后他又转身对洛桑说："你这种人最好离我的朋友远一点儿。"

"县长大人，是你的朋友竖起大拇指要跟我走的。"洛桑又灌了一大口酒，对我说："原来你也是个大人物，跟你的朋友快快地走吧。"

这时，那个乡村邮递员已经飞快地穿上衣服，提起他的帆布邮包，钻进夜色，消失了。

贤巴拉着我朝汽车走去，洛桑也一把拉住了我。我以为他改变了主意叫我留下来，如果他说你留下，我想我会留下的，但他说："就这么走了？国家干部骑了老百姓的马不给钱吗？"

我还光着身子，贤巴把一张五十元的纸币扔给这个脸上显出可恶神情的家伙。纸币飘飘荡荡地落到水里，洛桑笑着去捞这张纸币，我穿上衣服。坐在汽车里，温泉泡得我浑身很舒服地瘫软，脑子也因此十分木然。我半躺在汽车座椅上，汽车像是带着怒火一样开动了，车灯射出的两根光柱飞速扫过掩入夜色的景物，一切刚被照亮，来不及在眼前呈现出清晰的轮廓便又隐入了夜色。很快，汽车摇摇晃晃地开上了公路，声音与行驶都平稳了。

贤巴转过脸来，这几天来那种客气而平淡的神情消失了，当年参军前脸上看人常有的那种讥诮神情又浮现在他那张看上去很憨厚的脸上："拍到光身子的女人了吗？先生，时代不同了，你不觉得那是一种落后的风俗吗？"

"我觉得那是美好的风俗。"

汽车颠簸一下，贤巴的头碰在车身上，他脸上讥诮的神情被恼怒代替了："你们这些文人，把落后的东西当成美，拍了照片，得奖，丢的可是我们的脸。"

我不再说话，在这么大的道理前还怎么说话？这种话出现在报纸上，电视上，写在文件里，甚至这么偏僻的草原上也有人能把这种道理讲得义正词严，而我已经习惯沉默了。

突然我又想起了刚刚离开的温泉，不断鼓涌，静默地吐出一串串珍珠般晶莹气泡的温泉。甚至，我恍然看到阳光照亮了草原，风吹着云影飞快移动，一个个美丽健硕的草原女子，从水中欢跃而起，黄铜色的藏族人肌肤闪闪发光，饱满坚挺的乳房闪闪发光，黑色的体毛上挂着晶莹的水珠，瞬息之间就像是串串宝石一般。

我甚至没有提出疑问，这种美丽怎么就是落后呢？

我只是被这种想象出的美丽所震撼。我甚至想，我会爱上其中的哪一个姑娘。温泉把我的身子泡得又酥又软，车子要是再开上一段，我就要睡着了。但车灯射出的光柱停止了摇晃，定定地照在一幢红砖平房上，这是辖管着温泉的乡政府。当晚我们就住在那里。县长下来了，乡里的书记、乡长、副书记、副乡长、妇联主任和团委书记都有些神情振奋，开了会议室，一张张长条的藏式矮几上摆上了手抓羊肉和新酿的青稞酒。乡长派人叫发电机在半夜十二点准时停电的小水电站发个通宵，然后脱了大衣，举起了酒碗。大家喝酒，唱歌，藏族的酒歌，情歌，也有流行歌。

这个镇子很小，也就十几幢这样的平房吧。乡政府里歌声大作时，已经睡着的大半个镇子又醒过来了。我们宴集场所的窗玻璃上贴饼子一样，贴满了许多生动的人脸。一些羞怯而又兴奋的姑娘被放了进来，她们喝了一些酒，然后就与干部们一起唱歌跳舞了。

我希望这些姑娘不要这么哧哧傻笑，但是她们却兴奋地哧哧地笑个不停；我也希望她们脸上不要浮现出被宠幸的神情，但是她们明白无误地露出来了。

我想对贤巴说，这才是落后的风俗。但贤巴县长正被两个姑娘围着敬酒，他已经有些醉了。他很派头地勾勾指头叫我过去，两个带着巴结笑容的姑娘也向我转过脸来。我在他们身旁坐下来，贤巴又是很气派地抬抬下巴，两个姑娘差不多是把两碗酒灌进了我的嘴里。她们实行的是紧贴战术，我感到了坚实乳房一下又一下的碰触。这种碰触的记忆已经很遥远了。所以我不由得躲闪了一下，贤巴咧着嘴笑了：“怎么，这不比想象温泉里的裸浴更有意思吗？”

两个姑娘也跟着笑了，我觉得这笑声有些放荡，但也仅此而已。一些放荡的笑声，一些浅尝辄止的接触。

贤巴悄悄地对两个姑娘说：“这家伙是我的朋友，他带了很高级的照相机，要拍女人在温泉里的光屁股照片。”

又是一些放荡的笑声，一些浅尝辄止的接触。

当然，他们比我更深入一些，但也只是一些打情骂俏，如果最后没有宽衣解带，这种打情骂俏也是发乎情止乎礼仪的意思，虽然我也看到了一些人的手在姑娘身上顺着曲线游走与停留。送走这些姑娘的时候，天已经快亮了，瞌睡与酒意弄得人脑袋很沉。我和副县长住在一个屋里。上床前，贤巴亲热地擂了我一拳，我又感觉到年少时的那种友谊了。上了床后，贤巴又笑了一声，说：“你这个人呀！”

“我怎么了？什么意思？”

他却发出了轻轻的鼾声。我的眼皮也沉沉地垂了下来。醒来的时候，才发觉连衣服都没脱就上床了。但这一觉却睡得特别酣畅淋漓。窗户外面有很亮的光线，还有牛懒洋洋的叫声。贤巴已经不在床上。我推开门，明亮的阳光像一匹干净明亮的缎子铺展在眼前。院子里长满茸茸的青草，沿墙根的几株柳树却很瘦小。土筑的院墙之外，便是广大的草原。炊事员端来了洗脸水，然后又用一个托盘端来了早餐：几个牛肉馅包子和一壶奶茶。他说："将就吃一点儿，马上就要开中午饭了。乡长他们正在向县长汇报工作，汇报完就开饭。"

我有些头痛，只喝了两碗奶茶。

我端着碗站在院子里，听到会议室里传来响亮的讲话声。那种讲话用的是与平常说话大不一样的腔调，在这个国家的任何一个角落都可以听到。

我信步走出院子。

这个镇子与我去过的其他草原小镇一模一样，七零八落的红砖或青砖的房子都建在公路两旁。土质路面十分干燥，脚踩上去便有尘土飞扬。更不要说阳光强烈的时候，常常有小旋风平地而起，还间或有一辆卡车驶过，会给整个镇子拉起一件十分宽大的黄尘的大氅。这么多蒙尘的房子挤在一起，给人的印象是，这个镇子在刚刚建好那一天便被遗忘了。宽广的草原无尽延伸，绿草走遍天下，这些房子却一动不动，日复一日被尘土覆盖，真的像是被遗忘在了世界的尽头。我踩着马路上的尘土走进了供销社。有一阵子，我什么也看不见，但感到袭上身来的轻轻寒气，然后听到了一个熟悉的哧哧的笑声。这时的我眼睛已经适应了光线的变化，又能看见了。我看见一个摆着香烟、啤酒的货架前，那个姑娘的脸，是昨晚上在一起的欢歌、饮酒并有些试探性接触的姑娘中的一个。

她说："啤酒？"

我摇摇头，说："烟。"

她说："男人们都喜欢用酒醒酒。"然后把一包香烟放在我面前。我付了钱，点上香烟，一时感到无话可说。这个姑娘又哧哧地笑起来。昨天晚上，有人告诉了我她的名字，但我却想不起来了。她笑着，突然问："你真想拍温泉的照片？"

我说："昨天我已经拍过了。"

她的脸有点红了，说："拍女人，不穿衣服的？"

我点了点头，并为自己的不坦率有些不好意思。

"那拍我吧！"说这话时，她的声音变得有些尖厉了，并用双手捂住了脸。然后，她走出柜台，用肩膀推我，于是，我又感到了她另外部分柔软而温热的碰触，她亲热地凑过来，说："走吧。"那温热的气息钻进耳朵，也有一种让人想入非非的痒。

我们又重新来到了明亮灼人的草原阳光下，她关了供销社的门，又一次用温热的气息使我的耳朵很舒服地痒痒，然后说："走吧，摄影家。"

我被这个称谓吓了一跳，她说："贤巴县长就是这么介绍你的。"

穿过镇子时，我便用摄影家的眼光看这个镇子上的美女，觉得她的身材有些不恰当的丰满。我是说她的腰，扭动起来时，带着紧裹着的衣服起了一些不好看的褶子，但她的笑声却放肆而响亮。我跟在她后面，有些被挟持的味道。就这样，我们穿过镇子，来到了有三幢房子围出一个小操场的小学校。一个教室里传出学生们用汉语念一首古诗的声音，另一个教室里，传来的却是齐声拼读藏文的声音。这个笑起来很响亮，却总要说悄悄话的姑娘又一次附耳对我说："等着，我去叫益西卓玛。"

于是，我便在挂着国旗的旗杆下等待。她钻进一间教室，于是，那些齐声拼读藏文的声音便戛然而止。她拉着一个姑娘从教室里出来，站在我面前。这个我已经知道名字叫益西卓玛的姑娘才是我想象的那种美人形象。她有些局促地站在我面前，眼睛也躲躲闪闪地一会儿望着远处，一会儿望着自己的脚尖。

供销社姑娘附耳对她说了句什么。

益西卓玛便扭扭身子，用嗔怪的声音说："阿基！"

于是，我知道了供销社姑娘名叫阿基。

阿基又把那丰满的紫红的嘴唇凑近了益西卓玛的耳朵。她觑了我一眼，然后红了脸又嗔怪地说了一声："阿基。"就回教室里去了。

阿基说："来！"

她便把我拉进了一间极为清爽的房子，很整齐的床铺，墙角的火炉和火炉上的茶壶都擦拭得闪闪发光，湖绿色的窗帘，本色的木头地板。这是一个让人感觉清凉的房间。我坐在椅子上，看着靠窗的桌子上，玻璃板下压着房主人的许多照片，我觉得这些照片都没有拍出那个羞涩的美人的韵味来。

我正在琢磨这些照片，阿基站在我身后，用胸口碰了碰我的脑袋，然后身子越过我的肩头，把一本书放在我面前的桌子上，原来是一本人体摄影画册。我随手翻动，一页页坚挺的铜版纸被翻过，眼前闪过一个个不同肤色的女性光洁的身体。这些身体或舒展或扭曲，那些眼神或诱惑或纯洁，那些器官或者呈现出来被光线尽情勾勒，或者被巧妙地遮蔽与掩藏。这时，下课的铃声响了起来，铜质的声音一波波传向远方。门咿呀一声被推开，益西卓玛老师下课了。她拍打着身上的粉笔末，眼光落在画册上，脸上又飞起两朵红云。

我听见了自己咚咚的心跳。

阿基对益西卓玛伸伸舌头，做了一个鬼脸，再次从我肩头俯身下来，很熟练地翻开其中一页，那是一个黑色美女身上布满水珠一样的照片。她说："益西卓玛就想拍一张这样的照片。"

益西卓玛上来狠狠掐了她一把。阿基一声尖叫，返身与她扭打着笑成了一团。两个人打闹够了，阿基躺在床上喘气。益西卓玛抻了抻衣角，走到我面前，说："是不是从温泉里出来，就能拍出这种效果？"

我不知为什么就点了头，其实我并不知道一个女人光着身子从温泉里出来是不是这种效果。

"我下午没课，我们……可以，去温泉。"

她面对学生时，也是这种样子吗？阿基问我要不要啤酒，我说要，问我要不要鱼罐头，我说要。她便回供销社去准备野餐的食品。阿基一出门，两人一时没话，

后来还是我先开口:“这下你又有点儿老师的样子了。”

她说:“这本画册是我借学校图书馆的,毕业时没还,带到这里来了。”不等我再说什么,她又是命令学生的口吻,“去拿你的相机,我们等你。”

回到乡政府,他们的会还没散,挎上摄影包后,我想,我到温泉来想拍什么照片呢? 然后,又听到自己的心脏跳得咚咚作响。

两个姑娘很少待在水里,她们大多数时候都在青草地上摆出各种姿势,并在摆出各种姿势的间隙里咯咯傻笑。有时,阿基会扑上来亲我一下。后来,她又逼着我去亲益西卓玛。益西卓玛的样子很羞涩,但是,你一凑上去,她的嘴巴便像蚌一样微微张开,还有那嘴唇微微的颤动更是摄人心魄。我已忘了来温泉要拍的并不是这种照片。这两个草原小镇上的姑娘,态度是开放的,但衣着却是有些土气,两者之间不是十分协调。但现在,她们去除了所有的包裹与披挂,那在水中兴波作浪的肉体,在阳光下闪耀着鱼一样炫目水光的肉体,美丽得让人难以正视,同时又舍不得不去正视。

她们不断入水,不断出水,不断在草地上展开或蜷曲起身体,照相机快门应着我的心跳声嚓嚓作响。

我真不能说这时的我没有丝毫的邪念,我感到了强烈的冲动。

两个姑娘肯定觉察到了这种冲动,她们又把身子藏在了水中,嘻嘻地笑着说:“你怎么不脱衣裳?”

“你怎么不敢脱衣裳?”

对于知晓男人秘密的女人又何必遮掩与躲藏,我动手脱衣裳。我这里还没有解开三颗扣子,两个姑娘便尖叫起来:“不准!”脸上同时浮现出受辱的表情。看我面有愠色,她们又对我撩来很多水花,然后靠在岸边抬头努嘴,说:“亲一个,来嘛!”

“来嘛,亲一个。”

我的吻真是带着了激情,可是,两个嘴唇刚碰到一起,女人像被火苗舔着了一样,滑溜溜的身子从我手里滑开了。阿基是这样,益西卓玛也是这样。不过,益西卓玛在我怀里勾留了稍长一点的时间,让我感受了一下她嘴唇的与身子的震颤。但最后,她还是学着阿基的样子,火烤了一样尖叫一声,从我手上溜走了。两人蹲在轻浅的温泉中央,脸上一致地做出纯洁而又无辜的表情,眼神里甚至有一丝哀怨,让你为自己的男人的欲望产生负罪之感。我无法面对这种境况,背过身子走上温泉旁的小山冈。

我坐在一大块岩石上,一团团沁凉的云影慢慢从头顶飘过,体内的欲望之火慢慢熄灭,代之而起的是淡淡哀伤。我走下山冈时,两个姑娘也穿好衣服了。她们在草地上铺开了一条毡子,上面摆上了啤酒和罐头,还有谁采来一束太阳菊放在中间,配上她们带来的漂亮杯子,煞是好看,但那气氛却不够自然。我脸上肯定带着抹也抹不去的该死的人家欠了我什么的表情,弄得两个姑娘一直露着有些讨好的笑容。就在这时，我们听见了汽车的声音，然后看见汽车在草原上拉起的一道黄尘。

很快，贤巴副县长就带着一干人出现在了我的面前。

我发现他脸上的表情有些莫名的峻严。两个姑娘对他露出灿烂笑容，眼里的惊恐之色无法掩藏。

贤巴不理会请他坐下的邀请，围着我们展开在草地上的午餐，围着我们三个人背着手转圈，而跟随而来的乡政府的一干人抱着手站在一边。看着两个姑娘脸上惊恐之色越来越多，我也有种偷了别人什么东西的感觉。

贤巴终于发话了，他对乡长说："我看你们乡政府的工作有问题，就在机关眼皮底下，老师不上课，供销社关门……"乡长便把凶狠的眼光对准了两个姑娘。

两个姑娘赶紧手忙脚乱地收拾摊子，贤巴又对乡长说："是你管理不规范才造成了这种局面。"然后，他走到两个姑娘面前，说，"其实这也没什么，以后好好工作就是了。今天，我放你们的假，我的这位摄影家朋友要照点温泉里的照片，就让他照吧。当然，"他意味深长地笑起来，"我这可能都是多事，可能你们早已经照过了。"

两个姑娘赶紧赌咒发誓说没有，没有。

"那等我们走了，你们再照吧。下午还有很长时间。"

两个姑娘拼命摇头。

副县长同志很温和地笑了："其实，照一照也没什么，照片发表了就当是宣传，我们不是正要开发旅游资源吗？可惜我们这里是中国，要是在美国那种国家，你们在温泉里的裸体照片可以做成广告到处发表，作为我们措娜温泉的形象代表。"

两个姑娘在乡长的示意下，十分张皇地离开温泉，连那些吃食都没有收拾就回镇子上去了。

贤巴坐下来，对我举举两个姑娘留下的漂亮酒杯，不客气地吃喝起来，那气派远不是当年跟工作组得到一点儿好处时那种故意做出来的骄傲了。

我没有与他一起吃喝，而是脱光了衣服下到温泉里。

水温软柔滑，我的身子很快松弛，慢慢躺倒在水里。在日本上田市一座叫作柏屋别所的温泉山庄，我也这样慢慢躺倒在一个不大的池子里。池子四周是刻意布置的假山石，甚至还有一株枫树站在水边，几枝带嫩叶的树枝虬曲而出，伸展在头上，没有月亮，但隔着窗纸透出的朦胧灯光却有些月光的味道。池子很小，隔着一道严密的篱墙，伴着活泼的撩水声传来女人压低了的笑声。我学着别人把店伙计送来的小毛巾浸热了搭在额头上，然后，每个人面前的水上都漂起一个托盘，里面有生鱼、寿司和这家店特制的小糕点，然后是一壶清酒。清酒度数不高，但有了酒，就有了气氛。隔壁又传来活泼的撩水声，我对陪同横川先生说："隔壁有女人？"

他笑了，啜一口酒，看看那堵墙，说："都是些老年人。"

而这确乎就是川端康成曾经沐浴并写作的温泉中的一个。在温泉山庄的陈列室里，便张挂着他字迹工整的手迹，那是他一本小说的名字：花之圆舞曲。

大家想起了黑井谦次先生的话，于是都压低了声音笑起来。

当大家再次沉默时，我想起了自己在草原上第一次沐浴温泉时的情景。

心里有气的县长大人坐在岸上猛吃海喝，我自己泡在水里，乡政府的人不吃也不洗，他们在费力琢磨县长跟他远道带来的朋友是个什么样的奇怪关系。所以，我从水里伸手要一瓶啤酒的时候，也就要到了啤酒，其实，那只是要借机掩饰心里的不安。后来，温泉水和啤酒的联合作用，很快就让我心情放松下来。我不就是拍了些姑娘裸浴温泉的照片吗？更何况，他们还不能确定我们拍了照片。县长带着些怒气吃喝完了，回过身对我说："泡够了吗？"

我穿上衣服，大家便上路了。乡政府的北京吉普紧紧地跟在我们车屁股后面，经过镇子的时候，贤巴对司机说："不停了，回县上去。"

司机一轰油门，性能很好的进口越野车提速很快，我们的车子后面扬起大片的黄尘，把那个镇子掩入了尘土。镇子上有两个姑娘把她们的美丽的身体留在了胶卷里，把她们某种自己也难以理解的渴望留在了我的心上。乡政府的吉普车又在尘土里跟我一段，然后，终于停了下来。

副县长吐了一口气，说："他们肯定是呛得受不了了。"

司机没心没肺地说："也许这样能治好他的气管炎。"

副县长有些恨恨地说："他的管理能力太差了，哼，乡上的干部不上班出去野餐。"

他这些话使我心里的不安完全消失了："好了，县长大人，我叫了两个姑娘，准备拍几张照片，也不至于把你冒犯成这样。"

他哼了一声。

我的话更恶毒了："你是不是草原上的皇帝，这些姑娘都是你的妃子？"

他说："不管我们怎么努力工作，你们这些臭文人，都来找落后的证据。"

"人在温泉里脱了衣服洗澡就是落后吗？"

"女人洗澡，男人都要守在旁边吗？"

我真还无法回答，便转脸去看窗外美丽的草原。眼睛很舒服，耳朵里像飞进了许多牛蝇嗡嗡作响，副县长同志滔滔不绝地讲着一些似是而非的大道理，讲得自己脸上放光。

我说："你再作报告，我要下车了。"

他用怜悯的眼光看着我，说："知道吗，小子，过了这么多年，你的臭毛病一点儿都没改变。"他叹了口气，"本来，我们要新成立一个旅游局，开发旅游，我把你弄来想让你负点儿责任，想不到……唉，你就是往宣传栏里贴照片的命。"

"你让我下车。"

“会让你下车的，不过要等回到了县上。不然的话，你回老家又会说，贤巴又让你受了委屈，狠心的贤巴把你扔在草原上了。”沉默了一会儿，他又说，“其实，寨子里那些人懂得什么，他们说什么，我才不在乎呢！他们从来不说我的好话，我不是好好地活着吗？活得比谁都体面！”

我与贤巴重建童年友谊的努力到此结束。这是令两人都感到十分沮丧的事情。只是，自认是一个施予者的贤巴，沮丧中有更多的恼怒，而我只是对人性感到沮丧而已。

更何况，我并不认为，我没有在别的地方受到人性的特别鼓舞。

第二天早上，我离开了草原，副县长同志没有来送别。车子奔驰在草原上，我的心情又开朗起来。我没有因为与这个县将要产生的旅游局长或副局长的宝座擦肩而过而若有所失，而因为草原美景，因为汽车快速奔驰而带来的快感而高兴起来了。

同时，我心里有些急切，快点回到单位，紧紧锁起暗房的门，把那些彩色胶卷冲洗出来。事实也是如此，回到州府已经是黄昏时分，这天是周六，很多人在街上散步。我把自己关进暗房，操纵板上灯光闪烁，药水刺鼻的味道使人新鲜，洗印机嗡嗡作响，一张张照片被吐了出来。这下，我才感到了沮丧，两个姑娘远没有当时感觉的那么漂亮。那些诱惑的声与色，那些不可逼视的光与波都消失不见了。照片上的人除了笑容有些生动之外，就是一团团质感不强的肉团而已。

我收拾好东西，走到街上，心里有些茫然若失。夜已经深了，街灯一盏盏亮向远处，使镇子上短促的街道有了纵深之感。两家歌厅里传来声嘶力竭的歌唱。街上的槐花还开着，但刚刚开放时那浓烈的香气已经荡然无存了。细细的夜风吹来，很多有些枯萎的花瓣便飘落下来。我躺到床上时，身上的一些花瓣就落在床前。

我躺在床上说：“花脸啊，你骗我，温泉没有你说的那么美好。”只是我不清楚这话是清醒时说的还是在梦中说的。

如果是梦，我怎么没有见到贡波斯甲。

如果不是梦，我再怎么伤心也不至于说这没有用处的话。

照片上的女人没有画册上那么漂亮，是因为她们并不上相，加上我的手艺也不及那些大师。温泉不是花脸所讲的温泉，是因为时代变了，这是贤巴副县长说的。

我把那些照片封装在一个大纸袋里，塞在文件柜里边一个抽屉里锁了起来。有关那个遥远温泉的想象与最初的记忆也一起封进了那个纸袋，我给那个抽屉多加了一把锁。

对我来讲比较容易的是，我与童年朋友贤巴的相互遗忘。但是，他好像不愿意轻易被人忘记，这是一个比较糟糕的情况。第二天上班，同事们便问我，什么时候离开去高就草原县的旅游局长？馆长还对我说，可以把小城里的橱窗腾出来，专门做一期某县的旅游景点宣传专刊，照片就用我这一趟拍回来的东西。

关于这个问题，我不好对馆长多说什么。

馆长说："这是馆里对你高升表示一个意思，你知道，我们这种单位也就只能做这么大一个人情。"

我告诉馆长，我不会去当什么子虚乌有的旅游局长。

馆长笑了，拍拍我的肩膀，说："窝在我手下，是委屈你这个人才了，本来，我准备向组织上反映，我也不想干了，你来接我这个班，但是，现在，嗨呀，不说了，不说了，以后你要多关照啊！"

这么一说，我也不敢解释说我不走了。更何况，我也没有太想当这个馆长。这样过了几个月，大家看我的神情，便有些惋惜又有些讥讽的味道了。因为某县的机构调整了，贤巴同志升任县长，县政府果然新设了旅游局。县上发了请帖，派了车来接报社电视台的记者参加旅游局的挂牌仪式，艺术馆因为有两个橱窗，而得到了一张请帖。旅游局长不是我，请帖上自然也不是我的名字。我的一个同事把请帖给我看，上面写着他的名字。

"该你去，你拍得比我好。"我说的是老实话，他的照片确实拍得比我好。

同事看我反应平淡，叹了口气，说："弄不懂你是个什么人。"

我想，我有时也弄不懂自己想要什么，就像我悄悄写下的那些小说那样不可捉摸。之后，馆里的什么好事，比如调一个好单位，干一点儿有油水的事情，评职称与先进，都没有我的份儿了。你想，你连旅游局长都不想当，还会对什么事情感兴趣呢。这一切，我的童年朋友贤巴都让我感到他的存在。他告诉我可能当上旅游局长时，这个可能已经不存在了。但他又把这件事情让所有与我相关的人知道，他在地上画了一个饼。他以为这个人在这方面肯定是饥饿的，所以，他画下这个饼，然后用脚擦去，然后才告诉这个人，原来这地上差点儿长出一个饼，但你无福消受，这个饼又被老天爷拿走了。你看，现在地上什么都没有了。确确实实，地上又是一片被人踩来踩去，踩浮了的泥巴。你还可以画上很多东西，然后，又用脚毫不费力地轻轻擦去，就像这些东西从来就没有存在过一样。

但是，这么复杂的道理，怎么对人讲得清楚呢？于是，我只好假装没有听见。如果有人实在要让我听见，我就看看那个柜子，想想里面那个上了两把锁的抽屉，笑笑，再想想那两个姑娘，我的笑容有些意味深长。

当另一个县发来请帖，邀馆里派人去拍摄他们的温泉山庄开营仪式时，大家都想起来，我有两年没有出过公差了。于是，馆长便把这个好差使给了我。这事是在馆里的全体会上决定，大家鼓掌通过的。下班的路上，馆长跟我走在一起。他说，我去的这个县的县长与我的老乡贤巴，两个人都是风头正健的年轻县长，两个人做什么事情都相互较着劲，馆长说："你那个老乡刚成立了旅游局想开发温泉，这边不声不响，先就把温泉开发出来了。你去，我们给他好好宣传一下。"

馆长这么说，好像我特别想报复贤巴一下，好像我们多出两个橱窗，就可以狠狠报复贤巴一样。但馆长是好心，同事们也都是好心，我无话可讲。

这个温泉隔我的家乡，比草原上那个温泉要近上百公里，只是从来没人说起过这个温泉。

县里派了一个宣传部的干事来接我们这一干不很要紧的人。我问他，什么时候发现的这个温泉？

他说："发现？只是开发罢了，温泉又没藏起来。"

"怎么以前没有听说过。"

他有些不耐烦了，说："现在不就听说了吗？"

车行一百多公里，就是这个县的县城，当夜就住在招待所里。第二天早上起来上路，我们的车便加入到了一个近百辆小车，并有警察开道的车队里。晚上下过雨，已经是九月份了，落在河谷里打湿了河滩上大片卵石的雨在山顶上是雪，高处的雪被阳光照亮，闪烁着耀眼的光芒。车队在这样的风景中缓缓行驶了十多公里。一道青翠的松枝装饰的牌坊出现在眼前，鼓乐齐鸣，穿着民族服装的美丽姑娘手捧酒碗与哈达等在那里。车队停下来。官员们登上了牌坊前铺了红色化纤地毯的讲坛，讲话，又拿起剪子剪断了拦路的红绸。大家走进牌坊，便进入了一个簇新的温泉山庄，再剪开一个阀门上的红绸，大号碗口那么粗的一股水，便通过一个铁管哗哗地流入温泉山庄中央的游泳池里。水溅在瓷砖铺出的池底上，声音欢快响亮。温泉特有的硫黄味盖过了人们的喧闹，四处弥散开来。一个新的旅游资源的开发大功告成了。我自己的相机，身边的很多相机举起来，快门声响成了一片。噼噼啪啪，就像劈柴垛子从高处垮了下来。

餐厅里的欢宴结束后，那池子里的水也注满了，很多人都换上事先准备的游泳衣裤走入了水中。人太多了，所以只有领导被安排到有单独的温泉浴池的客房里休息。我没带游泳衣裤，又没有进单间的资格，便约了几个有类似情况的人顺着引温泉水下山的钢铁管道往山上走去。进入树林后，钢铁管道便潜入了地下，但新填埋的黑土指出了方向。

我们在桦树、榉树与松树混生的树林里一路向上，林子里，身前身后不时有几声鸟鸣，脚底下的苔藓潮湿松软。然后，风把硫黄味送进了我们的鼻腔。在一个小山涧里，翻过一株倒在地上正在腐朽的巨大云杉树干，温泉的源头便出现在了我们眼前。

从一株红桦树根紧抓着的岩石下，温泉咕咕有声，翻涌而出。然后就在一个混凝土蓄水池中汇聚，经过一个滤水口，进入了碗口粗的铸铁水管，奔往山下了。滤水口的水面上，堆积起来了大堆的落叶，这对本就十分洁净的水又起了一次过滤作用。当然，我们来这里不是来看这个蓄水池的，而是想看看温泉本来的样子。原来温泉水流淌的山涧中，水已经干了，于是，满涧里只剩下了很多长满青苔的累累石头。而在那些石头中间，现在还有几个闪亮的水洼，想来，当温泉水还在涧里自由流淌的时候，那一个个水洼便是可以沐浴身体的地方，虽然，这比草原上的温泉局促了许多，但有几个人躺在里面沐浴身体还是完全可以的。我们在温泉边上坐了一些时候，觉得上山时汗湿的背上有寒意起来，大家站起来，摸摸坐湿了的屁股，再环顾一次四周，便开始迈步下山了，甚至没有人拿出相机来拍一张照片。一条小路很清晰地从泉眼处开始，从比山涧高一点的树林中顺着山涧蜿蜒。我们顺着这条路下山，转过两个山弯，一个小木屋出现在眼前，而且，木屋顶上还冒出袅袅的青烟。走进木屋，火塘上架着的锅里透出阵阵肉香。木屋里有三个人。一个小姑娘正用肉汤喂一个眼睛上搭着一条湿毛巾的老女人，老男人有些木然地对我们笑笑，不停地抽他自己的烟斗。眼睛上搭着毛巾的老女人脸上露出笑容，说："又来人了，也是来治病的吧。"

此行中好像只有我懂得藏话，于是，我说："我们来看看温泉。"

老太太说："这温泉灵啊，多洗几天，我这眼睛就又能看见了。"

她推开嘴边的肉汤，拿掉毛巾坐起身来，露出她眼眶通红，并不停流泪的双眼。她说："女儿，去吧，给新来的人腾些地方，今天晚上我们就有三家人了。"

她女儿告诉她，是一些看风景的干部。老太太有些失望地哦了一声，又倒向地铺，再次把毛巾搭在眼睛上。我们退出木屋，在屋子旁边看见一个岩石，细细的两股温泉便从岩石中央的裂缝里翻涌出来，加上石头上的两个小洼，多少有些像一对泪眼。那个姑娘走出来，用这水洗了毛巾，又用一只铜罐打了水. 把毛巾浸在里面，又回木屋里去了。

我算是看到人们是如何用温泉治疗疾病了。

这时，从树丛那边，传来了一个人很难过也很奋力地呕吐的声音。往前几步，是这温泉的又一个泉眼。一个人正伏在那里呕吐，一个女人，是他的母亲吧，一只手扳着他的肩头，一只手拍打着他的背部。那人吐过了，直起腰来大口喘息着，看到我们，他年轻瘦削的脸上露出了热情的也是无力的笑容。他说："听说今天山下很热闹？"

我点点头："你这是治什么病？"

"胃里的毛病，"他母亲说，"我儿子没病的时候，一头牛都扛得起来，现在瘦成什么样子了。"

小伙子显得十分虚弱，但他还是说："喝这水洗胃，吐了喝，喝了吐，把肚子里不干净的东西吐光了，胃洗干净了，我的病就好了。"

这时，有一个同伴问了一个很蠢的问题："为什么不去医院？洗温泉能治病也可以住在山下，你们不知道山下的温泉山庄住得好，吃得也好吗？"

这是一个愚蠢的问题，我感到自己心里蹿起了莫名的怒火，但那个脸色苍白的年轻人仍然笑着："这里不用花钱啊！"

说完，他又俯身在温泉上开始很艰难地大口大口吞咽硫黄味浓重的温泉水，他呻吟着，吞咽着。我们背过身走下山去，很快，便听到他再次呕吐的声音。我加快步子，把这声音远远地抛在了后面。

因为这个声音，我失去了在丰盛晚宴上的胃口。餐厅里觥筹交错，我不想杀大家的风景，便离席走到外面。温泉山庄门口，立着一个巨大的广告牌，上面列出了这温泉水中所含稀有矿物质的成分，并说这泉水有治疗风湿、皮肤病与美容的功效，我望望正掩入暮色的山林，想起那些在温泉边治病的人们。他们相信温泉无所不能的功效，是因为传说的魔力，而这个广告牌上的文字，是一个权威医疗机构的鉴定结果，是真正的科学，当然，走进这科学的大门，你需要很多的金钱。

作为庆典活动的一个组成部分，晚会开始了。十多个歌舞节目过后，焰火在浓重山影的背景下升起来，带着尖利的啸声，在星空下灿烂地迸散，并掩去了星空。晚会的后半段是交谊舞会，脱去了演出服的漂亮女演员穿梭在一个又一个领导的双臂之间。

我去外面的马路上散步，夜色清凉，永恒的星星又布满了天空，山沉沉睡去，我不知道山上温泉边上的人是否也有山一样踏实的睡眠。

一个地方无论远近，要么你从来不去，一旦去过一次，就好像订立了一个合同，就会不断去与它相会。我与这个温泉也是一样，真的。过去我连听也没有听说过这个温泉的名字，但自打有了第一次的相会，往后的几年里，我总会经过这个地方。不是专门去这个地方，但总是在去一个什么地方时经过这里。有些时候，我们停下来，在附近山崖上飞泻而下的山泉擦洗干净汽车，再在温泉山庄的露天泳池里把自己洗得干干净净。温泉浴让人胃口大开，所以，日益多起来的餐馆的生意看起来都很不错。有些时候，车子就从温泉山庄旁飞驰而过。即便那样，也可以看到，围绕着这个温泉山庄，盖起了一幢又一幢说不上好看，但也说不上难看的小楼，不几年，温泉山庄这里俨然是一个繁华的小镇了。后来，镇子上还建起了一个矿泉水厂，这一路的商店里，都有这个厂的产品出售。

有一天，我坐在车里，与同行的人惊叹这个因旅游而勃兴的小镇的变化时，突然想起了我童年的朋友贤巴，想起了他想开发的那个更加美丽的温泉。那个温泉旁有一座赭红色的岩峰，有宽广的草原，那美丽的景色会使那里的温泉旅游更容易开展。这次，我是跟一个纪录片摄制组一起出行的。我是向导也是顾问，我拿出地图，告诉导演，将增加一段重要的行程。他问我为什么？

我说："一个温泉。"

他看了看我："温泉？"

我点点头："温泉。"

导演说："他妈的，温泉。也许你是有道理的吧。"

我笑了。

导演也笑了，说："我觉得你总是有道理的。"

其实，我也早就意识到了这一点。当我意识到这一点的时候，我便拿起了笔，在小说里讲我那些大多数人觉得没有道理的事情。当我写得有些名气的时候，我不用再为那些个橱窗拍摄或张贴照片了。

两天以后，我们因为下雨，滞留在一个县城里。导演因为预算在门口皱着眉头看天，我躺在床上，百无聊赖中拿起了床头上的电话。我要了一个 114，查到了草原县政府的电话。

电话打到了县政府办公室，我没有说要找贤巴县长，我只说想打听一下他们那里温泉旅游的情况。

对方有些警惕："你是干什么的？"

我报了一个旅行社的名字："听说了贵县草原很漂亮，还有温泉。"

对方松了一口气，告诉了我一个电话号码。

电话通了："你好，某某县旅游局。"

我说，想打听一下贵县的旅游资源的开发情况。

"哪一方面？"

"比如……温泉。"

对方捂住了话筒，过了很久，话筒里才响起了另外一个人的声音："请问你是想投资吗？"这是贤巴的声音！他的声音有些急切。"我们的措娜温泉是一个很好的投资项目。"

我说："对不起，我只是一个想来旅游的游客。"

他没有听出我的声音，啪一声把电话扣上了。想来这个野心勃勃的家伙的日子不是十分好过。那个成功开发了那个温泉山庄的人，当时是一个副县长，现在也提拔为县长了。最近又出国考察意大利旅游，人们说回来定还要升迁。但贤巴却待在旅游局里等待投资商的电话，好像，他的屁股被黏在县长的椅子上再动不了了。

十天后，我们的汽车爬出最后一道峡谷，开阔的草原展现在眼前。

当天下午，我们就来到了措娜温泉。赭红色的石头山峰耸立在蓝天下面，耸立在宽广美丽的草原中央。但是，当温泉出现在眼前时，我大吃一惊，摄制组的人都大失所望。因为我向他们反复描述，同时也在反复重温的温泉美景已经不复存在了。溪流串联起来的一个个闪闪发光的小湖泊消失了。草地失去了生气，草地中那些长满灰白色与铁红色苔藓的砾石原来都向那些小湖汇聚，现在也失去了依凭。

温泉上，是一些零落的水泥房子。

这些房子盖起来最多五六年时间，但是，墙上的灰皮大块脱落，门前的台阶中长出了荒草，开裂的木门歪歪斜斜，破败得好像荒废了数十年的老房子。随便走进一间屋子，里面的空间都很窄小，靠墙的木头长椅开始腐烂，占去大半个房间的是陷在地下的水泥池子，那些粗糙的池壁也开始脱皮。腐烂，腐烂，一切都在这里腐烂，连空气都带着正在腐烂的味道。水流出破房子，使外面那些揭去了草皮的地方变成了一片陷脚的泥潭。

再往上走，温泉刚露头的那个地方被一道高大的环形墙围了起来。从一道石阶上去，原来泉眼被直接围在了一个露天大泳池中间，泳池四周是环形的体育场看台一样的台阶。同来的摄像失望地放下了扛在肩头的机器，骂了句什么，在水泥台子上坐了下来。

大家都骂了句什么。

我却突然想到了古罗马的浴场。但这里没有漂亮的大理石，没有精美的雕刻，有的只是正在开裂的水泥池面。所以，这个想法让我哑然失笑。不知是笑自己这奇怪想法，还是笑敢于在这样漂亮的风景上草率造成这样建筑的人。笑过之后，我也在水泥台阶上坐了下来。导演递我一支烟，口气却有些愤愤然："你不是说这儿挺美的吗？什么美丽草原上的珍珠串，什么裸浴的漂亮女人，妈的，你看看这都是什么。"他举着一根曲曲弯弯的柳棍，挑起一条被人丢弃的肮脏的破裤子，然后，又走到水边，用棍子去捅黏在池壁上的油垢与毛发。这些东西，在原来的水池里，很快就在草间，在泥石里分解了，那是自然界中丰富的微生物的功劳。但在这样一个水泥建筑里，微生物失去了生存条件，污垢便越积越多了。

一个更为奇怪的现象是，这里修起这样一片建筑，却不见一个管理人员来打扫，来维护，只有草率的建筑在浓重的硫黄味中日渐腐朽倾圮。这个世界上，如此速朽的东西是有的，但没想到在这里见到了。

我又想到了当年把这个温泉描绘得有如天堂的贡波斯甲，如果他看到这个景象，那张花脸上会出现什么样的表情呢？不会了。那个时候，他就哀叹过，每一个人都给固定在了一个狭小的地方，失去了四处走动的自由，那个温泉是要让人忘记了，事实也正如他所说的那样。但他肯定想不到，贤巴会成为县长，更想不到县长贤巴想靠温泉挣钱，却把这个温泉给毁掉了。

我们坐在这片基本已被毁弃的建筑旁的草坡上，默然无语。这时，在下面的山脚下，出现了两个行路的人。温泉流过那些破败的房子，又从简易公路下穿过，在沟底的灌木丛中潴积起来，形成了一个小小的湖泊。这两个路人在那里停下来，脱下衣服走进水里洗了起来。我们与之相隔很远，但从姿态上仍可以看出是一个男人和一个女人。大家都掩蔽着自己引颈长望，看得出来是希望水里发生点什么故事。但是故事没有发生，两个人洗了一通，上岸穿好衣服，背上包又迈开草原牧民那种有些罗圈的步子上路了。

我跑到山下，站到那汪水边，用手试试水温，才发现，到这里，水的热度差不多已经散失殆尽了。但是，岸边的草地，一丛丛小叶杜鹃，使这小湖显得那么漂亮。我们在这个湖岸边坐下来，摄像打开了机器。这时，上方的公路上响起汽车的刹车声，然后，大片的尘土从斜坡上漫卷而下。尘土散尽后，一干人站在公路上，叫我们上去说话。

我们上去了。

叫我们说话的人是乡政府的人,他们气势汹汹地盘问我们来此采访得到了谁的批准。

我告诉他们我们拍纪录片,不是新闻采访。

他们不认为这两者之间有什么分别。其实,他们就是不同意我们拍这个温泉。

把一个本来美丽的地方变成这个样子确实不是什么光彩的事情。我有些愤怒地告诉他们,我们要拍摄的都是一些美丽的镜头,这样的景象怎么能入我们的镜头?

对方还问:“那为什么待在这里,而且一待就是两三个小时?”

我说:我来过这里,这里曾经是一个美丽的地方,在很多人的记忆里,这里都是一个美丽的地方。我待在这里是想不通这个地方怎么被糟蹋成了这个样子,那次还是你们的贤巴县长请我来的。

他们中的一个人想起了我:“对,对,你跟两个姑娘……对对,哈哈,对对,哈,跟她们两个,好好,请到乡政府去吧,我们通知贤巴县长,也许他会来看你。好像你们是老乡,对吧?”

我们在乡政府安顿下来,还有丰盛的饭菜,但一种戒备的气氛却在四周弥漫。吃饭的时候,我笑着对乡长说:“我感觉有被软禁起来的味道。”

乡长笑笑,没有说话。

最后还是我忍不住问他那温泉怎么弄成了这么一副模样?他想了想,灌下一口酒:“哎,你还是问你的朋友吧,他一会儿就要到了。不过,你最好不要提这档子事,这是他的心病,也不知什么时候能够治好了!”

我们出去散步的时候,乡长又叹口气说:“我在这里代人受过,旅游没有搞起来,温泉被毁成那样,老百姓把我骂死了。”

我问他这个项目是不是贤巴主持开发的。

乡长说:“那还能是谁,旅游局是他一手组建的,这也是旅游局开张做的第一件事情。”

“那也不该糟蹋成这个样子。”

乡长苦着脸说:“反正就成了这个样子,县里花了钱,我们乡里这些年的一点儿积蓄也全部投进去,结果呢,外地的游客没有来,当地的老百姓也不来了。等到搞成了这个样子,再出去找投资,人家一看那个地方,唉,什么意思都没有了。我亲自听到一个投资的人说,贤巴县长和他的手下人都管不好这样的项目。”

我不想理清这理不清的是非,便向他打听当年那两个姑娘。

乡长说:“都不在了,教书的那个,什么都不要跑了,听说去了深圳,在一个民俗村里表演歌舞。供销社那个,辞了职跟一个药材商人做生意去了。”他有些难看地笑了笑，“你看，我们这些地方再不发展，什么人都留不住了。”

我好像不需要到这里来听这样的道理。两个人转到兽医站，两个兽医正在院子里忙活，一个用铁碾子碾药，一个用带压力计的压力锅蒸馏柏树皮。过去曾有一位深谙医道的僧人在这里研制出好几种效力很好的兽用药。我一问，这两个人正在用这位去世高人留下的验方制造兽药。我坐下来，听两个兽医给我说一个个方子中用些什么药草。他们说出一味药来，我立即便想起这些药草开着花结着果的样子来。其中一味药叫龙胆草，就开着蓝色的花朵摇摇晃晃，在我们的身边。正说话时，有人来通报乡长，贤巴县长从县上赶来了。乡长赶紧起身，我觉得自己没有这样的必要，仍然坐在那里与两个兽医交谈。乡长走了，两个兽医却表情漠然。他们搬来自己整理出的一部药典，药典用的全是寺院抄写经文所用的又厚又韧的手工纸，每一个药方中，都夹进了所有药草的标本。他们说，这是那个老僧人留下来的。老僧人的遗愿之一，就是建一个现代化的兽药工厂。但是，县里没有人过问这样的事情，只有商人来愿意出一笔巨资买走这本药典。我翻看那部药典，里面夹着的一株株标本，散发出植物的清香。

就在这时，院子外面响起了一个人响亮的笑声。这笑声有点先声夺人的效果，如果是在戏剧舞台上，那就表示一个重要人物要出场了。果然，披着呢子大衣的贤巴县长宽大的身子出现在兽医站窄小的院门口，他的身子差不多把整个院门都塞满了。他站在那里，继续笑着，我们有些默然也有些漠然地看着他好一阵子，他才走进院子里来，跟两个站起来的兽医握手，说：“辛苦了，辛苦了。”

两个兽医握了手，站在那里无所适从，恰好压力锅内压力达到预设高度，像汽笛一样嘶叫起来。两个兽医趁机走开，忙活自己的事情去了。贤巴紧拉住我的手：“怎么，来了这里也不向老乡报个到，怕我不管饭吗？”

他这么做有些出乎我的意料。本来，我以为他会为了把温泉糟蹋成这个样子而有些惭愧，但他没有。那个刚才还牢骚满腹的乡长又满脸堆笑跟在他后面，贤巴不等我说话，便转过身去问乡长：“你没有慢待我的朋友吧？”

乡长说：“都安排了，安排了。”

“你的乡长很尽职，他们把温泉看得严严实实的，根本不让人接近。”

贤巴拍拍我的肩：“我的好老乡，你不知道管一个县有多难，温泉开发在经济上交了一点学费，但是，我常常说，作为一级政府，为官一方，我们不能把眼光只放在一个这么小的问题上。”他耸耸肩膀，往下滑落的大衣又好好地披在了身上，他再开口，便完全是开会作报告的腔调了。他说：“你看到没有，我们因陋就简盖起了的温泉浴室，虽然经济回报没有达到预期，但是，这种男女分隔的办法，改变了落后的习惯，所以，我们应该看到移风易俗的巨大作用。我们很多同志只把眼光放在经济效益上，而看不到这种改变落后习俗的方式对于精神文明建设的作用。而且，如果用长远的眼光看问题，改变落后的生活方式，也是改变投资的软环境，投资终究会搞起来的。”

我本来是想劝劝他，为了温泉，或者为了少年时代我们对这个温泉共同的美好想象。可他把话作报告一样说到这个份儿上，我的嘴也就懒得张开了。我不是官员，但按流行的话来说，我一直生活在体制内，遇到像这样夸夸其谈、谎话连篇的大小官员是很寻常的事情，并不应该感到大惊小怪。也许是因为这个温泉，也许是因为我们共同的少年时代，我才希望他至少有一点儿痛悔的表示。

也许这些自欺欺人的谎话也是刚刚涌到他嘴边，于是，他有些晦暗的脸上泛起了光芒，他撇开我，把身子转向乡里的干部。他的眼睛闪烁着激越的光彩，声调却痛心疾首：“是的，温泉开发不是十分成功，遇到了一些问题，资金的问题，改变农牧民落后的风俗的问题，可是，这些都不是最主要的问题，最大的问题是保守。改革开放这么多年，温泉躺在这里这么多年了，没有人想过要做点什么，也没有人说过什么。我做了，调查的人来了，风言风语也跟着来了，县长选举时也不投我的票了，可就是没有人想一想他正面的意义！”当这么些年的官员，我看他一番话说得下面这些人都有些激动了。也就是从今天开始，这个因温泉而失意的官员，要把自己打扮成一个改革先驱，一个勇探雷区的牺牲者了。

我不想听这种振振有词的混账话，我来这里，是为了构成我少年时代自由与浪漫图景的遥远的温泉。穿过很多时间，穿过很宽阔的空间，我来到了这里，来寻找想象中天国般的美景。结果，这个温泉被同样无数次憧憬与想象过措娜温泉美景的家伙的野心给毁掉了。

他用野蛮的水泥块，用腐朽的木头，把这一切都给毁掉了。

我离开了那群官员，也离开了我的同伴，把车开到那赭红色岩石的孤山下，又一次去看那眼温泉。太阳正在落山，气温急剧变化使一些小旋风陡然而起，把土路上的尘土卷起了，投入到早已面目全非、了无生气的温泉之上。

如果花脸贡波斯甲活到今天，看到温泉今天的样子，看到当年的放羊娃贤巴今天的样子，他会万分惊奇。他会想不明白，一个人怎么如此轻易地就失去了对美好事物的想象。任何一个有点儿正常想象力的人，怎么会在一个曾经十分喧闹，也曾经十分落寞的美丽的温泉上堆砌这么多野蛮的水泥，并用那些涂着艳丽油漆的腐朽的木头使晶莹的温泉腐朽。我用常识告诉自己，这水不会腐朽，或者说，当这一切腐朽的东西都因腐朽而从这个世界消失了踪迹时，水又会咕咕地带着来自地下的热力翻涌而出。但是，那样一个漫长的过程，不再属于我们这些总是试图在这个世界上留下些什么痕迹的短促生命。

在故乡的热泉边上，花脸贡波斯甲给了我们一种美好的向往，对一种风景的向往，对一种业已消逝的生活方式的浪漫想象。那时候，我们不能随意在大地上行走，所以，那种想象是对行走的渴望。当我们可以自由行走时，这也变成了一种对过去时代的诗意想象。

也许，像贤巴这样的人，最早看穿了这些想象的虚妄，于是，他便来亲手摧毁了产生这一切想象的源泉。

我坐下来，望着眼前颓败的风景，恍然看见家乡热泉边的开花的野樱桃，看到了花脸贡波斯甲，而我不再是一个孩子了，我是一个曾经与他浪游四方的风流汉子，他临死的时候曾经嘱托我告诉他温泉今天的消息。于是，我听见自己说："伙计，什么都没有了，我们的儿子把它毁掉了。"

他不问我为什么。我知道他有些难过。

但他没有血肉的头颅闭不上双眼，于是，他的难过更加厉害了。我感到天都跟着暗了一下。结果，那个我亲手放上树去的头颅便从树上跌落下来。那些头骨早已在风中朽蚀多年了，跌到地上，连点儿响声都没有便成了粉末，然后，一缕叹息一样的青烟升起来，又像一声叹息一样消散了。

阿 来

藏族，1959 年出生于四川西北部阿坝藏区的马尔康县。1982 年开始诗歌创作，80 年代中后期转向小说创作。主要作品有诗集《棱磨河》，小说集《旧年的血迹》《月光下的银匠》，长篇小说《尘埃落定》《空山》，长篇地理散文《大地的阶梯》，散文集《就这样日益在丰盈》。长篇小说《尘埃落定》于 2000 年荣获第五届茅盾文学奖。

讲　案

阙迪伟

一

贼豆碰见邻居毛弄井的妹妹毛五月时，手里牵着一头母羊。

正是黄昏，乔村的村街空空荡荡，清静得出奇。邻居毛弄井的妹妹毛五月从一条村弄拐出，冷不丁的，贼豆猛一愣怔，惊艳的感觉让他眼睛都直了，放射出光芒。

五年不见，贼豆觉着邻居毛弄井的妹妹毛五月竟出落得比貂蝉还媚，忍不住想摸她一把。毛五月呢，跟贼豆说着话时弯下腰去抚摸母羊。这样，不经意间，贼豆的目光便伸进她衣衫开领里，将胸罩包裹的两只半露丰乳从容地摸了。贼豆就想，毛五月这头母羊更肥，更好吃。

贼豆调笑道，在深圳嫁老公了？

毛五月笑将起来，说我哪有老公呢，你给找一个？

贼豆说，找一个麻烦，现成的，我做你老公吧。

毛五月笑弯了腰，说，你？你就拿这头母羊当聘礼？哈哈哈哈……

说完，她便一路笑着朝村头走去。贼豆盯着她南瓜一样生动的两爿大屁股，追上去说，我拿母羊当聘礼怎么不行？毛五月心想贼豆真无耻，就回头嘲笑地睨他，说行，行，你就拿这头母羊当聘礼吧。

贼豆果真牵母羊去了邻居毛弄井家，将母羊拴在院里的枣树上。贼豆招呼说，哥，嫂，在吃饭啊。毛弄井一家莫名其妙，惊愕得瞪大了眼。贼豆又说，丈母娘，女婿给你老人家磕头了，说着就真的趴下来给邻居毛弄井老娘磕头，惊得老女人跌落手中的饭碗。

贼豆说，刚才五月答应做我老婆了，叫我拿这头母羊当聘礼，踢踢母羊又说，乖乖，是头好母羊呢是不？下半年能生一窝，明年羊生羊，就是一大窝，是不？

毛弄井一家呆若木鸡，直到他晃荡出家门，才清醒了，忙打发大毛二毛去将毛五月找回家。毛五月也惊讶，不过没当回事，说，一句玩笑话，人家也当真？毛弄井绿着脸，说你玩笑他可不玩笑，黏着他你就得脱层皮哪。毛五月说我就不信，天下没理讲了不成！毛弄井老娘叹道，跟他还真没理讲了啊，村里哪个不怕他！

毛弄井当即牵了母羊去贼豆家。贼豆笑道，婚姻大事，哪有吃餐饭工夫就反悔的？哥，你开国际饭票（玩笑）吧。毛弄井虎着脸，也不搭腔，丢下母羊就走。贼豆不依，嬉笑着将羊绳塞到他手里，说哥，嫌聘礼太少是不？毛弄井火了，说癞蛤蟆想吃天鹅肉是不？你先去茅坑照照脸，洗白了再讲。贼豆说喔呵呵，翻脸不认妹夫是不？也火起来，说哥，婚姻自由，我跟五月的事你管不着，送聘礼是乡俗，不收也要收。说罢一脚踢母羊出门，嘭地关了门。毛弄井怔了半天，心想事关重大，只好牵着母羊去找村长杨树儿。

村长杨树儿听说后笑出了泪，他说这个贼豆，这个贼豆，想赖个老婆呢，讲他是赖劣真没错。可是村长杨树儿又说，婊子个贼豆，我讲他不听，明天你把羊牵到柳镇，叫镇里帮你还他。毛弄井苦了脸，说村长你就帮帮忙吧。村长杨树儿说，这个忙我帮不上，婊子儿是个气死公安难倒法院的货，我算什么。毛弄井说村长……村长杨树儿说好了好了，我替你出的主意不会错。毛弄井无奈，差点儿哭了。

第二天，毛弄井将母羊牵到柳镇。镇长林东北听了大怒，又查到母羊是顺手牵来的贼赃，当即叫派出所去将贼豆抓来，关了两天，狠狠教训一通。

毛弄井一家愁白了头。他们老走神，家里活蹦乱跳的猪啊鸡啊鸭啊，眨眼间，遍地是它们直蹬蹬的尸体。还想象大毛二毛在某一天会莫名其妙地浮在河面……可是呢，贼豆回来后，并不见他报复。

两个月后，事情还是出来了。一天毛五月上茅坑时，贼豆从容地将她的屁股瞧了，是躲在自家院里柚树上，用望远镜瞧的。科学技术将毛五月南瓜般生动的大屁股拉到咫尺之间，令贼豆幸福得眩晕，差点儿跌下柚树。

我把五月×了，贼豆得意地说。

是她找我的，他补充说，那个大屁股，啧，比豆腐还白！

不信？他得意地对天发誓，不信叫她脱裤子看看，右屁股爿有颗痦子，黄豆样大，茄紫色，还长了几根黑毛呢。

贼豆将这话从村头说到村尾，说着说着，就说到了邻居毛弄井家。毛五月愤怒了，甩过一巴掌，说你这个流氓！贼豆捂着脸涎笑道，骂是亲，打是爱，老婆打老公，喔呵呵，真爽！又补充说，流氓是你，你干吗先骚脱裤子。毛五月气得浑身发抖，挥竹竿将他打出门去。

事情没完。此后的日子里，贼豆一趟趟去串邻居毛弄井家，丈母娘啊哥啊嫂啊叫得亲热，还不时拎些顺手掳来的鸡鸭，说是孝敬。毛五月更难，贼豆碰见她就拉拉扯扯，躲都躲不了。毛弄井就告到村里要求讲案。村长杨树儿说噢咦，你叫我怎么讲案，怎么讲案唷，还是先找周六吧。周六是村治保主任。毛弄井说周六我会找，妈的贼豆真赖，他胡说呢。村长杨树儿说，就讲贼豆想赖老婆胡说吧，可他怎么知晓五月屁股有痦子，还长黑毛？怕真有那种事吧。毛弄井噎住，回家狠狠甩了毛五月一个巴掌，说，惹不起还躲不起么，五月你走吧，回深圳。毛五月就在一个月黑风高的夜晚悄悄离开了乔村。

贼豆不肯罢休了，要求村里讲案，他说×都×了，五月敢讲不是我老婆！村长杨树儿知道他胡搅蛮缠，自然不想讲案。消息传到柳镇，镇长林东北说婊子个贼豆，真是下流无耻之极，想老婆想没魂了，上次没好好教训，这次我来讲案让他醒醒脑，就带着派出所干警来到乔村。

案没讲成。是贼豆不要讲，乌龟缩头一样，忙认错了。林东北训了他一通，也就罢了。于是，日子便安宁了。

可是呢，到了第二年端午，两家又闹起讲案。

这次讲案，起因却是因了贼豆老娘。

二

端午节这天，连日暴雨停了，从厚厚的云层里漏出一束苍白阳光。贼豆老娘，这个年近七十脑子有点儿糊涂的老女人，病歪歪地迈过门槛，从家里走到村街上。

贼豆老娘平常不大出门，尤其是这样的梅雨季节。可是呢，那束阳光诱惑着她，使她亢奋，话语也多了起来。她走出家门碰到第一个村人时，就缠着那村人说个没完，她说喔呵呵，日头真好，我呀，到老大家去。老大杀鸭，叫我去吃鸭血。噢咦，鸭血好吃呢，老人家没牙……老大真孝顺咦。

可是呢，贼豆老娘到了水井边时又说，喔呵呵，日头真好，我到老二家去呢。老二讲，端午节吃屎，老人家没牙，屎好吃呀，这个老二，这个老二，比老大还孝顺咦。

这番话，贼豆老娘是对三个女人说的，她们是奂生老婆、豆干老婆和毛弄井老婆。三个女人在水井边，两个洗菜，一个挑水。三个女人见贼豆老娘巍巍颤颤走来时都有些惊讶，接着，她们就听她说起吃屎的胡话，三个女人知晓她脑子糊涂，可还是忍俊不禁，笑弯了腰。

奂生老婆存心想再乐乐，她说婆，端午节光吃屎啊，尿喝么？

喝！贼豆老娘说，端午节不喝尿就是憨人了，比砂糖水还甜呢，是不。

三个女人笑得前俯后仰，捂着肚皮直喊哎哟哟妈呀。

这样的情景更刺激了贼豆老娘，决心将屎尿滋味阐述得更诱人。她比画着手，哇啦哇啦胡说着。可是呢，梅雨季节村街委实太滑了，而她毕竟也太老了，这么激动一比画，重心便失去平衡，扑一声，老骨头就当了回尺子，将村街的地量了。

雨后初晴，村街空荡荡不见一个人影。这样，三个女人就成了目睹贼豆老娘摔倒的证人。通常情况，按三个女人的性子，都会惊惶惶叫喊起来。可是呢，贼豆老娘坚决地量地，硬是半晌儿没动弹，甚至连哼都没哼一声，就把她们惊呆了，忘记了叫喊。

当然，过了一会儿，贼豆老娘还是动弹了，并且哼唷起来。

三个女人这才惊惊乍乍起来。首先是豆干老婆，丢下吊桶要上前去搀扶。可是呢，这当儿奂生老婆扯了她一下，她一愣怔，就犹豫了。这瞬间的犹豫，豆干老婆就把做好人好事的机会让给了毛弄井老婆。

毛弄井老婆是个麻利女人，当仁不让地上前去搀扶。事后证明，三个女人当中，只有毛弄井老婆脑子比猪脑子还笨。搀扶换来贼豆老娘杀猪般尖叫，令她一脸焦急。她望着两个女人说，怕是跌断屁股骨了，叫人吧，快！

两个女人没说的，忙慌慌地去找人。

天黑时，一个朋友将贼豆送到村口，说声拜拜，就掉头走了。贼豆在柳镇喝得酩酊大醉，后来吊死鬼样伸着舌头吐了，才觉着好些。他趴在摩托上一路风吹，现在清醒多了，只是头还晕，脚步有点踉跄。

贼豆是高兴才喝，喝死都没关系。县城的蔡八来到柳镇，几个朋友说喝一杯，贼豆就去了。县城的蔡八他们都叫八哥，八哥来了，女人一样扭扭捏捏不喝酒，那还不叫八哥笑掉大牙！在八哥面前，贼豆喝酒从来都是英雄好汉。

可是呢，今天贼豆还是在八哥面前抬不起脸。八哥过问了。八哥说贼豆，乔村的蔬菜收购，你该挑个头嘛。八哥又说，贼豆你这个傻×，眼头前的钱不挣，你不是傻×是什么！贼豆就抬不起脸。贼豆不是没想过收购蔬菜，可是呢，乔村人都不想跟他烦；他也懒惰，觉着还不如顺手牵头羊掳只鸡来得清爽。现在贼豆想通了。贼豆想再做傻×，八哥就可能连眼角也不瞧他了。八哥过去也是傻×，干顺手牵羊的蠢事，现在不干了，当菜贩子头，四乡八村都有他的人。

贼豆踉跄进村时，迎头碰见了奂生老婆。

奂生老婆说噢咦，你老娘跌了呢，老四。

贼豆说我老娘跌了？脑子却走神，他想八哥了得啊，啧啧。

奂生老婆说你老娘吃苦头辣呢，接骨痛得她差点儿死去，可怜啊可怜。

贼豆说哪个可怜？脑子还在走神，他想八哥真是个人物，咳嗽一下，哪个脑壳都要缩一缩。喔呵，你不缩不行啊。

奂生老婆说唷唷唷，还哪个可怜？你老娘啊。

贼豆不走神了，他说我老娘？我老娘怎么啦？

奂生老婆说，你老娘跌断屁股骨哩。

贼豆说噢咦，晓得了。

奂生老婆讨好说，亏得我当时在场，叫了人。

贼豆说噢咦，脑子又走神了，他想村里的菜怎么收购呢，他又想村里种菜人本来不多，他怎么可能叫村里人多种，然后由他来收购呢。他想他只能做傻×了。想到做傻×,他的情绪低落起来,他怕八哥看他不起。他呢哝着傻×傻×,一路走了。

奂生老婆问,你讲什么呀。

贼豆没应她。

回到家,贼豆见老大蔫不拉几待在屋里,就清醒了。一个村过日子,可一年到头,老大老二老三都不大回家。灯光昏黄,贼豆见老大面无表情,像荒庙里的泥菩萨。老娘睡去了,瘪塌塌躺着,似丢弃在床上的破烂衣衫。麻秆儿一样的腿上了石膏,绑了毛竹爿,臃肿得像棕榈段。

老大说,噢咦,老四你才回?贼豆说我是神仙会算啊,我又不是神仙,会算到老娘跌跤,是不?老大噎了一下。贼豆就又说,我是神仙就不出门了,可惜我不是。贼豆接着呢哝道,这个老娘,这个老娘,七老八十的人,就喜欢走。走好啊,这不,有苦头辣吃了,活该。老大说好了好了,老四我跟你讲,出诊费医药费,是六十。贼豆爱听不听,想转出房间。老大说钱还欠着人家。贼豆眼就瞪起来,说哥,你什么意思。老大别过头去,说我还没吃饭呢,你回来看着老娘,我回家吃去。贼豆跳起来,说哥你别走,什么意思你讲讲清楚。老大不说,走出门去。贼豆就跳过去拦了,说哥,你跟老二老三串通好了,是不?老大说串通什么?没串通。贼豆说没串通就好,那你讲讲,医药费欠着什么意思?

老大不回答,想走。贼豆就说,告诉你啊哥,医药费我一个人不付。还有,你跟老二老三讲,老娘不是我贼豆一个人的老娘,接尿接屎,大家有份儿,是不?老大这才说,没讲不接尿接屎呀。贼豆说这就对了,医药费也要摊派,是不?老大说,这事我做不了主,得跟老二老三商量。贼豆说你是长子,你做得了主。老大说我是长子没卵用,讲话放屁一样。贼豆说我不把你当放屁。老大说那好,当年爹快死时叫村里讲过案,老房归你,老娘也跟你,我跟老二老三供老娘口粮,其他不管。又说,爹偏心你,房屋叫你独得,老娘叫我们养。贼豆说我就没养?老娘跟我住,天天吃鸡吃鸭能讲没养?喔呵,你不实事求是呢哥。老大说,你天天给老娘吃鸡吃鸭?贼豆说你不相信?天晓得,天晓得!老大说好了好了,反正爹偏心你。贼豆说偏心我怎么没想到医药费?如今进医院就是杀血,我杀不起,要杀大家杀。老大脸阴阴的,拔脚就走。贼豆说哥,你叫老二老三来讲讲,我不出去,等你们。又说,告诉你哥,你们不管,我也不管,老子讲到做到,老子光卵一条,明天就走。老大就怔了。

晚饭后,老大果然约了老二老三来了,身后还跟了一大帮,老婆孩子一个个将军一样。说是来看老娘,神色可不大好,光景是来跟贼豆争吵的。贼豆笑道,大哥大嫂二哥二嫂三哥三嫂,侄儿侄女,你们带没带刀啊,带刀多好呢,干脆捅了我,你们就清爽了。老大他们就有些不好意思了。贼豆说噢咦,先讲讲老娘吧,怎么跌的?老二就说了老娘在水井边跌跤的经过。

贼豆笑道,老娘还没醒,看来情况不妙啊。

老大他们都木着，没接腔。

贼豆说老娘啊，一两天死不了，可没个一年半年接屎接尿，老娘落不了床。

老大他们绷紧了脸，可仍没接腔，听他怎么说。

贼豆说老娘医药费是无底洞呢，还有营养，要不要吃？

老大他们一个个脸绷得更紧了，像怒目金刚。

贼豆笑道，我是你们肚里的蛔虫。

老大说，你是我们肚里的蛔虫，知晓我们想什么？

贼豆说你们不想服侍，也不想掏医药费，营养什么的，你们更舍不得。

老大他们作声不得。

贼豆说，我有一百万就好讲了，可惜我没有。我比你们还穷，吃了上餐没下餐。

老三说老四，听你这般讲，你不想管老娘是不？

贼豆说先别问我，我有两个主意，依我，老娘的事，大家都清爽。

老大冷着脸说你讲。贼豆一笑，说老娘啊，七老八十的人，城隍殿簿早翻过页了，怎么还不死呢。让老娘死，不给饭吃，饿死她。

老大他们斥说，亏你讲得出口，你就不怕天雷轰！

贼豆忙说噢咦，我就舍得老娘死？我是孝子呢。你们都不吭声，我只好出这主意。

老二说你就没别的主意？贼豆说有，叫醒老娘，叫老娘自己讲。

老大他们就疑惑不解起来。贼豆叫醒老娘，老娘醒了就喊痛，唷唷唷，我还不死啊，城隍殿簿都翻过页咦。贼豆说老娘你别喊，我问你一句话。老娘就不喊了。贼豆说老娘，你今天怎么跌的？老娘说，端午节我到老三家吃屎啊，走着走着，就跌了。贼豆说自己跌的？老娘说嗯哪。贼豆说老娘你再想想。老娘想了，还是说噢咦。贼豆启发说老娘你到老三家去，走着走着，毛弄井老婆碰了你，你就跌了，是不？老娘想半天，说嗯哪。贼豆紧问，真是毛弄井老婆碰了你？老娘点头，说嗯哪。

贼豆就说，听清了么，老娘是毛弄井老婆碰跌的。

老大说老四，老娘是半个人，脑子糊涂，你怎么讲，她也怎么讲。可我们做人，要对得起天理良心，不能胡说。

老三说那是，奂生老婆跟豆干老婆都在场，看得清楚，我们能赖人家？

贼豆得意地说，赖她又怎么样？就赖她！如今谁还讲良心呢哥？谁讲良心谁就是死猪，你自个儿认倒霉去吧。

老二则不吭声，目光滴溜溜转。

贼豆发狠，说老娘是当事人，哪个碰她她不清楚！我可讲清楚了，你们不团结雨伞柄往里捅，老娘你们管去，我现在就走。

三

村长杨树儿圪蹴在窑厂门口怔成一块硬石头，脸色跟老天一样灰。

细雨连绵，算起来雨已落了半个月。窑厂浸泡在雨水里，像一个垂死病人了无生气，奄奄一息。

村长杨树儿算了笔账，半个月他该烧一窑砖瓦，刨去柴火、工人工资、承包款以及税收等等，他至少可赚三千多。噢咦，三千多，老天落的就不是雨，是刀子，在一天天地割他身上的肉，叫他肉痛得整天灰着脸。

发财有命，人算不如天算啊。村长杨树儿望着连绵细雨呢哝。

老天啊老天，你也太可恶呢。村长杨树儿又呢哝叹道。

呢哝着时，有人踩着叽啪叽啪的烂泥路朝他走来，扭过头，见是贼豆已到跟前。

贼豆笑道，村长你呢哝什么？

村长杨树儿脸歪着笑不起来。

贼豆说村长你呢呢哝哝是算钱吧，真该好好算算，怎么个用法，我都替你发愁哩。

村长杨树儿说我是算钱，你看看这天，你看看这天，噢咦，喊皇天也没用，承包款都得借来交了。

贼豆说死人话，村长你没钱是死人话，杀头我也不信。

村长杨树儿道，我有钱？我贷的款都投在窑里，这雨女人尿水一样没完，再不晴，我都要跳塘了。

贼豆说塘没盖，村长你要跳塘没人拦你，顿一下，嘿嘿一笑，说跳塘好哇，有钱老倌跳塘，留下钱，不知是哪个有福气男人数哩，噢咦。

村长杨树儿跳起来，说贼豆，你今天寻我开心是不？

贼豆笑道，好了好了，有烟么，讨一根过过瘾。

村长杨树儿说我又不是地主，抽烟都向我拿，吃大户啊。贼豆嬉笑，说村长你还不是地主？你是村里最大的地主呢，一根烟抽不穷。村长杨树儿拿眼瞪他，自己叼上一根，这才丢一根给他。村长杨树儿真的很不情愿，换是别人，他会瞪眼说我开烟店啊，当然别人也不敢向他讨烟。唯有贼豆敢，岂止敢，有几次还将手伸进他口袋，硬是将半包烟统统掳了。村长杨树儿夜里睡被窝扪心想想，想透了，便明白这叫富不斗穷，人有了钱最怕无赖穷人。

贼豆抽烟很狠，吱吱两口，闷住，呲地深吸到胸腔，然后从鼻孔喷出两根烟柱，直直的。这时候看他手指夹着的烟，已烧了半截。

贼豆说，我老娘跌了。

村长杨树儿说噢咦。

贼豆说，我老娘跌得损，屁股骨断了。

村长杨树儿说噢咦，知晓了。

贼豆说村长，我老娘是给毛弄井老婆碰跌的。

村长杨树儿不噢咦了，眼乌珠吃惊地瞪大，似要掉下来。

贼豆说村长你要给我做主。

贼豆又说村长你要给我做主，叫毛弄井老婆把我老娘负责去。

这么说着，贼豆丢了烟头，伸手到他口袋摸烟。村长杨树儿这才回过神来，吼说乱摸干吗？要抽烟讲嘛。贼豆嘻嘻地笑，抽出一根，将半包烟递还。村长杨树儿说，老四，你这话可不能随便乱讲。

贼豆说我乱讲？我乱讲不得好死！

村长杨树儿说，可……村里都讲，你老娘是自己跌的，当时在场有豆干老婆、奂生老婆，还有毛弄井老婆……

贼豆打断，说就没有第四个人？好，好！接着吼道，三个都是烂婊子，串通一气胡说！

村长杨树儿说，噢咦，话可不能这么讲啊老四，要凭良心。

贼豆说村长，你意思是我赖她们？

村长杨树儿不噢咦了，说，我意思是，讲话要有证据。没证据，你讲要毛弄井老婆把你老娘负责去，她就屁不吭一声负责去？

贼豆说，我老娘是当事人，她讲毛弄井老婆撞了她一下，她就跌了。

村长杨树儿说，你老娘年纪大，脑子糊涂。

贼豆恶下脸，说村长你意思是我老娘胡说？我要敲毛弄井老婆竹杠？

村长杨树儿忙说，你怎么误会呢，噢咦。

贼豆说村长，我老娘给她撞跌了，她就要负责去！

村长杨树儿想了好一会儿，才不情愿地说，我了解了解好么。

贼豆说你了解好了，停顿一下，又说，不过要快。

贼豆就踩着烂泥路，啪叽啪叽走了，走不多远，又回过头笑道，村长你这窑发死了，噢咦，你不当村长就包不了这窑，是不？

村长杨树儿的脸绿了。

屋外的雨连绵不断。

毛弄井木着脸给老娘和老婆读信。信是毛五月从深圳寄来的，快一年了，毛五月前后才寄回来两封信，都很简单，无非是报个平安。毛五月这封信长些，除了报平安，她说深圳不想待了，要回来在县城做生意。还说，尤其尤其地想回家看看老娘，等等。

老娘问，有兹有兹是什么意思？老婆笑了，说娘，是尤其尤其，就是日也想夜也想回家看你的意思。老娘说儿啊，写信叫五月别回家，回家烦，隔壁的贼豆不会放过她。毛弄井说嗯哪，这就写。老婆说，事情过去一年，贼豆早没这心思了，难道叫五月都不回家？接着又笑道，其实啊，我想贼豆也不会再缠五月，这次他老娘跌了，亏得我去搀扶，人前人后帮忙，他该谢我呢。毛弄井说，他谢过你么？他给你拎过猪脚，还是拎过雄鸡？老婆噎住了。老娘说就是，贼豆这婊子儿，你们没本事，别黏他，接着又叹道，五月讲没讲要回来做什么生意？

毛弄井和老婆对视一眼，不知该怎么回答。他们一直瞒着老娘，五月在深圳做三陪，挣了不少钱。五月回来，谁知晓她做什么生意呢。

毛弄井支支吾吾，说五月信上没讲，我哪知晓啊。

正说着话，他们见村长杨树儿撑着伞走进院子。村长杨树儿的脸绿哪，绿得叫他们心惊肉跳，隐隐觉着什么祸事将要临头。

村、村长。毛弄井迎上去。

村长杨树儿不答，严肃地摆摆手。毛弄井不知他什么意思，心提到嗓子口了，忙递上一根烟。村长杨树儿接了，唉一声，就一屁股坐了下来。

村长杨树儿的脸的确很绿，绿得像冬瓜一样。要说呢，毛弄井老婆也算做了好事，该好好表扬，这是明摆的事。可没想到，贼豆这婊子儿恩将仇报，耍起了无赖。原先，村长杨树儿本不想过问这事，和下稀泥，拖着，让事情慢慢冷下去。可贼豆走时说了句什么话？贼豆说村长你这窑发死了，你不当村长就包不了这窑，是不？这么说，还回头朝他嬉笑。这样的笑，这样的话，村长杨树儿见了听了，脸就绿了。村长杨树儿想了再想，还是不敢怠慢，拔脚就到毛弄井家来了。

村长杨树儿是懊悔呢，他懊悔不该选村长那年，叫贼豆帮他拉票。票没几张，无非是村里几个赖劣懒汉，叫他去说说，每人给了五十块钱。事后想想，他也不在乎那几张票，可当时算来算去，就差那几张。村长选不上，村里的窑也就别想包了。人在当事时脑子容易糊涂，就这么，把柄在人家手里了。不依不行哪，婊子个贼豆，山魈一样说翻脸就翻脸，捅出拉票的事怎么得了！

照理说，贼豆这样的货，治他就是了。可这货，老鼠精转世一样，刁。不然镇里干吗讲他是气死公安难倒法院的货！判刑够不上，够上，几年后回来，贼豆还是贼豆，哪个都头疼。有时候，村长杨树儿会感叹，村里怎么就会出个贼豆呢？噢咦，这就叫不会剃头偏偏碰到个癞痢头，治他难哩。村长杨树儿就希望车没眼，水无情，或者干脆有人动刀子将贼豆捅了。这样的货，不死害人，村里不得安宁。可那是想想，贼豆照样荡来荡去，活得自在，照样隔三岔五给村里制造一些不大不小的麻烦。制造点麻烦还不能治他，轻不是，重也不是。这其中的苦衷，也只有村长杨树儿明白。村长杨树儿心里还真有点儿怕贼豆呢。所以，情愿也罢，不情愿也罢，贼豆开口讨烟，他都得给。岂止给，有时候还请他上餐馆，灌他个天南地北不分。干吗？

也有利用目的，窑厂太招人眼红，寻事生非的，偷砖偷瓦的，乡下常发生。这些事光靠自己不行呢，贼豆发个话，有时候比他还管用。

抽完一根烟，村长杨树儿这才清醒了些。这样的事，明摆是贼豆要赖，村里怎么调解？噢咦，这个贼豆，这个贼豆，哪吃得消他空烦呢。要空烦，就让他找镇里，镇长林东北正想治他，而他也怕镇长林东北呢。村长杨树儿这么想着，不禁有点儿得意。他正要开口，见毛弄井一家担惊受怕的脸，忽然又觉着心里不忍，就将到喉咙口的话咽下肚去。

村长你有事？毛弄井苦愁着脸问，又递上一根烟。

村长杨树儿接了，说没事没事，路过你家进来坐坐。见一家人脸开朗了些，自己肚里又嘀咕起来，心想不讲还真不行呢，不然怎么跟贼豆交代？犹豫着又将一根烟抽完时，他才站起来说，毛弄井你来一下，有件小事，到门口跟你讲讲。

到了门口，果然如村长杨树儿所料，毛弄井听说后，气得骂骂咧咧起来。村长杨树儿瞥一眼贼豆的家，脸就有些走样，忙说别激动别激动，我就了解了解嘛。毛弄井说，村长你讲来了解，莫不会相信他吧。村长杨树儿说，我们走远点儿讲。撇下毛弄井就走，看看他跟上，这才说看你，讲哪里去了，我怎么会相信贼豆呢，他是什么人，我会不知晓！毛弄井说知晓就好，婊子个贼豆，恩将仇报，还好那天奂生老婆、豆干老婆在场，要不真给他赖死。村长杨树儿说，有她们在场证明，事情就好办，贼豆赖你不了。毛弄井说那是。村长杨树儿就说好了，我心里有数了，又说，你也有个数，贼豆不找你，你别先找他烦，赖他不过。毛弄井心里感激，忙说那是。

村长杨树儿告辞了，想再回窑厂看看。现在贼豆再找他，他就有话回答了。若是空烦要讲案，那就讲吧。他可不能将矛盾马上推到镇里，不然林东北要刮他鼻子，说你村长吃干饭啊。村里要做个形式，给讲讲案。公说公有理，婆说婆有理，村里可不倾向哪个。调解不了，你贼豆要告就再到镇里。设好的圈套你贼豆要钻就钻去吧。村长杨树儿想，这样既不得罪贼豆，又借林东北的刀杀他，一箭双雕哪。村长杨树儿不禁有点儿得意。

四

毛弄井气恨恨回家，手起掌落，狠狠奖励了老婆一个耳光。老婆给打懵了，惘然地瞪着眼。毛弄井想再奖励一个耳光时，巴掌就落不下去，他想这事怎么能怪老婆呢，老婆是好心，她哪能料到好心没好报啊。

毛弄井就有些心酸，说，你啊你啊，教训不起！老婆说怎么教训不起？这会儿她清醒了，凶起来。毛弄井就说了事情经过。老婆蔫了，觉着这巴掌该打，打轻了，也打少了。老婆就哭哭啼啼地打起自己巴掌来，左一个耳光，右一个耳光，接着去找菜刀，说要剁掉手。手是只烂手，好好的，干吗作贱去扶贼豆老娘呢。毛弄井心里难受，忙上前阻止。可老婆不听，骂骂咧咧，疯了样举着菜刀要到隔壁去跟贼豆论理。毛弄井急了，手起掌落，又狠狠奖励了一个耳光，老婆才清醒了。

毛弄井说，你跟贼豆论得清理？你这样贼豆更高兴，中了他圈套。

老娘早吓得脸色死灰，插嘴说，论理就要吵，吵就要动手，你还不让贼豆赖死。

毛弄井说就是，村长都叫我们别先找他烦。

老婆问，村长什么意思。

毛弄井说，村长讲了，有奂生老婆、豆干老婆证明，贼豆赖不了我们。

老娘说村长真这么讲过？

毛弄井说讲过，村长还讲他心里有数了。

老婆说，村长这么讲，我就放心了，村长帮我们讲话呢。

毛弄井说所以嘛，我叫你别怕。

老娘和老婆想想，也真不怕了。怕他干吗，有证人呢，他能赖哪里去！他要赖，我就老老实实将他老娘负责去？放他贼豆老娘的大麦屁！这叫什么？这就叫理，有理走遍天下，无理寸步难行。人心是杆秤呢，自会讲公道话。

可是呢，就在这天吃晚饭时，贼豆找上门来了。

贼豆脸膛红红的，嘴里喷着酒气。他没有横眉竖眼，像邻居串门一样，晃荡晃荡地走进来，也不招呼，一屁股在条凳坐了。毛弄井一家心便紧起来，知道争吵免不了。可贼豆盯着桌上饭菜，却笑了，说吃什么呀，噢咦。毛弄井一家噤若寒蝉，心里慌慌的，忘了回答。贼豆说真节省啊，肉也舍不得割，钱放起来有什么用！说着掏出烟。烟是牡丹烟，烟壳皱巴巴的，里面已没有几根。他将烟都抽出来，摊在桌上，最后挑了一根丢给毛弄井，说抽过么，软壳中华，两块多一根呢，一大篮青菜也抵不上一根烟，噢咦。毛弄井不敢接，很警惕地说不抽不抽。贼豆唬下脸，说老邻居了，客气什么，抽！毛弄井这才犹豫地接了。贼豆将打火机啪地燃了，伸到他面前，说我没钱买，是蔡八大哥给的两根，省一根给你尝尝味道。又说，哪个叫我们是邻居呢。毛弄井这才怯怯地托着贼豆的手，凑上前点了烟，吸一口后说，也没名堂，寡淡得很，不过瘾。贼豆哈哈大笑，这一笑，气氛就冲淡了些。

贼豆说，我们是好邻居是吧。毛弄井说嗯哪。贼豆说，我们做了这么多年邻居，没红过脸吧。毛弄井说没、没红过脸。贼豆说我这人，村里有看法，可我这人硬，兔子不吃窝边草，这么多年邻居，你们家没少什么东西吧。

毛弄井尴尬地笑笑，怎么没少呢，前年丢了只鸭，老婆就怀疑贼豆捞去吃了。去年二毛眼看着贼豆将他们家一只雄鸡脖项扭断丢过墙去，吓得不敢吭声。老婆要过去论理，硬是给毛弄井唬住了。毛弄井说失财免灾，把他弄毛了，他明天毒我们家猪。自此他们就小心防他，却不敢声张。

贼豆说噢咦，怎么不讲呢，没少什么东西吧。毛弄井忙笑道，没有没有，老四你讲哪里去。老娘和老婆也忙附和。贼豆就笑了，说所以嘛，我讲过我们是多年的好邻居。是好邻居，噢咦，碰到事情就要好好坐下来讲，免得伤了和气，是不？

毛弄井一家脸就绿去，知道他要说那个事了。

果然贼豆笑道，我老娘跌了，她讲是嫂子碰的，当然嫂子不是有意的。

毛弄井老婆按捺不住了，她的声音很高很尖，差不多是吼叫，把家里人吓了一跳。她说我没碰，我没碰就是没碰！你老娘跌倒，我好心去扶，旁边还有奂生老婆、豆干老婆，她们能证明！吼罢气咻咻的，脸都歪了，像《聊斋》里青面獠牙的女鬼。

贼豆一笑，说我们心平气和商量好吗，谁叫我们是好邻居呢。

毛弄井吼住老婆，对贼豆说你讲。

贼豆说我意思是，我老娘的医药费你们要负责去。

毛弄井说，我老婆没碰倒你老娘怎么要负责医药费？

贼豆并不理睬，说我老娘的精神损失费你们也要负责去。

毛弄井老婆尖叫起来，精神损失费个×！

贼豆仍笑道，我老娘的护理费怎么办？要么你出钱我雇人服侍，要么你护理去，噢咦。

毛弄井说，老四，你真赖！

贼豆说我们是好邻居我才过来好好跟你们商量，免得伤了和气。

毛弄井一家气直了，个个脸歪得像鬼怪。

贼豆站起来，说你们想想，我们真的要心平气和商量商量。

毛弄井说没商量的。贼豆说要么意思一下吧，你随便拿一点儿，谁叫我们是好邻居呢。毛弄井老婆说，一分也不行，拿一分钱不就承认我撞了你老娘么？贼豆笑道，还是想想吧，说着走出门去，到了门口又回头，说毛弄井，你来，男人跟男人讲，搅着女人讲不清。毛弄井绿着脸不应。老婆喝道，别跟他烦，他想赖我们就叫他做梦吃狗屎去。贼豆听了一笑，说毛弄井，我还有个主意，我们都退一步，心平气和地商量商量。毛弄井不明白退一步是什么意思，犹豫了一下，就不顾老婆反对跟了出去。

到了门口，贼豆笑道，五月好吧。毛弄井惘然，瞪着眼不明白他什么意思。贼豆说，去年的事我都没跟你们烦呢，噢咦。毛弄井说有什么烦的？贼豆说×都×了，又不做我老婆，要烦起来，你们道理上讲不响。他顿住，盯定毛弄井，却又笑道，可我不烦，婚姻的事要自觉自愿，是么。毛弄井不想跟他说五月，别过脸去。贼豆说，要是五月做我老婆，我老娘也就白吃苦头辣了，哪个叫我们是亲戚呢。毛弄井说，我们又不是亲戚，你老娘又不是我老婆碰的，讲这些干么。贼豆说要讲，还来得及。毛弄井不解地瞪着他。贼豆说，你叫五月回来跟我结婚，我就不追究老娘的事，叫她白白吃苦头辣，又笑道，谁叫我们是亲戚呢，我老娘给嫂子碰一下，活该。

毛弄井差点儿气噎过去，恨不得掴贼豆一个巴掌。

你再想想，掂量掂量。贼豆提醒说。

木头人毛弄井气恨恨打了个鼻头屁，掉头回家。

五

就在这天夜晚九点光景，突然之间，贼豆将老娘抬到了邻居毛弄井家里。

那会儿，毛弄井一家已经睡下，屋里黑灯瞎火。毛弄井和老婆没睡，他们躺在床上，说着贼豆老娘的事。这个话题很沉重，可说着说着，又觉得不怎么沉重了。有证人哩，而且村长向着他们，怕什么呢。说到后来，毛弄井甚至感到轻松起来，对老婆说别多想，贼豆绝对兴不起浪。这么说，就想跟老婆兴兴浪，手一下子伸进了老婆裤裆。老婆说噢咦，你还有心思这个。毛弄井不应她，表现出顽强的兴浪要求。可是呢，就在这当儿，院门被敲响了，笃笃，笃笃笃，不重，却非常坚决。毛弄井本不想理睬，可那么坚决的敲门声，将他兴浪的兴致破坏了，只好下床趿了鞋走出房去。

哪个呀，他边走边冲着院门问。

院外没有回答，悄寂得出奇，唯有不重不轻的敲门声依然顽强。

毛弄井觉得蹊跷，又问，哪个呀？

院外依然没有回答。毛弄井便呢哝起来，说你是鬼啊，你不讲哪个，我就不开门。说着时，猛然见墙头爬上一个黑影，头毛就竖起来，胆怯怯吆喝一声，说哪个？你是哪个？你是贼啊！正要喊叫捉贼时，黑影已翻墙跳了进来，去开院门。

院门一开，嘈杂声便陡起，把个毛弄井惊呆了。打头的是贼豆，恶狠狠闯进来，手一推，将毛弄井推得踉跄后退，险些儿摔倒当尺子量地。贼豆身后三十多人，跟着一声喊，一个个像座山雕手下的土匪蜂拥而入。接着吆吆喝喝的，贼豆兄弟几个用门板抬着贼豆老娘跟了进来。

毛弄井急了，忙上前阻拦，说干么干么！

贼豆说干么？你老婆碰倒我老娘，我老娘就要你负责去！说着抬手一巴掌，啪一声，清脆响亮，打得毛弄井眼前直冒金星，霎时愣怔了。贼豆啐他一口，手一挥，三十多人就跟着他朝房间拥去。

毛弄井老婆不知外面发生什么事，却明白不好，慌慌张张穿衣时，房门被踢开了。一伙人拥入，将手电乱晃乱照，最后定在她脸上，刺得她睁不开眼。待看清了来者，她汹汹地嚷道，贼豆你是强盗抢啊！正要接着破口大骂，贼豆已蹿上前，一把揪住她头发，拖死猪一样将她拖下床，摔在地上。毛弄井老婆耍起赖来，骂骂咧咧地要拼命，黑暗中被人踢了几脚，一下子就老实下来。

安顿贼豆老娘是那样从容不迫有条不紊。首先是老三，将床上的棉被啊草席啊床垫啊一一掀了,都丢在地上。接着老二目测一下,卸下中间几块床板,拿起锯子就锯。锯毕重新铺上,床中央便有了个洞。接着铰床垫和草席,铰了个同样大小的洞,一铺上,这才小心抬老娘睡到床上。老娘光着瘦屁股,羞涩地闭着眼一任儿子们摆布。老娘的光屁股便十分准确地搭在了那个洞口。毛弄井和老婆的床,就这样成了贼豆老娘的床兼临时厕所。

贼豆给老娘盖上棉被,说老娘,有屎尿就放,放心大胆地放。

贼豆又说,给他家注意下卫生吧,拿只脸盆来接接屎尿!

就有人到伙房找来只搪瓷脸盆塞到床底下去。

毛弄井老婆才又吼起来,没王法了么,我告你去!

毛弄井也吼,告你去!

贼豆笑道,告吧告吧,噢咦。

夜晚九点光景,奂生老婆正在看电视,突然被毛弄井老婆哭天喊地的声音惊动了。奂生老婆生性好动,电视也不看了,急急忙忙跑过去,就目睹了贼豆将老娘抬进毛弄井家的全过程。这样的事,乔村自然惊动了。奂生老婆和大部分村人一样,只是站在门口做翘头鸭,而没有上前。村里的是是非非,奂生老婆是既想看,又怕看。

奂生老婆暗自庆幸端午那天没有上前去搀扶贼豆老娘。噢咦,运气,真是运气!奂生老婆接着又将感想提炼,总结出为人处世的经验:做人好心不得。表情严肃得像个思想家。

当然,奂生老婆也气愤不平,回家就跟奂生说了。奂生有同感,他说贼豆这人真是黏不得,哪个黏着都得脱层皮。她说就是,怎么就没他怕的人呢。奂生说,干部都不管,还有哪个敢管唷,噢咦。她说那是,忽然反应过来,说看电视看电视,刚才那个公子落难后花园,现在怎么样了?奂生只好将频道换过来,自己脱衣上床睡觉。

奂生老婆正看得有滋有味,不想好兴致却被搅了。毛弄井和老婆双双跌撞了进来,令她心头不由一咯噔。

毛弄井夫妻俩惊魂未定,神情慌慌张张的,像两条丧家犬。

刚才,当村人和贼豆的人散去大半时,家里才安静了些。这时候,贼豆忽然心平气和起来。贼豆说噢咦,我也是没办法。夫妻俩气哼哼的,不搭理他。做下这样的事情,就是剥下脸,两家成冤家了。可贼豆笑道,到这地步,都是你们逼的,要是答应条件,我会把老娘抬到你们家,还占了你们的床吗?绝对不会,我也不忍心闹到这地步啊,说罢掏出烟,叼上一根,又丢一根给毛弄井。毛弄井不接,烟便在他身上碰了下落到地上。老婆气恨,说哪个要抽你的烟!一脚踩了,还不解气,扭了扭脚后跟,将烟踩得粉碎。贼豆一笑,不抽就不抽吧,我理解,不过到这地步,我们还可以讲讲嘛。老婆说有什么好讲！贼豆说怎么不好讲呢，我们是好邻居啊。毛弄井问，怎么讲？贼豆说赔钱啊，要么叫五月做我老婆，我马上把老娘抬回家。毛弄井哼一声，顾自走出房间。老婆会意，跟了出去。他们都明白，这时候证人对他们来说，显得尤其尤其重要。这之前，他们怎么没想到证人呢。他们想到过，只是觉得没问题，也就没重视，没有去事先招呼，笼络一下感情。其实，跟豆干老婆是无须感情笼络的，豆干爹是毛弄井娘舅，毛弄井老娘豆干叫姑，虽然有点儿疙瘩，却是很亲的亲戚。亲戚会雨伞柄往外捅吗？不会。当然，他们没想到会到这地步呀。现在他们都有些后悔，后悔事先不去招呼一声。黑暗中，他们在院里怔了，接着低声嘀咕几句，趁贼豆不注意，直奔奂生家去。他们最不放心的，是奂生老婆。

现在，奂生老婆已调整好情绪，将兴致从电视转移到纠纷上来，表现出对贼豆的极大愤慨。她说噢咦，我都看清楚了，这个贼豆啊，真是个赖劣，又说，我作为旁观人也气愤啊，贼豆简直没王法呢。接着又说，我讲啊，你们也叫些人，将贼豆老娘丢出门去，恶对恶，看他怎么办。

夫妻俩感动不已，热泪差点儿夺眶而出了。可是呢，恶对恶的做法他们也想过，只是不敢呢。他们力量单薄，村里没几个亲戚，怎么干得过贼豆一帮兄弟！更何况，贼豆一招呼，四乡八村的小流氓玩命都不怕呢。他们的脸就阴下来，目光征询地看奂生。

奂生说，还是找村长吧，凡事总得讲个理。

夫妻俩想的就是这样，忙鸡啄米样点头不迭。

奂生老婆说，找村长好是好，我就怕村长滑头。

奂生说村长这人是滑头，想了想又说，送点儿礼吧，到这地步，要靠村长替你们讲话呢。

夫妻俩都怔了下，忙说知晓。

奂生老婆说知晓就好，村长这人，贪呢。

毛弄井老婆忙又点头，趁机说那天水井边的事，你是清楚的，我也不叫你为难，你只要照实讲就是。

奂生老婆信誓旦旦，说我当然照实讲，一就是一，二就是二。又说，关键是村长，不送点儿礼不行啊。

见她这么保证，夫妻俩心便放宽了，忙起身告辞要去找村长。

奂生老婆送他们出来，一路说些安慰话。到了门口，老婆叫毛弄井先走，说要跟奂生老婆再讲几句。毛弄井疑惑，可还是走了。老婆摘下戒指塞到奂生老婆手里。奂生老婆眼就瞪起来，说你干吗干吗。毛弄井老婆笑道，上次二毛掉河里，亏你报信才捡回条命，我还没好好谢呢。奂生老婆一怔，跟着也笑了，说谢什么呢，乡里乡亲的，噢咦，也就不客气了，不由一阵窃喜，将戒指捏在手心，一边暗自估摸着成色和分量。

毛弄井在前头路旁抽了一根烟，才等到老婆。

老婆差不多是哭腔了，说，我把戒指给了奂生老婆。毛弄井惊跳起来，说怎么不跟我商量？你呀你呀，这么贵重的东西，值三百多哪，你怎么舍得！老婆说，我就舍得？我也心痛哩，割肉一样。毛弄井唠叨说，礼重了礼重了，送一条烟还差不多。又说这么贵重的东西，奂生老婆也好意思收？老婆说，怎么不好意思？她提醒我们给村长送礼，你就没听出意思？毛弄井说，婊子个奂生老婆，趁火打劫哩。老婆说，我讲是谢那次二毛掉河里，她来报信，她就收了。毛弄井说怎么是她报信？报信人多哩。老婆说总得有个理由，给她台阶吧，又说，她收了就好，会帮我们讲话。毛弄井说，没金戒指她就不照实讲？老婆说你做梦去！毛弄井还是肉痛，说不管怎么，事先你要跟我商量。老婆说跟你商量事情就黄了，你这人木头一样，舍得？毛弄井说，她就不实事求是，乱讲？老婆说你这人你这人，跟你都讲烦了，奂生老婆你不知晓？没好处她会替我们作证？她那张嘴，跟婊子的×一样，一条烟怎么塞得住？噢咦，你这人，难怪村里讲你木头人！毛弄井不吭声了。老婆叹息一声，说失财免灾吧。毛弄井想想，也是道理。老婆说，讲案没证人，贼豆就要赖我们家，接下去，医药费误工费精神损失费都赖，我们吃得消？有理讲不清呢。又叹道，这年头没人讲实话了，长远想想吧。毛弄井恼火，说都是你，手烂了去扶贼豆老娘干吗。老婆说，怪我？要怪就得先怪五月，长得妖精样，贼豆才会起歹心；又不答应他，他能不报复？毛弄井噎住，想想也是，便作声不得，闷着头走路。

六

村长杨树儿到柳镇办事时，和一个客户不期而遇。那客户几番电话催货，他都一次次搪塞，就专程跑来了。村长杨树儿无奈，只好请吃，请到洗头坊洗头敲背，还招待夜宵。客户也无奈，谁叫老天落雨，谁又叫他丢下一大笔定钱呢，只好自认倒霉。

吃夜宵时已近十一点，外面落起淅淅沥沥的雨。村长杨树儿一边应付客人，一边思忖着怎么回村。镇里到村里路不长，只有四里，可他没带伞呢。正想着时，门外撞进五个头毛金黄后生，咋咋呼呼横桌坐了。头毛是染的，乡下人叫他们假外国人。村长杨树儿认得其中一个叫杨洋的，是镇委书记叶顺开的外甥。杨洋打架偷窃，几番进派出所，看在书记娘舅面子，都放了。村长杨树儿本不想跟他们搭讪，可杨洋认出了他，绘声绘色地告诉他村里发生的事，还得意扬扬地说是他们帮贼豆将老娘抬进毛弄井家的。

村长杨树儿大吃一惊，忙向餐馆借了把伞，与客户告辞说要回村处理一下。

雨大了，噼里啪啦打在伞上，砸在水泥街道上，不一会儿就将裤脚溅湿了。其实，村长杨树儿只是趁机与客户分手，真要回村，他还犹豫呢。他没想到贼豆会做得这么绝，说抬人，一哄隆就抬进去。这样的绝招儿，村里人不会做，也想象不到。当初他也想，贼豆总会再找他几次，谁想到婊子个贼豆只找他一次，就算招呼了，呼啦啦就把事情做下了，闹得村里天翻地覆。现在，他想象着贼豆将老娘哄抬进毛弄井家的场面，想象着两家的冲突。这么一想，他又担心起来：毛弄井会不会等贼豆的人散去后，也纠集人将贼豆老娘抬出屋去？如果这样，事情就更闹大了。但他马上就觉得这种担心多余，毛弄井是老实人，没多少能耐，纠集不了人，也不敢呢；一强一弱，不可能龙虎斗，吃亏的只有毛弄井。现在，村长杨树儿真还有些庆幸自己没在村里。要是在村里，他能脱得了干系，能不去现场处理！无论如何，村里人尤其是毛弄井，都要将他追到现场。问题是，到了现场又能怎样？贼豆能听他？那样的场面，他如果去，岂不得罪了贼豆？恼了他，有好果子吃？后果不堪设想哪，如果制止不了，村里人又会怎么看？村长的脸面就要丢光了。避过了那种难堪场面，村长杨树儿觉得庆幸，现在他真有点儿感激那客户呢。

既然已成事实，村里怎么办？只有调解，劝贼豆将老娘抬回家。又不是“文革”，就由着你胡作非为，还有舆论呢。这一点，无论如何要坚持，态度也要明确，不然这个村长就没法当了。想到调解，村长杨树儿知晓贼豆肯定不会就范，既然做了，事先也就想过，开弓没有回头箭，他会将老娘抬回家？那不是打自己的脸，狗屎自放自吃么。这就好，不同意村里调解，你们两家就到镇里告去吧，噢咦。

这么想着，村长杨树儿不犹豫了，甚至心情轻松起来，他决定回村。

雨小了些，机耕路泥泞不堪。好在熟路，借着灰土土路影，黑暗中村长杨树儿一脚高一脚低想着心事朝村里走去。他知道，这会儿毛弄井和老婆肯定在急急惶惶找他，说不定就在他家等着呢。贼豆也有可能在找他。双方都要找他诉说，是情理之中的事。哪个叫他是村长啊，噢咦，真吃不消烦！都大半夜了，天塌下来也明天再讲吧。想到毛弄井，村长杨树儿笑了下，觉得这货也真是个木头人，脑子比猪脑子还笨。选村长那年，有人劝毛弄井别选他，他也果真没选。事后他问毛弄井。毛弄井红着脸说，我选你的呀村长。他一眼就看出说谎，逼问一句，毛弄井就实话实说，彻底摊底了。村长杨树儿当时很气恼，说我待你不错呢，你怎么听人家？毛弄井说，怪我没脑，人家讲你私心重呢，我就信了。村长杨树儿气直了，心想少一票我照样当村长，你以后有事别来烦我。可村长杨树儿肚量还是有的，他想跟一个木头人计较什么呢。现在，村长杨树儿笑了一下之后，便明白自己竟还有点儿幸灾乐祸，碰上贼豆，这个木头人哟，吃点苦头辣也是活该。毕竟是半夜了，走着时，村长杨树儿觉着困乏。陪客户花钱不讲，还特别累，回家真该好好睡觉了。

经过毛弄井家时，屋里还亮着灯，明晃晃的，却悄无动静。他想进去看看，却又想岂不是自找麻烦嘛，就直头直脑回了家。

老婆还醒着，告诉他毛弄井找过他两次，并问他这晚上去哪儿了。他黑了灯，说睡觉睡觉，有事明天再讲。才睡下，雨蓦然落大了，砸在瓦面上一片嘈响，似千军万马过境。就在这时，门被敲响了。村长杨树儿说别理睬，敲不应，他自会走人。老婆说你就不怕敲破门？果然，敲门声愈来愈急，也愈来愈重，毛弄井和老婆村长村长地喊叫，差不多就似鬼嚎。村长杨树儿只好对老婆说，你去开门，就讲我还没回家。老婆说怕骗不过去，不见到你，他不会走，弄不好过个把钟头又来敲门。村长杨树儿想想也是，唉一声，披衣下床，打伞钻进雨中去开院门。

门外果然是毛弄井和老婆，打着伞，却已湿透了，似两条落水狗。见了他，就像见到人民大救星，眼泪扑簌簌直滚出来。老婆尤甚，嚎一声村长，不顾地上泥泞，扑地跪下鸡啄米样磕起头来，哭道，好心没好报啊村长，你要替我做主啊村长！

村长杨树儿心里明白他们冤屈，此时不由同情起来，忙搀扶起她说道，这个贼豆，噢咦，真是个赖劣啊。

毛弄井也抑制不住哭出声来，他说村长你知晓的……

老婆抢话，说村长我真冤枉啊，那天在水井边……

村长杨树儿想打发他们早点儿走，就忙制止道，我知晓，我知晓，我一回家就都知晓了。这个贼豆啊，噢咦，太不像话了！又说，那天水井边的事，从头到尾，一缘二故，我都清楚，你们就放心好了。

这时，老婆便从毛弄井手里接过只塑料袋，塞到村长杨树儿手里。村长杨树儿心里有数，却明白这当儿收他们东西是万万不行的，到时候不替他们讲话捅出来，岂不是自找麻烦！就瞪了眼，说干吗干吗。老婆说一条烟，村长你拿去抽。村长杨树儿斥道，你们什么意思？拿回去拿回去，我还没烟抽啊。老婆说村长你别嫌弃。村长杨树儿说，你们要我解决，就把烟拿回去；不想解决就算了。夫妻俩一头雾水，愣怔了。村长杨树儿将烟塞还，拿腔作势地安慰说，怎么能这样呢，道理在你们一边，我当村长会替贼豆讲话？送不送东西一样，我都会根据事实讲话，你们放心好了。夫妻俩大受感动，不禁又热泪盈眶了。

老婆说讲缘故，还要讲到五月，去年没答应贼豆，他报复。

毛弄井说，今天贼豆还提五月呢，讲是答应亲事，就将老娘抬回去。

村长杨树儿说，有这种事？

夫妻俩忙说谎你，天雷都要敲死我们，不得好死。

村长杨树儿说如果这样，贼豆就更不对了，想了想又说，证人那里去过么？要走一走。

老婆忙说，奂生老婆家去过了，她会照实讲。

这就好，村长杨树儿说，豆干老婆也招呼过？

夫妻俩忙说招呼过。村长杨树儿便安慰道，这就好，有证人证言，铁板一块。你们先回吧，明天我去讲贼豆，婊子个不看我面子，也得注意下舆论。

毛弄井苦着脸，说可、可……

老婆说村长，床都让占了，回家睡哪里哟，村长你……

村长杨树儿眉头紧了，说都半夜了，雨又大，还是明天吧。再讲火头上，贼豆也不一定马上听得进去。让他冷静冷静，再劝劝，效果会好点儿。

这下子，夫妻俩都扑地跪下了。村长杨树儿唉一声，知晓不去一趟夫妻俩就不会起来，就说要么你们先找下周六吧，他管治保，得尊重他。毛弄井说周六不在家啊。村长杨树儿这才想起周六到广东打工已半年了，骂一声婊子个周六，说，那就走吧。

雨声中，毛弄井家悄悄静静，灯亮着，大毛二毛去睡了。老娘孤魂样守着，见了村长杨树儿，目光战战兢兢，忙低下头去。贼豆老娘也醒着，房间里有股屎味，奇臭难闻。见贼豆不在，村长杨树儿紧着的心忽然放松了些，连打几个鼻头屁抵制臭味。毛弄井忙递上根烟，熏着烟，他觉着臭味稀淡了些，走到床边看贼豆老娘。

你占了他们床，叫他们睡哪里？村长杨树儿说，再讲，你赖在人家家里，自己也不自由啊，噢咦。

贼豆老娘怔怔的，盯着村长杨树儿不发一言。

贼豆呢？村长杨树儿又说，把你丢这里他就不管了啊，你告诉他，今天就算了，明天叫他抬你回家去。

贼豆老娘突然说屎、屎……

就听见稀屎和尿水落到床下脸盆的声响。村长杨树儿又打起鼻头屁，后退站了一会儿，估计贼豆老娘拉完了，就叫毛弄井老婆给揩屁股。毛弄井老婆跳起来，嚷道，叫我给烂蛇揩屁股，不就承认我撞跌她？死活不肯。村长杨树儿开导说，哪能这么讲？贼豆不在，他家灯黑了，你去叫醒他来揩屁股？不现实嘛。又说，你们家臭气冲天也不卫生呢，再讲，他老娘一屁股屎，难不难受？老了，又伤筋动骨的，你就帮忙揩一回吧。见她还是不动弹，就严肃起来，说姿态高点嘛，你姿态高，就可能感动贼豆，他将老娘自觉抬回去也不定，总之，你们不要学贼豆，是不？至此，毛弄井也拿眼示意老婆。老婆懂他意思，是叫她别驳村长面子，日后讲案还得靠村长帮忙啊，就骂骂咧咧地将贼豆老娘的屎屁股揩了，又倒了屎盆。村长杨树儿笑道，今天晚了，明天我找贼豆讲。夫妻俩无奈，蔫蔫的，似霜打的茄子。

村长走后，夫妻俩叫老娘睡了，自己倒在孩子床边想打个盹，却怎么也睡不着，眼睁睁听着雨落到天亮。

七

第二天，雨仍落个不停。

老婆将早饭烧了。大毛二毛上学后，夫妻俩无心吃饭，竖着耳朵听隔壁动静。

隔壁悄无动静，估计贼豆还在懒睡，更不见村长杨树儿影子。夫妻俩将村长看成救星，希望他早点去跟贼豆讲讲。床上突然横了个外人，吃喝拉撒都要人服侍，这个家还像个家么！问题是，这件冤屈官司，真不知怎么个了结呢。

到九点时，见贼豆家仍无动静，夫妻俩焦急起来，思忖村长杨树儿昨夜不过放了个屁哄哄他们，今天是不会到贼豆家替他们讲话的。这么想，毛弄井就要去找村长杨树儿。老娘说要找也该吃饭呀。夫妻俩这才觉着饿，捧了饭碗胡乱就吃，吃着时，听见房间里贼豆老娘哼哼，怕意外，忙进去看个究竟，见贼豆老娘神志尚好，也便放下心来。

烂蛇你哼哼个屁啊！老婆恶狠狠冲她一句。

你莫凶嘛，噢咦。毛弄井忙挡她。

我……我饿哩。贼豆老娘目光里有种乞求。

你饿，关我屁事！赖我床上，还想赖我的饭吃？屎都不给你吃！老婆一下子又火了。

贼豆老娘目光便蔫下去。毛弄井看在眼里，觉着不忍，谁知晓贼豆什么时候给老娘送饭，就对老婆说，你去弄碗饭来伺她几餐。

老婆不相信地瞪起眼，发火道，村里讲你没用，你还真是没用，都赖到你床上拉屎撒尿了，你还给她饭吃！

毛弄井说，话不能这样讲。这事跟她没关系，七老八十的，她能拗得过贼豆？

贼豆老娘忽然说，老四做这种缺德事，草都不出呢，噢咦。

夫妻俩见她眼角滚下一串浊泪，就不禁怔了。

毛弄井忙说，你这是良心话，噢咦。

贼豆老娘说，老四讲我不听他，他就不管我饭……

夫妻俩苦笑。倒是毛弄井忽然明白过来，忙将老婆拉出，说贼豆老娘的话是有力证言。老婆听了，也有点兴奋，可马上又沮丧起来，说可惜没用录音机录下，这个烂蛇，讲话东打西通，当着贼豆就不敢讲了。毛弄井说，不管怎么，我们对她好点，她是当事人，讲案时村长会问问她。老婆说她敢讲实话？毛弄井说，那也不能恶她，我们不搞对立，你伺她饭吧，我找村长去，说罢匆匆出门。

村长杨树儿不在家，他老婆说可能在村部。毛弄井赶到村部，果然见村干部在开会，村长杨树儿在念报纸。他不敢打扰，只好在门口等。可左等右等，村长杨树儿念了报纸又念文件，毛弄井便等得心焦，到窗口探头探脑。

村长杨树儿早看见了，只当不知，直到毛弄井推门进来，他才噢咦一声，将文件丢给别人走了出来。

开会学习是村长杨树儿临时决定的。一大早，贼豆找上门来，说是汇报昨夜的事。村长杨树儿耐心听完后，笑着试探说，你们两家谁是谁非，村里还要经过调查，可昨夜是你不对。贼豆说怎么不对？村长杨树儿说，人抬到人家家里，还占了人家床，对哪里？不管怎么，你先把老娘抬回家再讲，要注意下村里舆论嘛。贼豆恶下脸说，村长我跟你讲清楚啊，人是不抬回家的，要么我把老娘抬到镇医院，县医院也行，医疗费护理费他毛弄井要负责去。干吗？他老婆撞跌我老娘，他就有责任负责去，这道理就是到中央讲，领导也会支持我。顿了顿又说，抬回家也行，可村长你要保证毛弄井将我老娘负责去，村长你保证么？村长杨树儿噎住，脸便阴了，知晓贼豆是横下心了，忍不住想戳穿他无赖，告诉他毛弄井有证人，而且铁证如山。可转念一想，又觉得自己犯不着惹一身骚，还是让证人出来讲话为好，到时候你贼豆也怪不得我，就笑道，好吧好吧，这事村里反正要调查，到时候你拿出证人证据就是。贼豆就气哼哼走了。村长杨树儿明白，这事打理上讲，贼豆要跟他翻脸，不打理上讲，村里舆论对他不利。还是想定的办法，讲案过过形式，再将矛盾上交到镇里，让他们自己烦去。村长杨树儿就想拖一拖冷一冷，临时决定开会学习，顺便将这事提到会上，让村干部们都担个责任。

村长杨树儿从会议室出来，就对毛弄井说了贼豆一早找他的情况。毛弄井听呆了，说村长你可要秉公讲话啊。村长杨树儿听了刺耳，不悦道，你怎么知晓我就不秉公讲话？毛弄井噎住。村长杨树儿说，明后天空闲，我先了解了解吧。毛弄井说，情况这么清楚，村长你还要了解？村长杨树儿又不悦了，说贼豆这么讲，我不了解就处理他，他肯定讲我偏袒你，是不？毛弄井听出他想拖拖，不由苦了脸，说他老娘赖在我床上……村长杨树儿说，事情发生了，也急不来，心慌吃不得热粥嘛，你器量大点儿，就让她先赖几天吧。毛弄井说村长……村长杨树儿说没办法呢，村干部很久没学习了，不学习可不行啊。毛弄井说，他老娘赖我家，我也没办法啊。村长杨树儿严肃起来，说你总得容我了解了解，是不？再讲，你的事重要，还是村两委学习重要？你先回去吧，我心里有数就是。毛弄井盯着不放，说，那就晚上了解吧，求你啦村长。村长杨树儿说晚上也学习，我讲过，你这事明后天有空闲我就了解。见毛弄井欲哭的样子，就又说，开会时我还要把你这事讲讲，听听村干部们意见，拿出一个处理方案，不然，我一个人怎么做主？

毛弄井无话可说，心想再求也没用，只好怏怏回家。

家里有点儿异样，空落落不见一人，唯有贼豆老娘横在床上。毛弄井好生奇怪，心便慌了，直到找到伙房，才见老娘蜷缩在灶下，目光战战兢兢的。老娘见了他，眼就一红，霎时老泪纵横了。

原来毛弄井去找村长时，贼豆领人来闹，逼毛弄井老婆先拿出五百元医药费。老婆自然不依从，一帮人就不放过她，恶言相骂。后来动了粗，围着她推推搡搡。老婆开始还据理力争，后来知晓寡不敌众，嚎着夺门落荒而逃，贼豆一帮人才罢了，没有去追赶。

毛弄井听了心寒，差点儿掉下泪来，就忙说娘你没事吧。老娘说我就是怕，远远躲着。毛弄井就想老娘年纪大，贼豆总不至于对她怎么样，放心了些。接着便担忧起老婆去向，更担忧她贴身藏的钱。钱一共有一千五，是多年的积蓄，一直藏在箱子里。昨夜夫妻俩商量，怕家里人杂事乱有个闪失，就取出分别贴身藏了，他八百，她七百。现在毛弄井觉得贴身藏钱也不安全了，万一贼豆看穿，借人多势众缠你时劫了去，岂不哑巴吃黄连有口难讲！

毛弄井就更急，胡思乱想一阵后，将贴身的钱用旧报纸包了，塞进一只破解放鞋丢到猪栏背上，这才觉得放心了些。

老婆有惊无险，白白让毛弄井虚惊一场。找到她时，她正躲在村长家避祸，趁机向村长老婆大诉特诉冤情，讲得唾沫四溅激动异常。村长老婆很同情，答应好好跟村长讲讲。至此，夫妻俩倒觉得当天再找村长，村长不定会烦，也就算了。

可第二天村长杨树儿仍是开会，这次到镇里开，内容是防汛抗洪。夫妻俩火烧眉毛，想想又无奈，总不能追到柳镇将村长杨树儿从会场拉出来吧。其实也不可能，村长杨树儿好好开着会，你能叫他不开会？夫妻俩自忖没这么大面子，于是就在家里待着。不想待着却躲不过贼豆，贼豆领着一帮人又来逼钱。自然又是争吵，夫妻俩被围着就像两只困兽，绝望中老婆故伎重演，长嚎一声，拉着毛弄井突出重围，丢下老娘狼狈地逃离了家。三十六计走为上计，不走要吃眼前亏哪。贼豆并不放过，吆吆喝喝地要痛打落水狗，领着人死追。这阵势早惊动了村子，村民围着观看如蚁，却都噤若寒蝉，没人敢上前劝阻。直至追到村外，贼豆方才放他们一马。

夫妻俩如惊弓之鸟，见没人追了，才站下直喘粗气，想想有家不能回，心里陡然涌起一股走投无路的悲怆，索性就追到柳镇。可到了柳镇，又犹豫起来，心想村长杨树儿答应帮忙的，这么追到镇里闹得沸沸扬扬，镇里会对村长怎么看？岂不是给村长难看么？不能丢村长面子恼了他，讲案还得靠他帮忙啊。也就没去找村长杨树儿，胡乱买个烧饼充饥，便到镇外守着回村必经之路。可守到天黑，估计快半夜了，也不见村长杨树儿影子。夫妻俩失望之极，这才怏怏回村，贼一样地钻进家里。

第三天开村两委会。毛弄井不知好孬，一头撞进去，村长杨树儿脸色就不好看了。他说毛弄井你先出去，正传达镇里会议精神呐，你的事重要还是防汛抗洪重要，真是的！毛弄井讪讪地，只好退出。

下午不开会了，村长杨树儿领着村干部检查山塘水库，一处一处转，一处一处落实，组织村民开闸泄洪加固堤岸。毛弄井家也派了工。这倒好，都出工，就免了跟贼豆争吵，不过心里老惦挂着家里老娘和孩子，惶惶不安的。

防汛抗洪了三天，结束时再找村长，却不见了，谁都不知道他去了哪里。

村长杨树儿其实是出去避风，头天他接到一个客户电话，说要上门索回定钱。到手的定钱怎能返还？再说，两家的纠纷也烦，村长杨树儿就避出去了。

村长杨树儿一避就是五天，回来时两家已闹得不可开交，人都打伤了。

八

伤的是毛弄井老婆，鼻青眼肿，当场被打趴在地上，送到镇医院，法医鉴定是轻微伤。那日贼豆大获全胜，得胜的贼豆在村街牛气十足地走，一路哈哈大笑。可第二天，他也从镇医院弄到了轻微伤鉴定。

打架是因了贼豆老娘的屎屁股，也就是说，跟赔偿有关。贼豆老娘的屎屁股几天没揩了，床下屎盆也暴溢，蛆虫爬得满地都是，房间臭不可闻。贼豆说你连护理费也不掏，那就该护理去，逼着毛弄井老婆给他老娘揩屎屁股。毛弄井老婆会揩？揩了就等于承认她撞跌贼豆老娘。于是就争吵了，就打架了，直到一帮人将她打趴在地上才结束。

村长杨树儿原先想一强一弱不会闹那么邪。如今闹到这地步，再不做个样子讲案，就说不过去了，得注意舆论呢。

讲案地点在村部，通知全体村干部参加的，可左等右等，只到了四五人。叫人去请，不是推说有事就是说生病，有几个连人影也不见。村长杨树儿脸就绿绿的，却笑道，不到的几个，以后喝酒什么的赶来，看我敲断他狗腿。原想解嘲，以博一笑的，不想村干部们都笑不起来。

笑不起来是要讲两个案，其一是贼豆老娘跌伤案，其二是打架案。有其一才有其二，复杂着呢。其实，复杂的关键还是贼豆，你就不知晓该拿他怎么办好，正所谓重不得也轻不得，弄不好他心里恨你讲案人，哪天找你麻烦也不定。事先通知过双方当事人，一方只能到三人，以理服人，严肃讲案现场，免得秩序太乱。而这番，贼豆的人却到了四五十，兄弟亲戚不算，手下的小流氓一个个摩拳擦掌，像是来打架似的，把个村部都挤满了。毛弄井却老实听话，只到了夫妻二人。贼豆就在声势上占了上风，把他们心理压垮了，绿着脸可怜巴巴地看村长，也让村干部们作声不得。村长杨树儿呢，不露声色，心里却是有准儿的。开始他对毛弄井夫妻俩的求救目光视而不见，直到贼豆的人高声喧哗，他才做个样子沉下脸，说这样的场面怎么讲案？也不体现公平嘛，老四你把你的人劝走。贼豆一怔，说脚在他们肚皮下，我讲他们不听。村长杨树儿就发了火，说是打架还是讲案？要讲案，不相干的人出去，要打架村干部出去，你们打好了，我们看着你们打。发过火，村长杨树儿心里又虚，偷眼觑贼豆脸色。好在贼豆还算给他面子，笑着挥挥手，把人赶出村部，留下兄弟三人。可贼豆的人出了村部却没走，把个村部围得水泄不通。村长杨树儿也就罢了。毛弄井夫妻俩心里惧怕，可见村长杨树儿已尽了力，特别是在道义上主持了公道，也便略感宽慰，觉得再强求就难为村长了。

于是，村长杨树儿说，开始吧。

一个村干部说,证人还没有到呢。

贼豆就笑,说我没证人,我老娘是当事人,哪个撞她她会不知晓?说罢朝毛弄井夫妻俩冷笑。毛弄井夫妻俩呢,这才发现他们的证人没到场,脸又绿去,顿时心里慌虚虚的。村长杨树儿笑问,证人是奂生老婆和豆干老婆吧。夫妻俩忙点头不迭。村长杨树儿说,那就再等等。贼豆便怪笑,笑得毛弄井夫妻俩心里愈发慌虚,预感到情况有些不妙。

这样又等了半个小时,村长杨树儿便有些烦躁,叫人去请。不一会儿,去请的人回来,说奂生老婆和豆干老婆家里有事,都来不了。贼豆冷笑,连打了几个鼻头屁。毛弄井夫妻俩心里发毛,腿软软的,知晓情况不妙。村长杨树儿发火,叫两个村干部再去请,说请不来无论如何也要将证言写来。

村干部走后,村长杨树儿说不等了,先开始吧。贼豆说开始就开始,我没意见。毛弄井夫妻俩有些紧张,木木的,竟不知晓回答。村长杨树儿就又笑问,是不是开始?毛弄井便糊里糊涂点了头。于是村长杨树儿宣布讲案会场纪律,无非是不准喧哗吵架,不准打断对方讲述,要以理服人等等。

宣布过纪律,便是当事人陈述情况。村长杨树儿示意贼豆先讲。贼豆说干吗,他先告,他就是原告我就是被告,哪有被告先讲的?乡下讲案,刁钻的村民都坚持后讲,既能了解对手观点,钻他空子,又能及时修正自己准备不足,在口舌上占个上风。村长杨树儿就将目光转向毛弄井夫妻俩。

毛弄井自恃理正,正要开口。老婆抢话,说还是我讲。村长杨树儿说对,你是当事人,你讲合适。可毛弄井老婆有点儿怯场,加上心慌,就不像平常口齿清楚,颠三倒四啰哩啰唆,说不到点子上,叫人摸不着头脑。好在大家对情况清楚,知晓她的意思。

接下去轮到贼豆。贼豆哪种场面没经历过?自然镇定自若,口若悬河滔滔不绝。

毛弄井夫妻俩脸色铁青,怒不可遏。贼豆讲些什么呀,都是造谣,没一句实话。但他们遵守讲案现场纪律,没有打断他。

好在还有机会,下一个程序是双方补充观点,或者也叫辩论。火药味就很浓,都粗着喉咙暴着头筋,还拍了桌子,恨不得将对方一口吞下肚去。

村长杨树儿不插一言,也不制止,铁青着脸一根接一根抽烟。直到围在村部外贼豆的人气势汹汹拥进来,他才装模作样吆喝几句,叫他们出去。贼豆的人不听,他粗着喉咙顺势给自己下台阶,说双方的意思,我们都听明白了,辩论到此结束。现在当事人回避一下,村干部留下商量调解意见。

贼豆率先领人出了村部。毛弄井夫妻心怯,坐着没挪屁股。村长杨树儿明白,瞪眼喝道,你们大胆出去,今天哪个敢碰你们一个指头,官司就判他输!贼豆听见了,回头哼了一声。村长杨树儿心里咯噔一下,忙又笑着哄贼豆,说走吧走吧,你总得给我点面子吧。再讲，全村人都在，眼睛盯着，你总不至于打他们吧，相信你这点觉悟还是有的。贼豆说，没觉悟我就不讲案，早把他们打扁了。跟着，毛弄井夫妻俩也出了村部，挤过熙熙攘攘的贼豆人马，在不远处忧心忡忡地站下等待。

这时候，村部里的人也轻松不了，一个个脸阴得跟老天一样。村长杨树儿说，大家议议，大家议议。可谁也没议，抽着烟，勾着头，像案犯面对审查似的。

村长杨树儿很泄气，又不好发作，就说我先谈一点吧，我认为，不管谁对谁错，有一点儿要坚持，那就是.贼豆要把老娘抬回家。不像话嘛，都这样，村里风气怎么正得起来，嗯？这点上，贼豆是错的。大家讲讲，有不同意见么？

村干部们木着，半晌才参差不齐地说，那是那是。

村长杨树儿板下脸，说要不要贼豆抬老娘回家？同意就讲同意，不同意也放个屁，“那是”什么？

村干部们一怔，这才都说同意。

村长杨树儿说好，这条调解意见大家统一，就这么定了。大家再讲讲，一条一条定。

村干部们又勾下头，重新成为受审的案犯。

冷场了十多分钟，两个去叫证人的村干部回来了。村长杨树儿问，不肯来？其中一个笑道，像绑她们去枪毙一样，赖着就不来。村长杨树儿说，证言也不肯写？另一个就掏出纸来，说写了，做了不少思想工作，妈的。村长杨树儿松了口气，接过证言。证言上，奂生老婆和豆干老婆都说，那天她们在水井边忙着说话，贼豆老娘究竟是自己跌的，还是被毛弄井老婆撞跌的，她们没看见。

村长杨树儿不动声色地将证言递给旁边村干部，说都看看，大家都传着看看。

村长杨树儿料到会这样。出事第三天，他找奂生老婆时，她就是这么说的。当时村长杨树儿一怔，明白奂生老婆受到贼豆威胁，不敢讲真话了。跟着，他就觉得这样也好，正中他的下怀。你想想，奂生老婆若是讲真话，他在讲案时能不顾事实判贼豆赢？那样的话，他这个村长在村里还有什么形象！他本是想做个形式，双方摆摆平。这样就好了，摆平双方也便有理有据，谁也别挑剔他村长讲案不公正。你们认为不公正，还可以告到镇里嘛。只是这样的结果，冤枉了毛弄井，让老实人吃亏了。想到此，村长杨树儿觉得有点儿愧对毛弄井，可这也是没办法啊，谁叫老娘把你生成个老实人？这年头，老实人就该吃亏呢。好在还可以告，你毛弄井到镇里告吧。村长杨树儿本想再去问问豆干老婆，后来想想，也就罢了。贼豆既然敢威胁奂生老婆，难道就不会去威胁豆干老婆？两个女人受到威胁，想必是统一口径了。

就在那天夜晚，奂生老婆来到他家。奂生老婆吞吞吐吐，神色可疑。问紧了，才拿出金戒指，说了原委，请他转手还给毛弄井老婆。村长杨树儿说你自己还吧。奂生老婆说当面还，我难为情，再讲东西金贵，村长帮我转手还她，我才放心。村长杨树儿说你就不怕我吞了？奂生老婆说村长不是那种人，觉悟高呢。村长杨树儿还是拒绝了，他说要还，你就讲案那天还吧。奂生老婆怏怏的，只好走了。看着她离去的身影，村长杨树儿心里笑了，他觉得，讲案那天突然冒出只金戒指，你毛弄井就怨不得我，自己解释去吧。当然，村长杨树儿明白，毛弄井老婆是逼急了，才走这步昏棋、臭棋。

这时候，村干部们把证言传阅了。村长杨树儿问取证的村干部，奂生老婆和豆干老婆还怎么讲？两人一怔，旋即恍然，一人忙拿出金戒指，说了原委。村长杨树儿故作惊讶，说有这种事？村干部们无言。

村长杨树儿就说，证人的证言大家都看了，又冒出只金戒指，大家讲讲，大家讲讲。

村干部们面面相觑。

冷场了一会儿，村长杨树儿说，这么吧，那条，就是贼豆抬老娘回家那条，是铁定了。除了这条，我们总得拿几条调解意见。见村干部们还是不吭声，他扬了扬证言说，证人怎么讲，大家都看了。双方各执一词，可证人的证言表明，双方都没证据，你贼豆不能轻信老娘的话，你毛弄井老婆呢，证人没见你撞跌贼豆老娘，也没见你去扶贼豆老娘嘛。这就难了，我们怎么调解？可分析一下，毛弄井老婆干吗要给证人奂生老婆送金戒指？说明了什么？这个……我想，真金不怕火，如果心不虚，她干吗这个时候要送这么贵重东西？无缘无故嘛。村长杨树儿本想说毛弄井老婆也给他送过香烟，可话到嘴边，又忍住了。他继续分析说，所以我怀疑，毛弄井老婆真的碰了下贼豆老娘也不定，当然她不是有意的。

一个村干部插言，村长讲得有道理，既然这样，就叫毛弄井赔偿吧。

村长杨树儿说大家讲，大家讲，都发表发表意见，我一人不能代表。

村干部们就说，村长分析有理，那就叫毛弄井赔偿点吧。

村长杨树儿笑道，不能叫赔偿，叫补偿吧，人家也不是有意碰跌贼豆老娘的，是不？

村干部们说那是那是。

慎重起见，村长杨树儿提议，请毛弄井老婆来解释一下送金戒指的动机。毛弄井老婆进来后，听说为这事，一时窘态百出。村干部们心里便有数了。最后毛弄井老婆急了，只好实话实说，可这时候大家哪会轻易相信！所以，村长杨树儿挥手叫她走后，调解意见也就很快形成。可具体到补偿金额，又有分歧。最后达成一致：为了断纠纷，一是限贼豆一天内将老娘抬回家；二是毛家一次性补偿贼豆老娘医药费五百元；三是打架案，因双方都是轻微伤，医药费自理。

宣布调解决定后，双方都不服，嚷着要上告。

村长杨树儿故作苦笑，唉了一声，说告吧，真要告我也没办法。

九

调解后的当晚，毛弄井一家经历了惊心动魄的一幕。贼豆率人把毛弄井家围了，气势汹汹地逼迫立即拿出五千元赔偿，不然就不客气。毛家乱得一塌糊涂，土匪过境似的。乔村惊动了。村长杨树儿听说，犹豫了一阵，最后还是装作救火一样赶来。可他把喉咙都喊哑了，效果却甚微。最后没办法，魂都吓没了的毛弄井夫妻，只好又丢下老娘和孩子，杀出重围，仓皇逃离了家。

这一夜，他们就躲在村长杨树儿家避难。

村长杨树儿很气恼，真实的情况，他心里如何不清楚？可是没办法呢，他真的不敢得罪贼豆。他没想到越是迁就，贼豆越是没完没了无法无天。这一夜，他也差不多没合过眼，陪着毛弄井夫妻，说些安慰话。他说要告就抓紧告吧。夫妻俩说嗯哪。他说告到镇法庭，也要讲关系，托熟人跟法庭打个招呼，疏通疏通。夫妻俩心想哪有熟人呢，可还是忙说多谢村长指点。他又说，最好有个大官出来帮忙讲讲话。夫妻俩脸就苦苦的，说我们农民，哪认识大官啊。他说我是假设，真的没有，也是没办法的事。村长杨树儿想实现一箭双雕计谋，极力鼓动毛弄井夫妻俩早点告到柳镇。他想了想就又说，我可以跟林镇长讲讲，请他出面跟法庭招呼一下，法庭会听。夫妻俩眼就亮了，忙说多谢多谢。

第二天，天才蒙蒙亮，夫妻俩便要起身到镇里告状。村长杨树儿说早呢。毛弄井说，迟了怕贼豆见了阻拦。村长杨树儿听了，也就由他们。毛弄井老婆说村长，林镇长那里你早点讲啊。村长杨树儿忙说，这种事电话里不好讲，你们先告吧，我再亲自找他。夫妻俩忙谢了，家也不回，像地下党一样偷偷出了村。其实，他们何尝不想回家看看？家里的老娘还有大毛二毛，还有家里养的猪养的鸡鸭，都叫他们放心不下呢。可如今有家不能回啊，万一贼豆发现，如何脱身？经过三番两次折腾，尤其是毛弄井老婆，已是吓得没魂了，见了贼豆就像老鼠撞见猫，心头禁不住咚咚直跳，腿也发软，恨不得钻地洞躲藏起来；夜里也常做噩梦，醒来大汗淋漓，一时半刻魂不附体。

出了村，田野混混沌沌一派悄寂，老天飘起牛毛细雨。夫妻俩又饥又寒，心头悲怆难忍，像两个孤魂一脚高一脚低地朝柳镇走去。

毛弄井感叹说，奂生老婆和豆干老婆怎么睁眼讲瞎话呢。

老婆说豆干还是亲戚呢，这年头连亲戚都靠不住了。

毛弄井说，村长还算帮忙，讲案也尽了力。

老婆说人心隔肚皮，我都看透了，又问，带钱了么？买包好烟，见了法官分分，别木头人样。毛弄井说，只带了二百，钱都藏在猪栏背。老婆说没叫人看见吧。毛弄井说没。老婆就恨道，五月倒清爽，祸是她出，这番不知在哪里跟男人浪呢。打官司要钱，她在家的话，掏点婊子银我也气平一点儿。毛弄井不敢吭声。

这时雨落大了，恰巧路边有个凉亭，夫妻俩忙钻进去歇雨。坐着一时无话，老婆就响起鼾声。毛弄井听了，心里酸楚着时，自己也迷迷糊糊睡去。

醒来时天已大亮，夫妻俩起身赶路。法庭在镇政府大院里，他们赶到时，见门关着，不禁怔了。一个黄头毛小年轻告诉他们，法庭的人都在县里开会，要下午才回。夫妻俩怏怏的，正要离开，黄头毛却叫住了他们。

你叫毛弄井吧？黄头毛问。

嗯、嗯哪。毛弄井本能地对假外国人保持警惕。

打官司？黄头毛又问。

嗯哪。毛弄井说，法庭的同志不在，我再来好了。

跟贼豆打官司是不？黄头毛笑道。

夫妻俩愣怔了，说你、你怎么知晓？

黄头毛大笑，说，那天贼豆把老娘抬到你们家，我也在场。

夫妻俩心里一咯噔，吓呆了，打量了下他，果真似有些面熟，于是赶忙就走。

黄头毛说别走别走，告诉你们啊，那天我也看不下去，贼豆太不像样了。说着将他们拦到镇政府大院门口，神秘地说我这人啊，就爱打抱不平，看得上我，打官司我助你们一臂之力怎么样？夫妻俩不知他是什么货色，自然戒备，也不搭腔，拔腿又要走。黄头毛笑道，也难怪你们不信任，告诉你们吧，我叫杨洋，叶书记是我娘舅。夫妻俩听了，站着不走了，惊疑地打量他。恰在这时，叶书记从外面进来，见了就问，杨洋你在干吗。杨洋说娘舅，我跟熟人讲讲话。叶书记看他们一眼，没说什么就进了大院。杨洋就说，打官司我娘舅出面，跟丁庭长讲讲，一句话就行。夫妻俩惊疑地看着他。杨洋就又说，其实丁庭长我也熟悉，跟他讲讲，没问题。毛弄井疑惑，说你干吗要帮我们？杨洋笑道，我不是讲了吗，我这人就爱打抱不平。老婆没他多疑，她想今天运气真好，碰上叶书记外甥这样的热心人，打官司不愁哩。此时，老婆就像溺水的人捞到稻草一样，更何况叶书记不是稻草，而是一棵大树靠山呢。村长讲得对，打官司就要当官人出面讲话，靠山才硬哪。老婆就有点嫌气毛弄井啰唆，忙笑道，同志你真是菩萨心肠啊。这么说时，早感动了，眼里漾满了泪。毛弄井不放心，捏了她一下。老婆就瞪他，狠狠甩开了他的手。老婆是怕他成事不足败事有余呢。老婆这样，毛弄井就嗫嚅着，不敢吭声了。于是，老婆就一把眼泪一把鼻涕地向杨洋诉说起冤情。

杨洋开始还耐心听，可没听几句，就笑着打断，说知晓了知晓了，你们这情况其实我是清楚的。

老婆不敢再啰唆，敬佛一样看着杨洋。

杨洋说你们回吧，我有数了，回头我跟娘舅讲讲。

老婆就主动地说，要开销跟我讲啊。

杨洋说开销什么，我跟娘舅谁跟谁呢，不过，丁庭长那里，还真该开销一点儿。

老婆忙说就是，皇帝也没白差使人呢，杨同志你讲，要多少。

杨洋说也要不了多少，五百一千的，给两条烟，餐馆里吃一餐，事情就妥了。

老婆一怔，可马上对毛弄井说，你把二百先给杨同志。又对杨洋笑道，家里还有点钱，藏在猪栏背，明天就送来给你。见毛弄井木木的，就催道，快把钱拿出来呀。毛弄井只好遵命。杨洋笑道，丁庭长下午上班，你们先找他讲讲，我再找他。

杨洋走后，老婆眉头开朗了些。毛弄井却抱怨说，你这人，你这人，没脑！老婆说怎么没脑？毛弄井说，钱藏在猪栏背，怎么好跟人家讲呢。老婆说没事，你也真是，人家是热心人哩。

十

下午，镇长林东北见两个男女农民从法庭出来，开始也没当回事，再看那男的，觉得面熟，想了想，就想起来了。林东北便叫住他们，说是毛弄井吧，是不是又打官司？

夫妻俩忙站住，叫声林镇长，泪就滚了出来。

林东北问，又是贼豆找麻烦？

夫妻俩忙点头说是。

林东北说，去年他想赖你妹妹当老婆，我给唬住了，莫不是今年他又起这歹心？

毛弄井说，林镇长你还真猜对了，去年的事他记恨，今年报复啊。

老婆就抢着说了纠纷经过，说着说着，夫妻俩禁不住泣不成声了。

林东北勃然大怒，说你们别怕，镇里一定给你们做主，我就不信治不了一个地痞！又恨道，杨树儿怎么搞的，前提条件，是叫贼豆抬回老娘，再才是讲案呀，都乱了套呢。怒恨之后，林东北说我领你们找丁庭长去，交代他几句。

丁庭长正伏案写着什么，见了忙站起来招呼。林东北说老丁，他们这个纠纷你受理了？丁庭长说，受理了受理了，昨天下午贼豆就到法庭，告村里调解不公正呢。夫妻俩听呆了，心想贼豆来告，刚才丁庭长怎么不跟他们讲呢。林东北说妈的，恶人先告状。又说，没受理的话我叫派出所去好好治治，关他几天，叫他吸取点教训。既然受理了，你就查查，我估计证人受到威胁不敢讲真话。丁庭长说，我也这么想，证人的证言是关键。林东北说，贼豆那个轻微伤，我估计也假。丁庭长说我查查。林东北又说，你先叫贼豆把老娘抬回家，赖在人家床上像什么话！丁庭长说是不像话，我做他工作。林东北就叹道，一目了然的纠纷到了你们法庭，就要讲点法律程序，如果到派出所报案，看他贼豆敢猖狂？不收拾他有鬼！丁庭长笑道，林镇长放心，我一定把纠纷查清，好好治治贼豆。林东北说，那就抓紧吧。

夫妻俩在一旁听了，早感动得热泪盈眶，同时也懊悔不迭：早知这样，告到法庭干吗，直接到派出所报案好了。不懂呢，噢咦。好在有林镇长和丁庭长这样明朗的态度，他们心里一块石头也就落了地，千谢万谢后才离去。

丁庭长不敢怠慢，第二天叫上小戴法官一起到村里取证。

他们分别找了奂生老婆和豆干老婆。可做了许多耐心细致的思想工作，都白费口舌，不管是奂生老婆还是豆干老婆，还是那句话，即：既没见毛弄井老婆碰了贼豆老娘，也没见贼豆老娘自己滑跌。

丁庭长也就罢了，将小戴法官招呼出来，说，看来很难撬开嘴巴哩。小戴法官如何不明白个中原因，回头话就重了，说做伪证是犯法的你知不知晓？要负法律责任啊。你掂量掂量，等法庭查明情况，后悔就迟了。

奂生老婆和豆干老婆，仍坚持她们说的是实话。

小戴法官无奈，只好告辞，走时丢下一句话，叫她们再想想。小戴法官是不会罢休的，走一趟不行，就走二趟三趟，一定要叫她们感动，放下思想包袱，实事求是作证。

可出来后，丁庭长却说要回头叫她们写证言。小戴法官有不同看法，两人就争辩起来。争辩的结果，自然是小戴法官拗不过丁庭长。在法庭，小戴法官是兵，丁庭长是官，小戴法官得服从丁庭长。

这样，奂生老婆和豆干老婆就分别写了证言。

事情到了这一步意味着什么？小戴法官心里就很清楚了。因此陪丁庭长去劝说贼豆将老娘抬回家时，他就有些提不起劲。

丁庭长跟贼豆磨了个把小时，没有任何效果。小戴法官也敷衍了几句，他觉得，光他一个人强硬，真的没有什么意思。

自然，回来后他们也没向法医取证。丁庭长没说，小戴法官也就不提了。小戴法官心想，已经没意义了，何必多此一举！何况，法医也就是镇医院的那个蹩脚医生，医术不高，思想境界也不高，不过受法庭委托滥竽充数罢了，既然已给贼豆出具法医鉴定，他能自己否定自己吗。

小戴法官就猜想丁庭长和贼豆之间有猫腻，比如收了贼豆什么好处。

丁庭长对这起纠纷心里如何不清楚，又如何不同情毛弄井？可他确实收了贼豆好处。好处是他老婆收的，一条利群烟，价值一百三十元。丁庭长知道时，老婆已将烟卖了。老婆见了好处眼睛就发亮，经常背着丁庭长干这种吃了被告吃原告的事情，当然数目不大，构不成犯罪。这就叫丁庭长调解纠纷时左右为难，想方设法要将双方摆平。可这一次，丁庭长真的发了火。发火没用，老婆委屈地说烟钱早进了医院。丁庭长就唉一声长叹了。丁庭长的老娘常年生病，动不动要进医院，老爹呢，三年前跌了一跤就成了植物人，吃喝拉撒都要服侍。所以，丁庭长总觉得拖累了老婆，很过意不去。家里吃口也多，两个孩子都上中学，丁庭长每月那点儿工资就捉襟见肘。拿丁庭长来说，他真不愿意为那点小利益影响工作，可那点小利益的确也时不时解决了他的燃眉之急。于是丁庭长就对老婆睁只眼闭只眼了，加倍地努力工作，摆平了一起又一起官司。其次呢，丁庭长也不想得罪贼豆。丁庭长是本地人，家也安在本地，他就得有所顾忌。贼豆是什么人啊，枪毙了没话讲，判他个一两年，回来他还要找你烦。偷鸡摸狗、滋事斗殴，在农村算什么呢，还判不了贼豆啊。

丁庭长取了证，对贼豆也作了动员劝说，把工作做到家，做得合情合理，谁也别想鸡蛋里挑骨头。农村的民事纠纷不这样调解，又怎么调解？

丁庭长向林东北汇报时，还捡起村长杨树儿的话作为自己观点：既然没撞跌贼豆老娘，毛弄井老婆干吗心虚向证人行贿金戒指呢？丁庭长说，看来村里的调解大致合理。

十一

林东北决心替毛弄井夫妻俩做主。

林东北和派出所江所长到村口时，干脆不走了。他对一个村人说，你去把村长叫来见我。

村长杨树儿屁颠颠赶来时，林东北唬脸就责问他是怎么讲案的。村长杨树儿很冤屈的样子，开始叙说调解经过。

林东北不耐烦，喝住了他，说看来村干部的凝聚力战斗力，是有问题，怎么就拿一个地痞没办法，由着他胡作非为！

村长杨树儿苦着脸辩解，说讲案嘛，总要重证据，不能因为是地痞就……

林东北喝道，人先抬回去再讲案，你做到没有？贼豆聚众胡闹，逼得人家有家不能回，你作为村长制止过没有？

村长杨树儿避先就后，说制、制止过。

林东北冷笑道，人被逼得躲到你家里避难，你当村长都能容忍？太不像话！

江所长插嘴说，关键时刻村干部态度不强硬，流氓地痞就要造反。

林东北说，恐怕还不是凝聚力战斗力问题，对老百姓疾苦如此冷漠，我看根本的问题，是腐败！

批评了一通，林东北这才说去毛弄井家看看。村长杨树儿脸绿绿的，他没想到林东北会对他如此强烈不满。

走进毛弄井家院子，林东北见栏里的猪饿得嗷嗷直叫，鸡鸭惊慌，四下逃窜，到处乱糟糟的，心里很不是滋味。他扶正两只凳，叹道，打起官司，还真没心思收拾这个家啊。又说，当官不为民做主，不如回家卖红薯。村长杨树儿装没听见，喊起人来。见没人答应，他就指着一个房间，说，看下贼豆老娘？林东北故意不睬他，转了几处看过，这才推开那个房门。昏暗中，扑鼻而来一股浓重屎臭，林东北忙掩鼻时，见一个蓬头垢面的老女人像木乃伊一样躺在床上，不禁怵然。犹豫着时，后面江所长推了他一下，他只好硬着头皮进去。村长杨树儿忙把电灯扯亮了。这样，林东北便看见老女人其实醒着，正木呆呆地瞪着他。他走上前去，厌恶地皱了皱眉头，说，你赖在人家床上有什么意思，嗯？说过又懊悔口气过于刻薄，人家到底是老人，而且也不是她要赖呢。正想缓和下口气，老女人却叫道，老三家端午吃屎呢，老人家没牙，屎好吃啊。林东北和江所长就怔住，不禁面面相觑。村长杨树儿说，脑子有毛病，时好时坏，也蛮可怜的。江所长问，贼豆把老娘丢这里就不管了？村长杨树儿无话。林东北恨道，好好治他个虐待罪。

正说着时，他们听见院里有动静，忙出来，见是毛弄井老婆神情恍惚地站在院子里。毛弄井老婆显然没想到家里有人，脸色陡变，惊骇地掉头就往门外蹿。林东北和江所长奇怪，喝一声站住，拔脚追出去。不一会儿追上，她却就势滚到地上，双手抱头杀猪般尖嚎起来。林东北和江所长正不知所措，村长杨树儿也赶到了，解释说，脑子出了点儿毛病，大概是想不开。

这么说时，毛弄井老婆又尖嚎道，打死人了，打死人了！

林东北和江所长便明白是吓的，心里为之恻然，就又恨起来，拿眼瞪村长杨树儿。林东北说，一个地痞把人逼成这个样子，你当村长看得下去？

村长杨树儿忙说，责任不在我，这次她发病，主要原因是钱丢了，急的。

江所长问，钱怎么丢的？丢了多少？

村长杨树儿说，怎么丢、丢多少，我不大清楚，顿了顿又说，也不是全癫，有时候好，跟正常人一样。

林东北听了，俯身去搀扶毛弄井老婆。可毛弄井老婆赖着不起来，惊骇地看他。林东北说别怕，起来讲话吧。毛弄井老婆挣扎着尖叫道，我不怕，打官司我有叶书记和林镇长，我不怕！林东北说我就是林镇长呀。毛弄井老婆说骗我，你是贼豆，你是贼豆！

林东北心酸，抬起头，却见一个老女人踉跄跑来。村长杨树儿说，是毛弄井老娘。毛弄井老娘气喘吁吁的，说看不牢啊，一不留神，就跑了。江所长问，你儿子呢？毛弄井老娘老泪纵横了，说借钱去了，钱丢了，不借怎么给她看医生哟。抹了下泪又说，我儿讲，那天钱丢了，媳妇眼就直去，人一下掼倒在地，醒来就这个样子了。林东北说多少钱？怎么丢的？毛弄井老娘说，一千三，藏在猪栏背，讲丢就丢了。林东北说，钱怎么藏猪栏背呢？毛弄井老娘说，这些日子家里乱啊，钱放在房间，我儿怕叫人趁乱拿了。林东北瞪村长杨树儿一眼，说，一个地痞搅乱整个村，老百姓不得安宁。村长杨树儿低下头。江所长问，钱藏在猪栏背有别人知晓吗？毛弄井老娘说没人知晓，连我也瞒着。林东北问，也没跟别人讲过？毛弄井老娘说，我儿讲，媳妇就告诉过叶书记的外甥，他讲帮忙打官司，想了想又说，叶书记外甥讲打官司要五百到一千，媳妇先给了他二百，晚上回家，藏猪栏背的钱就不见了。

林东北和江所长对视一眼，神情严肃得吓人。

好一会儿，林东北才说，情况很清楚了。

江所长吸着烟一声不吭。

林东北说，这一回是诈骗、盗窃。

江所长吸着烟还是一声不吭。

林东北愤愤地说，这一回呀，看老叶还有脸皮去保人否。见江所长还是不表态，就说老江，你怎么还无动于衷？一千五，一个农民的所有积蓄啊，不然人会急成这个样子！

江所长有点儿尴尬。

林东北说老江，实话讲吧，你平时铁面无私，工作玩命地干，大家都知道。可唯独老叶这个外甥，派出所放了他几次了？你就那么怕老叶？哎，也难怪，人都怕穿小鞋啊。

江所长面有愧色，掏出手机，拨通后指示道，领几个人去找杨洋，对，杨洋，把他带到派出所。

林东北说老江呀，这回可要严肃处理！老叶再找你，你就推我头上，叫他找我，担子我来挑。

江所长说，是不像话，弄得派出所左右为难。

林东北说，所以嘛，柳镇的流氓地痞才这样猖狂，老百姓敢怒不敢言。

此时，林东北心里感慨万千：眼看着地痞流氓鱼肉乡里，而我们的官员却不去打击镇压，不替老百姓做主，任其为所欲为，老百姓有什么理由相信你、拥护你呢？腐败呀，可见腐败不除，国无宁日，民无宁日；只有彻底清除腐败，老百姓才拍手称快啊。感慨着时，林东北心里也检讨自己：当这镇长，好歹也是一方父母官了，可是却不能保护老百姓，你又有何脸面当父母官？又有何资格当父母官？林东北感到愧疚万分，于是他拿出二百元钱塞到毛弄井老娘手里，动情地说，老人家，先去给媳妇看医生吧。江所长没带钱，向林东北借了一百元，把个毛弄井老娘感动得哭了。村长杨树儿有些尴尬，犹豫了一下，摸出十元钱。林东北说，村里最好发动发动。村长杨树儿说难啊，一是大家手头不宽裕，二也不敢，都怕贼豆。林东北瞪他一眼，说贼豆都是你宠的。村长杨树儿脸便绿了，见林东北正火气十足，自然不敢顶撞。

他们到奂生家时，奂生老婆想躲已来不及了。

端午那天发生在水井边的事，奂生老婆和豆干老婆原本都实话实说，说得全村人都知晓。可是呢，她们很快就发现自己头脑简单了。没几天，贼豆找上门来，说奂生老婆,你讲我老娘是自己滑跌的?奂生老婆一时反应不过来,忙说是。贼豆一笑,突然将碗橱扳翻,嘭的一声,碗橱砸了,碗碎了一地。奂生老婆懵着时,贼豆说,我老娘是像碗橱这样自己跌的?奂生老婆脸就绿了。贼豆掏出二十块钱丢下,笑道,再讲我老娘自己滑跌,下次我就不赔钱了。奂生老婆吓得差点儿尿了裤,待贼豆走后,忙去找豆干老婆。豆干老婆的脸比她还绿,还吓尿了裤,正在收拾翻倒的饭桌。奂生老婆问,贼豆翻的?豆干老婆点头。两个女人心惊肉跳相对无言,至此她们也就顾不得毛弄井老婆了。

林东北说,不要有顾虑嘛,大胆讲。

奂生老婆心里想,大胆讲贼豆杀了我,我不是白白丢条性命?

江所长说,有政府呢,政府会保护你,你要相信。

奂生老婆心想,骗人!讲了实话你们拍拍屁股走人,贼豆的刀子就要捅我肚皮了,你们怎么保护?

林东北说,协助政府搞好治安,惩办流氓地痞,也是为老百姓好啊。

奂生老婆心里说,等政府惩办贼豆我早没命了,我在阴世又不知晓,好哪里呢?

林东北和江所长磨了半天,把嘴皮都磨破了,奂生老婆就是一句话:没看见。林东北和江所长无奈,只好去找豆干老婆。豆干老婆比奂生老婆更坚决,没说几句,撂下他们锁了门下地去了。

林东北对江所长说别灰心,我们天天来,诚心诚意、脚踏实地做她们思想工作,总有一天会感动上帝。

话是这么说,可林东北心里其实灰心极了,为什么地痞横行乡里,老百姓不敢出来讲真话呢?除了干部腐败因素,正义、真理在老百姓心里到底还有多少分量?麻木呀。这么麻木,是人性的堕落,是人的悲哀啊!

这天贼豆也在家。贼豆像深受其害的苦主,一开始就向他们状告毛弄井老婆的歹毒,以及村里调解不公。林东北把嫌恶和对纠纷的倾向性都淋漓尽致地写在脸上,没听几句就喝住了他。林东北可不想听他啰唆,先训了他一通,气愤之极时,还拍了桌子。江所长呢,也拍了桌子,凶狠着脸像要把贼豆一口吃掉。他们的目的,是杀贼豆痞气、威风,让他脑子清醒着点。

贼豆还真让他们训蔫了,求救地看村长杨树儿,说,我老娘不能让毛弄井老婆白撞……

村长杨树儿只当没看见,扭过脸去。

林东北喝道,我现在命令你,马上将老娘抬回家!是非问题,等调查清楚再讲。

江所长说,妈的,再发现滋事生非用暴力威胁人家,看我铐你!去,马上抬你老娘去!

贼豆说好好,就抬,就抬……又嗫嚅地说,林镇长江所长,你们到隔壁等,我这就叫兄弟……我一个人又搬不动,总得叫人帮忙……

林东北喝声快，贼豆很听话的样子，赶忙走了。

可是呢，他们等了半天等不来贼豆。叫村长杨树儿领着去找，哪还找得到人影！连贼豆几个兄弟都没了踪迹。正恼恨着时，江所长手机叫了。接罢手机，他脸就阴了，说妈的，找不到杨洋，估计跑了。林东北恨道，跑了和尚跑不了庙，不慌。

半个月里，林东北发狠要逮着贼豆，三头两天跑乔村，有时候还搞夜晚突然袭击。杨洋的案他也亲自督办。可贼豆和杨洋都像跑到外星上去似的，不见踪影。

那一天，林东北接到县里通知，要他到县委党校报到，参加为期半年的跨世纪青年干部培训班。林东北好一阵高兴后，脸又阴下来。他想起县委陈副书记是叶书记的表哥，这好事可能跟叶书记有关……当然他没有多想，交代过工作，又把江所长和丁庭长叫来再三叮嘱后，还是高高兴兴去报到了。

十二

林东北走后不久，丁庭长把纠纷判了：维持乔村的调解。

丁庭长找不出更有力的证据，双方又不服调解，也就只好这样判了。

宣读判决结果后，双方都炸了，嚷道，不服不服我不服！

丁庭长说，不服就到县法院告吧，你们都有上诉的权利。

十三

毛弄井嚷着不服要上诉是假的，其实他心里寒了，彻底寒了。

他绿着脸回家对老婆说，上诉要钱，我们没钱打官司呢。老婆不答。他就又说，再讲，到县里人头更不熟，我们弄不过贼豆。老婆仍不答。老婆神态恍惚，看着他，像个没魂人。说这些话时，一种走投无路的恐慌堵在他心头，堵得他脸都歪了，他噢咦一声，说要么，借五百块钱吧，就当是给贼豆赖去吃药。他把“吃药”二字说得咬牙切齿。老婆说你就认输了？你个没用人哟！突然号哭起来，捶胸顿足的，像死了老娘。他就羞愧得忙将头埋在裤裆里。

贼豆嚷着不服要上诉，也是假的。贼豆有些得意，两场官司都赢了，他干吗上诉？县城藏龙卧虎，天地更大水也更深，他一个乡下农民，万一不知深浅一脚踩空淹了，两场官司岂不白打！问题是，赔偿也好，补偿也好，五百块钱他实在看不上眼。为这点儿钱他耗这么大力气干吗，五万不讲，五千还差不多。从一开始，贼豆就相信敲他个五千块钱没什么问题，官司不官司的，只是打个热闹，不打也无妨。当然打赢也好，毛弄井会更没魂。在这块地盘上，贼豆只相信自己。

于是，柳镇打官司回来后，贼豆差不多天天纠集人逼钱。毛弄井夫妻俩呢，心理上早压垮了。他们焦头烂额，高挂免战牌，能躲就躲，能逃就逃，常常早出晚归，有时候干脆就在别人家过夜，行踪诡秘得像惊魂落魄的逃犯。家是顾不了了，地也荒了，哪还有心思去种地啊。夫妻俩见贼豆如见阎王哪，感到在乔村再也待不下去了。可是乔村有他们的家，有他们赖以活下去的土地呀，他们又能到哪里去呢。

更多的时候，他们躲不了贼豆。这时候，毛弄井则表现出一种困兽犹斗的英勇，这个木头人呢，令村人扼腕叹服，也使贼豆恼恨不已。毛弄井是男人呢，是男人就有责任呵护老婆，何况老婆如今被逼得神情恍惚，他不呵护谁呵护！他又是一家之主啊，树要皮人要脸，官司是输了，可他家在村人眼里就是要表现出不服输。这样，他就免不了要受围攻谩骂污辱，免不了吃皮肉之苦。可他得硬撑着，除非贼豆将他打趴倒在地，他没了一口气。

贼豆呢，心头也恨哪，那天趁夫妻俩不在，把他们家鸡鸭宰了红烧，打了酒，和一帮兄弟胡吃，鸡肠鸭毛扔得满院都是。闹到如此地步，村长杨树儿来干涉了。村长杨树儿是毛弄井追来的。村长杨树儿说，老四你太不像话了。贼豆嬉皮笑脸，说官司赢了，钱赔不来，我有什么办法？鸡鸭算买，钱从赔偿里扣，一定扣。村长杨树儿气得直瞪眼，又不敢拿贼豆怎么样。杀猪也同样理由，一刀下去，猪却挣脱了，带着刀喷着血，尖嚎着满院子横冲直撞，最后直蹬蹬倒下。贼豆叫来肉贩子，便宜卖了，钱塞进口袋。

毛弄井一直没放弃寻求官员保护。村长杨树儿不那么友好，说你不是要告么，找法院呀，找我干吗。上诉期限过后，他又说你都不上诉服输了，就赔吧，找我没用。贼豆闹到宰鸡鸭了，他才不得已出面干涉。这时候雨过天晴，窑厂忙了，所以贼豆杀猪时，村长杨树儿也就不干涉了，他说我讲贼豆不听，你要么赔钱，要么到外面躲躲吧。

丁庭长跟村长杨树儿一个腔调，直到听说杀了猪，才急匆匆赶到乔村。少不了严厉批评贼豆，提出警告。同样也少不了做毛弄井思想工作，说过了上诉期限，本法庭判决就产生法律效力，强制执行你就被动了是不？毛弄井以后再没找过丁庭长。

倒是江所长听说杀了猪，带了手铐就赶来了。江所长村头进，贼豆听到风声，村后溜了。江所长也无奈，对毛弄井说法庭判了，你就被动了。

不死心的是林东北。毛弄井多方打听，才得知他在县委党校学习，忙搬救兵样赶了去。过了上诉期限，林东北也无奈，嗟叹不已。但他马上打电话给江所长，要他再做证人工作，说要翻案，只有从头做起。后来江所长也真去了，可两个女人死不改口。贼豆让她们心寒呢。林东北还当场给镇书记叶顺开打了电话，希望他制止贼豆。叶书记满口答应，说整治治安也是他分内工作嘛。可后来毛弄井找他，他说你还是找法庭吧，法庭依法办案，镇党委怎么好随便插手，跟法律相对抗呢。

林东北给毛弄井的感觉是远水救不了近火，至于村长杨树儿、丁庭长，还有叶书记，他能求得他们保护吗？死了心吧。至此，毛弄井真的绝望了。

一个风高月黑的夜晚，当贼豆率人手持铁棍围着房子叫骂了半宿离去之后，毛弄井开始磨刀了。那是一把杀猪刀，锈迹斑斑，钝而又钝，丢弃在柴火间不知多少年了。

磨刀？老婆魂一样飘到他跟前。

逼我没路，我也叫他活不成，一刀捅了他。毛弄井说。

捅哪个？老婆眼神里没有吃惊，只有恍惚。

捅贼豆。毛弄井回答。

捅他，捅他全家。老婆痴痴呆呆地看他磨刀，看了一会儿，又魂一样飘回房间睡觉。

此时，毛弄井只有一个念头：捅了贼豆全家。人到绝望时，也只好选择拼个你死我活。他把杀猪刀磨得锋利无比，寒光逼人。他站起来，呆呆地想了一会儿，最后将杀猪刀藏在了猪栏背的稻草堆里。真是个藏刀好处所呢，到时候抽出，捅一下，贼豆就没命了。他想象着杀猪刀扑地捅进贼豆肚皮时，贼豆惊愕而痛苦的歪脸，心头掠过一丝泄恨的快意。接着，他圪蹴下来抽烟。黑暗中，烟头的红点鬼气阴森。

第二天早上，毛弄井将院门打开，然后退到猪栏边圪蹴下来。他是在等贼豆。这位置偏角，与院门平行，距离也近。从院门的角度看比较隐蔽，贼豆一下不会察觉。当然贼豆要是扭过头的话，也能看见他；距离稻草堆只是咫尺，只要他站起来，从那里抽出杀猪刀，一切都会在瞬间了结。脚跟前一地烟头，是他昨夜抽的。他有点惊讶，昨夜抽了那么多烟。他就这样圪蹴着，一边抽烟，一边等着贼豆。他觉得时间熬得真慢，像过了一年似的。

快中饭时，贼豆来了。他果然没朝猪栏这边看，直头直脑去他老娘睡的房间。毛弄井心跳加剧，站起来将手伸向稻草堆。他想尾追上去，砍杀贼豆，这是他想过的第一种方案。大约有了动静，贼豆扭转头。毛弄井的手便搭在稻草堆上，挑衅地拿眼瞪着贼豆。他想等贼豆过来，他估计贼豆受不了挑衅会朝他走来。面对面的，距离近，贼豆没防着他会杀他，逃不了挨一刀。这样更省事，轻松了结。这是他想得最多，也是最好的方案，万无一失。可是呢，贼豆却没有过来，也瞪他一眼，嘴里骂骂咧咧的继续往里走。

毛弄井不免有些失望，怔怔地瞪着贼豆背影。这时候，院子里没有一个闲杂人，悄寂得出奇。毛弄井只好选择第一个方案，并且亢奋起来，心里喊道：机会真好哪，跟上去，结果了他！他哆嗦地从稻草堆里抽出杀猪刀，藏在背后，快步跟上贼豆。贼豆没有回头，他们之间距离仅为十来步。毛弄井的心跳更快，脚步也更快，他想贼豆死期总算到了，老天！

就在这时，背后猛地传来一声喝。毛弄井哆嗦一下，当啷一声，杀猪刀从他手里跌落了。他的脸绿了，吃惊地转过身，见门口站着的，却是满眼泪水的妹妹毛五月，旁边还有个陌生男人。

哥！毛五月扑上去抱着他号啕大哭了。

毛弄井怔着，目光垂在地上的杀猪刀上，恍若隔世一般。

哥，你怎么啦，你怎么啦！毛五月摇晃着他，哭着追问。哥啊，五月来迟了，五月刚刚知晓家里打官司啊。

毛弄井像泄气的皮球软在了地上，泪涌如泉。

便惊动了家里人，都从房间拥出来。贼豆闻声，也从房间出来，见是毛五月，一脸淫笑地问道，从深圳做婊子回来了？毛五月走上前去，抬手啪地狠掴了他一个巴掌。贼豆没提防，捂着脸恼了，说臭婊子还敢打我！好，好，今天不剥光你，我就不是娘养的！吼着扑上来扭住毛五月。毛弄井见状，悄悄地抓起地上的杀猪刀，站了起来。

这时，门口那个陌生男人说话了，声音慢条斯理的，他说贼豆，你干吗啊。

贼豆寻声看去，一怔，忙放开毛五月谄笑了，说是八哥啊，八哥你来，也不招呼一声！

蔡八笑道，我再不招呼，你就把我的人衣衫剥光了。

贼豆大惊失色，看蔡八，又看毛五月，说八、八八八……哥，你……

蔡八蓦地板下脸孔，喝道贼豆你妈的，大胆！

贼豆腿一软，扑地就跪下了，说八哥，我真瞎了眼哩，瞎了眼哩。又对毛五月求情，说大水冲了龙王庙，不知晓是自家人啊，五月你高抬贵手……

蔡八说五月，打他巴掌，爱打几个打几个。

贼豆忙说该打，该打！

毛五月就左右开弓，噼噼啪啪地在贼豆脸上宣泄，直打得手都痛了才停下，气喘吁吁地说，哥，你打！

毛弄井冲上前抡起巴掌，啪一声，就将贼豆打翻了。这一掌蓄积了所有冤屈和仇恨，多有力量唷。贼豆的脸肿了，满嘴流血，可他没哼，跪直了等待再挨巴掌。

蔡八说饶他吧。毛弄井恨恨的，想扑上去再打，却被毛五月拦了，也就作罢。蔡八便对贼豆说，弄你老娘回家，嗯？贼豆忙说，就弄回家就弄回家。蔡八说你啊，欺人太甚了，赔点精神损失费怎么样？贼豆忙说我赔我赔。蔡八说那好，等会儿叫上村干部，坐下来讲讲，你当面认个错，这事算了了。贼豆说认错，我认错。蔡八问毛五月，这样行吗？毛五月点头。蔡八就对贼豆瞪眼喝道，还不快办去！贼豆忙磕了头，爬起来一溜烟跑了。

十四

林东北在县委党校学习结束回到柳镇那天，第一个碰到的是丁庭长。

两人客气一番后，林东北问，那个纠纷怎么样了？丁庭长惘然，说哪个纠纷？林东北说就是毛弄井那个纠纷呀。丁庭长霎时一脸尴尬，嘴巴像堵满屎一样回答不了。林东北其实是知道结果的，当时，出人意料的调解结果传到他耳里时，他惊呆了，一夜辗转难眠，从此心里便结了个疙瘩，堵得难受。现在他向丁庭长了解，只不过想听听有无他希望的新的情况，但他失望了。

林东北说，这么个纠纷，干部和法庭都调解不了，干吗蔡八一句话，就摆平了呢？值得我们深思。

丁庭长说，可、可证人至今没改变证言呢。

林东北说空闲下来，要组织干部探讨探讨，你们法庭也参加。

丁庭长说好、好吧。

林东北看出丁庭长有点儿不高兴。不高兴就不高兴吧，他想。

这时候，各村的换届选举已经铺开，镇干部都下到各自的联系村。乔村不是林东北的联系村，可他还是绕道去了一下。

林东北本是要跟村长杨树儿谈谈那起纠纷的，尖刻的话，在党校学习时就憋在肚里了，比如，作为村长，你参加由蔡八主持的调解会有何感想？又比如……可他见村长杨树儿让村选忙得分不开身，也就算了。他想，反正有的是机会。

从村部出来，林东北碰到了毛五月。她向他招呼，他呢，点下头也就过去了。这已是很客气了，他是镇长呢，干吗要跟蔡八的情妇假惺惺套乎热情？林东北从心里看不起她，觉得她脏。可走出一段路，他又懊悔对她过于冷漠了，他听说她是得知家难后紧急傍上蔡八的，很有点英勇献身精神。那么年轻、俏丽的一个女子，却甘愿将自己像羔羊一样奉献给年过半百的蔡八，她也是无奈呀。想一想她为什么无奈，也该同情，也该引人深思。林东北心里感慨万千。

路过窑厂时，林东北停了一下。村长杨树儿的窑厂一派繁忙，他见毛弄井和贼豆都在那里干活。看贼豆的样子，跳上跳下，光景像是个小工头。毛弄井看见了他，忙过来向他招呼。贼豆也看见了，扭开头去。林东北只简单问了几句窑厂情况，闭口不谈纠纷。毛弄井也没说。谈什么呢？林东北观察到，经过纠纷之后的毛弄井和贼豆，谈不上关系融洽，但已经不敌对了，或者说，已经和好如初像两个好邻居了。本该是好事，可林东北心里说不出什么滋味，道了别，匆匆去了联系村。

在联系村待了七天，村选结束。这时候传来消息：杨树儿在乔村竞选连任时落选，而且败得惨不忍睹。

那天的太阳很好，暖融融的，田野流金溢彩。听到这消息时，七天里郁郁寡欢的林东北突然对着旷野吼起来：嗨——嗨嗨嗨——！

林东北觉得心情豁然开朗，堵在心头的疙瘩好像也消解了些。

（选自《电视·电影·文学》2001年第3期）

阙迪伟

笔名曲河。1950年出生，浙江丽水人。1968年在本县插队。当过工人、编辑，现任《丽水文学》主编，丽水市作协主席。1982年开始发表作品。2002年加入中国作家协会。发表中篇小说《莽莽丛林》等30多部，短篇小说近30篇，电影剧本1部。中篇小说《一曲未了》等3部连获浙江省三届优秀小说奖，中篇小说《绑架》获《广州文艺》朝花文学优秀小说奖。

地　气

葛水平

一

住了百年的十里岭，说不能住人就不能住人了。

不能住人的原因不是说这里缺少人住的地气。大白天看山下阴郁一片，一到晚上，黑黝黝的村庄里人脸对人脸两户人家，单调得就心慌。说谁家从前山的岭上迁往山下的团里了，咱岭上剩两户，水没水电没电的还坚持着，山下的人们笑话了，咱也不是没有本事的人，也该迁了。

原先岭上有十几户人家，后来陆续都迁走了，就剩了两户，一户是来鱼，一户是德库。终于有一天来鱼和德库吵架了，两户互不上门，就连孩子们也绝了话题。岭上的两户人不常在一起说话，山越发黑了，黑得叫人寡气。

两家吵架的原因说起来很简单。这是暑天，来鱼的小儿子二宝满山疯跑着采野果子，来鱼的老婆李苗怕孩子遭蛇咬就出去找。来鱼缩在房子里不想出门。德库的媳妇翠花上茅坑，把裤带搭在茅墙上。农村的茅坑不分男女。来鱼本来该上自己的茅坑，可是他突然想和德库说话，出了门往坡上走，一眼看见德库的茅墙上搭了一条红裤带，悄悄地猫腰走了过去，用手往下拽。茅坑上蹲着的人心想一定是家猫作怪，撅了屁股往里拽，拽来拽去的德库就出了门。德库出门也是想找来鱼说说话，伏天过后十里岭还设不设学校，他闺女和来鱼闺女都上初中，下山到樊庄完校念书，就剩了来鱼的小儿子上学。来鱼几次下去找联区，不知道联区会不会派老师来，老师不来，来鱼的小儿子上学就成了问题，来鱼不知道急不急。

这叫皇帝不急太监急。德库走出院门，看见自己的茅坑旁蹲着来鱼，来鱼和自己的媳妇翠花在茅墙上要着一条裤带拉来拉去。德库站下看了半天，觉得好要，想笑，可是接下来的事让他笑不出来了。

翠花说："死猫，看我不出去打死你。"

来鱼说："要你光着屁股出来打死我。"

翠花说："死来鱼，我当是猫，快把手丢开。"

来鱼说："你让我进去看看我就丢开。"

翠花说："有什么看的？和你老婆的一样。"

来鱼说："说一样也不一样，都是萝卜，也有水大水小的。你是秋天的萝卜，她是春天的萝卜，不能比。"

翠花说："不要说黄话了，你从茅墙上给递过一团纸来，我忘了拿卫生纸。"

来鱼说："我这就进去。"

来鱼丢了裤带从裤兜里掏出一团纸，要进去。听德库叫了声："来鱼我日你妈！"顺手抄了一根木棍过去。来鱼一看不好叫了声："妈呀，动真了。"扭头就跑。

两个男人在山上边跑边骂，碰上了找孩子的来鱼老婆李苗。李苗喊着："你们好好的疯什么？"

德库说："问问来鱼，在茅墙上和翠花耍裤带，我要敲死他。"

李苗想：这阵势怕是真有问题，怕来鱼吃亏，扑过去死死拽住德库的裤带。一个用劲往前，一个用劲往后，听得嘣的一声，德库的裤带断了，裤子脱落了下来。德库叫了一声："倒霉。"扔了木棍朝后撂了一脚，想踹开来鱼媳妇，谁知道脱落在脚脖子上的裤子限制了他的动作，反让他掉了个仰脚八叉，倒在了来鱼老婆身上。李苗说："天光下你想怎的？"德库说："日你妈，我能怎的？"翻身兜起裤骂骂咧咧往回走。来鱼老婆在身后骂道："你个绝户头德库！"

这时候翠花也赶了上来骂："我没儿子你有是不是？你娘的脚指头，你就等着你奶奶给你生个叔出来！"

德库说："不嫌丢人。"揪了翠花回了自己的当中院。

从此，当中院的德库一家和井下院的来鱼一家，不说话了。

两户不说话了，一到天黑十里岭越发地黑了，静了。

二

暑天过后，十里岭来了小学老师王福顺。王福顺背着铺盖，拿着锅碗瓢盆上气不接下气往岭上爬，爬着爬着不是个滋味了，想到自己的确是被番庄乡教委的常小明校长耍了，就感觉憋气。自己在下边干得好好的，没想到一开学调到山上来，就因为看到了常小明和民办教师艳红的龌龊事，被调到了十里岭来，他感到十二分的沮丧。找了一块干净石头坐下，掏出大光烟，掏了半天摸不到打火机，越发沮丧了，他想在这样一个四周无人的山坡上，也许正好滤一滤自己的思想。那天常小明叫他谈话，常小明说："听说你想调换一下工作？""我是想调换一下工作。"常小明说："想调换工作好啊，现在十里岭的来鱼想要一个老师上去，想来想去没有合适人选，你就上去吧！""我不想上十里岭，能不能换个去处？"常小明说："工作没有贵贱，不是说你想去哪儿就去哪儿，你要是校长，你就说了算。”王福顺知道再说也是白搭。自己当民办教师十五年才转正，因为转正把小教高级职称也丢了。自己总是有什么地方出了差错，什么地方呢？他想不出来，想了半天也想不出来。自己没有错，要错也是别人的错，别人出错你有什么办法？还不如不想。他抬头望了望天，太阳很小很白也很晃眼，没有打火机，抽不成烟，只能站起身来背了行李走。

王福顺走近十里岭时看到岭上灰秃秃的，一路上连个鬼影也不见。十里岭坐落在山坡上，几院石板屋，两处石头垒起的院坝，一眼老槐树下的石井，一排杨树遮掩下的鸡栏猪舍，山顶上是一片郁郁葱葱的松柞混交林，责任田错落有致地散落在村庄周围的坡地上，构成了一幅静谧邃远的农家乐生图。对色彩有特别鉴赏修养的王福顺情不自禁地惊呼：“好一处神仙福地！”但经验告诉他，这偏僻得与人隔绝的地方不是人久留之地。他把行李放到打谷场上，坐在一个闲置的碾磙上歇了下来，习惯地从口袋里又掏出烟想抽，还是发现没有打火机，就发狠地打了自己的脑门一巴掌。看到打谷场上晒了一些粮食，一块一块地用木棍隔开，有蓖麻、豆、红谷、老豆荚、豇豆，鸡们散开在中间边找吃食边散步，倒是悠闲自在。早知道有个十里岭，却没有想到离乡里这么远。尤其这里连电都不通，外面是啥形势？不晓得，糊涂过春秋。回头看到场上靠山的地方有三间砖房，墙上写了“教学育人”四个字，想那一定是学校了。掉转头放眼望去，看到不远处的玉米地里有人影晃动。他想这岭上的人收秋也太早，八月十五还不到，就开镰了，对着人影喊了两嗓子：“有人吗？那地里有人吗？我是小学教师王福顺！”

德库听到有人喊，放下镰刀和翠花说了声：“我上去看看。”翠花说：“看什么？来鱼的儿上学，又不是咱的，你管他。”德库说：“我是十里岭的队长，老师来了，哪能不管？”掏出打火机点了一根烟，拍了拍腿上的土往上走，走到打谷场上，看到王福顺不知该怎么称呼，说：“是新来的老师吧？贵姓？”王福顺急忙站起来说：“免贵，姓王。王福顺。”德库说：“是王老师啊，王老师好！王老师好！”王福顺说：“你是这里的？”德库说：“队长！德库。”两个人的手紧紧握了一下。

德库开了学校的门，把行李放进去，领了王福顺回了当中院。当中院是四合院，清一色的石板房，石板院，石板地。王福顺心想，看来这里什么都缺，就是不缺石头。德库开了门往火上的茶壶里添了水，掀开地锅的箅子，取出两只碗给王福顺和自己倒了茶水，两人就坐在炕沿上对饮起来。王福顺说：“石板房好啊，冬暖夏凉。”德库说：“好什么好，人都不住了。”王福顺说：“十里岭现在有几户人？”德库说：“原来有十几户人，现在就两户了。我和井下院的来鱼。满算起来七口人，来鱼两口两孩还有一个瘫在炕上的老娘，我和翠花一个闺女，我闺女和来鱼大闺女都上初中了，你现在教的学生是来鱼的小儿子二宝。”王福顺问：“就一个？”德库说：“就一个。”

王福顺越发感觉常小明是真欺负他了。一个教师教一个学生，出不了成绩年终大会上拿你开涮没商量。怎么就没说是一个学生呢？要说是一个学生说啥也不来。一个学生都教不好还配当老师吗？现在既然来了，我就得好好干，不蒸馒头也得争口气。王福顺说：“找些干柴，我去把火生着。”德库说：“这些事不用你操心，你就只管坐着喝茶，午饭家里吃。”德库掏出烟递给王福顺一根，王福顺说：“我连火都忘记拿了，一路上少火，没办法。”德库站起身从中堂前方桌下抽屉里取出一包火柴递给王福顺：“有啥要求尽管说，来了岭上这里就是你家。”王福顺有点感动，觉得山里人真是实在。这时候翠花扛了一蛇皮袋青豆角扔在了院子里。翠花说：“山下老师来开学了吧。”王福顺应道：“开学了，开学了。”翠花也不进屋顾自忙去了。别看岭上人少，两家人不说话，但是，人来去往的不说也知道。来鱼心里这几天就操着这份儿心，没想到老师来得这么快，和李苗早早从地里回了家。这几天二宝到山下他小姨家串门，来鱼想，得赶快叫二宝回来。“你中午叫孩他老师来咱家吃饭，我到山下唤二宝去。”来鱼和李苗说。

李苗满脸不情愿地回答：“怎么去唤？你弄的齷龊事！”

来鱼斜了一眼李苗说：“翠花肥得那猪样，有你好？你还吃醋！也不过就是要要罢了，认什么真？”

来鱼边说边从他娘的身体下抽出尿垫子来挂到院里铁丝上：“你一个妇道人家，还有男人的脸面重？我走了。”

李苗说：“人活一张皮，行头也不换了？不怕山下的人笑话你是野人？”从屋子里给来鱼扔出件干净衣服来。

来鱼三下五除二换了行头扭身走了。

听得背后李苗说：“我不认真，德库认真，我的脸不值钱，有人值钱。”

来鱼嘟囔了一句：“鸟！”

午饭两家都做的是扯面。李苗往坡上的当中院走，她拿不准进了德库院子该怎么说话，边走边想，我进了门先要大声喊一句：是二宝山下的老师来了啊，不去我家倒先来麻烦翠花了？看他们怎么说，他们一说，话就开了，下一步就好办了。她有意放慢了脚步，在当中院的大门口停顿了一小会儿。听见德库说：“没味，再放点菜。”“有味有味，正好正好。”她想人家已经吃开了，进去叫，瞎扯半天不一定放碗，还不如送一碗过来也好省去许多口舌，返身回了井下院，觉得想好的话不能说，还得再想。李苗端了饭走进当中院，迎头撞上了德库。德库端了一锹炭火要往学校走，这样两人就碰面了。李苗满腹想好的话在这一刹那没了。德库也想不到李苗会上门，有点丈二和尚：“怎么你还敢来？”话一出口德库觉得自己的话有点儿硬，闪了一下端着炭火过去了。

李苗说：“我咋的不敢来，你是老虎？还是翠花是老虎？上门不欺客，我来叫我家二宝的老师吃饭。”

翠花听到了两个人院子里的对话，知道话不能赶，老师在炕上坐着，赶下去怕不中听，探出头说："是李苗啊，还想着吃了饭去叫你哩，二宝老师来了，也不来瞧瞧。"

"这不是给老师来送饭来了。"

"马后炮不是？王老师要等你这碗饭，怕把尿都憋长了。"

"等不得这顿有下顿，怕什么？拿个碗来吧，也不怕王老师笑话。"

"把饭端回去得了，省占我碗。"

"好意思？坡上坡下的，抬头不见低头见，放窗台啦，我可是给王老师送的饭！"

王福顺在屋里喝着汤，听屋外两个女人对话觉得很有趣，下炕走到了院子里，看了李苗一眼，感觉这岭上的两个女人都很俊，一个胖些，一个瘦些，胖的胖得体面，瘦的瘦得熨帖。

两个女人一起回头看，一身灰中山装、模样清瘦约莫四十岁的王福顺，一只手抹着嘴，一只手扶着门槛，满口牙白雪雪笑望着她们，翠花一激灵反倒没话了。

王福顺说："二宝是你家的孩子？"李苗说："是我家的孩子。一个学生，你的任务是不是太重了啊，王老师？"李苗接着说："王老师我是和你开玩笑啊，你可不要见外呀！"王福顺说："见什么外呀？既来之则安之。"翠花说："看人家，到底是老师。"大家一起笑了起来。

这时候德库走进来说："王老师，火生好了，我不敢动你的行李，你看该怎么样整理就整理吧。"王福顺说："谢谢啦，真是要谢谢了。"

来鱼从山下领回二宝时，太阳已经落山了，落山的太阳照着各怀心事的来鱼和二宝。二宝问："爸，是个男老师，还是个女老师？"来鱼说："女老师咋说？男老师咋说？"二宝说："女老师身上有个味儿，男老师身上也有个味儿。"来鱼说："这等于是没说。"二宝说："不是的，爸，女老师身上的味儿好，男老师身上的味儿，我说不出来，就和你一样，爸。"来鱼说："你爸身上的味儿不好闻是不是？"二宝说："不能这样说，爸，不过也可以这样来理解。"来鱼突然觉得二宝很聪明。

来鱼心里也在想事，从山下听说了一些事，是关于王福顺好好的不在番庄教学为什么来了十里岭的事。来鱼想把听来的事说给谁听，说给谁呢？不可能说给德库，因为德库拿了木棍要敲死他，人在该长脸的时候还是要长脸的。来鱼想就自己说给自己听吧，在肚子里重复一遍别人的话，也能够解一解心焦。来鱼想到好笑处就笑了一下。

二宝说："爸，笑什么呀？"来鱼说："我笑王福顺，你的那个老师真有意思。"二宝说："他好笑吗？爸。"来鱼说："好笑。他逮住常小明和艳红时，他们俩怎么也分不开，常小明叫着，怎么回事，怎么回事？王福顺一眼发现了问题，常小明的裤钩钩住了艳红的裤襻，王福顺走过去给他们俩解开。常小明还说，看来王老师你是下功夫了，我该怎样感谢你啊！"二宝说："爸，这有什么好笑？下一次把裤脱干净了就是。"

来鱼突然觉得自己不该给孩子说这些话，马上严肃起来说："知道什么？你的任务就是念书，不该知道的东西要少知道。"二宝边走边拿了石头往远处扔，二宝说："又不是我要知道，是爸你说给我听的啊！"来鱼想自己真是昏了头了，要要性子要到自个儿子身上了，心里就不想再回放山下人说给他的事。父子俩一前一后走得很是沉默。

来鱼领了二宝回到十里岭，直接到了学校。当时，王福顺正在黑板上用彩色粉笔画图，黑板的右上角是两个红灯笼，灯笼上写了俩字：欢迎。黑板的正中写着"二宝开学"。王福顺示意他们父子俩坐下，他接下来画完了左下角的一本书和一支钢笔。

王福顺完成了黑板上的内容，拍了拍手上的粉笔灰。来鱼一看老师的动作觉得自己应该站起来了，就拽了二宝一把。王福顺抬起手往下摁了摁说："坐下，坐下，你就是二宝啦？"二宝不知道老师为什么一下就肯定他是二宝，赶忙站起来说："我就是二宝啦！"来鱼说："你敢学老师说话？想吃打是不是？"二宝觉得委屈："我没有学老师说话！"王福顺说："和孩子说话要讲个平等，怎么一说就吃打？我在问二宝话，你就不要插嘴了。"来鱼咧开嘴说："是，是。"

王福顺说："二宝同学，暑假作业都做完了吗？"

二宝说："报告老师，都做完了。"

王福顺说："很好。新学期马上要开始了，小朋友有什么打算？把你的想法告诉老师，想让老师怎么教你也说出来，今天虽然没有正式开学，但是你来了，咱就来一次交谈，我现在是你的朋友，记住了，以后咱们上课的时候，咱们俩是师生，下了课是朋友。你知道什么是朋友吗？"

二宝没有想到老师会问他这个问题，一时没有答上来。

来鱼有点着急："朋友就是相好呗。"

王福顺说："看看，看看，我说了不让你说话，要二宝说，又着急了不是？你说的那相好还不如朋友好解释。二宝来说，肯定比你爸说得好。"

二宝挠了挠头说："报告老师，朋友就是在一起睛要，有难同当，有福同享，有吃的东西共分，还有，说不清了，好得就和一个人似的。"

王福顺说："说得很对，但是有一点儿你要知道，朋友有什么话都要交心，不瞒不骗。记住了，以后不是上课就不要喊报告老师。"

二宝说："我知道了。"

王福顺说："那你回答我刚才的提问。"

二宝说："咱们能不能上课下课都是朋友？"

王福顺说："能。"

二宝说："能就什么都好说了。我希望讲课的时候多讲语文，少讲算术，最好干脆不讲算术。"

说到这里来鱼又沉不住气了:“不学算术,今天我上山捋了五斤金银花,六块半一斤,五斤多少钱?算不清,一学期学费让你赔净了!”

王福顺说:“着急了不是,素质教育,又不是单项的,我还不知道算术重要?关键是方法问题,用什么方法让孩子对一种东西感兴趣是我今天问二宝的原因,有因才有果。我们国家的教育是猴爬杆,往上爬是目标,怎么让孩子心情愉快往上爬才是最主要的。好了,今天我不多说了,二宝回去准备好明天正式开学。来鱼,以后教育孩子也要换个方式,不能张口吃骂,动手吃打,这陋习也该改一改了。”来鱼站起身来说:“是,是,是该改一改。王老师,晚饭到我屋里吃,咱再谈谈,听你说的怪有道理,说来我也是上过初中的,有些事就是不明白。”

王福顺笑了笑,摸了摸二宝的头说:“二宝小朋友,再见!”

来鱼从学校走出来后,感觉心情很是不错;二宝也觉得王老师身上的味儿很特别,虽然他从心里是盼望有一个女老师来。

三

这天夜里,王福顺点了油灯在灯下看一本爱情小说,看着看着觉得眼闷,哪像在山下的学校里,二百瓦的灯泡亮堂堂的,心情好的时候可以看个通宵达旦,现在看不得一两行就眼困,不想看它了。前一任教师不知道是怎么熬的?就想出去透透气。

一轮明月挂在中天,洒下来的光像一层霜铺在地上,有些凉爽。突然听得远处玉米地里有铜锣敲响,吓了他一跳,他踮起脚看了半天,铜锣就敲了半天,半天之后一切都静了,看到德库拿了锣从远处走回来。

德库在学校的窗户下侧着耳朵听了听,猫手猫脚走回了当中院。德库没有看见他,他看见了德库,德库是想看看他睡下了没有,德库没有听到什么动静便转身走了。他也不想和德库说话,他知道农民和你唠叨起话来没完,东说说,西说说,又不好意思赶他走,你越不好意思他就越感觉你是在留他,所以就干脆不要和他们多说。一个人静静的比说话还要好。其实德库是想听一听来鱼是不是在学校里,德库不想让来鱼和老师走得太近,也不知道是什么原因。

王福顺想起了他的前妻爱花,王福顺叫她花花。花花考上了师范学校走了,一走就是十年,其实人走了三年就毕业了。毕业了的花花回来跟他办离婚手续,女儿五岁自然随花花,王福顺有些舍不得娘儿俩,但花花很决绝。女人要狠了心跟了人走是不会回头的。王福顺在花花面前哭着求她留下来,花花说,你不哭倒还好说,一哭我更决定不留了。王福顺心想,我操,男人的眼泪如此的不值钱?去他妈的完蛋就完蛋。两个人最后一次做了爱,第二天就办了手续。王福顺和花花最后一次做爱时，王福顺没有哭，花花哭了，王福顺也想哭来着，就是没有哭下来。也就是说在最该哭的时候，他顶住了，之后就不想那事了。今天他突然想起，是因为他看了那本爱情小说。他和花花在番村乡是公认的般配的一对。实际现在看来他们是一对没有爱情可言的夫妻。他为她提供的是肯定的现实，她不要肯定，她要的是不确定的将来，也就是说，花花是浪漫的，王福顺是现实的。“你以为我满足这样的生活吗?”花花在省师范住了三年，眼界很有些开阔，对于婚姻家庭爱情这类问题，花花有自己的看法，这些看法，与她和王福顺结婚前的想法完全不一样。王福顺在三年中对婚姻之类的看法没有变。人家变了，你却不变，两人的关系能不变吗？婚姻不过是一种契约，那张纸一扯就破。人们并没有因他的“不变”而给他一点尊敬，反倒说他连个师范生老婆也留不住，哄不住。女人本来是要哄的，连哄女人的本事也没有，一个大男人还能干得了什么？常小明不欺负他这样的人还欺负谁去？今天看那本爱情小说，王福顺就想起了花花，想起了常小明。常小明非但没有给花花做工作，反倒说我王福顺“强奸了人家的青春”。王福顺再没有心思往下想了。王福顺沿着场边的路绕了一圈，路旁的地里好像种的都是土豆，匍匐在地面的秧子黑乎乎一片。山里的小路很静，只听到王福顺踩着月光的脚步声沙沙响。

早上八点钟，来鱼领了二宝来上学。王福顺在讲台上坐着，二宝在讲台下坐着，来鱼在门口站着。这样的一对一教育方式真是少见，王福顺有点感觉像耍猴的意思。二宝是猴，我耍二宝，我是什么？也是猴。常小明耍我。常小明也是猴，谁耍他？是上一级领导耍他。突然觉得这样说有点欠妥，应该是艳红耍他。不就是让我教一个学生吗？我就教给你看，我倒要看看谁耍得了谁！王福顺的思想突然跳了一下，想起了昨天夜里的锣声，问来鱼：“昨夜里谁在敲锣?”来鱼说：“山猪拱土豆，吓唬山猪哩。王老师，是不是惊吓你了?”王福顺说：“那倒没有。”来鱼说：“没有惊吓你好，农村有农村的响动，城市有城市的响动，那打桩机啦，警车救护车的，声音也够吓人的。你来了慢慢也就习惯了。”

王福顺点点头清了清嗓子说：“二宝同学，今天开学，你就是一名小学五年级学生了，表明在上个学期的基础上将要更上一层楼。看到黑板上写的字啦，那么我现在要求你大声把它念出来。”二宝大声地念道：“欢迎二宝开学。”

二宝就正式开学了。

翠花和李苗见了面打个哈哈，德库和来鱼还是不说话。时间一长王福顺发现了他们之间有问题，一时半会儿弄不清，问二宝：“你们为什么不和当中院一家说话?”二宝说：“爸和翠花姨在茅墙上耍裤带，德库叔看见了拖了棍要敲死爸，就不说话了。”王福顺想，这叫什么事？就想在一个合适的时候让两家坐在一起，有什么解不开的事，抬头不见低头见，庄户人闹什么意见嘛？王福顺星期日下山走了一趟，置办了一些酒菜，回来后把两家叫在了一起。

王福顺说："我来了也有些时日了，你们对我的照顾我从心里感激不尽，今天把大家叫到一起来是想说说话，近乎近乎，再说，后天就是八月十五了。"翠花说："日子太快，又到八月十五了？我还没有发面打月饼哩，可不，月亮都圆成锅了。"翠花站起身走到门口望了望天，这期间谁也没有接她的话。

王福顺说："来鱼你帮我把那瓶酒打开。"来鱼咧开嘴用牙咬开酒瓶盖，放到并好的两张课桌上。王福顺又说："德库你把那瓶红酒也打开，咱不能忘了女士。"德库也咧开嘴用牙咬开了那瓶红酒盖，放到了桌子上。王福顺拿了碗倒了三碗红酒三碗白酒。三碗红酒放在了李苗、翠花和二宝面前，三碗白酒他让剩下的男人自己端。王福顺说："来，都端起来。"二宝不敢端，手缩缩进进在桌子上来回磨，眼睛看着来鱼。王福顺说："怕啥不敢端起来？十八岁成年，现在已经是半成年了，要是在旧社会你都娶老婆了，这是红酒又不是白酒，我心里有个尺寸，端。"二宝笑着咬了下嘴唇端起了碗。

王福顺说："首先我来一段开场白，千百年来我们老祖宗称赞这种东西为琼浆玉液，许多与酒有关的故事极富感情色彩，什么举杯邀月啦，把酒壮行啦，纵酒欢歌啦，这些咱都不说了，这么着吧，酒是现今社会生活中最活跃的、最能表达情感的一种物质，咱今天晚上喝酒就是为了交朋友，来，咱们一起来碰一下。"所有的碗一起拥向了王福顺。

"不能光和我碰，我先一个一个来，然后是来鱼然后是德库、李苗和翠花、二宝。"王福顺过去和他们一个一个碰了一圈，大伙就一起喝了一口。接下来是德库，德库迟疑了一下也端起了碗说："今天用王老师的酒来敬王老师，王老师为一个孩子上山就值得我敬。"和王福顺碰了一下喝下去了。来鱼马上接着说："我是二宝爹，以学生家长的身份敬你。给你满上，来，感情深，一口闷，要是有一点儿残酒，罚我十杯。"王福顺说："咱是喝了六下了，这叫六六顺。人活着应该顺顺当当，你呀我呀他呀，彼此之间也应该顺顺当当。你们两家两个孩子在山下上学，十里岭现在连我一共七个人，七个人在一起还能不顺顺当当吗？能有啥过不去的？一点儿鸡毛蒜皮还值得疙疙瘩瘩？一起干！"王福顺一举杯，二宝也跟着举杯，德库两口和来鱼两口却有点迟疑了。两家的关系叫王福顺一点透，反倒不好意思起来。王福顺说："是我请你们是不是？不给我面子是不是？常小明小瞧我，你们也小瞧我是不是？算了，今天的酒到此为止。"那架势有点要收筷子，德库和来鱼坐不住了，不等王福顺说话就一起端起了碗，碗和碗不自觉地碰在了一起，嘴里同时吐出了一个字："干！"王福顺说："好，干就干个痛快！"一个"干"字让酒碗从这边儿晃到了那边儿，又从那边儿晃到了这边儿。一会儿，煤油灯下的嘴脸有些歪歪斜斜了，哥啊弟呀的悬空打着手势，喝红酒的喝完了，喝白酒的第二瓶已经开始。

王福顺从包里取出月饼来要喝红酒的人吃："今天没有准备晚饭，月饼就是晚饭。你们女人不要笑话，我没有喝多，来你们十里岭教书，我是一百个不情愿，哪有一个老师教一个学生的？在番庄乡我是教导主任，不算个官是吧？但全番庄乡的老师和学生我都管。我二十年工龄，前年转正，民办教师总算是到头了。谁知道今年评职称，工龄忽然不够二十年了，小学高级职称被常小明黄了。我找他理论，我说，转正二十年够了，评职称二十年就不够了？常小明到县教委查我的档案，说我差三个月，也就是说我转正都转早了。转正他干不掉我，备案了，送市教委了。职务受了处分。”

德库有两口猫尿仗着说话底气就冲，联想到身边的事心里就憋屈得慌，仗了胆说：“王老师，有个事想问问，是不是你看到了常小明和艳红有那事？不要怕他，你说出来。”来鱼知道他要说啥，指了二宝和李苗说：“小孩子家，送他回去看看娘，大人说话娃娃家不用听，二宝拿上王老师给的月饼走吧！”李苗拉了二宝走，二宝恋恋退下了酒桌。来鱼说：“李苗，送回去就来，咱不可凉了王老师的菜。”

德库目送二宝和李苗走过打谷场后，就觉得缺少了一个真正的看客。王福顺有些犹豫：“不知道该不该说？要在西方揭露别人的隐私是犯罪，咱们国家说这些也就是闲扯淡话。我也是有两口酒仗胆，瞎聊吧。从什么地方说起呢？从艳红说起吧。不瞒你们说，艳红是我的第一个恋人，更确切地说，我是艳红的第一个恋人。为什么要这样说，主要是我当时并不喜欢艳红。不是人家艳红不好，是我们彼此不合适。这种事不能勉强，年轻时候谈恋爱断就断了也没有个啥。去年资助贫困山区教学款项拨下来了，也不多，五万块钱，常小明并没有把这钱用到教学上，大面上买了一些教学用具，剩下的说是用于活动经费了。也就是说，钱是国家的钱，可以给张三，也可以给李四，你不给点好处费，人家凭什么给你？事就出在我的嘴上和眼上了，我看到常小明从这一笔款项中买了一台彩电送给了艳红。那是一个天黑不见五指的夜里，我想问问艳红弄个究竟，在艳红门口听到了常小明说，这一笔扶贫款先扶你一台25吋彩电，下一次给你弄个冰箱，艳红就笑。那一种笑，翠花和李苗笑不出来……”

来鱼接了说：“得了便宜卖×的笑。”

王福顺说：“不能那样儿说嘛，我一直认为艳红是一个比较单纯的女人，真的不想让她因为一台彩电坏了名声。他们连门都没关，咱农村也没有敲门的习惯。我一进去看到了他们俩拥在一起，一见我松了手一起往后站，常小明的裤钩钩住了艳红的裤襻。这事我并没有和别人说，能说吗？谁知道隔窗有耳，不知道谁听了说出去了。说出去事小，关键是有人写了上告材料，上告材料上的落名是我王福顺。我可以大声说，这不是我干的。常小明以为是我干的，发狠说要整我。”

来鱼说：“为什么不告他？”

王福顺说：“告他？我不愿意坏了艳红的名声。艳红恋我是真心的，她早劝我和常小明搞好关系，和单位领导弄僵了不会有好果子吃。人在社会上混，总得有个靠山，大靠山没有，也得有个小靠山，单位领导就是小靠山。要学会说话，说软话，好话。艳红还说，你不是叫王福顺吗？福顺福顺要福就得顺着人家，要不起这个名字做啥？我是说过告他，他说，想告我？好啊，一个人活着连老婆都守不住，自己闲下来看别人玩转活了，眼红了是不是？生活作风问题现在还是个事？我说，我不告生活作风告工作作风问题。他说，我工作有问题吗？舌头没脊梁啊！法律是讲证据的，你不是在搞党校文凭吗？报的法律专业是不是？学好了再来和我理论！”

德库说：“他简直就不是个人，是个鸟！”

这时候李苗走了进来，看到一个个生气的样子，想是不是德库又生来鱼气了？赶快说：“来鱼耍耍性子，还生他的气？来鱼喝多酒了，我来给你赔个不是。疙瘩宜解不宜结，就两户人家，王老师不是要我们和和顺顺吗？”

翠花说：“不是，生啥气啊，你和我就坐下来听，比起人家王老师，咱那事算啥呀。”

王福顺说：“不算啥，就我的事也不算啥。”

来鱼说：“尿他，好汉能让尿憋死？你安心到咱十里岭教书，学生少是不是？明天我和李苗有活儿干活儿，没活儿来听你讲课，把我俩当你的学生好了。听清了没有？我问你呢，李苗！”

德库接了话：“是说给我听，是说给李苗？我是队长，明天割完谷担到场，我也来听，唻？”德库用嘴噘了一下翠花。

翠花正从心里为王福顺打不平，看德库这么一“唻”点了一下头说，“我知道该怎么做。”

王福顺就有点激动了：“你们的心情，我领了，一个学生对我来说和多个学生没有两样，从明天起我会更正规地教二宝。”好像自己以前教二宝就不正规似的，想再补充一下，嘴里却说，“干，干！”

十里岭的人被王福顺搞得居然没有一丝儿睡意。瓶中的酒还剩下不多，有点不舍得喝，德库建议划两下圪挤圪挤。有獾在土豆地里拱吃，他们也不想敲锣，猜拳声漫过十里岭疾卷过土豆地也没有把獾吓走，獾抬起头听了听又低下了头呵哧呵哧拱了起来。

四

早上二宝做完广播操开始按王福顺排列的课程表上课。第一节是算术，二宝不想听，眼睛不时往外看，看到德库和爸担着谷一挑一挑地送回来放到场上，妈和翠花姨用镰刀切谷穗，她们说说笑笑的，二宝一高兴就想着第一节课快下了好到谷穗上去打滚。

王福顺发现二宝心不在焉，敲了桌子说：“二宝，知道我问你什么了？”二宝说：

“问我什么了?”“问你中国古代算术为什么会在世界上遥遥领先? 为什么在汉朝初期到隋朝中期会出现发展的第二次高潮?”二宝瞪大了眼睛。王福顺说:“不问你这个了,问个简单问题,你说算术重要不重要?”二宝说:“重要。”

王福顺说:“说说怎么个重要法?”二宝又瞪眼了。王福顺说:“10－9＝? 二宝回答。”二宝不用想就肯定地说了出来:“1。”“不错,是1。但是,就这个1它包含的道理就不是一个简单的道理。有一种球叫保龄球,你没有见过,我也是在电视上见过,它的形状像一个朝上的叹号,十个朝上的叹号站在一起,一个人用手抓一个圆球往朝上的叹号身上扔,准确地说不是扔是滚,滚过去倒下去的就得分,每个球得分是从0到10。这10分和9分的差别可不是1分,因为打满分的要加下一个球的得分,如果下一个球也是10分,加上就成了20分。20分和9分的差别是多少? 如果每一个球都打满分,一局就是300分。当然了,300分太难,但电视里的高手打270、280却是常有的。假如每一球都差一点,都是9分,一局最多才90分,这差距是多少? 二宝同学,你现在心里肯定想着练好滚球就能得高分,这与算术没有关系,但是,你想错了。

“首先你与这一种朝上的叹号球就有一段距离,我托人打听过了,打这种球一个小时要五十元,如果按钱来标价,咱和城市人的距离也就是一个小时的价钱,但这一个小时的距离就需要你现在来努力了,你不想学算术,人家门门功课都学得好,一点儿都不偏,你肯定会掉队,七年下来不用说考大学没有希望,就是在十里岭种土豆也不会卖出好价钱来,因为你不会算账。这时候的差距就不是10—9的问题了,是1—10的问题啊,二宝同学这时候后悔了,干粮就没得卖了。”

二宝憋了一泡尿想泻,回过头看到妈和翠花姨不知什么时候已在教室的门墩上坐着,爸和德库叔拄着扁担站在门前,眼睛一时间凝结得纹丝不动,好像走进了高深莫测的科学殿堂。

来鱼说:“看王老师讲得多好,二宝要专心听讲,咱不能老在这山上,爸迁往山下,你迁往城里,你也领爸去打那叹号朝上的球。”

王福顺说:“休息十五分钟,下一课是音乐,好,起立,下课。”说完,拍了拍手上的粉笔灰迎着十里岭人的目光走出了教室。这样的注目好久感觉不到了,王福顺放开步子夸张地走到场边看着远处大声地说:“好个丰收的秋天!”王福顺想,人就得学会和环境共处,该牛×的时候就得牛×一下,这样也符合生存要求。

镶嵌在蓝天白云中的太阳暖暖照射下来,两个女人斜在谷草上,屁股翘翘的,谷穗在镰刀一挽一挽时掉下来,一股细弱如烟的灰尘袅袅绕绕,闪闪烁烁在她们周围舞动。王福顺平稳地从她们头顶看过,看到谷草上攀结的青豆角舒展着一副鹅绿色笑脸,不由得舒心地笑了笑,一口白雪雪的牙跳跃着露了出来。翠花一激灵,被这一口白雪雪的牙触动了,男人要有了一口白雪雪的牙,这个男人一定不会和土疙瘩打交道。顺着王福顺的眼光一起往远处看,远处是连绵不绝的绿,连绵不绝的

千沟万壑。

德库和来鱼挑了扁担往各自的谷地去，德库说："我听说你下山找了团里的支书，迁户的事说好了？"

"说了，他说要下户，光管住，不管口粮地。"

德库说："山下住，回山上收粮食也行啊，你的精神足，一年也就几个来回，省你到了大村和人家的小媳妇要裤带。"

来鱼一听话里有话就说："喝了王老师的酒还不消气？要我个男人家怎么和你说？我是真没那意思，就说咱这山上没啥娱乐，也不可能在家门口做那事！要信，咱以后就不提这事了，你要不信，我说甚也没用。"

"我相信你也没那胆。"

"那你迁户的事也和山下说好了？"

"说好了。年后迁，我老婆的姐夫答应匀我一些地种，只要能下户就不怕没有地种，当支书又不可能当一辈子，你给他送两条烟什么事解决不了，现在社会上就兴这个。"

"有地种就好，种地是根本，咱农民要没地种就等于断了手脚。我收了秋要出去搞两天副业，你出去不？"

德库说："出去。"两人说着在路岔口分了手。

翠花和李苗坐在谷穗上看着王福顺教二宝唱歌，二宝从嗓门里发出来的音不大正，有些窜动。"一棵呀小白杨，长在大路旁。"王福顺说，"二宝同学，要亮开嗓子唱，不要捏叽叽的，跟我一起来。"二宝跟了唱："也棵呀小柏杨，长在大路旁。"王福顺说："yi 一，不是 yě 也。bái 白，不是 bó 柏。要咬准字，然后才能字正腔圆。"二宝就咬了字唱，结果是越唱越糟糕，惹得谷场上的两个女人大笑了起来。

这一夜的井下院就听二宝反复在唱"也棵呀小柏杨"。

五

收完秋十里岭的两个男人都要出去搞副业，在背了行李上路时把两个女人同时托付给了王福顺。王福顺感到重任在肩，这不仅是要给二宝教好学的问题，更主要是身边一下子落了两个女人，有点儿不好处事。要在往日，王福顺总觉得什么都正常，该说该笑，该打该闹，甚至当着女人面说些荤话，也没有什么，可是现在，他却感到像丢了魂似的，不知道该跟这两个女人怎么相处。也日怪，两个男人刚走，两个女人早早打扮光亮，取了针头线脑到学校来和二宝一起听课了。

王福顺穿了一件蓝色中山装，粉笔灰洒落在袖子和衣襟上，像染上了一层霜。两个女人看着讲台上的霜人儿心里生出了一丝儿疼痛。王福顺的课讲得有点不大利索。“停一停，我喝口水。”王福顺端着茶缸有一些别扭。想，我王福顺是谁？是有教养的、讲道德操守的教书人，像常小明那样的人，我王福顺是看不起的。孔夫子在两千多年前发出了郑重的告诫：“非礼勿视。”非礼的形态往往是令人心跳的，没有几个人能自觉敛目不视。孔夫子的毕生终归是苦行者的遭遇，他对自己的器官的约束，使他成了圣人。我王福顺不是圣人，但绝不能越出自己要求的道德底线，当然，要想不超出就得自觉抵制。

几天下来王福顺决定执行第二套教学方案。他在课堂上说：“你们俩，从今天起不要来听课了，小学五年级的课你们又不是没上过，你们来影响了二宝的注意力，当然，我从心里是希望学生多一些，但是，毕竟你们不是学生！”

李苗赶紧说：“不影响了，只要王老师说话，我们怎么做都行。”挽了翠花的胳膊想拽她起来走。

翠花心里有一些迟疑，王福顺咧着白雪雪一口牙看她。翠花说什么也不想走了，扭回头和李苗说：“都是你影响了二宝，要回你回吧，我还想听一会儿。”李苗有些不高兴了：“明明说是咱俩影响了，怎么倒没有你的事？小学是基础，不是你儿你不怕！”翠花弄了个没趣，站起来走出了学校。

一路上翠花和李苗没有说话，话到这时候说有点多余，各怀心事一前一后笼着袖回了自己的石板屋。

翠花盘腿坐到炕上，想自己在王福顺面前被李苗说了个没意思，真不是个滋味，就越发想见王福顺，想找一个借口，想起好长时间没有看到城市的灯灯火火了，正好叫王福顺去。记得那时候山上的人多，夏天里夜长，几个人相跟着上山看远处，远处灰蒙蒙一片要等到天黑才看到一粒两粒的灯光亮起来，那还不算好看，等到成片的灯光亮起来才好。它和天上的星星不一样，天上的星星太遥远，看上去有一股寒心的凉气，远处的灯光在幽暗填充的大片视野下，它是激荡和跳跃的。想象灯光下生活的男男女女，老老少少，心里会生出一股热气，就感到城市百态进入了他们的视野。他们开始高声谈论，说什么时候也要进一趟城里，也去逛逛歌厅，现在城里的女人都是一副骨架子，小腿细得像鬼骨头，走起路来一扭一扭，扭得人不好受还难受；男女在一起有人没人贴了嘴亲；又说城里偷儿多专偷乡下人口袋；走路好好的偏说你撞了人家，摔破了眼镜要你赔。敢说一个不字，俩耳光上去还得赔。城市也就是只能看看，不是咱存活的地盘。这样想着翠花跳下炕走出当中院走进了井下院。因为想和王福顺上山有些兴奋，觉得把李苗叫上比较合适。翠花这么想就忘了李苗在学校说的话，进了院翠花喊上了：“好长时间没有上山了，咱叫上王老师一起去吧？”

李苗在屋里应道：“是好长时间了，不知道他去不去？”

“咱去问问他。”

李苗走出来说：“山上真是不能住人了，看人家山下电灯电话电视的，交通又便利，有个联系也方便，咱这算啥？当初嫁来的时候，想山上人少地多富裕得快，哪想不是这样，嫁鸡嫁狗一辈子嫁对了就对了，嫁错了只能错。”

这时二宝唱了“也棵呀小柏杨”走进来。翠花说：“二宝，晚上去看灯灯火火，你问一问老师，说我们不敢去想叫他一起去。”二宝扔下书包跑去问王福顺。

翠花说：“我不等了，回去找件厚衣服。”

走出井下院翠花迈小了步子，想看看王福顺到底去不去，站着等二宝问话回来。翠花想王福顺要去才有意思，从那白雪雪的牙中吐出来的话她想听。农村人不管长相如何，满口牙齿高高低低一张嘴就漏风，连字都咬不清，像那二宝“柏、白”不分。想着想着翠花就哼起了小白杨，二宝走了过来，二宝说：“翠花姨，你唱得真好，抒情得很嘛，比王老师唱得都好。”

翠花说：“姨上初中时是宣传队的骨干，啥也会干，你以为就现在这个样子？”二宝说：“现在这个样子也好嘛，还生了一个姐姐就很美丽。”

翠花心想，二宝会说“抒情”和“美丽”了，这孩子将来兴许真能成了城里人，自己要有儿多好？真得想办法了。就说：“二宝，看你多有福气，一个老师教了一个学生。”

二宝说：“姨才有福气，我和王老师说是姨叫去，王老师一听就说要去。”“姨，我要回去写作业了。”想到要和王福顺上山头看灯灯火火，翠花心跳得加快了，三步并两步回了当中院，翻箱倒柜找出一大堆衣服，换了一件又一件，里外换了个新。

没等天黑透，十里岭的人拄着棍出发了。王福顺打头里走，二宝夹中间，翠花和李苗拉着手在后边。星星在天空闪闪烁烁，有半个月亮透出云彩射下亮汪汪的光来，时而有一阵风从山腰吹过。李苗说：“我忘了多穿一件衣服，山头上风毒。”翠花说：“爬山衣服多了是累赘，我都觉得自己穿厚了。”这时王福顺插了话进来：“我没来之前，你们是不是经常上山看远处的夜景？远处除了灯光还能看到什么？”翠花说：“啥也看不到。”二宝说：“看得到，还有一团黑。”王福顺扭回头笑了起来：“二宝还会笑话人哩！”山头上无声无息，周围松树在夜幕中洇成了更为深暗的墨黑，人站在高天远地中有了一种莫名的激动，看到模糊成一片的远方有丝线一样的亮划过来划过去，山风吹得眼睛有些发涩，都说城市是一年一个样，到底啥样子她们也不知道。

王福顺说：“城市要比乡村丰富，却没有乡村朴素。城市人花花肠子多。”

翠花想起了城市戏班子来番庄唱戏。四月十五是关帝庙会，她住在姐姐家看戏，那天下午好像唱的戏文是《十二寡妇征西》。庙会上唱啥戏对青年人来说并不重要，戏是老年人看的，闺女媳妇穿了新衣新裤去戏场，可以说不是看戏主要是去叫人看的，当然自己也看别人。常语说得好：上庙会干啥去？比脸蹭屁股勾膀子去。熙来攘往，摩肩接踵，让人瞧，瞧别人，人要是不瞧人，穿新衣新裤干什么去？那时候翠花刚结婚，人没有现在这样胖，长得白净的翠花往人堆里一挤就有人死盯，盯她的人不是番庄乡的后生是剧团里的人。小伙子下午盯晚上盯，人声嗡嗡锣鼓轰轰，小伙子说，你跟我出来，我有话说。她的心嗵嗵跳就跟了他走，怕人看见和他拉开了一段距离，甩开卖香烛的、卖丸子的、卖炸糕的、卖包子的，过了河是一片庄稼地，她有些迟疑，德库在姐姐家打麻将，她该不该跟着这个男人走？那男人一口白牙撩得她心乱，不由自主就跟着进了庄稼地。他把她压倒在一片玉米棵子上，嘴在她脸上亲，她想挺一挺，可就是挺不起来，身子像面条一样软。那人解开了她的裤带，然后就像一匹马一样在她的身上奔腾起来。翠花怀疑自己的女儿就是那个人的，一点儿也不像德库，德库尖嘴猴腮。但是，这种事情只能说是怀疑，只能一辈子烂在心里。知道剧团那个人是不会对她有真情实意的，甚至没有问他叫什么名字，只记得他有一口白雪雪的牙。她和德库是自由恋爱，十几年过去了到底也没有在她肚里种下第二粒籽儿，也就是那一次过后，她才知道德库那东西立起来没有人家耷拉下来的长，她如何去言说她的委屈？日子就这样一天天过去，她是空有一腔柔情。

王福顺却想起，远方灯光下有一条河，他曾经和花花在这条河边散步。那灯灯火火挨挨挤挤、磕磕碰碰，王福顺知道那灯光中有他曾经的花花，一个热衷浪漫的女人。她此时也许正在一个他不认识的男人怀里，她还以为她是在追求爱情，什么狗屁爱情！她曾经和他说过：我的爱情不应该生长在乡村，最好的生活方式是城市。城市带给花花的就是这些吗？王福顺拒绝进城，有三年了吧。他现在看那些灯灯火火是怀着一种鄙视的目光来看的。看到身边这两个女人激情满怀的样子，想，人真是不知道什么时觉得什么好，知道了什么时觉得什么好什么不好，都他妈的扯淡。

二宝搬了石头从山上往下滚礌石，石头落到山沟里发出空洞的响声。李苗有点冷，上身哆哆嗦嗦来回晃悠。王福顺脱下自己的衣服要她穿上。李苗说："不用不用，你没有经过这山风，要感冒了就不好办了。"翠花也应着不要王福顺脱衣服。王福顺说："德库和来鱼走时把你们托付给了我，我不照顾谁来照顾你们？"李苗不好再坚持就穿上了。有一股淡淡的烟味儿冲着鼻口进来，很好闻。翠花说："穿上王老师的中山装暖和了吧？"李苗咧了嘴笑着说："是不是想让王老师也给你脱一件？"王福顺说："要是冷，我就脱一件给你穿上。"翠花的心一热，撩起外衣要王福顺看她里边穿的红毛衣："你看我是穿了毛衣的，捂得我想要出汗了。"可惜天黑王福顺看不见，就是能看见了王福顺也不看，有些东西不能看就不应该看，现实只能满足眼睛的有限范围，有限范围一扩大，人的欲望就不大好控制了。

王福顺说："其实城市里没啥好看的东西，有一些新潮的东西不断冒出来，有钱的人花钱买一切，没有钱的人想尽一切办法赚钱花。有些东西是换汤不换药，比如说，城市里流行的好多东西都是我们乡下传过去的，吃上口的苣荬菜，城里人叫苦菜，在饭店里一盘卖十块钱，在咱乡下猪都不大想吃。现在城市里人都转换过来了，想吃粗粮，说粗粮怎么有营养能降血脂降血糖，女人吃粗粮不容易发胖。”二宝接上说：“我知道我知道，乡下人刚有粮食吃饱，城里人就吃草哩；乡下人刚用纸擦屁股城里人就用纸擦嘴哩；乡下人衣服刚穿暖城里就想脱光哩；大街上年轻女人净露肚脐眼儿。”李苗呵斥儿子：“花马吊嘴的，从哪里听来？”二宝说：“不用管我从哪里听来，问问王老师是不是这样？”王福顺笑了：“我也听人说过。”翠花笑着说：“是王老师教给你的？”二宝说：“不是不是，姨就别问了。”

大家又笑了一阵。翠花望着远处说：“城市里的乐儿能出花样，还是城市里好活。”李苗接了话：“二宝，要好好地跟王老师学文化，将来进了城也领妈打打王老师说的那种叹号朝上的球。”二宝就大声对着空旷的远山喊道：“我要到城里去！”

那天晚上，王福顺在炕上翻烙饼，睡不着起来抽烟，抽了几支，躺下还是睡不着。他和常小明处不好，和花花处不好，和艳红处不好，和周围有些人也处不好。上下级之间夫妻之间朋友之间，怎么处才能处好？他不会来事，也不愿意学那本事；不会鉴毛辨色，不会看风使舵，不肯违心说话，希望和人相处多一点真诚。结果呢，成了个失败者，和领导和妻子和朋友相处都是个失败者。常小明把他打发到十里岭来，也许给他找到了一个最好的去处，也许他只配在这里待下去。

王福顺这么一想，脑子里就静了下来，开始有点迷糊了。迷糊中看见了两点星光，星光闪闪烁烁，却愈来愈明亮起来，那是一双眼睛里放出的光，那人坐在教室的最后排，全班年龄最大的一个学生。几年过去了王福顺现在想起来那双眼睛就成了一种痛……星光渐渐消失了，王福顺也睡着了。

六

秋意愈来愈深了，浓了。

苍白的云懒散地走过空虚而没有声息的田野，在十里岭头上消失了。白天愈来愈寂静，一切好像被霜寒冻僵了似的，太阳朦胧得光芒尽失，有鹰贴在蓝天上飞翔。

王福顺和二宝坐在火炉旁，面对面教学。二宝膝盖上放了一块木板，有写字本和课本，这是王福顺想出来的点子。以前那种台上台下授课方式因天气变冷让王福顺感到很不舒服，坐在火炉旁边人就暖和多了。

二宝感觉不是那么好，时间一长煤烟熏得有些头晕。二宝不敢说就频繁地出外撒尿。学校和德库家是一个茅坑，以往上茅坑，要是有人在里边墙上总是搭条裤带，现在不知道因为什么二宝去茅坑老碰见翠花姨在茅坑蹲着，墙上却不见了裤带。二宝很尴尬，对茅坑上的翠花说：“翠花姨，咋不搭条裤带在茅墙上？都撞见好几次了，为什么老占茅坑？尿真是太多啊。”翠花边系裤带边往外走：“不好好上学，老往茅房跑是不是想偷懒?”二宝说:“不是偷懒是煤烟熏得我喉咙麻辣,想出来透透气。”翠花问:“王老师在教室做什么?”“看书。”“看什么书?”“外国书。”翠花走了几步又返回来等二宝。等二宝出来翠花说:“回到教室告诉王老师说我找他有事,要他来当中院一趟。”二宝说:“找王老师自己去好了,有什么事不能和他当面说要我传达?”“认识多了俩字就学会犟嘴了? 告诉王老师就说我要他来拿鸡蛋。”王福顺来到十里岭后见翠花和李苗没事,取了麦秆编草帽辫,问她们编一个草帽辫要多长时间。她们说二十圈要一天时间,拿到山下卖六毛钱。王福顺算了一下,一天卖六毛十天卖六块,一个月卖不到二十块,王福顺决定以后买她们的鸡蛋来贴补生活。后来王福顺发现她们该编草帽还编草帽,倒是两家因为鸡蛋买多买少有了一些脸上脸下的话,话不是太难听但话里有话。王福顺又决定一家供一个月鸡蛋,谁也不让吃亏。

二宝说:“我妈早上才给王老师煮了鸡蛋,你把鸡蛋给芳芳姐姐煮了带到学校吃吧。”翠花有些吃惊:“你妈给王老师煮过几回鸡蛋了?”“好几回了,王老师还给我妈送过东西。”翠花越发地吃惊了:“送了什么东西?”二宝说:“好东西,我妈不让我看是用纸包着。”翠花想,自从王福顺不让到学校听课,自己一天钻在当中院什么也不清楚,现在倒好,人家都送东西了自己还凉着瞎想。“回去告诉王老师说我找他有事紧着商量。”二宝唱着“也棵呀小柏杨”蹦蹦跳跳地走了。

二宝走进教室和王福顺说翠花找他,王福顺抬起手表看了看,安排二宝写生字,说:“我去去就来。”

王福顺不知道翠花找他商量什么,知道找他一定是有事,没有多想就走进了当中院。王福顺在门外说:“找我有事? 有什么事?”

“进来说话,不就知道了!”

王福顺进去坐到炉台边,火台上烤了一把南瓜子,王福顺抓了嗑起来。

“其实也没有什么事,想你的鸡蛋一定快吃完了,我准备好了要你来拿。”

王福顺说:“我正好没了。”

翠花就想,明明李苗给你煮了鸡蛋,你倒说没了,就说:“是不是喜欢吃煮鸡蛋? 我在锅里给你煮着呢,你等三五分钟就好了。”

“李苗也给我送了煮鸡蛋。”王福顺说,“德库有没有来信? 外面不知道是啥情况?”

“能有啥情况? 天当被地当床,干一天活赚一天钱活一天呗。”王福顺听翠花这么一说,一口白雪雪的牙一露笑了起来。翠花打了个激灵,眼睛看着定定的就直了。因为屋里暗,王福顺也没注意到这个现象,觉得这屋里比他刚来的时候干净多了,好像还有一股香胰子味飘出来起起落落。

“听说你们过了年就要搬到山下,地基也买了,房子要等到明年春天起?”王福顺问。

“搬不搬吧，搬下去又能怎样，还不一样儿围着山转。”

“围着山转不好？”王福顺又问。

翠花觉得自己的眼睛都有些酸了，话还没有进入主题，就撇开王福顺的问话说：“一个人在山上挺孤单吧？”

“孤单？要说不孤单是假。”

翠花说：“那你夜里睡不着不想事儿？”

“想啊。从教导主任落到现在这一步，想起来就一肚火。你想，人家借了我的事去告常小明，还打了我的名义，我说不是，谁信？”

“我信。”

“你信？”

“嗯。”

王福顺又笑了起来：“你信能顶什么用？你是咸吃萝卜淡操心。”

翠花说：“真看到他俩贴在一起了？”

王福顺说：“不说那事了。”

翠花想我偏要说那事，我不光说那事还想做那事，我不信你王福顺不想那事，就往火台边走。这一下王福顺看到了翠花的眼睛，翠花的眼睛迎着窗户的光亮像要鼓出来，真是一对儿毛眼眼啊，花花当初看他的眼神也是这样。

王福顺觉得应该走人，站起来端起放鸡蛋的脸盆，翠花不管不顾上去一下在背后抱住了王福顺的腰。王福顺没有想到有这么胆大的女人，吓了一跳，一回身一脸盆鸡蛋碰了翠花胸脯，跌落在地上。这一下翠花是一点儿心思也没有了，想那一脸盆鸡蛋，那是六只母鸡一个月的努力。翠花定了一下神蹲下去用手往脸盆里掬那碎鸡蛋，王福顺赶忙掏出五十块钱，王福顺说，“掬起来喂了猪吧？”翠花不知道该说什么就哭了，这一哭让王福顺有些不知所措，就想起了李苗，应该叫李苗来，那鸡蛋除了猪吃，还能拣出来不少，翠花一个人哪能吃得了。

王福顺往外走时，李苗进来了。

王福顺前脚走出教室，二宝后脚回了井下院，问他妈要东西吃，不知道为什么二宝老是感觉肚饥，早饭等不到午饭，午饭等不到晚饭。李苗说：“饿死鬼转生的，火台上有两块煎饼拿了吃去，不要误了上课。”二宝说：“不急，王老师和翠花姨商量事去了。”李苗说：“商量什么事去了？”“谁知道商量什么事去了？我又不是王老师肚里的蛔虫。妈，你和翠花姨为什么老问王老师干什么说什么了？烦不烦啊！”李苗还想问二宝，一转身发现没了影子。

李苗有些纳闷，联想到了翠花和来鱼在茅墙上要裤带，翠花是什么样的人别人不知道我李苗还能不知道？从小学到初中到结婚生子，我俩是比着走的，小学时翠花胆大，和男同学过家家她敢脱裤子，互相比看有什么地方不一样。当初要不是她找德库现在德库的老婆肯定是我。当初德库他爹是找了媒人到后里庄说媒的，第一次领了德库来相亲在村口看见了翠花就不去我李苗家了，现在怎样，我李苗是儿女双全，你呢，十几年了就养了一个小婢片。岭上没人了你想我二宝没有人教学了，可来鱼找到教委，教委单独派了老师来，这历史上也是没有的事。岭上几任老师了谁见过你翠花抹过“雪花膏”扑过粉。现在一看王福顺来了又是单身，“雪花”也抹了、粉也扑了，为了给谁看？一个德库不行还想要两个德库？王福顺是谁？是二宝的老师，二宝是我儿子，王福顺是来鱼争取来的。这样一想李苗就把王福顺当成自己的人了。自己的东西别人是不能随便碰的。

这么想着李苗走进了当中院。院子里静悄悄的，李苗的脚步就自动放慢了，放轻了，想听听屋里人说话。听着听着听出了问题，李苗心里就蹿起了火，忽听得咣当一声有东西摔到了地上，细听听是鸡蛋摔了，李苗心里的火苗一下又灭了，有点幸灾乐祸就往里走，她想好了进去说的话：想来问一问德库有没有话捎回来？但是，李苗一走进去就知道要说的话不能说了，地上的鸡蛋一个一个睁着眼睛像舞蹈纤肢的仙子，李苗开始心疼了，再看到炕上王福顺放下的五十元钱，就越发心疼了。王福顺说：“我给二宝放了学，放了学再过来。”逃也似的走出了当中院。

翠花说是想看看火，谁知道一转身就把炕沿上放的鸡蛋碰掉了，可惜了啊，可惜了，那是我的母鸡一个月的努力。李苗就带了刺附和，一个月的努力算什么？一年的努力能换来结果也不错。什么可惜了？可惜的东西多了，不就是俩鸡蛋吗？人家王老师给你放下五十块钱，怎么说你的鸡蛋也不够五十块呀？翠花表示不要他的钱，鸡蛋是我碰的我再要他的钱，这不是寒碜人家么？就是就是，你火上煮的是什么？是鸡蛋。给王老师补一补，咱这山上没有什么好东西，王老师也照顾了咱不少，有鸡蛋就只能给他吃鸡蛋了。这一说，李苗的火就又想往外蹿，我家二宝的老师我就没想给他煮鸡蛋？哎哟喂，王老师要知道了你给他煮鸡蛋，还真要感谢你这一锅提升体力的回春蛋哩。李苗顶着火苗一扭身走了。

王福顺回到教室头脑清醒了许多，觉得自己不能再去当中院了。回忆了一下事情的起因和结果，起因是鸡蛋，结果还是鸡蛋。就是没有想到自己白雪雪的牙。躺在干硬的床板上眼睛望着窗外天空，由天空而想到土地，这一片土地是贫困的，由贫困而想到干渴难耐的地气，似乎就有了一点儿眉目：德库长年在外，翠花也该有过干渴难耐的时光，她身体很好，腿长胸大屁股宽，我第一次看见她是扛着一蛇皮袋青豆角，在举起膀子的同时屁股也撅了出来，这样的屁股应该是需要男人不断来开垦的，这个男人肯定不是我王福顺。这时候王福顺的脑海中又闪出了那双眼睛，这双眼睛多次在梦里出现过，他因这双眼睛而想到男人在任何情况下都不能放弃自己的责任，不管别人怎么样，他王福顺不能不负责任地活着，这么一想，他的心情便有了好转。

王福顺用打火机点亮油灯，油灯亮起的刹那，他看到了门口有个黑影站着，吓了一跳，定睛一看是他在山下教过的学生李修明。

王福顺说:“你怎么来了?”

“不能来看看老师?你不会不认你这个学生吧?就怕白天上来让别人说闲话,所以晚上才来。我明天要到县宾馆当服务员,想来想去都该来一趟,你说我去呀不去?给我话,我就走。”这个叫李修明的学生边说边拉开背包拉链,取出一件铁锈红的毛衣,“天凉了,山上风紧,你有胃病要学会照顾自己。”

王福顺有些眼湿,一把抓住了学生李修明的手:“我比你大十五岁,现在的光景过成这样,你跟了我要受苦,知道不知道?”

李修明抽出手来,从包里又取出一条毛裤,说:“只要你说心里有我没有?”

“有,就怕别人说我强奸了你的青春。你我不能长相守,因为你还是个小丫头。”王福顺想起电视里的一句歌词就把它说出来了。

学生李修明返转身一下搂住了王福顺:“不走了,不要说那些支棱坎山的话,你看山上多苦,要电没电要水没水,怎么恓惶成这样了呢?你就想别人的话,怎么就不想我呢?怎么就不想强奸我的身体呢?现在就要你强奸,你要不强奸我就不是王福顺,不是男人!”

王福顺就“嗷,嗷,嗷,我日他祖宗,我要豁出去了”!

学生李修明在十里岭住下了,王福顺的幸福因学生李修明的住下而滋长着,像一枚棋子无限放大、放大。这一夜对于王福顺和学生李修明来说,像一支无声的歌,纵情而绵长。

翠花不管李苗有火没火,她心里现在就想着王福顺。鸡蛋煮好了王福顺怎么还不来?女人就是这样,想着豁出去做一件事就一定要做。他不来我去!不就是几步远的路吗?送鸡蛋,又不是没事。这样想着翠花端了鸡蛋往学校走。

学校窗户上透出了亮儿,翠花听到有压低的女人说话声音,翠花想那不是李苗是谁。十里岭没有第三个女人,我倒要看看他们到底有事没有。躲到了学校的山墙边,山墙边有些冷,她不怕冷。她知道李苗因为没有嫁给德库一辈子都恨她,来鱼又和她在茅墙上要裤带,李苗能不恨她吗?有人恨就说明有人不如她,比起别人的恨,她这点儿冷算什么。

这么等着,窗户里的灯就噗的一声灭了。翠花眼睛睁得大大的,非常生动。可惜没有人看见,只有月亮在看;月亮也看不到她的眼睛,因为人站在阴暗里。风吹得她的泪蛋蛋掉了下来,掉不到地上,被衣服的前襟挂住掉到了手上,手里捏着五十元钱,翠花就从心里骂上了。翠花一骂就想骂你娘的脚指头:你娘的脚指头,我还想给你送鸡蛋和钱哩,你娘的脚指头你们倒上凤凰架了,你娘的脚指头还想让你给我种个儿哩,你娘的脚指头憨狗等羊蛋哩!翠花就这么骂着回到了当中院,火也死了锅也干了。

早晨五点王福顺送走了学生李修明。李修明决定不去当服务员了,要准备嫁妆,不管不顾跟王福顺来山上过日子。

早晨李苗看到翠花脸上有寒风吹出的裂纹儿，李苗想：日你妈翠花到底把二宝的老师糟蹋了。

七

一个礼拜后，常小明通知王福顺下山开会。

王福顺和常小明面对面坐在一起。常小明扶了扶眼镜首先笑了："这里有一封反映信。"

王福顺说："不是我干的，是谁干的你找谁去！要再猜想是我干的，咱俩的官司还得真打一打。"

常小明说："没说是你干的，你都干了还要我说？"

王福顺说："诬陷我？我已经被你搞到山上了，水没水电没电人没人，还要怎样？买彩电是不是真的你心里最清楚！对于国家来说，你这样的小腐败还不如个糠壳皮，既然不算啥我告你做甚？不是说涉及到县里的干部镇里就不让查了？还找我干什么？"

常小明依旧笑着："是吗？是不查了。但是，我这是涉及到番庄整个联区声誉的事，我要不查就是我玩忽职守。"

王福顺听出了意思，分明是话中有话嘛！

常小明给王福顺扔过一根"红河"烟来："压压惊，我那事算个屁事！现在社会上谁没有个把情人，没情人是无能！可是，也不能就要了人家一个岭。岭上黑灯瞎火的，没有娱乐活动要那事说来倒也正合适。"王福顺终于明白常小明是说自己："你以为别人都和你裤裆里的那话儿一样活跃？你要敢再瞎说，我教员不当了，老子敢和你动真格。"

常小明还是笑着："去去去，我还以为你和别人不一样，怎么说也是半斤八两嘛！我不说你太多，就两项：一、你要学生喝酒是不是真事？二、你在岭上和女人睡觉是不是真事？"

王福顺说："是真事。我要二宝喝酒喝的是红酒，我和女人睡觉是睡我自己的女人，我的女人我不睡要旁人睡？旁人睡过的女人我不会动一手指，接别人口水还叫男人？"

常小明就有些严肃了，说："教唆未成年人喝酒能说仅仅是两口红酒？从法律上讲是'教唆犯'，二宝是什么？是孩子，你是教师，不为人师表要你到山上做什么？还有你刚才说不接别人的口水，睡的是自己女人这可日怪了！"常小明有点丈二和尚摸不着头脑，想问个究竟，可话到嘴边又咽回去了。"好了，至于是睡自己的女人还是睡别人的女人我就不追究了，人还能不犯个小错误，况且说这能叫错误吗？这叫功能正常。只要不是和学生搞，搞别人的老婆又怎样？你没听艳红的男人说，说到底都是自己用得多，别人用得少。有个啥！看看，没见过这么够男人的男人吧？”

王福顺一时间就有些惶惑了，事情怎么就搞成这样了呢？怎么说我要了一个岭？王福顺竟然不知道怎么从校长室出来，只记得常小明拍了拍他的肩说：“咱们番庄联区总的来说是团结的，团结中求发展嘛，我就不多说了，再为人师表也活得不能没有阳光。不管是别人的还是自己的要就要了，小事！回岭上好好干，等山上人走光了还回来给咱当教导主任。”

王福顺回到十里岭天黑透了，点了灯看了看炉火，火黑心了，王福顺从场上捡回来一根干柴放进火里，火苗腾了起来。他用白面搅了糊糊，借了火劲摊了两张煎饼凑合吃了几口早早就躺下了。

躺下了却睡不着，睡不着起身找了纸就了灯光写下了几个大字：学校重地闲人免进。摸索着找胶水贴到外屋门上。返回来躺下还是睡不着，又爬起来从床下摸出一瓶酒，咬开盖喝起来。王福顺想：一定是什么地方出毛病了，怎么到哪儿也不好生存？当初要是给常小明说句软话也就不用来这山上了，来了山上把自己放在一个谁也想不起来的地方，应该不会出事情了吧？现在又出事了，真他妈活见鬼！我来山上，一心一意想教好这个学生，不想和任何人争长争短，结果还是不行，还是要出事。我王福顺究竟应该怎么个活法，谁来教教我呢？王福顺真的有点伤心了，拿起酒瓶又猛喝了几口。王福顺醉了也就睡着了，早上冻醒了才知道下了一地雪。

雪给满目苍凉的十里岭带来了令人心醉的美。二宝坐在教室门墩上，笼着袖等王福顺起床，看到门上贴着一张纸却不知道是什么意思。门开了，王福顺看着满天飞雪，大声地说：“来吧，从遥远的高空飞下来，和我这样渺小的生命相见，要我怎么样来迎接你？”看到二宝说，“把书包放到教室，看雪去！”

二宝不知道王老师是什么意思，赶忙放下书包跟了他走。雪花仍在继续往下飘落，一朵接着一朵，一朵挨着一朵，前前后后，纷纷扬扬，漫天飞舞，荒秃秃的山岭被雪铺排成了一片白。王福顺对着空山大声吼了起来：“嗷呵呵——”二宝也跟着吼起来：“嗷呵呵——”有近一个小时，王福顺听见自己的骨骼轻微地脆响，感到自己身上的血液逐渐缓缓地流动开来，才觉得好一些。

王福顺说：“回去上课。”二宝踩了王福顺的大脚印走回了教室。二宝有些兴奋，觉得王老师身上的味儿现在才出来了。

翠花和李苗听到王福顺和二宝吼叫，不知道发生了什么事情。出了大门看，看不见人在哪儿就往学校走，就看见了学校门上的纸条，知道是针对自己贴的，心里不自在，互相装着看不见，各自扭头回了自己的家。翠花进了门坐到暖炕上想心事，想什么呢？想自己的男人。女人活着最保底的还是自己的男人。能看到眼里的不一定就是好东西，辣椒好看不？好看，吃起来辣嘴。石榴好看不？好看。吃起来酸牙。知道辣嘴和酸牙还吃它干什么？想来想去是想吃。这男人孤零零在山上总得有人疼，翠花决定给王福顺再煮鸡蛋。上课时不让进放了学总该让进吧？你和谁好，我不管，我是队长的老婆，尽队长老婆的责任。翠花包好鸡蛋就走进了学校。

王福顺看到翠花就不耐烦了："你来干什么？"

"我来送鸡蛋！"

"把你的鸡蛋拿回去，我吃不起你的鸡蛋！"王福顺很决绝。

翠花说："有啥事说啥事，鸡蛋没有错。"

王福顺气不打一处来："不是有能耐和常小明反映我的问题吗？还有什么问题要反映都去说，本来认为山上的人朴素实诚，跌了跟头才知道石头也咬人。"

翠花惊讶地瞪起了毛眼眼："这是哪儿和哪儿？我是下山去了，是德库让人捎话，要我礼拜四下山接电话，我为什么要找常小明去告你？我连常小明啥样儿我都不知道，我告你为了哪样？我守活寡守了十几年，又不是一天两天了，我现在就守不住了？"

这一下倒把王福顺弄了个丈二和尚："你守活寡？"

翠花嘤嘤哭了起来："你知道德库长了个什么？长了个半寸长。要不是——我就想着男人就是这样呢？你不要再问下去了，不把人小瞧了就行。"

翠花哭着要走，一转身和李苗撞了个满怀。李苗说："都听见你们说的话了，也不是我去找的常小明，我知道是谁。"

"是谁？"

"是德库。"

翠花说："瞎说不是？德库和来鱼在东北打工，他有分身术？"

李苗往自己嘴上打了一巴掌："都是我不好，那天我在山下等来鱼电话就接了德库的电话，就想起那天夜里你们俩睡觉的事，我想王老师是来鱼从番庄联区要来的，是来教我二宝念书不是和谁睡觉的，我一时气不过给德库说了，德库撂了电话一定给常小明打了。"

翠花马上就翻了脸："你娘的脚指头，你看见我在学校睡了？我倒是亲耳听见你跟王老师睡觉的动静，你个臭猪屎，竟敢糟蹋我？你娘的脚指头，你看我不撕烂你的嘴！"翠花立马要挽起袖管上去撕李苗的嘴。王福顺恼火地大声说："乱什么乱！看你们泼妇样。你是来鱼的女人吧？你是德库的女人吧？你们都不是我王福顺的女人是吧？我，我王福顺难道就没有女人了？我是来教书的，常小明说我搞了一岭的女人，我有多大能耐啊？真是把我高看了！"王福顺气得手足没有放处。

这时候二宝在门外说："我看见那天早上有一个穿红衣服的姐姐从学校出来，王老师一出门就背上她，树上的霜白雪雪的，王老师背了她忽闪忽闪地下了坡。"李苗就冲了门外叫："贼骨头二宝儿啊，你在门外听什么？看什么？你还不给我爬回去！爬啊！"二宝就不再说话，"爬"回去了。

翠花和李苗你看我，我看你，怔怔一会儿，又齐刷刷将目光投向了王福顺。这时候，王福顺的脸上哗地涌上了一股热浪，本来很窝火的心情变得越来越复杂了，火转化成了热，热又变化成了羞愧难当，无地自容。他极力想避开两个女人的目光，可那目光就像钉子上拉出的铁丝一样把他拽得紧紧的。王福顺搓着手来回走动着说："一团麻，一团麻！"

李苗感到自己真是捅马蜂窝了，一泄气坐在了地上："翠花啊，你不是要撕我的嘴吗？撕吧，来撕吧！我长了嘴咋就和人的不一样？怎么就长了个乌鸦嘴？我的腿都骨软得站不起来了，翠花，你撕我的嘴吧！"

翠花说："你娘的脚指头，自己撕自己的嘴吧！"一扭身出了学校，风一样地回了当中院。

事情有了眉目，翠花坐在暖炕上又开始想心事，想来想去都是自己不好，人家王老师是来山上教书的，杨柳梢、水上漂，想让人家清风细雨洒青苗？人家就洒了？人家是有文化的人啊，咱反倒给人家添了乱，好羞辱，好羞辱。德库怎么还不回来？往年一上冻就封了工，今年学生都快放寒假了也不见人影。翠花想到德库，想他现在还不定怎么生气哩。上一次是要敲死来鱼，这一次怕是要敲死我了，都是他娘的脚指头李苗。

李苗这时就走进了当中院，她是来给翠花赔不是的。李苗说："翠花，我是来给你赔不是的，德库这两天怕要回来了，他回来还能不生气，他这一生气呀怕就又要弄出什么事情来，弄出事情来就不好收拾了。他上一次不是要敲死来鱼？这一次让他来敲我吧。"

翠花说："真是敢做又敢当啊？你要是不惹这场事恐怕他谁也不敲。"

李苗说："任打任罚，都由你吧。自打你嫁了德库，我心里一直记恨你，万万没想到德库有那毛病，你替我受了罪了翠花！王老师是好人，咱们往后再也不要往他脸上抹黑，咱们往后是好姐妹，让德库和来鱼成好兄弟。翠花，我掏心掏肺说这些话，要是听进去了，就给我挤个笑脸儿吧！"翠花就强挤出一个笑脸儿。李苗说："罢罢罢，也算，也算。"

学生李修明在山下就听到了一些关于王福顺的风声，决定趁夜色的掩护上一趟山。她觉得王福顺现在需要她，这时候她应该在王福顺身边。

学生李修明走进了十里岭的学校。

王福顺一看学生李修明上山来了，就笑得比较忘我。王福顺说："以后上山白天来，走夜路黑，白天来让十里岭的妇女看看，看看我王福顺的女人。"上上下下打量着就张开了手臂等李修明扑过来。听王福顺这么一说李修明笑了："听说你把十里岭一岭的女人都搞了？""全搞了也不就两个嘛！"王福顺忘我地张着手臂。李修明还在笑："有人还听了你的窗户？我上山就想问一问是不是真的，这么说是真的了？"李修明说着就哈哈大笑起来。王福顺说："笑什么？我睡的女人就是你，是一岭的女人来听你的窗户，听出了故事。李修明同学，这故事好玩吧？我逃到山上也逃不开是非，我不去找是非，是非偏偏喜欢我，我想我的命就是这样了。”不等李修明扑过来手臂就自己耷拉了下来。

李修明的眼泪像化雪天屋檐的水唰唰往下掉。

二宝早上起床，又看到了王老师背了个人忽悠忽悠往山下走，二宝返身回去叫了妈又叫了翠花姨，他们仨站在院坝上看，远处挂了霜的树中间有个红影儿闪。翠花说：“闺女太嫩，怕是走路不大利索了。”

王福顺这几天比较忙。一是寒假学生要到联区考试，二是校长常小明到底出事了。常小明把学校“普九”款项提出来用于自己往上提升的活动经费，县教委下来检查发现了问题。发现问题当然要解决问题，常小明被解决了。校长一解决整个番庄联校有些乱，王福顺的心不乱，他决定领二宝下山考完试。这中间德库和来鱼回来了。德库一回来十里岭就要有一场暴风雪，翠花想该来的挡不住，既然挡不住该来的就让它来吧。

奇怪的是十里岭风平浪静。斜阳下熠熠闪光的残雪映衬着十里岭，如一笔抹开的水墨画，偶有一两声鸡鸣听起来也很舒展。

德库和翠花坐在暖炕上，德库说：“我谁也不恨，就恨我自己，恨不得把自己敲死。”翠花知道了德库谁也不想敲，就想敲死自己，心就疼起来，心疼自己也心疼德库，苦海沿边儿，两个苦人儿在生活沿儿上就还得活。

王福顺领二宝考完试，要二宝先回去，他留下来阅卷。分数一经公布，全联区期末考试五年级最高分是二宝。一个老师教一个学生考了第一，王福顺脸上没有光荣。王福顺不想在山下久留，连夜回了十里岭，他心里想着要办一件事，这件事谁也不能说，办成了就成，办不成就是笑柄。

八

王福顺回到十里岭没进学校门进了当中院，进了当中院看到德库坐在炕上抽老烟，王福顺说：“在山下就听说你回来了，回来了就好。你走后发生了一些误会想必翠花也和你说了，咱往事不提。翠花，你出去我有话和德库说，要是来鱼来找我，挡着不要让他进来。”翠花莫名其妙地出去了。

王福顺说：“是男人就不要害羞，你我没有外人，把裤子脱下来我看看那东西到底是有什么毛病？”

德库说：“王老师，是来嘲笑我的吧？是不是记恨我给常小明打电话？给他打电话其实也没说啥，就说要他把你调走，十里岭一岭女人都让你睡了。他说，这不是事！要我想一想还有啥事，他还启发我好好想，我就说了咱们喝过酒，二宝也喝了。他说，好了，电话就拖了长音断线了。我没有说你啥，你饶了我吧！”

王福顺说：“不脱裤子我就不饶你，脱了裤子我就饶了你。”德库说：“还为人师表哩？我不脱。”

王福顺掏出打火机点亮油灯：“你没有明白我的意思，男人那东西有时候需要做一个小手术，我看看是不是要手术，要是，你就解放了。”

德库说：“真的？”

王福顺说：“真的。”

德库就脱了裤子。

王福顺看了说：“小手术。明天和翠花进一趟县城，我给你写个条子，到县医院找条子上的人，他是个外科医生，要他领你们检查一下。”

德库和翠花进了一趟城，找到条子上要见的人，一检查说那东西是包皮过长。见了医生问这问那的翠花说：“想要一个儿，十四年没有动静。医生，你查查是哪里出了毛病？”医生让他俩同时检查，发现德库的精子活动力不强。医生说：“吃几服中药调理调理，过了年肯定会怀上孩子。”德库说：“医生，我有一个闺女的，原来能活动，现在它怎么不活动了？”医生抬起头看翠花，翠花就心跳，急急忙忙说：“我们住的地方高寒，那东西后来冻住了，也不是没有可能吧？”听这么一说，医生嘴里含了一口水就喷了出来，停顿了一小会儿，一本正经地说了句：“很有可能。”

等拆了线取了中药，德库和翠花回了十里岭。德库一路上就想一件事：赶快搬到山下去，再不下山就要影响自己的后代了。

十里岭一腊月天都弥漫着一股中药味，药味儿飘出的雾气中是德库和翠花的笑脸。

腊月里来鱼的娘死了。来鱼就等送他娘走，他娘一走就决定搬下山住。不等来鱼搬德库倒先搬走了，临走翠花问王福顺：“给李苗送过什么东西？也要给我送一份儿。”王福顺说：“送过一包药是让来鱼他娘吃的，那药没有治好来鱼娘的病。现在把德库送给你就是最好的礼物。”翠花脸一红扭转腰笑了。德库一走来鱼心就毛，一天一趟往山下跑。过了清明种了山上的地，来鱼用平车拉了东西往山下迁。二宝告了假搬东西。王福顺说：“告不告假吧，只要下了山你就不是我的学生了。”二宝说：“谁敢说我不是你的学生！”王福顺一听想哭。来鱼说：“都搬走了，一个学生也没了，十里岭的地气散了，也下山吧？”王福顺说：“只要联区还有十里岭这个小学，就得有老师在，最起码得等到这个学期结束。”李苗说：“以后我和翠花月月相跟着来给你送鸡蛋。”

十里岭没有人了，有一个人就上了山，上山的是王福顺的学生李修明。李修明说：“山上没有学生了，我就是你王福顺的学生。”宽厚松软的十里岭透出一股隐秘诱人的地气，那地气是女人的气息，夜里学校的黑暗中就有声音传出来：

“豆来大，豆来大，一间屋子盛不下。”

“猜猜，是啥？”

“灯！”

听得咔的一声打火机声音响了一下，灯就亮了起来。不管山上多么寂寞，灯光中的人儿，心中早已腾起了热望的火。

葛水平

女。1966年出生于山西沁水县十里乡山神凹。1976年进山西长子县的剧团当演员，后考入晋东南戏校学习，毕业后分配到山西晋城上党戏剧院工作。2005年加入中国作家协会，2008年调长治市戏剧研究院任研究室主任。现为山西长治市文联主席，长治市作协副主席，山西省女作家联谊会副会长。

1980年开始发表文学作品，著有中短篇小说集《喊山》《守望》《官煤》《陷入大漠的月亮》，诗集《美人鱼与海》《女儿如水》，散文集《心灵的行走》等，中篇小说《喊山》获第四届鲁迅文学奖。

乡　事

刘学林

一

在乡里坐着无事，吃西瓜吃得肚子膨胀，我就独自步出乡政府大院。今天背集，街上人很少；几处卖西瓜的摊棚，卖瓜人坐在棚下打盹。到处是西瓜皮。出村便被无边无际的绿野迷醉，不觉就走出了二三里路。

两块玉米田之间夹着一块花生地，给人一种河的感觉。绿的岸，绿的水，一窝窝花生秧横看竖看都像水的波纹，绿的波纹。水光潋滟，水波粼粼。锄地的农民离我二十多步远，锄柄上的阳光闪闪烁烁，他那驾轻就熟的风格给我的印象仿佛不是在锄地，而是在撑船。我站在地头看着他撑到我面前。

农民小模小样的，还算白净。

我说："歇歇吧老乡！"

我突然冒出的声音把他吓了一跳，他愣怔了半天脸上才渍出了一丝含义模糊的笑。

我递上一支烟，他想接不接，还是接下了。

点上火，冒了烟。

我说："歇歇吧老乡！"

路南有谁家一处坟园，粗粗细细几棵柳树，浓浓淡淡几片荫凉。选定一处浓密的树荫，我先坐下来，他后坐下来。沙地很松软，稀稀疏疏长着狗狗秧儿、小猪草、牛蒡、节节草，一朵打碗花招引一只蜜蜂，蜜蜂离花朵约两寸远，不飞走也不落下，仿佛悬空定在那里，看不清翅膀嗡鸣似的震颤，却听得见震颤似的细微嗡鸣。

农民很拘谨，又像没有兴致和我聊天，就涩涩地坐着。然而，当我津津有味地吸完他的一支劣质香烟之后，他的谈兴明显浓了起来。真没有想到，要和一个农民沟通感情，不是向他敬烟，而是肯吸他的劣质烟，这和城市正好相反。难怪乡里曹书记常常向村里的支书要烟吸。

家长里短地聊了一阵，也就了解了农民的情况。农民姓林，叫林自立，住小车赵村；老婆不争气，生不出儿子；大闺女十七岁，小闺女十五岁，两个闺女都长得不错；因为没有儿子，就想招一个养老女婿。我也告诉他我在市作家协会工作，是来乡里搞党建的，已经来了一个多月了。

我感到脊背被太阳烤热的时候，才发现树荫已经移走了。看看手表，十一点半钟，我站起身，我说我该回乡里吃饭了。林自立一把拉住我。

他说："今儿晌午饭去家吃，要不你就是看不起俺！"

从他手上传导给我的涩拉拉的力度，我感觉到了他乡土式的诚挚和热情。我竟然没有推辞，我甚至答应得很豪气。

我说："好！今天中午吃老兄的。"

我跟着他沿着地头的土路向西走，将近正午的太阳晒得北中原热气蒸腾。走过一块玉米田，走过一块大豆地，林自立把锄交给我，自己拐进一块红薯地。看他在红薯地里蹲下来，我以为他要解大便，心说解大便怎么不进玉米田，就是大豆地也多少能够遮遮丑。我正想着，林自立从后边赶上来，几块幼红薯就像几只被逮住的正在哺乳期的小老鼠，可怜巴巴地躺在他的手掌里。

他说："让刘同志尝尝鲜。"

见小红薯刚刚成形，我就说："现在挖出来太可惜了。"

他满不在乎说："尝鲜也！听说城里有一道高级菜叫烤猪娃，小猪娃人家都杀了，咱吃几块小红薯都不中？"

正走着，听到身后"滴滴滴"有小车在叫唤，我和林自立闪到路边的时候，一辆红色"桑塔纳"就在我们的身边停住了。通讯员小张从车里钻出来，急得火烧火燎的。

"刘作家，曹书记叫你快回去！"

我有点为难，我对小张说："你给曹书记说，我吃了中午饭就回去。"

"曹书记说有急事。"小张说，"你要不回去，曹书记又该骂我不会办事了。"

小张汗抹流水的，急出几分可怜相，我知道我不回去他是不会善罢甘休的。在乡里当个通讯员也实在不容易，打水送饭，扫地拖地，冬天还要给书记倒尿盆，侍候亲爹亲娘恐怕也侍候不到这份儿上。我只有选择和小张一块儿回乡了。

我转向站在一旁的林自立，尤其注意到他手中的几块小红薯。我说："老林，真不凑巧，改天，我一定到你家里吃饭。"

林自立显得很失望，我甚至感觉到他眯着的眼睛中还有丝丝仇恨透出来。他是否以为我尽是跟他花花哨哨玩儿虚的，其实一点儿真的都没有？小车起步后，我探出身子向他挥手告别时，我吃惊地看到他的右手一扬，便有几条很有力度的弧线利刃一样前进在灿烂的阳光中，把夏日的蓝天都划破了。

我心头一凉。我知道，林自立扔出去的不仅仅是几块还带有奶腥的小红薯。

二

小车没有进乡政府，直接在乡政府斜对面的“杏林酒家”停下来。酒家门面不算大，也谈不上档次，但和乡里其他饭店比较，还算干净，因此乡里来了客人总是在这里招待。也许还有另一层原因，那就是开店的女老板虽年近四十，但俏，稍加装修，仍然颇能调动乡干部们的积极性。

已经迎候在门外的曹天福脸上笑笑的。

曹天福说：“水利局孙局长和江主任。”

我心里说就这急事呀，口中说：“曹书记，我不是说了，我们这次下来有原则：不准打牌，不准跳舞，不准陪客……”

曹天福依然笑笑的，用他独具个性的让客方法扶着我的后背就往门里推，同时打断我的话：“球也！什么叫‘原则’？‘原则’嘛，就是给咱留有一定的灵活性。”

我被推进一个雅间。曹天福把我介绍给水利局客人，再把水利局客人介绍给我，然后推推让让，到底把我推到了上座。孙局长大概饿了，想进展快一点儿，就谈吃。

孙局长说：“曹书记，上次在这儿吃的‘炸薯团’不错，还有其他风味小吃吗？”

曹天福很自信地说：“咱乡其他方面不行，就是风味小吃丰富多彩。”

孙局长说：“给咱介绍介绍。”

曹天福说：“当然首推‘凉拌杨花儿’也，‘甜甜的酸酸的娃哈哈果奶’，让你尝一口终生难忘。”

孙局长很高兴：“我吃过凉拌柳絮儿，凉拌槐花儿，凉拌榆钱儿，真还没吃过凉拌杨花儿！”说着女老板就袅袅婷婷进来了，左手托菜单平放胸前，右手小指无名指依次翘起，开放成一朵兰花。曹天福把菜谱向孙局长面前一扔说：“孙局长点。”

孙局长很内行的样子，张张扬扬说：“我就点一个‘凉拌杨花儿’！看看是不是尝一口就一辈子忘不掉！”

除了水利局客人，其余的人皆哄堂大笑，开心极了。老板娘两颊微微泛红，伸手就在曹书记腮上拧了一把。曹书记用手掌抚了抚被拧的地方，又在自己掌心很夸张地亲了一口，亲出很脆的响声，再掀一次笑的高潮。

孙局长被蒙在鼓里，不知笑由何起。纪检冯书记趴在他耳边小声说：“杨花儿就是这位女老板。”

孙局长猛然省悟自己着了曹天福的道儿，一时老脸没个放处，就用手指虚点曹天福鼻子：“你这个曹书记，你这个曹书记，让我老孙变成了孬孙不是！”

我不得不承认曹书记这家伙看上去傻大笨粗，可就像秋天的石榴一样，外表粗拉拉的，剥开皮，晶晶亮亮酸酸甜甜一包鬼点子，乡土语言叫“一肚子咕咕妙”，几乎每次吃饭都能弄出一点通俗畅销而又鲜活如初的笑料来佐餐。

午饭后的天气热得更够味儿，孙局长害怕路上叫太阳烤熟了，想等凉快一点儿再回去。乡里没有招待所，曹天福只好招呼他们摸两圈儿麻将。先吃了一通西瓜，就支起摊子。刚开场不久，电话铃就没有眼色地响起来。

孙局长不耐烦地说：“别理它！”

曹天福还是一手码牌一手把电话筒摘下来，歪着头夹在脖子里，然后马上又把话筒拿好了，一只手示意他们别弄出响声来，然后“是是是”“好好好”很恭顺地应答着。我马上意识到来者不善，绝对不会是孙局长之类的角色。末了，曹书记说：“我立马就去。您放心王书记，我保证妥善解决好，不留后遗症。”

王书记是县委一把手。

曹天福向孙局长摊摊手：“原谅我不能奉陪了。”

孙局长连忙说：“我们也走，我们也走。”然后目光停留在墙角的一大堆西瓜上。

曹天福就招呼人往孙局长的车上搬西瓜。

“咕咕咚咚”地打发走了孙局长，曹书记叫上冯纪检，说马上去县委。我问我去碍事不？如果可以的话我也去。

李师傅刚把“桑塔纳”开过来，迎面一辆摩托车驰进乡政府，车上的光头青年一边停车一边叫曹书记。曹天福装着没听见，一缩身钻进了“桑塔纳”。那青年忙抢上来拍车窗，曹天福连头也不摆过去，说：“开车！”

“桑塔纳”恼怒地哼一声，像挨了一鞭的叫驴，一蹿就蹿出了乡政府。

三

叫上冯纪检一块儿去，不用问我也能猜个八九不离十，可我还是忍不住问曹天福。

我问：“曹书记，什么事情这样急？”

冯纪检插言：“前丁庄的村民状告支书丁国庆。”

“上访。”

“现在的农民越来越精了，胆子也越来越大了，他们上访不找信访局，不找反贪局，不找纪检委，直接堵书记。他们的信息也不知道怎么那样灵，今天下午书记办公会刚开始，就被他们一个不漏地堵在了会议室，把书记们一网打尽了。”

前边正在修一条高速公路，路基已经挖开，像横亘着一条浅而宽的干渠。我们进县城的公路和高速公路十字相交处的高架桥开始施工，路面被挖断，我们只好下路绕行。刚挖好的路基凸凹不平，颠簸得非常厉害。曹天福掏出手机，拨通一个号码。

“张飞，我是曹操，我正在去县城的路上。不是说让他们垫一条临时钢碴路吗？你给他们说了没有？说了两次了？那他们为什么不垫？球也！我看这样吧，你多带一些人，把他们的工具收了，让他们来求咱们。”然后挂断手机。

车绕回到公路上，又骤然加速，舒展的绿原像被利刃划开一样，“嗖嗖”地飞速向后边闪退。

进了县委大院，办公室副主任老庞就匆匆迎出来。老庞说：“你们可来了。他们都在办公室，十几个也已经喝了我八瓶开水了。”

冯纪检小声问曹书记还见不见县委王书记，曹书记说躲还来不及呢，还见！眼前最当紧的是赶快把人弄走。

我们随着老庞来到县委办公室，满地的烟蒂、烟灰和痰迹，房间里充满了汗酸味儿、鞋臭味儿和劣质烟草味儿。我数了数，坐的，蹲的，站的，总共十六人。他们或漠然，或冷淡，或若无其事，我们的到来显然早在他们的预料之中了。

冯纪检走到一个灰头灰脸的农民跟前，低声说：“丁老铁也，不是跟你说马上就研究你们村的问题吗，你们怎么又捅到县委了？”

丁老铁冷漠地一笑，很老练地把吸剩的黑烟头接到另一支黑烟上，掏、搓、弹、墩、接，一气呵成。我估计不透丁老铁的年龄，皮肤太黑，黑不溜秋像一团乌泥，额上横纹也深，能夹住几粒豆子，但精神头儿很旺，刚才笑的时候一个嘴角动一个嘴角不动。看样子丁老铁是他们的头人。

曹书记摸摸口袋，很失望的样子，之后笑笑地馋馋地走向丁老铁，在丁老铁肩上拍了一掌，粗腔大嗓说：“我说老铁也，你这货不够意思，吸烟连个人也不让。给一支烟抽抽！”

大概丁老铁什么都想到了，可就是没想到曹书记跟他来这一手，第一件事第一句话就是向他要烟吸。这一掌拍得猝不及防，一下子就拍垮了丁老铁的心理防线，拍得丁老铁心里头一时热乎乎的，竟有点儿不知所措了。

“曹书记你、你不嫌俺的烟孬？”

“孬个蛋孬？家常饭，粗布衣，知冷知热结发妻也！”

两军对峙的气氛就一下子缓解了，大有黑烟一点、带有干牛粪味儿的烟雾一冒就是一家人的意思。这个曹天福真是把当地农民的脾胃摸透了。曹天福向老铁要烟吸的时候，我曾隐隐地担心，担心丁老铁如果不给他们的书记掏烟而是给他个大长脸的话，这局面该如何收场？

我是多余担心了。曹天福吸着黑烟，唠嗑似地问他们什么时候来的，走了多长时间，路上热不热等等。

曹天福说：“你们相信我曹天福不？”

丁老铁说：“相信，不过你得给俺们定个解决时间。”

曹天福说："时间由你们定。"

丁老铁说："三天以内。"

曹天福说："算不算今天？"

丁老铁说："不算今天。"

曹天福说："那不行，得算上今天。"

丁老铁说："算上今天其实就剩两天了，怕你们来不及处理。"

"你倒挺体谅我们。"曹天福说，"两天就够了。两天以内我曹天福要是解决不了问题，你们上市里、上省里、上北京，我都找车送你们。就这样定了。"

前丁庄的村民走了之后，曹天福说得去看望一下朱乡长，小车便开向人民医院。我还没见过朱乡长，只听说朱乡长是淇南乡的老乡长，已经送走三任书记了。在如何处理前丁庄支书的问题上，曹天福肯定要和朱乡长商量一下的，可闹了半天我还是不知道前丁庄村的村民状告支书哪一壶呢？我问冯纪检，冯纪检说农民告支书还能告什么？要么是作风粗暴欺压百姓，要么是乱摊派增加农民负担，前丁庄的支书是"两全其美"啦。

没想到一个县级人民医院环境还是挺美的。病房前边是一个小花园，绿荫下有一处凉亭，几处石桌石凳，每处都有人在乘凉。其中一人，肩背两处长着两个大瘤子，明晃晃的耀人眼目，就像两个大玻璃球，叫人好不奇怪。我从来没见过这种品质的肉瘤子，目光便很自然地粘上去。而我们的冯纪检竟像发现了新大陆一样指着那老兄说："那不是朱乡长？坏也坏也，你们看朱乡长长了两个啥玩意儿！"我们都看见了那两个玻璃体的大瘤子，脚步就不自觉地加快了，走近了才看清是两个空罐头瓶，原来朱乡长是在拔火罐，又看见朱乡长旁边还坐着林副乡长。

"老朱也，你不是修底盘吗（朱乡长住院是割痔疮）？怎么背着两个这玩意儿？吓我们一跳！"

"老没成色，轴又坏了（肩周炎）。"

互相"嘻嘻哈哈"几句，算是互赠的问候和见面礼，然后让座，递烟。几缕烟一冒，便开始切入正题，其他坐着的局外人也就很识趣地离开了。曹天福谈前丁庄村民状告支书的情况，朱长贵很认真地听着，并不感到意外。

曹天福说："这件事怎么处理特意来和你商量一下，听听你的高见。"

朱长贵说："曹老板你自己处理就行了，来找我，多此一举，多此一举也。"

曹天福不再"嘻嘻哈哈"，话就说得很直白："前几天小冯和王会计看过他们村的账目，问题确实不小。我打算把丁国庆拿掉。朱乡长你说也？"

朱长贵沉默了一会儿，把手中的烟拧灭，说："这样不妥吧。刘作家是下来搞党建的，党建文件上不是说'以自我教育为主，以正面教育为主，以思想教育为主'吗？文件上是不是这样说的，刘作家？冯书记？林乡长？"

朱长贵先看看我，情况不了解，我自然不便插言。朱乡长又把目光移向冯纪检，冯纪检用手掌抹一把脸，冲着树梢骂："我操！该死的知了，尿我一脸。"朱乡长含意不明地一笑，把希望的目光楔进林副乡长面部，林副乡长知道自己必须接下这目光了。

林副乡长说："要说也是，人家都是鞍前马后跟着咱干的，出点问题说拿掉就拿掉了，会不会冷了其他村干部的心，影响他们的情绪？能不能拿出一个更妥善的处理办法？"

大家就抽烟。冯纪检说："曹书记，朱乡长，你们看这样中不？咱们不说拿掉，咱们来个民主选举。要是仍然选上丁国庆，上访的村民就无话可说了；要是选上别人，丁国庆也无话可说了。"

曹天福说："这样好，还是年轻人脑袋瓜儿灵活。"

有风吹过，偶尔摇动树枝，就有阳光滑落在朱乡长肩背的罐头瓶上，就更加晶亮。我的目光老被这景观吸引，我看到被瓶口罩住的肌肉呈球面凸了起来，像发了酵一样。

四

从县城回来的时候，阳光已由午间刺目的银白变成傍晚鲜亮的杏黄，北中原更显得胸怀宽阔坦荡；不时有坟园进入视野又退出视野，树木繁茂，烟笼雾绕如蒸腾的灵魂。

车行到和高速公路十字交叉点，看到几个民工正在垫绕道的土路，心里说曹天福这种近于胡来的办法还当真奏效。

一路上我都在想，"上访""告状"这类事应该归纪检书记处理，处理不了的再向党委书记汇报，怎么今天冯纪检似乎可有可无了？吃晚饭的时候我问冯纪检，冯纪检说乡里的事就这样，一把手不出面，我这个纪检书记屁大点儿事也解决不了。我问是不是曹书记揽权？冯纪检说也不是，乡里的事就这样，村干部只认一把手，上边的领导只找一把手，我这个纪检书记不就成了骡子的家伙，看着挺大，关键的时候却硬不起来，也就当不了家伙使。

小车驰进乡政府大院，我一眼看见那个光头青年正抱着膀子守候在曹书记的门口。曹天福肯定也看到了，因为曹天福说："操！小冯，你和刘作家休息一下，我到东赵岗还有点儿事。"等我和冯纪检下了车关上门，小车调转头又驰出了乡政府大院。

我想曹天福一定在躲那个光头青年。我虽然到乡里时间不长，但还是能看出来曹天福是一个颇有魄力颇有胆识的人物，可他为什么要躲那个光头青年呢？冯纪检看看手表，说正是饭时，咱们去随便吃点吧。中午喝了点儿酒，这会儿并不觉得饿，但还是和冯纪检一块儿进了乡食堂。

等我们吃了饭从食堂出来，晚霞如火，西天边已红通通血成一片，东天边却有半圈月亮，白白的，薄薄的，又清纯，又淡雅。我又看到了那个光头青年。曹天福为什么要躲他呢？是个无赖？是个二杆子？我问冯纪检，认识那个青年吗？冯纪检说见过，不认识。我说走，咱们先到曹书记屋里坐坐。冯纪检迟疑了一下，还是随我去了。

喊来通讯员小张开了曹书记办公室的门，我们开门进门的时候那青年走到了一边。我猜想等一会儿他会进来，果然当我们杀开一个西瓜正吃的时候那青年进来了。

青年问："曹书记没回？"

冯纪检"呜呜噜噜"说："没有。"

青年问："曹书记回来不？"

冯纪检说："曹书记今天不回来。"

我上下打量那青年，不像个二杆子，也不像个无赖，他如此等待可真有耐性。我说："你有什么事情要找曹书记，我们转告他行不行？"

青年说："我再来，我再来。"

晚上开乡党委班子会，曹书记号召大家吃西瓜，然后亲自操刀，杀开了一个足有三十多斤的大西瓜，瓤口极好。委员们却兴趣不大，一个个都有点儿消极怠工的样子。今年西瓜大丰收，大狠了就酿成了西瓜灾。乡里开展"科技富民工程"，种西瓜也是工程中的一项。去年拿小北村、大北村做试点，初见成效，每亩收入三四千元。今年扩大种植面积，又增加了大车刘、朱冈、大吴湾、胡楼等九个村庄。西瓜长势喜人，遍地滚动着绿色的小太阳，县里还组织各乡的书记、乡长前来参观学习。谁知到西瓜大批量上市的时候，却贵贱卖不出去。刘寨、朱冈、胡楼等几个村支书就成车成车地往乡里送西瓜，面子上说是让乡干部吃西瓜，心里边是埋怨乡里盲目扩大种植面积，促使乡里积极联系销路。于是乡政府每个房间里都堆满了西瓜，于是曹书记就号召乡干部和全乡村民吃西瓜，列举吃西瓜的种种好处，说西瓜不但含糖，含蛋白质，而且解渴、消暑、利尿，规定打麻将不许带钱，只能赌西瓜，点炮吃一块，点庄吃两块，庄扣每人吃四块。我曾经问曹书记，为什么不联系一下销往大城市？曹书记说，球也！那么多关卡，还不够交运输费和买路钱！

副书记副乡长们讲了各自分抓的工作，东西南北四个片的片长分别汇报了片上的情况。最后曹书记强调了两点：一是防汛工作，别看大太阳晒着，一个个热得像打铁似的，老天爷说变脸就变脸，大暴雨说下就下，太行山的山洪说来就来，尤其是东片，东见水、西见水、马固、油坊、冯村几个村子临着淇河，地势又低洼，千万麻痹不得；二是计划生育工作，咱们乡去年好不容易争了个先进，今年一定得保住，哪个片出了问题，我先拿你片长给劓了。

散会的时候暑热渐消，月光正好，草丛和豆架上，蝈蝈的叫声脆脆的滚成一团。大家到厕所站成一排小解，压力都很足，“哗哗哗哗”飞珠溅玉，月光中尿出一派“黄果树”的气势，尿臊中冒上来一股热烘烘甜浓浓的西瓜味儿。有人小声说，再这样吃下去，他妈的非吃出糖尿病不可，于是都笑。从厕所出来，曹天福笑着叫住我。

曹天福说：“和你商量个事。”

我问：“什么事？”

曹天福说：“今天晚上咱俩换个地方咋样？你到我房里睡，我去你房里睡。”

我问：“为什么？”

曹天福说：“体验生活嘛。”

我说：“你这个书记我可当不了。”

曹天福说：“球也！”

曹天福张开嘴打了一个很漫长的呵欠，伸了一个懒腰，大步走向我的房间。

我虽心有几分疑惑，也只好不很情愿地回到曹书记的办公室兼卧室。桌子上堆满了西瓜皮，还有几块吃剩的西瓜。我简单收拾了一下，正准备洗一洗睡觉，听到有脚步声响进门来，我抬起头，看到了我今天已经看到两次的那个光头青年。

我说：“曹书记不在家。”

光头青年显然不相信，目光越过我探向里间。

我说：“曹书记不在家。”

光头青年就有点儿失望，迟疑了一下，从口袋里掏出一封信，说：“县纪委田书记让我给曹书记带了一封信，有重要事情，麻烦你一定尽快交给曹书记。”

我接过那封信，果然是县纪委的信封，上面写着“面交：曹天福书记。”送走光头青年，我正在刷牙的时候，又有人敲门，我衔着牙刷打开门。来人脸很小，眼、鼻、嘴却很大，所以看上去就近似于没脸。由于这特色，我一下子就认出他来——前丁庄的支书丁国庆。丁支书（很可能两天之后就不再是支书了）手中掂着一个黑色的人造革提包，很尴尬地站在门口，进也不是，不进也不是。

丁支书张嘴一笑更似没脸：“嘿嘿，曹书记不在？”

我忽然明白了曹天福和我换房的用意，这个老奸巨猾的曹天福！

五

时不时就想起小车赵村的林自立。那涩拉拉的热诚，那失望中略带仇恨的目光，尤其分别时的扬手一甩，空中便划出几道弧线，弧线明亮而有力度，把夏日的蓝天都划破了。我一定得去一趟小车赵。

夏日的夕阳永远美丽，尤其是夏日大平原的夕阳。夕阳的美不是在它的本身，而是它点亮了大平原的灵魂，升华了大平原的灵魂，使大平原的精神境界高不可攀。

从村东进小车赵，林自立家却在村西。一路问去，引来一身斑斑点点形色各异的目光，弄得我像被蚊虫叮咬一样刺痒难耐。林自立家院落很小，三间堂屋又矮又旧，和四邻高大的瓦房相比，就有点鸡藏鹤群的味道了，然而收拾得却很整洁，猪圈羊栏，鸡窝牛棚，各归其位，当院一棵枣树，树下支一张水磨石小桌子。这家中一定有一个勤快的男人和一个爱干净的女人。

迎接我的是一只黄狗，这是一只土著狗，个头不大，却极凶相，身体伏地作引满待发状，恶恶地对我低吼。我进退两难时听到一个苍老的声音说："狗，回来。"黄狗便乖乖地回到靠西墙的一棵椿树下。这时我才看到椿树下还坐着一个头发灰白的老太太。我迟疑了一下，走到老太太跟前。她一动不动，面无表情，仿佛一件陈年旧事，仿佛一本发黄的农家历书。

我问："老奶奶，林自立呢？"

老太太说："俺哩鸡？找食吃也。"

我问："是林自立家吧？"

老太太说："鸡不上架？天不黑也。"

老太太耳聋了，似乎眼也盲了。我只好点一支烟，到猪圈前看猪，到羊栏前看羊；看猪猪翘着嘴哼哼，看羊羊扬起头咩咩。老太太依然一动不动，黄狗则狐疑地监视着我。好在时间不长林自立夫妇就从地里回来了，一人肩头扛一把锄头一捆草。我迎上去，不知该接谁肩头的草捆。

我说："老林，我来你家吃饭啦！"

林自立愣怔好一会儿，才认出我来，撂下肩头草捆，转身就走，口中说我去打酒。我追着说，你别麻烦，老林，我不会喝酒。林自立又转回身，说看我瞎迷糊，你坐，你坐。进屋抱了一个大西瓜出来，放在当院的水磨石桌上，又进厨房拿刀。我迎过去接刀，说自己来自己来。林自立不和我争，说刘同志你别客气，交刀与我，就自顾出了大门。我呆立一会儿，又把刀送回厨房。倒不是我客气，实在是没有一点儿吃西瓜的欲望。

林自立媳妇果然是一个干净利落的女人，长得也好。我想她既然有那么大的闺女，起码快四十岁了吧，却仍然线条鲜明柔润，岗是岗洼是洼，特别是她那怀揣两座小山丘似的胸脯，可以让任何男人眼冒火光，心跳不止。看她干活像舞台上的艺术表演，摘菜洗菜切菜绝对没有逗号或顿号，轻巧自如流畅若行云流水一般。我甚至不敢插手帮忙，我害怕打乱她行云流水似的节奏，害怕暴露出自己的笨拙。

我说："大嫂，我给你帮忙吧。"

林嫂说："不也不也，城里人哪能干这个！一会儿花妞就回来了。"

我说："大嫂，太麻烦你了。"

林嫂说："你能来俺家，真是天上掉铜盆，俺捡了个好大的面子也。"

说着院子里就有了声音，脚步的声音，放农具的声音，舀水洗手洗脸的声音。林嫂喊，花妞！屋外应，就来。不一会儿花妞进来了。我想这就是林自立说的大妞了。闺女家家的，我不敢多看，仓皇瞄了瞄，感觉和她母亲的身条有点儿相似，只是更加健壮，肤色似乎没有她母亲白净，但更显得红润鲜活。林嫂说，没见过世面，见了客人也不会打个招呼。花妞就对我一笑，反而笑得我十分窘迫。我听林自立说他家二妞比大妞长得好看，就想看一看二妞。直到吃饭的时候二妞才从乡中学放学回来。二妞果然比大妞长得苗条白嫩，然而在我看来却比大妞少了一点儿健康和丰润。

吃饭的时候天已经黑了，林自立也不能喝酒，我们就很随意。餐桌上除一盘炒鸡蛋外，其余都是刚刚从菜园采摘的时令蔬菜，番茄、辣椒、荆芥、豆角，新鲜无比，非常爽口。林嫂有时进来，站着说几句客气话，笑笑地看着我们吃喝，却不肯就座。农村风俗，女人是不兴陪客的，我也就不多勉强。

我随便问："你们村的支书是谁？"

我感觉气氛冷了一下，也许仅仅是我的感觉。

林自立说："赵正中。"

我搜寻浅层次的记忆。我来淇南乡后曾开过几次村支书座谈会，也跑过一些村，大多数村的支书我都有印象，能够对号入座的却不是很多。

我说："是不是一个外号叫'老枪'的？挺高挺壮的，就是眼斜？"

林嫂说："不光眼斜，心也黑得很。"

林自立说："当着刘同志的面，你娘儿们家瞎叨叨个啥也？"

林嫂说："我瞎叨叨，你不瞎叨叨，你那样怕着他，敬着他，他还不是照样拿捏咱……"

林嫂的嗓音忽然就有些哽咽，泪水也止不住流下来。林自立有点儿不知所措了。

林自立说："刘同志，你看你看……"

对林嫂说："好吧好吧你说你说，你说够了我再来。"

对我赔笑："我先去给牲口添一些草。"

这个时候我才看出来，这个家庭的真正当家人不是林自立，而是林嫂。林自立一走，林嫂就落落大方地坐到我的对面，先给我赔不是，再向我敬酒，然后一边劝酒劝菜一边给我讲她家里的事情。

林嫂十九岁那年就嫁给了林自立。林家在小车赵是独门，又是一线单传，她攒着劲儿想给林家生儿子，谁知一连生出两个毛丫头，第三胎让计划生育给"计划"了。咋弄也？总不能让林家绝后呀！唯一的办法就是招女婿。现在的院子太小了，没地方盖房了，就想换一处大点儿的宅基地。可支书赵斜眼儿就是不给批。全

村谁家的宅基地没有批？都批了，就林家一家不给批。赵斜眼儿说要批其实很容易，只要答应他说的那件事。不说你也知道是啥事，缺德事！赵斜眼儿说，从她进小车赵他看到她的第一眼的时候起，就想要她，非常想，非常非常想，非常非常非常想，非常得他趴在别的女人身上也得想着她，要不就不中。一次她在玉米地锄草，被他从后边冷不防撂倒了。她又推又咬，拼命反抗，他看她以死相拼，只好悻悻地走了……

林嫂眼泪汪汪地说："你别笑话俺，俺是看你是好人，才给你说这么多话。"

我说："你怎么知道我是好人？"

林嫂说："你要不是好人，你就不会到俺家吃饭。"

没有想到他们判断好人和坏人的标准竟是这样简单，这样朴素，我到他们家吃了一顿饭就吃成了一个好人，我甚至有点儿感动。我想，人家既然把我看成一个好人，我就要想办法给人家办一点儿好事。

六

丁铁梁提前来了。丁铁梁就是丁老铁，丁铁梁摇身一变成了前丁庄的支部书记了。前丁庄支部改选，丁铁梁得票最多，就是说丁铁梁推翻了丁国庆当上了村支书。

丁铁梁提前来是为了向乡里要钱，向乡里要钱是为了修村里的小学校。小学校的教室实在是不能再将就了，随时都可能会塌下来。

曹天福大光其火。

曹天福说："丁铁梁，你上台第一件事就是来要钱？"

丁铁梁说："我上台第一件事是要修小学校。"

曹天福说："修小学校你找我干什么？我有钱？我又没有开银行，我又不会印票子！我有钱？你前丁庄一年给我交几个钱？你丁铁梁还不如丁国庆，丁国庆起码没有找我要过钱，丁国庆起码没有把困难上交过！"

丁铁梁就拿出黑烟让曹天福吸。

曹天福说："球也！一吸一嘴牛屎味儿。"

再补一句："吸多了嘴能变成牛屁眼儿。"

丁铁梁就笑了。丁铁梁笑着说："书记不吸我自己吸。我吸了二十多年了，嘴还是嘴，也没有变成牛屁眼儿。"

"曹书记，丁国庆知道自己要下台，现金变成了一把白条子，一分钱也没有留下来。让村民集资吧，丁国庆已经以修学校为名，向村民摊派过四次了。我们实在没辙了，才来找乡里想办法。"

曹天福说："其他方面的工作乡里都可以支持你，除了钱。"

“丁铁梁,俗话说新官上任三把火,你应该漂漂亮亮干成这件事,登台就来一个碰头彩,这样你脚跟就站稳了。”

办公室主任来叫曹书记开会,说是二十四个行政村的村长和支书,除了没来的其余的都到齐了。

会议室乱糟糟的,支书村长们大都敞着怀,有的干脆光着膀子;褪掉鞋,然后光脚蹲到凳子上;抠脚丫,吐痰,擤鼻涕,可嗓门笑骂,响亮地放屁;差不多人人嘴上都长长短短黑黑白白叼着烟,几十缕烟雾升腾着;屋顶的吊扇像一台功能不全的搅拌机,把烟草味儿、汗酸味儿、屁味儿、脚臭味儿不够均匀地通过呼吸道送进你的肺腑。第一次参加支书村长大会时我非常不习惯,觉得他们连乌合之众都不如,简直一窝地富反坏土匪狗汉奸。现在习惯了,习惯了就觉得他们其实每个人都有每个人的可爱处,他们之中的多数人管理一个村基本上还是称职的。

曹书记讲话的时候,我用目光在会场里寻找着小车赵的书记赵正中,同时胡乱想着人的名字与体形相貌间的默合或滑稽处。比如丁铁梁就长得铁头铁脑的,浑身一统铁乌色,名字就起得很贴切。可是像小车赵的支书赵正中就扯淡了,明明是斜眼,却偏偏叫正中。其绰号“老枪”就多少有点儿学问了。枪老了,总是瞄不准;也许另有其含义,因为他们之间开玩笑把男人的那东西也叫枪,不知是“老旧的枪”还是“老辣的枪”。

我看到了赵正中,他坐在阴面第二个窗户下。我在考虑等一会儿该怎样说服赵正中。曹书记讲了些什么我基本上不知道,尽管他每次问我“刘作家你说对不对”时,我都旗帜鲜明地回答说“对对对”。

一散会,支书村长们就争先恐后地往外拥,互相打招呼,亮着嗓门开玩笑,吆吆喝喝进厕所,把水管开到最大,“哗哗哗”地冲脚冲凉鞋,一时间,乡政府大院里仿佛到处都塞满了支书和村长。

我回到党建办公室,杀开一个西瓜等着赵正中。赵正中倒也不客气,吃了几块西瓜吐了我一地西瓜籽。他把最后一块瓜皮从窗户扔出去,扯过我的毛巾抹抹嘴,掏出一盒好烟,自己先抽一支,然后很大气地扔到我面前。

他说:“哪村的鸟西瓜?不甜。”

他面向着我,他面向着我的时候目光是对着门的方向。

我说:“前两天去了一趟你们小车赵,是无意间散步散去的。”

他说:“怎么没有找我也?我家里可是有好酒。”

我说:“认识了你们村的林自立。”

他说:“是认识了林自立的老婆吧?”

他笑了,他笑的时候脸扭向窗外,他面向窗外的时候目光正好对着我。他笑得歪不叽叽的,骚不叽叽的,酸不叽叽的。

我说:“我找你有正经事。”

他说："我是和你开玩笑。"

他又面对着我。他面对着我的时候目光又转向门口。

我对他谈了林自立家里需要宅基地的事。我说男到女家落户是婚姻法所提倡的，对落实计划生育政策控制人口增长也有好处，何乐而不为呢？他说你说得非常对，只是，只是小车赵没有男孩的不只他一家，我是怕，是怕"凉粉摞鸡蛋，一碰乱动弹"。何况，何况……

我说："何况什么呢？"

他说："村民对他女人有点儿看法，说她在娘家就有相好，说她的大妞就不是林自立下的种。要说其实也没啥，漂亮女人嘛，刘作家你说是不是？"

他的脸又扭向窗外，他的脸对着窗外的时候目光又正好对着我。

我心里感到非常不舒服。你想想，他面向着你时眼睛却看着别处，他面向着别处时眼睛却看着你，你心里能舒服？这不是乜斜的目光吗？这不是不屑的目光吗？这不是蔑视的目光吗？这不是讥讽的目光吗？当然，我非常清楚这是我的错觉，事实并不是这样的，这是人家生理上的缺陷造成的，可心里就是不舒服。

我站起身，我站起身是想变换我们的相对位置。

他也站起身，他站起身是要向我告辞。

他说："既然你刘作家说了，村里边还是要尽量考虑解决的。"

他走了，步子很雄健，从背后看，倒真是一条北中原哺育的男子汉。

七

县纪委书记田茂恩来了。上边的领导（主要是县市领导，省以上的领导难得光临）经常来，有时候一天能来两拨甚至三拨，吃也好拿也好，这都属于"正当防卫"。上边千条线，下边一根针，上边那么多部委局办，那么多红头文件，千头万绪都要穿过这个乡级小针孔，让工作落实到大地上。不太一样的是纪委书记田茂恩到来之前没有打招呼，一般情况下，领导下来检查工作是要提前打招呼的。

气象部门预报，今年夏季降雨量超常，防汛任务艰巨，因此上边每次开会都要强调一下防汛工作，乡里每次开会也都要强调一下防汛工作。然而老天好像故意在和科学作对，近一个月来，别说是下雨，连云都少见，天天艳阳高照，如火如荼，轰轰烈烈，这两天依然是晴天。气温却突然下降，三伏天竟有点凉气袭人的味道，淇河上游下了大暴雨。县防汛办通知，上午十点左右第一号洪峰通过淇南乡境内。

早点名之后，开了乡党委全委会，散会后曹天福要开车（他经常自己开车）上河堤，同时检查一下东见水、西见水等几个临河村庄的防汛工作。这时候，一辆黑色的"标致"驰进乡政府。曹天福烦烦地说不知又是哪路神仙下界了。当看到从黑

“标致”中往外钻的是县纪委书记田茂恩时，曹天福就不再等田茂恩整体钻出来，很及时地把车开走了。

车开出淇南街，曹天福的手机就响了。曹天福一手扶方向盘，一手握手机，嗓门很高：“嗯，是我。什么？田书记来了？来了好也，来了说明关心我们的工作。我说小冯，好好招待田书记，你再找找朱乡长，中午多让田书记喝几杯。好，中午我尽量赶回去。”

曹天福关掉手机，很专注地开车。

我就想起了前些时那个光头青年，想起他让我转给曹书记的那封信。我揣度田书记的到来八成和那封信有关，就问曹天福。

曹天福说：“什么信？你说什么信？”

我说：“我亲手交给你的那封信，田书记给你的信。”

曹天福说：“你可没交给我过什么信。刘作家，是不是你在编小说？”

我说：“七月十九日晚上，你住我房间，我住你房间。一光头青年交给我一封信，县纪委的信封，上写‘面交曹书记’。七月二十日上午八时，我把信交到了你手上。曹书记你想要赖吗？我可是每天都写日记的。”

曹天福哈哈大笑：“看来是我记错了。瞧我这猪脑袋，一干二净给忘了也，一点儿影子也没了也。”

我也笑着说：“还是让我记错吧，好让你去糊弄田书记。”

曹天福又是一阵大笑：“不愧是作家，具有敏锐的观察力和丰富的想象力。”

从西见水开始检查，沿淇河一个村一个村向东进，路过一个村我们的车上就多一个村支书，开往最后一站东马固村时，车后边竟然挤了五个村支书。“桑塔纳”本来空间就小，挤得他们一个一个直叫唤。曹天福很恼火，走一路骂一路，因为他们大都没有把防汛工作当回事，好点的买了一些编织袋准备临时装土用，像西见水就连一点儿准备也没有。因此，这时候曹天福看着支书们被挤得叫唤很开心，故意忽左忽右急打方向盘，忽快忽慢专拣凸凹不平的路面跑，阴谋把他们的屎尿给挤出来。

十点半钟，曹天福领着六个村的支书来到了淇河边的时候，正赶上第一号山洪泻下来。混浊的河水无声无息，却眼看着得寸进尺地往上涨。河水中漂浮着杂草、灌木、玉米秆儿、青豆秧之类，患难与共似的连成一片或抱成一团。不一会儿，河道涨满了，先漫上河边的草地，又漫进河滩的玉米田。不足一个小时，原本十来米的水面宽成了几十米，颇有浩浩荡荡一泻千里的气概了。正午时分，河水不再上涨了，我们八个人站在河堤上，直到下午一点时才往回走。曹天福还是有点儿不放心，不敢直接回乡里，就拍东马固村的支书马有光的肩膀头。

曹天福说：“想吃玉花的手擀面条也。”

马有光说：“回家让玉花给你擀。”

早就听说马有光老婆的手擀面条是淇南乡一绝，今天总算是有机会尝一尝了。不想其他几个村支书都馋不叽叽地插了言。

一个说："我也想吃玉花的手擀面条也。"

一个说："我也想吃玉花的手擀面条也。"

一个说："我们都想吃玉花的手擀面条也。"

一个说："马支书，我们一起去，玉花受住受不住？"

马有光说："玉花受不住。她一看五个儿子一起来了也，还不高兴得死过去！"

一个说："活过来就轮流让我们吃蜜蜜(奶)。"

曹天福说："打嘴仗你们一个比一个有能耐，算什么能耐？能让村里致富才叫真本事。你们几个今天就免了，想吃玉花的手擀面条改天吃。回去就立即组织人上河堤，分班巡视，水火无情，马虎不得。今天我之所以把你们六个召集在一起，因为你们六个村的土地是连在一起的，不能一荣俱荣，却能一损俱损，无论哪一个村出问题，受害的可是你们六个村。"

刚在马有光的家里坐下来，曹天福的手机又响了。曹天福打开手机说："我是曹天福，我在河堤上。不是让你找一找朱乡长吗？找不着？关机了？那你陪田书记耐心等一会儿，我尽快往回赶。"

吃了马有光老婆的手擀面条，我们三个又返回到河堤上。看到河堤上已经有人巡逻，看到淇河水确实没有再上涨，"桑塔纳"才驰上回乡里的路。回到乡党委，纪检书记田茂恩果然还在耐心地等着曹天福。

田茂恩笑得不大好看，显然肚子里憋着气。

田茂恩说想和曹天福单独谈一谈。

事后听说，冯纪检和我一离开，田茂恩就摆出一副很纪检的面孔，很纪检地说："曹书记，咱们都是共产党员不？"

曹天福就笑笑地说："你今天是怎么啦田书记，有什么事情就摊也，你还不了解我曹天福？"

"那好，我也最喜欢直来直去。"

田茂恩打开公文包，拿出一封信放到曹天福的桌子上。

是一封举报信，举报淇南乡党委书记曹天福向各村大量索取时令土特产，除自己享用外，还向县市领导行贿。单是今年瓜季，就已经向胡楼等村索要西瓜五千斤以上，凡是来淇南乡检查工作的领导，曹天福都要送西瓜。曹天福不但自己腐败，还腐蚀上面的领导干部，曹天福的恶劣行为严重地损害了党在人民群众中的威信，强烈要求上级领导查证落实，严厉处理。

落款是：淇南乡胡楼村村民。

院子里响进来一串"突突突"的马达声，像是一辆小"奔马"运输车。

曹天福很认真地看完了举报信，依然笑笑的。曹天福说："事实部分基本上不错，你看，墙角的西瓜就是村里送的。只是有些地方用词不当，有些地方不够准确。比如，把‘大量’‘凡是’这类词删掉，把‘向各村索取’改为‘有些村干部送或强送’，就比较准确一点儿了。”

田茂恩早就看到了墙角的西瓜。田茂恩点上一支烟，面部肌理就疏松了一些。田茂恩说：“我们县委一贯是爱护干部的，不会轻易处分一个干部。再说咱们的关系也还是不错的，所以收到举报信后我就先来和你通通气，看怎样妥善解决一下，而没有直接派人调查，一派人调查，不管事大事小，对你曹书记的影响就不好了。”

院子里有人喊：“都出来抱西瓜！”接着走廊里响过来“腾腾腾”的脚步声。门被猛地推开，胡楼村村长胡景仁和治保委员胡闹一前一后闯进来，一人挟两个大西瓜，把西瓜放到墙角也不招呼一下就走，大咧咧一派老朋友的架势。曹天福叫住他们。

曹天福说：“谁让你们送西瓜的？”

胡景仁说：“嗨，吃也！吃了总比烂了强。”

曹天福说：“好你个胡景仁，村长给乡里送西瓜，村民到上边去举报，你们合伙挖个陷阱让我老曹往里跳也！”

胡景仁一愣一愣的：“曹书记别开玩笑了，俺村的村民才不会干这种事。”胡闹翻卷背心抹一把脸上的汗，说：“就是。俺村的村民还让俺们给乡里多送些。他们说：送！给龟孙们送！撑死个龟孙！谁让龟孙叫咱们种这么多西瓜，吃也吃不完，卖也卖不掉！”

曹天福又想恼又想笑，恼不得又笑不得地看着两个村干部出了门。乡下老百姓对一些看不惯或深恶痛绝而又无可奈何的事情，其仇恨态度往往表现为调侃的（也可以说是恶毒的，视语气而定）语言表达形式，譬如一谈起社会上的吃喝风，他们也会说：叫他们狠吃！吃死个龟孙才好也！撑死个龟孙才好也！最终曹天福也没有恼也没有笑，起码没有显露在表情上。

曹天福说：“田书记你都看到了，我没有向村里索要，他们送西瓜的目的是给我们施加压力，是对我们不满，是想撑死我们。”

田茂恩笑了。

田茂恩说：“刚才我就说了，我这次来只是想和你曹书记通通气，打个招呼，也顺便看看托你曹书记的事办得怎么样了。”

曹天福迷迷瞪瞪的：“托我办的事？啥事？”

“不就是安淇化工公司的事，经理是我的表侄子，要不我会管这闲事吗？人家辛辛苦苦赚几个钱也不容易，你们地税所一家伙就要人家交六万五，黑得很也！”

曹天福往自己头上狠拍一巴掌，好像拍西瓜，大有一拍两半的样子，惊惊乍乍说：“瞧我这脑袋瓜，怎么忘得一点儿影子也没啦！我这就问问地税所。”接着拿起电话，“嘀嘀嘀嘀”按了一阵，“喂喂喂喂”嚷了一通，最后做出一副无辜样子，无可奈何说："操！这一次怕是不行了，下一次我一定让地税所关照一下你的表侄子。真是对不起田书记。"

田茂恩脸上的笑意就凝固了，一凝固就有点儿冷冷的寒光透出来，这种变化跟水结成冰给人的感觉差不多。

八

雨终于下来了。

县纪委"关于西瓜问题"的调查组也下来了。一行三人，组长和我同姓，都叫他刘组长。这是淇南由公社改乡以来第一次进驻调查组，也就颇有反响。也许是我敏感吧，我发现经常不干工作的一些干部忽然积极了，一些原来沉默寡言的干部忽然谈笑风生了，一些原来与曹天福很亲近的干部忽然和曹天福保持距离了。曹天福倒是满不在乎，也没有给他们接风。对待上边来的人，不到"杏林"吃上一顿这怕是第一次。

朱乡长本来已经上班了，调查组一来就又回家休养了。朱乡长解释说："调查组早不来晚不来，偏偏我一上班它来了，好像调查组是我弄来的一样，还是避避嫌也。"

雨不下不下，下起来就摆出一副打持久战的架势，"哗哗啦啦，哗哗啦啦"，偶尔停歇一会儿也是为了积蓄力量。大院里积了一层水，开一片水花，水花败了结出水泡，大大小小的水泡随着水的流向漂浮，不时地破灭又不时地生成，让人体味生命之短暂。曹天福要去小车赵村，我就想到了林自立的宅基地，不知道赵老枪批了没有，提出来和曹天福同去。

气温很低，我加了一件夹克衫也不感到暖和。

"桑塔纳"在雨中穿行的情状让我联想到潜水艇，或者水底的一尾红鱼。雨刮器刮来刮去也刮不清眼前的雨水，透过一层水汽，原野上的庄稼氤氲成了茫茫一片绿雾。

我说："这雨！"

曹天福似有意又似无意，说："刘作家你都看到了，下面的工作不好干。只要你认真去干，就有人和你捣蛋。现在把毛主席的话反着理解了，'世界上怕就怕认真二字'，所以共产党的干部谁都不敢认真了，一认真就麻烦。都不认真了，就你自己认真，人家就觉得你有病，觉得你是个傻鸟。"

我说："你怕什么？通过调查组调查，不正好可以还你一个清白吗？"

曹天福淡笑："刘作家你是幼稚还是老练？谁都知道，它可以还你一个清白，也可以泼你一身污水，还可以毁掉你的前程。"

说话间汽车就进了小车赵，我让曹书记在村中心停一下，我说我先去看一个熟人，然后直接去村委。曹书记看我的目光有一点儿诧异，我没有解释。

黄狗真聪明，只见过一面就记住了我，很乖地向我摇尾巴。

林自立在堂屋当门编草筐，林嫂坐在门口亮处做针线，两个闺女都不在家。见我冒雨前来，林自立很激动，又是接雨伞，又是搬凳子。林嫂对我笑了笑，我感觉她的笑容很忧郁。林自立让给我一支黑烟，说了几句这场已经下了三天的雨，之后就找了个借口出去了。林自立这人有意思，故意把老婆单独留给我，风格倒是挺高的。同时，我也再一次感觉到林嫂在这个家庭中的权威性。

我已经感觉到他们家的问题不但没有得到解决，恐怕连一点儿进展也没有。我问林嫂，果然林嫂苦笑着摇了摇头。

林嫂说："别替俺们操心了。赵斜眼儿的心斜得很，也硬得很，俺不答应他，他不会批给俺宅基地的。"

我无话，有点惭愧，心里就愈加恼得很。恼赵斜眼儿不是个东西，不是个玩意儿，什么党员，什么支书，简直是他妈的流氓无赖，简直是他妈的恶霸地主！恼赵斜眼不给我面子，你一个村支书连国家的正式干部都算不上，多大的官呀，大不了一个地头蛇！我要是有这个权，非他妈的拿了你不可！我当然知道我没办法对付赵斜眼儿，别说我，就是曹天福，就是县里，要拿掉赵斜眼儿也得掂量掂量。因为赵斜眼儿不只是在搞女人方面有魄力，在工作方面也有魄力，尤其是村办企业搞得有声有色，特别是饮料厂出产的一种枸杞饮料，说是滋阴壮阳，市场上供不应求。在淇南乡，小车赵是唯一一个免除村民上交提留款的村，而且在办学、修路、农田水利诸方面都是淇南乡的脸。不只人要脸，小至家庭，大至国家，中间包括各级政府各个单位都是要脸的，乡自然也是要脸的，淇南乡也不能没有脸。

林嫂说："要说，俺也不是什么金枝玉叶体，俺也没把俺的身子看得多金贵，只是和赵斜眼儿，俺实在不情愿，俺看见赵斜眼儿就恶心。要是俺看中的好人，俺就是把身子给他也没啥。"

我的耳朵很正常，绝对不会是幻听，真真切切是林嫂说的话，就在我们两人相对而坐的情况下，就在连阴雨把我们隔成了小天地的环境中。我当时的心态很难说准确，三分尴尬？三分紧张？四分激动？也许激动更多些。第一次见面林嫂不就说我是好人吗？此时此刻我的脑细胞活跃得就像闪烁的霓虹灯，我能听到我的心像擂鼓一样"咚咚"跳。只要我一句话或者一伸手，这女人就向我打开吗？就会发生一段"廊桥遗梦"式的艳遇吗？小心这会不会是陷阱，或者叫作美人计？不不不不！不可能，他们对你一点儿这样的必要都没有。你你你你你这次下来可是搞党建的，党建可没有这内容……

我努力让自己从春梦一样的境况中醒过来，我扭脸向门外看雨，看无休无止"哗哗啦啦"的雨，看雨中的枣树，看枣树下的积水，看水泡是怎样生成的，又是怎样破灭的，等一颗动如脱兔的心静下来之后，才又看林嫂。林嫂端端庄庄坐着，手中的针线活绵绵密密，看上去平静如水，清纯如水，她刚才说那番话时也是平静如水的，既不动情，也不羞涩。她那平静如水的神态让我想到黄河游览区“黄河母亲”的塑像。

林嫂停下手中的针线，说要给我擀瓜菜面条吃。我说不用了，我说我是和乡里曹书记一起来的，我得去村委会；我说宅基地的事，我还是要尽力帮忙。林嫂说，你对俺家好，俺只有心领了。

曹天福和赵正中在村委会等我，在场的还有村长和会计。我一到大家就上车。村干部们坐他们的“奥迪”，我仍然坐曹书记的“桑塔纳”。我问去哪儿，书记说去吃饭。我连忙把林自立家需要宅基地的事给曹书记说了，又宣讲男到女家落户的伟大意义。我的宣讲还没有结尾，“奥迪”已经把我们带进了他们村办的枸杞饮料厂。陪我们吃饭的除了同来的村干部，又加上了厂长和厂会计，满满当当八个人。我知道曹天福能喝酒，但从来也没有见他像今天这样豪饮过，来者不拒，碰杯必干。村干部厂干部个顶个都是酒布袋，不一会儿墙根就摆了四个空酒瓶。打开第五瓶的时候，赵正中问厂会计钱都准备好了吧，厂会计举举椅背上的黑皮包，说全在这里了。赵正中集中六个小茶杯，这第五瓶正好倒满六杯酒。赵正中起身面向我，我一阵紧张，忽然明白他面向我的时候目光其实看着曹天福，果然他自己面前留三杯，另三杯端给了曹天福。

赵正中说：“曹书记，赵正中敬佩你的为人！”

曹天福说：“一万块钱才一杯酒，不多也。”

两只杯碰得“当”一响，赵正中说了声“先喝为敬”，“滋儿”一声一杯酒就吸进去，倒转杯一滴酒也没有滴下来。曹天福一仰脖子也喝下去一杯酒。两个人你一杯我一杯就喝下去一瓶酒。赵正中拿过厂会计手中的黑皮包递给曹书记，说：“曹书记，三万块全在这里了。”

曹天福说：“赵老枪，我今天来还有一件事要你帮忙。”

“曹书记今天外气也！”

“林自立家的宅基地你批了算球也……”

赵正中斜着眼睛对我笑一笑，那笑容在嘴角淡一下就又隐沉进去了，然而，我还是感觉到了他笑中隐含的浓烈的酸味和苦味：刘作家你可真有本事也，你三下两下就赢得了一个好女人，可我想要她想了十八年！你无非是随意玩玩尝尝鲜，可我是从骨头缝里喜欢她！只要我天天能搂着她睡一觉，摸一摸她的大“蜜蜜”，我这个鸟支书算个球，就是死了也值也！

赵正中说：“只要刘作家和我喝干三杯酒。”

他又打开一瓶酒，像刚才一样又倒满六茶杯，站起身，面向村长，他面向村长的时候目光正好看着我。在他说倒酒却没有掂酒壶而是又再开一瓶的时候，我的心就开始发毛了,这时候他那目不转睛的斜眼在我看来无异于一孔黑洞洞的枪口。真的,当他举起酒杯说一声:"刘作家,赵正中我先喝为敬了!"接着一饮而尽的时候,我真的想到了死。喝酒喝死人已经不是一例两例了,我们单位就有一个。像我这样一个二两酒就能撂翻的人一口气喝下去半斤酒,谁能够保证我不死?

"我我我我真的不能喝酒。"

我把求救的目光转向曹书记,我想我当时的目光一定很可怜。

曹天福说:"赵老枪!"

赵正中只把斜眼准准地罩着我,一动不动站着。手中的杯子倒举,滴酒不剩。

曹天福无奈说:"刘作家,我没有办法帮你了。"

我被逼到了死角,我没有退路了。我说过的话我不能再吞进去,我毕竟是一个男人,我毕竟是一个真正的男人。一股英雄豪气忽然间贯满我的胸膛,我想,那些视死如归的英雄好汉一定都是在这种没有退路的情况下英勇就义的。

我喝下去了面前的三杯酒,颇有点英勇就义前的悲壮。

"你刘作家是好样的,我赵正中赵老枪赵斜眼是狗球乌龟王八蛋!"

朦胧中,我还能看到赵正中斜眼中的泪波涌动;混沌中,我还能意识到他的泪不会是为我的豪气所感动,一定是为他自己疯狂地渴望得到一个女人却得不到而伤心。肚腹中翻江倒海般的难受催促我踉踉跄跄跑出餐厅,我的口腔和食道构成了救火车上的高压水龙,胃囊中已经变味的酒水汤菜喷射而出。在"哗哗啦啦"的雨中,我先是弯着腰,随后蹲下去,呕吐不止,晕晕眩眩看着雨水把我面前的秽物稀释、冲走。曹天福一帮人跟出来,把我扶进去,扶着我漱口、喝茶,后来又把我扶进汽车。在躺进汽车之前,我就进入了一种似醒非醒的境界,我能够依依稀稀记得当时乱糟糟的场面,依依稀稀记得赵正中趴在桌子上"呜呜"地痛哭。

昏昏冥冥有天无日,坐车如乘船。汽车煞车,我几乎从座位上栽下来,还是轧死了一只鸡。村民黑压压拥上来。我说有规定的,轧死鸭赔,轧死鸡不用赔的。村民说你就是轧死了一只鸭。我看看地下果然是一只鸭。我说刚才还是一只鸡怎么变成一只鸭了?是你们偷梁换柱。村民们就推我,还"一二三、一二三"地喊着号子。我被他们推醒了。

我感觉我的身体一荡一荡的挺舒服,我慢慢睁开眼睛,慢慢辨识出自己是睡在汽车里。车身伴着"一二三、一二三"的号子声像秋千一样簸荡,号子声溶在铺天盖地的雨声中显得很遥远。汽车陷进了一个泥坑中,听声音像有七八个村民在推车。我想我应该下车,就是不能帮忙,起码减轻一些重量,就想坐起来。这时我才感觉到肚腹中空空荡荡的难受,脑袋一动就一扎一扎地疼,好像里面睡着一只小刺猬。我问李师傅,这是在哪儿呀?

李师傅说是在前丁庄村头。

好在汽车很快被推出来了。曹天福一身泥水上了车,又招呼支书村长他们也上来。丁铁梁说不坐，就几步路，反正已经淋透了。

汽车开进了前丁庄的小学校。其实根本不能说开进去，因为土垛的院墙已经倒得像遗址。七所房子有六所已经极破旧，特别是最后面的两所，墙根的砖被雨销风蚀得陷进去，手一抠就会落下一撮碎末末，房顶上杂草从断瓦间长出来，又把断瓦埋进去，在这样的雨中竟然没有倒塌实在是一个奇迹。室内的情景更不忍目睹，正在上课的女教师戴着草帽，面前破旧的讲桌上放着两个接漏的脸盆；学生有的戴着草帽，有的穿着雨衣，为了避开漏雨坐得乱七八糟的。

曹天福对刚刚赶到的支书、村长和会计说："马上停课，能找一个安全的地方更好，找不到就暂时放假。"

丁铁梁说："先搬到村委会。"

曹天福把手中的皮包递给丁铁梁，说："这里是三万块钱。你让会计给我打个借条，就写'今借到小车赵村委会现金三万元整'。再不够，你们自己想办法。"

回去的路上，曹天福歪着脖子，"呼噜"打得气势恢宏。无边无际的雨声覆盖着北中原，紧一阵慢一阵，时而"噼噼啪啪"，时而"哗哗啦啦"，时而"轰轰隆隆"，大气磅礴，和曹天福的鼾声组成一曲雄浑的交响乐。

从车内的反光镜里，我看到曹天福嘴角的口水扯得很长很长，像胶水一样很有粘连性。

九

淇河水很大，但一直没有出现险情。雨下到第七日终于停歇下来。乌云时开时合，有点儿想放晴的样子，偶尔露出久违的太阳，金光普照，给人的感觉又新鲜又亲切。

只是气温依然低得反常。

星期五下午，市委党建领导小组和县委组织部召开党建工作汇报会，散会的时候，天又阴了。

黑云压城，雨星如雾。曹天福亲自开车来县城接我。曹天福说，咱们乡的条件太差，生活太苦，委屈作家了，今天晚上咱们改善改善生活。我知道曹天福所谓改善改善的内容，我说算了吧，你看这天，我总觉得今天夜里有可能出事。曹天福说天怎么啦？天阴得再重也不会塌下来。

曹天福已经在"东坡酒楼"定好了一个雅间。雅间很大，一边作餐厅，一边是迪厅，套间里面是休息室。我原想曹天福约请的还有其他客人，没想到我们一坐下，曹天福就让侍应小姐上菜。我们两个人坐在这么大的雅间里就显得格外空洞无物，大而无当。面对这种大而无当的奢侈，我心里隐隐滋生出一种不安和愧疚，就吃也吃不出滋味，喝也喝不出乐趣。曹天福仍然有说有笑，对侍应小姐说，小白，来陪刘作家喝两杯。我忙说不用不用。白小姐说曹书记你不知道我不会喝酒？曹天福说你去叫小黄过来。白小姐出去不一会儿又领来一位小姐，自然是黄小姐了。看这架势饭后一定还要唱歌，还要跳舞，要不曹天福定这么大一个雅间干什么？我的心里愈加不安。咱无钱无权，还没有被小姐“三陪”过，弄不清楚这样子叫不叫“三陪”。黄小姐之后又进来一个很像酒楼经理的男人，曹天福一介绍果然是经理。经理说，曹书记俺们又是老同学又是老战友，刘作家一定要玩好玩痛快，今晚上算是兄弟我请客。

经理的几句话让我心安了一些，再加两位小姐长得都还算有点儿味道，又小鸟依人，跳舞的时候喜欢小猫一样往你怀里偎，不一会儿，我所剩的那点心理障碍就在这音乐和舞步中彻底融化了。

若不是淇河有险情，我们绝不会十点半就往回返的。十点半钟，曹天福接了一次手机，便立即向两位小姐和酒楼经理告别。我们走出酒楼的时候，天穹若熔铅欲坠，大风无声无形，却有千钧之力，一排排大树像被一种无形的重物压着，静止成一律的倾斜状态；雷声“轰轰隆隆”，又沉又闷，似被密封在云中，似被压抑在地下。我闻到了腥风血雨的味道，我体验了天塌地陷的前奏。

一路几乎无话。在茫茫无边的黑夜中，在大自然沉下脸来的时候，我们的“桑塔纳”更显得微不足道，就像一粒小小的甲壳虫，两道灯光就是它的触须。忽然一道闪电，把天空和大地映成刺目的紫色。我第一次看到这种紫色的闪电，紫得让人心寒胆战。雨，下起来了。雨来得并不暴烈，但雄浑沉实，遒劲有力。大地“轰隆隆轰隆隆”地震动，“桑塔纳”像在无数条皮鞭的抽打下挣扎着前进。

曹天福用手机要通了乡派出所，当我们回到乡党委大院的时候，派出所所长和四名公安已经坐在他们的“警面包”里等着了。曹天福让我回房间休息，说他们得去对付他妈的洪水了。在这样的风雨之夜，躺在温暖的被窝中，听着窗外的风声雨声入眠，真乃人生一大享受。然而我还是决定放弃这一享受和他们同往，这种人生体验不是随便能够遇得到的。

“警面包”冲破风雨前边开道，“桑塔纳”紧随其后。我是第一次经历这种事情，心里难免有几分激动和紧张。我不明白曹天福为什么要带上警车和公安，我们是去防汛抗洪的，又不是去侦破案件或者抓捕罪犯的。然而当我们赶到东马固村界的河堤时，我便明白了曹天福的用意。

从西见水村开始，沿淇河河堤东进，逐村察看，当我们赶到东马固时天已经放亮，灰蒙蒙可见雨流如注，天和地水汪汪一片混沌。放眼淇河，洪流滔滔，不见边际，在隐约可见的漂浮物中，麦秸垛就像水泡一样顺流而下。水面距堤面不足半米，洪流拍岸，浪花已经溅上堤面，然而竟然没有人在加固加高河堤。河堤上乱糟糟的，村民们有的在堤上，有的在水中，推的推，拽的拽，正在奋力打捞洪水从上游冲下来的箱柜梁檩。村支书马有光喊喊这个，叫叫那个，指挥不动一个村民，看到我们，就像受人欺辱的孩子见到了爹娘一样呜呜大哭。马有光哭着汇报说：我们村有个老根爷，今年已经九十五岁，说还没有见淇河开过口，因此村民们对防汛工作本来就不重视。今天黎明，从上游冲下来一根好大的房梁，我不让人去捞，可大马猴弟兄四个硬是下水捞了上来。曹书记你也知道大马猴四弟兄是东马固的光棍，谁都不怕也。你们看就是那一根，起码值五百块。村民们一看，个个都红了眼，会水的都纷纷下了水……

"操他妈！"曹天福恶狠狠骂了一句，让派出所所长拉响了警车上的警笛。警笛声冲破"哗哗啦啦"的大雨声和"轰轰隆隆"的洪水声，像厉鬼一样把水中的村民揪上了河堤。马有光把他们喊到了一起，请曹书记讲话。

曹天福登上一个不知谁打捞上来的大木箱，居高临下说："你们看看洪水涨到了什么地方？睁大眼睛看清楚一点！你们竟然还有心捞水中的东西。这水中的东西是哪儿来的？是大水冲毁了上游的村庄，冲毁了他们的家园。现在你们再不加固加高河堤，你们自己的家就要被冲毁了，下游的人就要捞你们家的东西了，你们竟然还有心捞别人家的东西！听说你们村有个老根爷，说是活了九十五岁也没见淇河开过口，那是他小时候不记事。县志记载，他出生那年淇河就决了口，方圆百余里房倒屋塌，死人无数。现在是什么时期？紧急时期！特殊时期！你们都看到了，公安和警车都在这里，谁要是不服从指挥，立即逮捕，谁要是搞破坏活动，就地枪毙！关所长，把家伙亮出来让他们看一看。"

关所长掏出手枪，向着蓄满雨水的天空连开三枪，"叭叽—叭叽—叭叽—"，枪声立马湿淋淋浸成水音儿。

曹天福接着说："我曹天福也没有这个权力，也没有这个胆量，这是特殊时期上级的特殊命令。现在我宣布：第一，无论谁捞出来的东西，无论捞出来的是什么东西，任何人不准据为己有，以后有人来认领就物归原主，无人认领一律给村学校。第二，从现在开始，大家务必同心协力对付洪水，加固加高河堤，不许请假，更不许无故离开，饭由村委统一安排。第三，各村民组清点一下人数，如果不齐，由公安人员陪同回村叫人，谁敢不从，立马押上警车！"

曹天福停顿一下，问："有没有人不服？"

没有人敢不服。

曹天福大步走下河堤，带头扛起了第一个沙袋。东马固几百号村民沿河堤散开，装的装，扛的扛，没有人说话，一个个干得都很卖力。

我一直觉得曹天福这一次的讲话是信口雌黄(往好处说也可以叫随机应变)。后来我问他，他哈哈大笑说，什么县志记载淇河决口，什么特殊时期特殊命令，球也，都是我现编现卖。你不知道，刘作家，这里的老百姓吃硬不吃软，你和他们讲道理，他登着你的鼻子上你的脸，你吓唬他们一通，他们才会老老实实服从你。你们整党建党不让我们作风粗暴，球也，真要是和风细雨，你啥也弄球不成。

十

持续了十几天的低温降雨天气过去后气温有所回升，只是再也没有大热起来，就像一个年富力强的人大病一场，阳气受损了。然而秋庄稼该成熟的还是要成熟，无非是早几天迟几天罢了。比如大片大片的玉米林，腰间硬邦邦的大棒槌就一日日饱绽，满嘴的红胡子干成了黑褐色；比如一株株修直挺拔的高粱，穗子也开始出红了，先是少女思春式的不好意思的羞羞答答的红，忽然就像火焰一样一朵朵红透了，迎朝阳，送夕阳，热热闹闹烧红了北中原。

我没有想到林自立媳妇会跑到乡政府大院来找我。

头天晚上县纪委"西瓜问题"调查组的大刘、小杜和小周拉着我打了一夜牌，中午又喝了两杯酒，一觉睡到了四点半，感觉真幸福。调查组除了大刘在县纪委工作，小杜和小周都是从其他部门临时借调的，而大刘也是个明白人，他压根儿就没有打算调查出个什么子丑寅卯来。这样时间不长我们就混成朋友了。翻翻身又懒懒地闭上眼，脑袋里什么也不想，脑袋里什么也不想的时候真幸福。

这时候林嫂敲响了我的门。我没有想到会是女人来找我，更没想到是林嫂。我的刚才还是一片空白的脑海中忽然就浪花涌溅，想入非非，各种层次的可能性成为诱惑你前进的航标灯，像妖精一样富有魅力。我只穿着一件短裤，我慌慌地穿长裤穿衬衣的时候我甚至想林嫂可能会从身后拥住我，我甚至品味着林嫂那饱满的乳房贴在我后背时的滋味，我甚至有意放慢穿衣动作等待着。我当然知道各种可能性其实都是不可能发生的，当我穿好衣服转过身来的时候，只会看到林嫂静静地站在门口，眼角和嘴角浅漾着亲切祥和的笑。

林嫂说："俺妞她爹是个窝囊菜，让他请个客人也请不到。"

林自立上午来了，说他们家的宅基地终于给批了，说他们家的宅基地要了几年也要不下来，多亏我从中帮忙才批了，因此特意请我去吃饭。倒不是我不想去林嫂家里吃饭，我一贯觉得吃这种谢饭非常没意思，再加上中午确实有事情，就没去。

我说："我中午确实离不开。"

林嫂说："今天晚上去。"

其实我仍然不想去，可是我竟然抵不过林嫂的诱惑力，我竟然抵不过林嫂亲切祥和的笑，我竟然说不出一句婉言谢绝的话。

林嫂说："叫不叫支书、村长？"

我去不去呢？不去什么都不说了，要去呢当然是不想叫支书和村长，多叫一个人就要多一份应酬，多一份客气，多一份微笑，挺累的。何况，我一想到赵正中斜着眼睛看人的情状就觉得别扭;何况,赵正中的酒量和喝酒的方式实在叫人害怕。一想到赵正中,上一次呕吐的痛苦滋味马上就从肠胃翻上喉头。

看我迟疑,林嫂说:“不叫了吧。”

我说:“林嫂……”

林嫂说:“我先走也。”

我没有谢绝可是我也没有答应啊。林嫂竟然就走了,林嫂竟然一点儿也不担心我不去,太自信了啊。我点上一支烟,想想刚才的情景,林嫂语气轻轻的,其力量怎么就像下命令?你在市里什么样的饭没吃过?什么样的女人没见过?为什么这样没成色?难道是久居乡里久未和妻子相聚的缘故吗?

我又看了一会儿书才走出乡政府,在路上有意走得很慢,有时还站下来,尽情欣赏北中原醉人的秋色。

率先迎接我的是黄狗。林自立在夕阳下杀鸡,见我进门,举着一把血淋淋的刀冲我笑。我听到一串类似豫剧乐队中敲边鼓的声音,一定是林嫂在厨房切菜,只有林嫂才能切出玉盘丢豆子一样好听的声音。和林自立说了几句话,我就走进厨房。我喜欢看林嫂做饭,林嫂的厨房似乎就是舞台上的布景。她那种意到手到、虽动犹静的操作实在叫人赏心悦目。

林嫂说:“坐那儿给我烧火吧。”

我说:“我不会烧火。”

林嫂说:“好烧。人要实心,火要空心。”

我便坐下烧火,浓烟从灶口汹涌而出,立时充满了厨房。

林嫂说:“你不是在烧火,你是在熏獾也!”

这顿饭林嫂是有准备的。林嫂到乡里叫过我之后又到集市上割了二斤肉,买了金针菇和鱼罐头。有鸡有肉有鱼,在农村请客已经是够隆重够气派了。人熟了,便不再讲究“女人不上桌”的风俗了,林嫂和林自立一块儿陪我。林自立一再说我帮了他们的大忙,林嫂则把一个“谢”字留到了送我回去的乡路上。我说叫两个闺女也一起吃吧,林嫂说她们在看电视,不用管她们。黄狗卧在我的身边,我每次摸它,它都伸出舌头舔我的手作为回报。我们慢慢地“滋儿”酒,散散淡淡地谈一些节气年景豆棚瓜架上的话题,倒让我体味出一种融融的农家乐趣。

酒喝得恰到好处,头脑蒙蒙儿的,脚下轻轻儿的,思想飘飘而不远行。林嫂要送我,我说不用不用,林自立说让她送送你吧,乡下的夜路不好走,不像城里有电灯。我再说不用不用时,林嫂已在前面先走了,黄狗颠儿颠儿地跟在她身后。

我追随着林嫂的身影出了村,和林嫂保持十几步的距离。月至中天,要圆未圆,该是农历的七月十二或十三吧。月光朦朦胧胧,落在皮肤上已微有凉意。月光下的原野若淡烟笼罩,蝈蝈的叫声“叮叮当当”,一粒一粒如金豆子一般。林嫂放慢脚步等我,黄狗跑过来蹭蹭我的裤子,跑过去蹭蹭林嫂的裤子,又跑到前面领路。

林嫂说：“今年多大了？”

我说：“四十四。”

林嫂说：“你骗我。”

我说：“真的四十四，属兔。”

林嫂说：“比俺大六岁，可看上去倒像比俺小六岁。你们城里人面嫩，不像俺，三十多岁就成了老太婆。”

我说：“你也不见老，像三十出头。”

林嫂说：“你骗我。”

黄狗从前边跑回来，蹭蹭林嫂的裤子，又蹭蹭我的裤子。我总觉得要发生点儿什么，一定会发生点儿什么。我的有点儿蒙眬的意识依稀超前进入了一种生理体验，北中原的月夜太美了呀！北中原的田野太美了呀！高高的玉米林实在诱人呀！

契机是一辆小汽车给送来的，伴着令人心跳的惊险。前方横亘的通向县城的公路上开过一辆小汽车，开到路口时拐上我们脚下的这条道路，迎着我们而来，距我们不到一里远近，灯柱摇摆颠动仿佛在捕捉什么。毫无疑问，这辆小车不是乡里的就是村里的，不管是乡里的还是村里的，他们都可能会认出我来。而我所处的环境呢？夜，月光，原野，高高的玉米林，一个男人和一个女人，这种种富有诗意的条件只能构成一个别无选择的毁灭诗意的结果，我感觉到我和林嫂所处的环境十分险恶。

正当我心跳如兔隐身无术的时候，林嫂拉住了我的手，一缩身就钻进了路边的高高的玉米林。林嫂把我领上了一条更为险恶的路，然而似乎也是一条别无选择的路。我们屏息静气地蹲在高高的玉米林里，看着小车的灯光晃晃悠悠地移过来。这时候最危险的因素来自黄狗，这条平时很精明很懂事的黄狗，关键时刻却冒起傻气来，它无比勇敢地迎着汽车冲上去，并且愤怒地吼叫着。好在小汽车并未理睬它的勇敢和愤怒，灯光很快远去了。

当危险离我们远去的时候我发现林嫂紧紧地偎着我。我一动也不敢动，我开始闻到了林嫂身上的气味，一股泥土的气味，一股豆花的气味，一股青玉米的气味，一股成熟的高粱的气味。诗意去而复返，我的心又开始在诗意的氛围中骚动。

林嫂说：“害怕不？”

林嫂说：“俺也害怕也，你摸摸俺的心。”

林嫂解开扣子，拿起我的手放到她的胸脯上。第一次见到林嫂我就为林嫂拥有的胸脯而惊叹和沉醉，然而那毕竟隔着一层衬衣，我还是没有想到林嫂的乳房竟然这样的饱满和硕大。

我说：“林嫂。”我的声音干哑战栗。

林嫂说：“俺一个乡下女人，没有办法报答你的大恩大德，你要是不嫌弃，就要了俺。”

我周身热血如沸，心如奔马，我把双手都按到了林嫂的乳房上，脸也贴了上去。就在这一刻，我的头脑忽然冷静下来。我忽然觉得玉米林里到处都是窥视的眼睛；也许林自立一直在暗中监视着我们，我看到了林自立善良卑琐的眼睛；也许赵正中已经派人埋伏在我们周围，他那么粗鄙那么刻骨铭心地爱和恨着林嫂，他能不对我们的行为倍加留心吗；我看到了妻子女儿责备的眼睛；我看到了乡里干部藐视的眼睛，看到了同事们不屑的眼睛。眼睛们说：搞的什么党建，搞了一个村妇！

在各种目光的逼视下，我的揉搓着林嫂乳房的双手停住了，慢慢地，依稀升华出一种俯在母亲怀中的感觉，说不清为什么，我的泪水涌出来，浸湿了林嫂的乳房。

我轻声说："林嫂，已经足够了，谢谢你林嫂。"

在后来的日子里，每当我回忆起这一次如梦如幻的经历时，便会有两种互相矛盾的心绪同时纠缠着我：一种是我很理智，我很高尚，我保住了林嫂玉璞般的身子；一种是我很自私，我很卑鄙，我辜负了林嫂纯朴的情愫。

林嫂也流了泪，林嫂很安静，林嫂轻抚着我的背，说："就当是你的老家，你啥时候想来，就来吧。"

有句公认的警语叫"英雄难过美人关"，可我过了。

所以我想我不是英雄。

十一

来时曹天福亲自开车接我来，走时曹天福又亲自开车送我走。走时的路还是来时的路，走时的路并非来时的路。来时满眼都是水汪汪的绿，玉米还没有出穗，高粱正在拔节，一眨眼，夹道的青纱帐就荡然无存了。初冬的原野就像是集贸市场散了集，因为格外的辽阔而显得苍凉和萧条。

曹天福车开得很平稳。

"什么时候在城里待腻了，就来咱乡里住一段。"

"是要来，一定来。"

我望着车窗外隐退着的大地，很是留恋，留恋这里的土地，留恋这里的人，留恋林嫂，甚至包括好色之徒赵斜眼儿，因为我原本就是北中原大地的儿子。

"听说市委组织部的郭部长是你的同学？"

"不错，郭树林。"

曹天福似乎有什么话想和我说，其实从一上车我就觉得他有话想和我说。我看他一眼，他的目光直视前方，很专注的样子。右前方，一小块高粱地进入我的视野。这是谁家的高粱怎么现在还不收获呢？走近了才看清原来是一片空空的高粱秆儿，高粱穗早被主人杀去了。这些无穗的高粱好像一下子卸去了责任感，悠闲地站在平原上，轻轻摇摆着干叶子，看上去轻松自在又潇洒。

再看曹天福，神态依然很专注。

我说："曹书记，是不是有什么事情想找郭部长？"

曹天福点了点头，又摇了摇头。

曹天福说："原本是想请你给引见引见的。刘作家你都看到了，这乡党委书记真不是人干的。自己还人模狗样地掂着手机，坐着'桑塔纳'，其实上上下下都没有把你当成什么东西看。苦咱不怕，累也不怕，最难受的是没有人真正理解你，没有人真正体谅你。现在的村民可不是过去的社员了，过去的社员都是向阳花，现在的村民可是酸枣刺，动不动就上访、就告状、就举报。上边的骂你作风粗暴像土匪，下边的骂你鱼肉乡里是匪徒。可你骂谁？你只能窝在中间受夹板气。"

"桑塔纳"在那片高粱秆儿旁边停下来。曹天福边下车边问我尿不尿一泡。我也下了车，并排向高粱地里走。

曹天福一边解裤子一边说："所以，一听说郭部长是你的同学时，就想着让你给帮帮忙，不求升迁只求动一动。"

我说："那好办，今天咱们就先去市委组织部，看看我的部长同学在不在。"

曹天福说："不，现在我已经改变主意了。"

我问："为什么？"

曹天福说："倒不是我的思想觉悟忽然提高了，而是忽然觉得这样做很没意思。何况，宁为鸡头不做凤尾也，再怎么说我也是这一方的土皇帝。"

我说："倒也是。就像这片无头的高粱秆儿，看上去轻松悠闲又自在，实际上它们站在这里已经没有什么意义了。"

曹天福说："不愧是作家，高粱秆儿也能琢磨出道理来。我可想不了这么深。"

"桑塔纳"又平稳地跑起来。也许是放下了一件心事，曹天福的神态明显比刚才轻松自如了。

我这时又想到了林嫂，想到那天夜晚月光下高高的玉米林，我发现我确实是喜欢林嫂的，我走后赵老枪会不会继续为难她？

我说："求曹书记一件事。"

曹天福说："直说也。"

我说："还记不记得小车赵村的林自立？这人做人太窝囊，曹书记对他家关照点儿。"

曹天福心里笑起来，我能看出他心里笑起来。

曹天福说："看来赵老枪所言非虚也，眼虽斜看得还是挺准也！"

我的心里就有点儿虚。

曹天福说："昨天晚上我开车去小车赵，找赵老枪要几件枸杞补肾茶，说是要送给你刘作家。赵老枪酸不溜溜地说刘作家是得补补肾，刘作家和林自立的媳妇'大蜜蜜'干上了,肾还能不虚? 我说屎也,瞎扯! 赵老枪赌咒发誓说,我要是冤枉他叫我来世托生成一头驴,还是一头斜眼驴。"

"你别听赵老枪瞎屎扯!"我一急也冒出一句粗话。

曹天福哈哈大笑,猛然加速,"桑塔纳"几乎飘起来。

(选自《作品》2000 年第 4 期)

刘学林

1947 年出生,河南封丘人。1982 年毕业于河南大学历史系。曾赴乡村插队务农,历任工人,《妇女生活》杂志编辑,《奔流》《莽原》杂志编辑室主任,河南省作家协会副秘书长。1978 年开始发表作品。1993 年加入中国作家协会。著有长篇小说《遥远的仇恨》《醉境》,中篇小说《沙岸》《蝈蝈》等。短篇小说《品茶》获 1984 年《奔流》佳作奖,《高手》获全国 1989—1990 年优秀小小说奖。

牌坊村

夏天敏

一

周顺子双手抱着头，披着一件又黑又脏的棉袄，蜷缩在石桥的桥桩旁。在他的不远处，一辆破旧载重自行车打横平放在地下。他在这儿已经蹲了一个时辰。是个很冷的天气，虽然才是深秋，但从横亘在坝子北面的垭口吹来的那股北风，“嗖嗖”地席卷过原野，小刀子似的割人肌肤。已是凌晨了，又在桥头上蹲着，周顺子就觉得格外的冷。他拖着一只残疾的空着裤管的脚，缩头缩脸地将头埋在腿间。他的面前放着一根镶了尖头的拐杖，拐杖既是他的支柱，又是他的防身武器。

“笃、笃、笃”，桥头传来足音，周顺子艰难地仰起头，眼珠在黑夜里莹莹地亮着。人过来又过去了，不是他的老婆，是个面目模糊、花里胡哨的女人。人走了老远，劣质的香水味混合着汗酸味还留着。周顺子心里一惊，把头又埋到裤裆里，深深叹口气，继续想他的心事。

“笃、笃、笃”，周顺子艰难地昂起头，这次，他想一定是他老婆来了。秋霜每次走到桥头都要停顿一下的，“笃笃”的足音戛然而止。她要在桥头将那双半新的高跟鞋脱掉，换上平底布鞋。

“来啦?”“来了。”“走吧。”“走。”周顺子用臂撑起身子，再用有尖刺的拐杖保持住身体的平衡。秋霜摸索着，帮他扶直横在地上的单车，周顺子在单车上坐好，叫秋霜在货架上坐正。“走吧。”“走。”单车在土路上行走，秋霜从后面打着电筒。别看顺子只有一只脚，他的力气可大呢，另一只脚的力量全集中在这只脚上了。但毕竟只有一只脚，驮着一个大活人，顺子还是累得直喘粗气。天黑、路烂、风硬，骑着骑着，单车撞到一块石头，龙头甩了几甩，人被颠得老高，总算没被甩下来。秋霜恼怒:“看着骑，眼睛遭裤裆蒙住啦。”顺子手臂和胸腔被石头震得发麻，但他不吭气。他晓得秋霜的脾气，秋霜乖戾，一会儿哭一会儿笑，现在她烦着呢。

秋霜是进城“做工”的。

顺子是接进城“做工”的媳妇的。

顺子的村，叫牌坊村。这个小村离城也就十来华里路程，但村子却穷。村子在一个叫回龙坡的梁子上，这种叫梁子的地方，不是高山，不是陡坡，类似丘陵而不是丘陵，它是坝子里脊起的一条条的干坡。回龙坡山地贫瘠，没有水，地面的灰淹得过脚背。人畜饮的水是村头的一个水塘，没有水源，雨天积的水，稠稠的，黏黏的，墨绿墨绿的，上面飘着成群成群的蚊蚋。

虽然小，虽然穷，但牌坊村在这一带还是有名气的。村子前面，有一座青石的牌坊，这座牌坊既高且大，雕刻十分精细。牌坊前是一对石狮子，十分的威猛，守候着牌坊后的一方净土。牌坊后是一对大象，安静祥和。人们屡屡惊讶，以牌坊村的财力，无论如何是修不起这样一座高大、巍峨的牌坊的。村子里上了年纪的人提起牌坊，每每溢着一脸的矜持而又傲慢的神色。牌坊村虽然穷，但穷得有骨气，穷得有气节。不是么，村头这座巍然而立的石牌坊，不就是一座无言的丰碑么。

清朝末年，牌坊村有一位清贫而又正直的塾师，塾师诗礼传家，既耕且读，却把一个唯一的女儿熏陶得知诗书，懂礼仪。塾师的女儿虽然禀赋聪颖，姿色佳丽，但毕竟寒家小户，终究也没攀上豪门望族，连稍有资财的土地主也没有看上穷愁潦倒的塾师一家。最后塾师进城到一家商号做东席，塾师女儿被商号中年青的账房看中，喜结了良缘。

那年月，土匪攻城掠地、打家劫舍是常事。在一次土匪攻城的混乱中，塾师和年青的账房都被土匪杀了。塾师女儿结婚也仅几月，腹中还怀着年青账房的孩子。年青貌美的塾师女儿抱定了终身不嫁、从一而终的念头，决心守寡一辈子，冰清玉洁，把孩子拉扯大。

城内一富家子弟慕其貌美，几次三番请人来说媒。此时，塾师女儿已山穷水尽。家道原本就不宽裕，几遭变故，更一贫如洗。她脱去女儿装，布衣布鞋，下地剜野菜，养鸡喂猪，日子过得极其窘困。但她对富贵并未动心，坚守妇道，为夫守节，拒绝了这门亲事。此事在小城广为流传，众人赞叹不已。那富贵人家子弟也十分佩服，托人送来钱帛，又遭拒绝，那人更加感佩。

又过一些年，塾师女儿的儿子已十岁。日子虽然苦寒，但她颜色未改，更加丰满，只是肤色黑了一些。村里光棍多，想打主意的不少。无论用轻薄语言挑逗，还是帮忙做事，想以此感化而达目的，均遭拒绝。外村恶棍听其美名，想将其得手，黑夜潜入其家，以暴力相胁，不从。故强行施暴，得手后狞笑而去。塾师女儿痛失其身，乃引颈入环，悬梁而亡。一时，城乡哗然，士商农工，纷纷出城。田埂上、土路上，到处走满人，到其家中吊唁。又由城中有名望的士绅发起，呈文恳请知府旌表。获准，拨银若干，聘高明工匠建造牌坊，越年修成，成为当地名胜。此后，小村以牌坊村而负盛名。

牌坊村自古就穷。这座土山梁子全为砂地，地下三寸就是羊肝石，一种又韧又硬，挖不动、凿不开的石底子。上面土粗硬如蚕豆，人踩上去硌脚。这种土没有肥力，蓄不住水，又多盐碱。春来，四周皆绿，唯独这匹干梁子赤白如盐，寸草不生。夏季，到处的庄稼已有人高，这里的苞谷只有尺来高，稀稀疏疏就像瘌痢头上的几根毛。干旱时节，到几里外挑担水来，一瓢水倒下去，"哧溜"就无影无踪，连个痕迹都不见。秋熟，耗子吃地里的苞谷，只消直起腰来就可。日子苦寒，牌坊村姑娘只愿嫁出去，外面的姑娘不愿嫁进来。到处人口膨胀，这个村的人口不消不涨维持下来。一匹梁子不出种，连最贱的芨芨草也长得半死不活。一匹梁子被城里人陆续以廉价买去，修筑坟茔。日久天长，这匹几里长的梁子就到处布满坟茔。有的坟茔高大，石碑、石座、石围栏，外加石兽、石椅，气势宏大，雕刻精美；有的寒碜一些，就只有石碑、石围。更寒碜的，就是一堆堆或立或陷的土堆了。年岁久了，一匹梁子上到处布满了一座座被雨打风吹、磨蚀得惨白惨白的石碑，仿佛是座城市的废墟，也仿佛是被风雨岁月剥蚀了肌肉的巨大恐龙的骨骼。

旱归旱，穷归穷，牌坊村的姑娘却出奇地长得好。土窝窝的房子，满巷子没过脚背的尘土，连树也蔫头蔫脑、灰不啦叽。风吹来，满村的浮土连着草梢、粪土被卷上天，黄澄澄见不到太阳。尽管如此，牌坊村的姑娘却腰身是腰身，盘子是盘子。该凸的地方是圆不溜秋、鼓鼓胀胀的。该凹的地方柔柔韧韧。在村里不算啥，灰眉灰脸，土不啦叽，土布对襟衣，剪子布底鞋，陶俑样笨拙。可一嫁出去，那清亮亮的水一洗，鲜亮的衣服一换，人就变了个样儿。皮肤虽然黑了些，黑得瓷实，黑得勾心摄魄；胸部大了些，颤颤巍巍，煽人上火；柳条似的腰肢柔蔓了些，走一步三摇，柔得人心疼；臀部大了些，一走就左扭右扭，胆大的人就想捏一把。

似有若无的手电光淡黄淡黄，有气无力地照着路面，乡村土路实在太难骑车。好些年了，这条土路从来就没人修理过。高高低低，石头、土疙瘩布满路面。这种路面由于牛蹄经常踩，天干的时候坚硬如铁，天稀的时候泥浆半尺厚。顺子独脚骑车走在这种路面上太吃力了，他双手震得发麻，独脚累得抽筋，汗把里外的衣衫都湿透了。他本想让秋霜下车来歇一歇，但他见秋霜的脸像打了霜一样，他就不敢吭气了。秋霜坐在单车后面震得一身酸疼，屁股肉头厚，但仍被震得火辣辣疼。秋霜说："眼瞎啦，不会拣好道骑?"顺子说："电筒暗，看不见。""暗，你不会买新的。拿给你买电池的钱哪里去了?"话中的火气更足了。顺子嗫嚅："在哩，在哩，攒着哩，娃娃快上学了。"秋霜叹口气，身子面条样软了下去。正胡想着，单车前轮突然掉进一个陷阱，顺子先从笼头上甩了出去，秋霜被弹出来又压在顺子身上。顺子双手先着地，被粗硬的砂子蹭破一大块皮，还陷了无数的小砂子在肉里头，独脚的膝盖也被擦得烂糟糟的。秋霜有人垫底，倒没咋伤着。秋霜挣着爬起来，去扶顺子，扶了半天才扶起来。秋霜找到电筒一照，见顺子血淋淋的手掌和膝盖，秋霜倒抽一口凉气，一肚子的怨气早就消了，心疼得哭泣起来。她从身上找东西给顺子包扎，摸了半天才摸到一迭卫生纸，还有几只软软的避孕套。秋霜也只好将就，用卫生纸给顺子敷住伤口。顺子疼得倒吸凉气，秋霜给他包扎伤口．他心里涌出一股温情。这半年多来，秋霜对他冷若冰霜。现在，秋霜流泪了，说明秋霜心里还有他哩。

远处，有了轰隆隆的雷声，像要下雨的样子。一道刺眼的闪电，剑样划破长空。借着闪电，秋霜看见那座高大巍峨的牌坊，正在向自己身上倾倒。好端端的路上，又多了一个窟窿，秋霜身上猛地一紧，不由自主地打了几个冷噤，全身的汗毛都立起来了。她忙着扶起顺子，一步一挪地回去了。

三奶奶是个几乎不会睡觉的人。三奶奶的土房就建在石牌坊侧面的一个圆丘上，这个圆丘有十来丈长，三四丈高，远远看去像个馒头。这土丘原来是没有的，修牌坊的时候，从地下掘了许多的土，堆起来就成圆丘了。生产队时，为了护秋，就修了间只放得下一张床的土房子。生产队解体，没人护秋房就空了出来。三奶奶就搬了住进去，谁也没觉得有什么不妥。三奶奶是个没儿没女的孤老人，也是村里最受尊敬的人。三奶奶年青时守寡，人硬气，就是耕地、拉犁、脱土基这些苦活也不要任何男人帮忙，也不准任何男的到她的家去。三奶奶是村里的骄傲，都说不兴竖牌坊了，如果兴，三奶奶是完全够格的。三奶奶是村里年纪最大的，村里几代人差不多都是她接的生。哪个屁股上有印，哪个肚脐有颗痣，三奶奶都清清楚楚。三奶奶是村里人的奶奶。

几乎成了仙的三奶奶是几乎不睡觉的。三奶奶是上了岁数，可她眼不花耳不聋。一夜枯坐的三奶奶清清楚楚听到远处的雷声，她也隐隐约约听到有人跌倒的声音，她盘腿坐在泥巴垒的土床上，眼里就明明白白地看到跌的是啥人了。她觉得牌坊前应该有个陷阱，狠狠跌一下那些不要脸的东西。她这样坐着想，已经想了几天了，果然就应在秋霜头上了。这死姑娘，三奶奶为她接生还是费了些劲呢，唉，不争气的东西。

闪电亮的那瞬间，三奶奶看到那座被风雨洗刷得像白玉一般晶莹透明的石牌坊上，稳稳地坐着一个头发垂到地面、面容姣好的女子。她知道，这女子就是那忠贞的塾师的女儿。这冰清玉洁的女子，面目凄楚，肃然可敬。她俯视着这片苍凉的土地，目光渐渐严峻起来，渐渐明亮起来，最后几乎成为洞穿天地的烛光了。

秋霜第一次上街头是个初春的傍晚，她是被她的一个远房表姐带进城的。牌坊村离城不到十华里，秋霜却很少进城。没完没了的庄稼活，无休无止的家务事，忙完人吃的忙猪吃的。忙到深夜，脚一蹬，头一歪，马上酣然入睡。进城对秋霜是件奢侈的事，丢下一大家子人一大堆活进城算什么事呢？

天完全黑定了，秋霜才跟表姐到了城里。表姐穿着一件大红的毛线衣，剪短了头发，还穿了一条牛仔裤。表姐本来就胖，三十多岁的人，正是发福的时候，她胸口前那对大奶子在紧绷绷的毛衣下兔子似的窜动，磨盘样的屁股，被牛仔裤绷得像开花馒头一样。表姐没有腰身，她的腰杆水桶一般粗，尽管一身都是肉，却像木磴子一样。表姐和她肤色都黑，为自己抹了些粉涂了些膏，没有涂抹匀，脸白一块黑一块的，嘴红得溢血，惹人想笑。秋霜刚刚剁完猪食，表姐就来喊她了。表姐叫她去洗把脸，换套衣服，秋霜踌躇着没动。秋霜实在找不到可以换的衣服，秋霜也不想换衣服。表姐来约过她几次，她都没去。这天表姐来帮她打地，两姐妹在地头说了一下午的悄悄话。都不知道她们说了些什么，只见秋霜一会儿悄无声息地哭泣，一会儿又伸手去擂表姐的背脊，一会儿两人抱在一起咯咯地大笑，一会儿又长一声短一声地叹息。天快黑了，表姐见她磨磨蹭蹭不动，表姐心烦，发起火来，问她到底去不去，不去就算了，还怕是啥金枝玉叶，原封原装的货。整点钱来把肚儿装圆才是正事，你看你那苞谷，人家的镰刀把粗了，你的才筷子粗。进一回城，整几包化肥钱来，撒下去，你看它不拔着样长才怪。秋霜还在磨蹭，这话却击中她的要害。庄稼人靠啥，就靠个庄稼。看到人家地里用化肥一撒，庄稼就一天变下样地长。她家穷，买不起化肥，种卫生庄稼。要有几包化肥，多好呵。

秋霜低声说："去。"说完眼圈就红了，噼里啪啦掉了一串泪。表姐叫她去洗把脸，没衣裳换也罢了，等挣到钱，买几套粉点的。秋霜不说话，头里走了。表姐追上去，握住她的手，那手糙得像锉刀，还沾着一些剁碎的菜叶子。表姐说你这样真恶心，谁敢和你睡？就是进城打工的人也看不上，只有糟老头子才要，挣不到多少钱。秋霜烦她，说挣几文算几文。

这是一座小城，秋霜却觉得这座城大得不得了。这座城的街道是老街道，歪歪仄仄、高高低低的房子挤出一条条东扭西曲的小巷子。这座城的新房多在城外，城外马路宽阔，房屋高大，汽车来往不绝，霓虹灯闪闪烁烁。老城却像行将就木的老人，了无生气。许多街道没有路灯，许多地段岑寂少人。这座老城的中心地段有一片空地，以前也有座石牌坊，五八年"大跃进"拆了，拆了地面就宽了。这片空地却是老城的枢纽，全城的街道都是从这里辐射出来的。七八条小巷的巷口在这里交汇，从这里可以遁入任何一个漆黑的小巷中去。这里就成了一个奇特的地方。

来这里的多是老年人，这些老年人多是下层社会的，补锅、修鞋、扎扫帚、卖凉粉的全有。天气好的日子，在这个不大的空地上，扎堆儿地围着一圈一圈的人，有唱花灯、唱川剧、唱山歌、弹月琴、拉二胡的。围着这些圈游荡着一些人，男的、女的，年老、年青的都有。他们伸着脖子，朝唱花灯、对山歌的人看去，眼珠却到处乱转，碰到对路的人，就溜出人群，接头去了。

表姐在这儿很熟，她像鱼跃入水中一样活跃、一样自在。她一路和许多人打招呼，胖胖的脸上虽然白一块、红一块，嘴唇红得一塌糊涂，却很引人注意。她本来就胖，腰身又粗，但她却很想把腰身扭出韵味、扭出曲线来。她扭来扭去，腰身不动，倒是那对硕大的奶却又蹦又跳，那肥硕的屁股扭出肥硕的波浪。秋霜知道表姐的奶打小就大，但她不知道戴乳罩，两只奶没收没束。秋霜的脸倏地红了，低着头不敢见人。表姐却表现出空前的热情，从一个打工模样的小伙子手里抓了一大把瓜子递给秋霜。她捏那小伙子一把，那小伙子在她屁股上掐了一把，她笑着和那小伙子追了好一段路。回来，她对着秋霜说："小狗日的想吃老娘的豆腐，拿不出钱来占便宜,去他妈的,这种人你要小心。”秋霜在暗处,脸又倏地一红,心跳得“咚咚”直响,头勾在胸前,抬也不敢抬。表姐见她这样,又急又恼,凑近她的耳边说:“男人爱骚,你这样子,良家妇女样,谁敢和你打招呼?”表姐这样一说,秋霜心里一酸,眼泪“叭叭”地又掉了一串。谁说不是呢,良家妇女,牌坊村的女子谁不是良家妇女?十里八村,老老小小,提起牌坊村的女子,谁个不跷拇指,吃苦、耐劳、勤谨、守妇道。现在……唉……表姐见她这样,心中烦起来,吼道:“算了,算了,你不愿回去算了。整啥子嘛,哭天抹泪,整不好还说是我逼良为娼,你想好了,不愿我送你回去,免得以后怨我恨我。”秋霜不说话,只抽抽搭搭地哭,哭得好伤心,哭得好哀怨,哭得表姐心软了下来。表姐说:“你看你那个家像啥子家,房子烟熏火燎、东倒西歪。前面住人,后面喂猪。外头下大雨,里头下小雨,一年到头稀泥烂浆,乱麻麻、臭烘烘的。你看你那男人,缺着一只脚,啥也干不了,外头里头靠你一个人。你看你那三个鬼崽崽,披筋筋、挂绺绺,读不起书,吃不饱肚,瘦得苞谷秆样的。你看你那地,地瘦娃娃瘦,屙泡屎还被狗抢吃了。地里无肥,种啥庄稼?你看你自己,不到三十岁,好不好的模样,好不好的身段,现在成啥样了?头发一饼粘,老得像当奶奶的人。你不出来挣几个钱,你过啥日子?”表姐自小辣躁,说话一串一串的,说得秋霜点起头来,表姐说的都是实实在在的,说到秋霜心里头去了。

表姐说好了好了,不要哭天抹泪了,快把你的脸擦干净。表姐说你站在这里莫乱动,我去把客给你引来,你要主动些、热情些。

秋霜站在柳树下,她根本不敢看周围的人。黑夜浓浓,这里只远处有一盏灯,人与人相撞,谁也看不清谁。周围散散地站着几个人,朝她看,有的甚至走到她面前,故意撞她一下,见她没有任何表示,就不好贸然打招呼了。秋霜站着站着,有一个斜披着一件旧棉袄、走路趔趔趄趄的老头过来撞了她一下,她还以为老头年龄大了腿脚不便,正想扶他一把,谁知那老头却说:“要去玩?”说罢朝她龇着没牙的瘪嘴一笑。她吓了一跳,赶紧跑开,躲到另一幢房子的檐下。她的心跳得“咚咚”响,心里也一阵恶心,胸腔里涌出一股热流,差点吐起来。她蹲在地上干呕了一阵,正想走,表姐来了。表姐说你咋乱跑,叫你站在那里你就站在那里,害我好找。表姐将她拉了站在身边,朝不远的一个小伙子扬了扬手,那小伙子就走了过来,朦胧的光亮下,看得出小伙子也是农村人,虽然穿了一套皮夹克,但从里到外都冒土气。皮夹克也皱皱巴巴的,还沾了不少石灰点子、泥巴点子。那小伙子笑嘻嘻地站着,像打量一匹牲口似的打量她一阵。秋霜窘得不行,觉得和买卖牲口差不多了,只差没叫她张开嘴看牙口了。谁知小伙子看了一阵,啥也没说走了。表姐忙着追过去,和那小伙子嘀嘀咕咕讲了半天。回来后,表姐黑丧着脸,说你这样子,人家看不上眼哩。叫你换套衣服你不换,又黑又脏,土得掉渣,一大股汗臭味,鬼老二愿和你睡哩。秋霜被表姐数落得羞愧难言,确实,不要说城里,连农村也少有这样的穿戴了。一条黑不黑、灰不灰的白布包头,锅圈样套在头上。身上穿一件蓝的卡补了若干补丁的、污渍斑斑的扇子摆对襟衣，腰上还系着一条黑不溜秋的用尿素口袋做的围腰，裤子是那种硕大无朋的大裆裤。膝盖上、屁股上都打了重重叠叠的补丁。身上还散发出一股浓烈的煮猪食的馊臭味。秋霜其实不老，也就二十六七岁；人也不丑，只是长年艰辛困顿，天天吃小洋芋，吃白菜叶，吃野菜把人吃得面黄肌瘦。她从那个又高又陡、又苦寒又贫穷的山村嫁过来，原以为坝子里富得很，谁知牌坊村和她在的那个小山村也差不多，水还没有那里方便，柴还没有那里方便，只是地平些罢了。

村子穷，但她家在村里更穷。她的男人是独子，老公公早死了，老婆婆是偏瘫，四十多岁时就吃、喝、拉、撒在床上，随时要人服侍。男人从没上过学，从小没营养人就孱弱，豆芽似的没劲。成了亲，两口子咬紧牙关，想在那浮土没过脚背的干烧地里挣个温饱。但那地在雨水好的年成有点收成，天稍旱，地里就种啥死啥，连苗也保不住，连最贱的茇茇草也烧根死掉。小两口苦死苦活，一家人连肚儿也混不饱。随时靠上面接济点粮食吊命，更谈不上挣点钱修房盖屋，给婆婆看病。人穷、村穷，尽管离城只有几里路，却不通电。晚上周围村子灯光闪烁，这里却像梁子上的坟丘一样死寂。没油没亮，天一黑就钻被窝，唯一的乐事就搞那事。搞那事就有结果，庄稼不旺人旺，一气生了三个黑不溜秋耗子样的娃娃。上面来了计划生育小分队，才强行拖去结扎了。结扎了也方便，可以放心大胆地搞那事了，但生出的一窝泥猪一样的娃娃是有嘴有肚皮的，一天光嚷着要吃就要人的命。顺子随人进城去打工，每天带一盒干苞谷饭，啥菜也没有。一天挑水泥沙浆爬高上低几十转，活路累人，又没营养，挑得人越发瘦，眼眶深陷，脸色菜青，颧骨高耸，一天累个贼死，赚五块钱，高兴得啥的。小两口一分舍不得用，想攒点钱，把这猪窝样的房修一下。谁知出了事，顺子在挑灰浆上脚手架时，头一晕眼一黑，从几层楼高的脚手架上栽下来，当时就没气了。拉到医院抢救，命总算保住，却只剩下一条腿。包工头心狠，把住院费给了，再不给一分。还说是看他可怜，特殊照顾，否则医疗费也要自理。

秋霜的家庭陷入绝境中，顺子伤还没好完全就被赶出了医院。他的残腿随时流着脓，肋骨也断了两根，疼得随时在地下打滚。秋霜为了医顺子，东挪西借，今天请个草医，明天请个江湖郎中，医了半年，总算把伤口医好了。要债的人随时堵着门不走，值钱点的东西都拿走了，秋霜急得几乎吊脖子。

秋霜的大女儿菊花八岁了，学校教师怜悯她，免了她的学杂费。小姑娘争气，在学校成绩蛮好，又逗老师喜爱。学校发展少先队员，发展了她。也就是在昨天，菊花跑回来向秋霜要两块钱买红领巾，秋霜连两角钱也抠不出来。菊花缠着妈妈要，秋霜正为婆婆的哮喘折磨得心烦意乱，惹得火起，她扬手给菊花两巴掌。秋霜的火气太足了，手也太重了，两巴掌打得菊花脸色惨白，半天才哭出声来。秋霜看着肿了两片脸的菊花，心里难过得像万只猫抓心。她搂着菊花的头，眼泪刷刷地掉下来。娘俩越哭越伤心，菊花懂事，说："妈，你别哭了，我不要红领巾了，我不买了。”秋霜听她这样说，心里更是难受得不行。她摸着菊花肿起来的脸：“菊花，要买，一定要买。妈一定要买最好最好的红领巾，买绸子的。”

想到这里，秋霜坚定了信心：“表姐，来也来了，麻烦你再去找一个，改天我换干净点。”表姐说：“这就对了嘛，挣几文钱，给你老公老婆婆看病，让你那几个娃娃日子过好点，有啥不好意思哩？没得钱才没脸，有了钱，脸也有了，啥也有了。”表姐又叮嘱，叫她不要乱跑。她去找了个年青的，又去找了个中年的，人家来看了一阵，都走了。表姐叹气：“秋霜，你还年青呀，接客该接年青的，价钱也高些。人家是来玩个开心，咋挨得你这身子。算了，今晚来也来了，将就点，带个老家伙来，好歹也有点收入。”

果然，表姐去转了一圈，终于带来一个趺趺撞撞的老头子。秋霜一看，不就是先前那个糟老头子，年龄怕和她爹一样大。瞧那老头，头发已经花白，戴一顶油腻腻的单檐帽，脸上的皱纹比她在的那个小山村的沟沟坎坎还多，胡子上还挂着些油亮油亮的涎水，身上那个脏，和屠户差不多，也是一股冲鼻的馊臭味。老头嘿嘿地笑着，露出黑洞洞的没牙的嘴。表姐说你们谈吧，谈好了我带你们去。秋霜忍住一阵阵的恶心，也忍住一腔的屈辱和酸辛。老头搭讪着摸秋霜的手，老头说你是刚来吧，一看就是个生水子。这有啥不好意思？其实就和做生意一样，一个愿买，一个愿卖。人活着有啥意思？就是这么回事。秋霜问他这么大年纪了咋还做这事，老头说年纪大咋了，我是补鞋子的，老伴死了，无儿无女的，一天挣个几块十几块，也想图个乐。人家当官的坐小车，去酒吧、夜总会，搂年青美貌的小姐，票子一把一把甩出去，都是公家的钱。我这是自己挣的钱。秋霜问他出多少钱，他说五元。秋霜听表姐说这些老杂毛只出得起几块钱，人家宾馆里的小姐不同，货不同，也只能这样了。想想五元也好，挑挑洋芋到城里，汗流长淌的，卖得到几文钱？钱哪，害死人的钱。她咬咬牙，走，五元就五元。

表姐带他们到城边的一条黑巷里，又打开一间烂房子的门。房里啥也没有，就有一张床，床上的垫盖、被子虽是好好的，但乱麻麻地堆着，垫单上似乎还一摊一摊地印着许多污糟的痕迹。秋霜又是一阵恶心，她勉强自己适应这环境，表姐走了，糟老头子哼哼叽叽，翻上爬下，有气无力做完那事，丢给她一把油腻腻的角票，数清，刚刚五元。秋霜恶心得像吃过死耗子一样，趴在床边吐了一大堆，吐得喘不过气来。吐完，秋霜躺在那张肮脏的床上，闭着眼，死人样躺着。躺着躺着，秋霜突然大声地哭起来，她蹬开污糟的被子，死劲地拧自己光裸的大腿，自己的下身，打自己的嘴巴，疯了一般折磨自己，直到把一身的肉掐得青一块紫一块，伤痕摞伤痕，她才住了手。

秋霜那晚回到家，脾气出奇的大，她见凳子蹬凳子，见东西摔东西。顺子给她煮了一锅红糖稀饭，这是病了也舍不得吃的东西。秋霜一见黑红黑红、稀不溜秋、黏黏乎乎的一锅东西，恶心得差点又呕吐起来。她气不打一处来，把那锅稀饭连锅

砸在地下。秋霜怨男人不中用，怨婆婆拖累人，怨嫁到这个穷村来，火气足得很，怨气大得很。顺子羞愧地立于一边不敢吭气，顺子缩着头，肩膀软耷耷地，顺子想到"乌龟"这句骂人的话。秋霜去城里，顺子是知道的，表姐和顺子讲过，顺子没阻拦过她。如果顺子阻拦过，如果顺子对她拳打脚踢，她心里也许会更好受些。也许是为了抚慰她，也许是一种愧疚之后的补偿，许久没和秋霜做那事的顺子，在这晚爬到秋霜这边来，想和秋霜温存温存。秋霜正被梦魇般的经历缠绕着，秋霜正在黑暗中舔自己的伤口。顺子爬上来，秋霜恼怒不已，秋霜狠狠地将顺子掀下身去，又狠狠地蹬顺子一脚，顺子被蹬到床下去，发出很大的响声。顺子蜷缩在床前，抱着独脚，伤心地哭起来。顺子先是悄无声息地哭，越哭越伤心，最后竟放声大哭起来。男人的哭声像狼嗥一样凄厉，男人的悲伤是铭心刻骨的悲伤。哭得秋霜的心软了下来，哭得秋霜的心紧缩起来。秋霜想到自己的难处，想到顺子的难处，秋霜也大放悲声，两人伤伤心心地哭了半夜。

再艰难的日子，也得过下去。第二天早上，秋霜又下地去。她走到村头，猛地看见那座石牌坊红得像块烧红的铁，红得烈焰四溅，把人要烤成灰烬，烈焰熊熊中那个塾师的女儿披头散发地坐在牌坊顶端，眼如铜铃，目光如炬，洞人肺腑，尺余长的舌头，如蛇信子一般游动卷曲，她在烈焰中扭动，痉挛，撕扯烧得彤红的衣服。她脸上、身上却流着绿色的血液。在她的扭动、撕扯中，那座红得耀眼的石牌坊朝前倾倒，速度越来越快，越来越快，整座牌坊翻天覆地向她盖来，她吓得脸色惨白，大汗长流，心脏狂跳，双眼发黑，大脑里一片空白。

二

每天晚上，荷花要么不回牌坊村来，要么有人用小车，或者摩托送她回来。荷花是牌坊村最漂亮的姑娘，文化也最高，高中毕业。荷花高中毕业后不愿待在村里，村里太脏太乱太穷。在城里读了几年书，也穷，但环境不一样，氛围不一样，接触的人群不一样，她宁愿去打工。荷花先到一家餐馆打工，开餐馆的是个中年男人，络腮胡，很威猛的一个男人。荷花在餐馆有吃，虽然每天吃饭都很晚，要等客人走完才吃；有住，虽然是在低矮的木楼上，七八个人挤在一起，但那铺总还能拾掇得整整洁洁；有钱，虽然只有百多元钱，但对才离开牌坊村的荷花，总算比别人收入丰厚些。餐馆事多，老有忙不完做不尽的事，荷花在餐馆洗碗洗碟，择菜捅火，跑前跑后，忙里忙外，再忙再累，也误不了荷花收拾打扮；再脏再乱，也掩不了荷花的风姿。荷花用第一月的工资，买了身牛仔服，那牛仔裤太紧太紧，把荷花的屁股箍得开花开朵的。荷花本身就丰腴，牌坊村的洋芋虽然缺少营养，却养育了荷花丰满的体态。那对肥硕的丰乳，颤颤巍巍，随时要把衣服撑破似的，却又露出一截白白的肚皮。老板娘不准荷花穿那样的衣服，老板娘穿得也很性感，那衣料自然是上等，又透明，常常隐隐约约露出些东西来，比不穿更诱人遐想。但女人是排斥同性的，老板娘喜欢客人多看自己少看别人。老板娘当着许多人骂荷花、逼荷花脱去那套衣服。荷花被羞辱，荷花是有自尊心的，荷花的脸彤红，眼里含着屈辱的泪水。夜里荷花抽抽搭搭地哭了半宿，想一走了之。但荷花又能去哪里呢？牌坊村是再也不愿意回去的，自己身上一文不名。贫穷使人卑贱，有钱使人尊贵。老板娘不是连小学也只读到二年级么，老板娘不是一身的赘肉、脸上敷了层厚厚的粉、嘴唇涂得血红血红，褪了妆，那脸不是寡黄寡黄的、皱纹细细密密的么？荷花哭了想，想了哭，想去想来，还是只有在这里待下来，慢慢地熬，总有熬出头的一天。荷花于是不再穿那套牛仔服，还是穿上那套宽宽大大的不显山不露水的对襟扇子摆的衣服。

老板娘不喜欢荷花穿那套服装，老板却喜欢。老板一边吸着长长的水烟筒，眼光不时地瞟着荷花胀鼓鼓的胸脯，看她圆滚滚的屁股，看时心里有一股奇特的感觉，身体里涌动着一股莫名的冲动，不时地会咽下一口清口水，但有水烟筒作掩护，那喉结的移动也就变得很自然了。为了掩饰，他的眼光在各处巡视一圈，又落在荷花的胸口上、屁股上，干什么都会上瘾，老板对这也上了瘾，一天看不到，心里就觉得少了点什么。但老板不敢阻止老婆，老板不会这样傻，那等于承认自己的邪念。老板只是没人的时候对老婆说你不懂顾客的心理，荷花那穿着招引顾客哩，你不见来的人都要多些，看又看不掉一块，又不会少什么。老婆啐了他一口，说招顾客不如说招你这绿头苍蝇哩。你以为老娘是瞎的，你那眼珠子快陷进她的裤裆里了，你灰眉灰眼一副霉样子。老板再也不敢吭气了，“呼哧、呼哧”地吸他的烟袋。

但老板娘确实知道有个风骚的女招待是很招徕顾客的。一帮一帮的寡公子其实是冲着荷花来的。他们来了，和荷花说些挑逗的话，要荷花为他们续水，有的甚至动手动脚，拉荷花和他们一起吃饭。荷花一穿上那套灰不拉叽、要腰身无腰身、要线条无线条、凸不见凸、凹不见凹的老式衣服，就没味了，就成十足的山区来的村姑了。来的人渐渐少了起来，生意清淡了。这一带一家接一家都是餐馆，竞争是很激烈的，人家有艳丽、风骚的女招待，你没有，你就竞争不过。老板娘恨荷花风骚，但老板娘爱钱。爱钱使她战胜了妒意，她就让老板给荷花买衣服。老板是个中老手，买的衣服都很性感，就说那套薄如蝉翼的短裙，里面的三角裤、乳罩都清晰地透视出来。雾里看花，水中窥月，特别的媚人。他让荷花穿了这套很艳丽、很性感的衣服站在门口招呼客人。荷花简直是天才，天生的尤物，不要人教，就轻松、愉快、迅捷地进入角色。荷花自己化了妆，淡淡的眼影，淡淡的眉毛，使那本来就大的眼睛更加野性，更加热情。本来就白的肤色，敷了柔美的脂粉，就更加红润、娇嫩，尤其那丰厚、柔丽的嘴唇，涂上红红的唇膏，更加娇艳欲滴。她斜倚在门口，将一头乌黑的流瀑样的头发，半披在胸前，一只脚着地，一只脚斜立着，浑圆的臀部更加醒目地凸立出来。荷花的声音又软、又脆、又嗲，亲哥哥、甜妹妹、大嫂子、老人家，见人就打招呼，黏黏糊糊像蜂蜜沾上就抹不掉，几十个菜名报得滴溜溜顺畅。客人落座，忙着招呼倒茶、上菜，这个背后蹭蹭，那个背后磨磨，惹得客人心花怒放。荷花天生酒量又好。逢有客人敬酒，毫不推辞，陪上一巡，脸色越发红润，神情越发媚人。有大胆的客人在她身上摸摸、捏捏，她不气不恼，佯装并不知道，客人就更加喜欢。这样一来，客人就经常来，又邀上其他人，小餐馆的生意越来越火爆，越来越兴隆。老板娘心中虽然高兴，却时刻阴沉着脸盯着荷花、盯着老板。老板的烟筒吸得一本正经，神情肃穆得像得道的高僧。

荷花晚上爱出来逛街，她穿上那套唯一的服装在大街走来走去。走在街上荷花心里老是不平。荷花在新建的大街上心情很沮丧，一条大街全是很高很高的建筑，每幢建筑都装饰着五颜六色的霓虹灯，有的灯比银河的星星还稠密，瀑布似的光带把夜的人行道弄得扑朔迷离。夜里的商场人比白天还多，数不清、道不明的商品叫人看了心烦意乱。荷花既怕逛大街逛商场又很喜欢逛大街逛商场，她看到穿得很透很露很时髦的姑娘在男人的陪同下买这买那，她心里既自卑又嫉恨。一个小小的坤包竟然要卖二三百元，她要两个月的收入才买得起一个小包，那些真丝的服装、裙子价钱更是昂贵，一件貂皮的大衣标价上万，一件大衣的钱相当于她那个村子一年收入的总和。荷花见到那些姑娘并不十分漂亮，有的胸口平平像窗玻璃；有的脸窄得像茄子，浓妆使她们变形。她们挽着男人的手买这买那，荷花心中的气愤更是难以平复。

荷花曾多少次在小城最繁华的那条街上徘徊，那一家连一家的歌舞厅，夜总会暗昧的灯光叫人心旌摇曳，歌舞厅里传来的声音虽然嘈杂喧嚣，但总让人感到神秘和诱惑。透过歌舞厅的大门见得到那里面灯光明灭，人影模糊，狂欢乱舞；也见得到门口站着不少花里胡哨、翘首企盼、乱抛媚眼的女人。荷花的心跳加剧，血流加急，身上燥热。但荷花不敢贸然进去，她知道那里面是个巨大的沼泽，没人引导是会陷进去的。荷花每次从繁华的街上回去，钻进那窄得像狗窝似的房间，心里都特别的不是滋味。那房间是老板用废砖沿房檐砌的，放进两张床就连过路都只能侧着身子走。床是双层的，上下都住人，又闷又热又挤，这窄小的空间属于她的只有两尺来的地方，连翻身都要小心翼翼。荷花想自己不就是因为没有钱么，有了钱，一切都是可以改变的。

机会终于来了，那天晚上已经收堂了，来了一群男女。老板和老板娘忙让厨师张罗忙让荷花招待，荷花利利索索地摆好桌椅泡上茶水，摆好碗筷，报出一串菜名。正忙乎着，一个穿得很透很性感的画着眉毛、涂着眼影、嘴唇猩红的姑娘站起来，说这不是荷花吗？怎么上这儿来了？荷花一时懵了，看了好一阵，想了好一阵，荷花终于想起这是她初中的一个女同学，叫王丽霞，人挺风流，才读初中就惹出不少风流事，初中还没毕业就离开学校。王丽霞好热情好热情，拉着荷花的手介绍给那些人，又拉荷花坐下。对老板说荷花是我的好朋友，今晚就不要让她做事了，我们要好好叙一叙。老板连说好呀好呀，头点得鸡啄米似的，亲自去端汤端菜。

这天晚上，王丽霞把她带到她的住处。这是地处城郊接合部的一幢楼，是那种只修了一层的外面裸露着砖头和钢筋的很一般的房子。可王丽霞的卧室却布置得豪华而艳丽，紫红色的高级窗帘把落地的窗遮得严严实实，一圈真皮沙发熠熠闪光，吊顶的顶棚上灯光明明灭灭、闪闪烁烁，地下铺着猩红的版纳地毯，那张硕大的席梦思床上铺着洁白的床单，两个硕大的鸭绒枕头并列在一起，衣架上挂满质地高贵的各式服装。荷花毕竟是从穷苦的牌坊村出来的女孩子，荷花毕竟少有机会出去见识一些有钱家庭的陈设，荷花看得目瞪口呆，一副傻帽儿样子惹人发笑。王丽霞给她冲雀巢咖啡她全然不觉，也弄不明白这饮料高贵到哪里去。王丽霞打开她的衣橱让她看各式各样的裙子，各式各样的服装，那些裙子那些服装价格高得叫人咋舌。王丽霞腰上的 BP 机响个不停，王丽霞显得很不耐烦，她关了 BP 机，陪着荷花说话。

那晚王丽霞和荷花都没睡觉，从王丽霞那里，荷花知道了她的生活方式和经济来源。荷花叹息着、呻吟着、赞叹着、沉默着、深思着，荷花在内心深处已经对今后的命运有了一种抉择，她要彻底地改变自己的命运，牌坊村不能光出吃苦、下力、肮脏猥琐的人。牌坊村能出一个明明丽丽、鲜鲜活活、痛痛快快、舒适惬意的人来。牌坊村的女孩不是生来就养猪、种地、洗衣做饭、背泥猪一样的弟妹，大了嫁人、生孩子、种地、养猪、剜野菜或者到城里打工，一天十几小时，汤汤水水，忙个不停，累得贼死，受人训斥，遭人白眼的人。荷花要活出另外一个人来。

王丽霞在一个歌舞厅当领班。这个歌舞厅很大很气派，花岗岩的地面水晶般的细腻光滑，顶灯、壁灯、音响、座椅都是一流的。这个歌舞厅有十几个包厢，包厢窄小，仅容二人，光线晦暗暧昧。这个歌舞厅从四川招来十几个川妹子，这些川妹子生得丰满、性感，老板在招小姐时就特别强调性感。她们穿得很薄很露，性格都很放得开，一进舞厅顾客还没完全适应，她们就打情骂俏，动手动脚，直把身子往你身上蹭，加上是外来妹，街上碰到也不尴尬的，这个舞厅的生意就特别的好。

荷花第一次和男人睡觉是王丽霞精心安排的，在这之前，王丽霞只让荷花陪客人聊天、跳舞。王丽霞带着荷花到小城最大的商场，买了好几套质地优良、款式新潮的裙服，又买了一堆高级化妆品和女人用的东西。荷花本来就惹人爱了，胸前的两个乳峰，在开胸很低的裙服下，圆鼓鼓地诱人遐想。她的脸蛋又娇媚，妆化得又得体，鹅蛋形的脸匀匀敷了粉，淡淡勾了眼影，嘴唇红红的，鲜艳欲滴，身段是身段，个头匀称而又丰满。荷花跳舞学得极快，什么探戈、华尔兹、迪斯科一学就会。可她发现来这里的人不是认真跳舞，只要搂得紧紧的旋转就得了。其中一些年青而有派头的小伙子跟她跳舞，跟她调笑，甚至在身上捏摸，甚至提出非分的要求。荷花是热血之身，荷花脸上潮红，浑身战栗，禁不住诱惑，但王丽霞都不同意。王丽霞说你是女儿身，这第一次特别重要，不要轻易丧失了，要有价值才干。

这天晚上舞厅外来了个人，是自个儿驾车来的。来的人有四十多岁，中等个子，穿着也一般，也就是夹克上装，深色西裤，脸色红润，神态安详，一点儿也不张扬。王丽霞一见到他，热情极了，老远老远就飞奔过去，要把他朝大厅拉。大厅里灯光并不明亮，人也就是见得到个囫囵影儿。那人忙用手势止住王丽霞的热情，王丽霞悄悄钻进车去，过了好一阵才出来。王丽霞把荷花叫到一边，对她说今晚接一个重要的客。荷花略感诧异，问接什么样的客？王丽霞说什么你也不要问，你一定要伺候好这个客人，让他满意，让他舒服。至于破身的钱，决不会亏待的。荷花还要问，王丽霞脸色阴沉起来，荷花就不敢再问了。

王丽霞叫了一辆的士，送荷花到自己那套卧室去，叫荷花先去洗澡，客人一会儿就到。荷花放满一池子水，脱光了衣服，将自己浸泡到水里，水气氲氤，水质清冽，荷花在浴缸里见到自己丰满白皙的胴体，荷花用手轻轻抚摸圆浑光滑的大腿，微微起伏，很有弹性的小腹，荷花的手触到自己圆浑、细腻、温热、富于弹性的两只奶头，荷花心里一热，不由流下两行清泪。她想到自己如此美好、如此清洁、充满青春活力的身子，由不得自己安排，交给一个从未谋面的人，就伤感起来，抽抽搭搭地哭了起来。她怨恨城里人，怨一阵、恨一阵，流了许多的泪。王丽霞敲门了，声音有些不耐烦："荷花，荷花，洗好了就出来，磨磨蹭蹭搞些啥子？"荷花听了不舒服，干脆连澡也懒得洗，将泡湿的身子爬起来，随便揩揩就出来了。

荷花按王丽霞的安排，穿了一套真丝的半透明的睡裙出来，荷花此时倒真像出水芙蓉一般地美丽。荷花乌黑的长发瀑布一般飞逸，脸庞潮红，不施脂粉，更显出天生丽质。荷花穿着软底拖鞋袅袅婷婷地出来，连王丽霞的眼也看直了。王丽霞把她按了坐在沙发上，双手抚着她圆润的肩说："荷花，你真美，我都爱上你了。我要是男的，我一定娶你。"这样一说，荷花的眼圈又红了。王丽霞不再吱声，她忙着支她茶色玻砖的小圆桌，从手提袋里拿出不少喝的、吃的。有道口烧鸡，有北京烤鸭，有酱牛肉干、油炸腰果等，又拿出一大堆形形色色的饮料和一瓶低度烧酒。将东西摆好，王丽霞去关了顶灯，开了橘红色的壁灯，那暖暖的橘红色的壁灯，使人的神智变得迷离起来。接着，楼下有汽车的声音，王丽霞说来了。门刚响，王丽霞就开了门，进来的，就是刚才在舞厅门口看到的那一位。胖胖的，穿着夹克衫，脚上的皮鞋还沾着泥浆点子。王丽霞嗔怪："叫你回去洗个澡，换套衣服，咋还是这样？"那人说："能回去么，刚从乡下来，今晚不回去了，明天还要开会呢。"王丽霞诡谲地一笑："呃，你呀，今晚又到山区去办公了。"那人扑哧一笑，又正色道："办公就是办公，有啥好笑。"王丽霞帮他脱去夹克，叫他去洗澡。刘哥笑嘻嘻地说洗了干啥？刘哥不洗也比你们干净。这话一说王丽霞就受不住了，王丽霞说你这是啥话？什么干净不干净，我们不洗才比你干净，干净你上这儿来干什么？刘哥知道自己失了口，忙赔礼："丽霞，我不是这意思，我是说我昨天在山上的泉水里才洗过澡哩。真的，不骗你，是地热温泉哩。骗你是杂种，以后我用车带你们去洗。"王丽霞"扑哧"一笑,说你不要讨好卖乖了,带你这位荷花妹妹去吧。

说笑间,王丽霞就将一切理顺当了。刘哥要喝烈酒,荷花只敢喝饮料,王丽霞给自己斟了低度酒。刘哥不依不饶,说再不能喝酒也要喝点,不喝就是看不起刘哥,说着给她二人斟了一小杯白酒。三人碰杯喝了,荷花觉得一股烈火顺口腔而下,烧得五内俱焚,浑身燥热,脸色更加绯红,头也晕晕乎乎起来。刘哥倒是挺热情,不断往荷花碟里拈菜。王丽霞说到底是人家心头疼爱的人,只给她挟不给我挟。刘哥要给她挟,她说算了算了,我倒忘了自己是配角,今晚你们是主角哩。说得荷花脸色更红。王丽霞给他俩斟满了酒,要他们喝个交杯酒。荷花扭捏,王丽霞逼她举起杯来,二人双臂交叉,各人将对方的酒喝干了,荷花呛得咳起来。王丽霞笑得弯腰,荷花眼花了,自己也莫名其妙笑起来。几杯酒下肚,她觉得自己全身躁动起来,眼光迷迷蒙蒙,神经兴奋不已,不用王丽霞劝酒,荷花自己将酒杯注满,还要喝。王丽霞赶忙劝住,然后将席撤了,接着就不见了踪影。

那一晚,荷花经受了身心的剧痛,荷花告别了她的处女时代。荷花兴奋、悲哀、狂热、投入,再复狂热,再复悲哀。倒是刘哥经受不住折腾,临近天亮呼呼大睡。荷花一人一会儿咬牙切齿冷笑,一会儿悄悄饮泣,一会儿捶胸蹬被,无人知道,无人理会。

荷花现在是经常回牌坊村来了。牌坊村离城虽然不远,村里的人看到过城里人的装束,就是每年的清明,持持续续也有半月的光景,城里不少人也来牌坊村的干烧梁子上坟。来的是一家一家的,穿的也亮丽,也齐整,各种式样的服装也叫牌坊村的人羡慕不已,但荷花回村时的那身打扮,还是叫村里人半天回不过神来。牌坊村买不起这样珍贵的衣服,牌坊村的人也穿不出这样的衣服。即使买了穿上,走路也不会这样一扭一扭,脚脖子崴了似的,腰杆闪倒似的,屁股蛋子像转动的磨扇似的。

荷花从城里带回来很多东西,父母早死了,是哥嫂将她带大的。她给哥哥一套夹克衫,给嫂嫂一套翻领的蓝色衣服,给侄儿侄女买了衣裤、糖果。哥哥在柴炭火边翻洋芋,柴炭火熏得人的眼睛红翻翻的。嫂子从来没有这样热情过,她的嘴刚啃过一个洋芋,嘴唇乌黑乌黑的,手上沾满层洋芋灰。她忙着给妹子端凳子,那凳子上有一泡热气腾腾的鸡屎,她用手掌抹掉,看得荷花心里直呕,忙着到鸡窝里找鸡蛋。红糖鸡蛋刚端出来,侄儿侄女眼珠瞪得溜圆,涎水顺着嘴角流下去。荷花见家里唯一的一只白瓷碗上印着漆黑的指印,想到刚才嫂子用手揩鸡屎那幕,荷花更加恶心,忙让侄儿侄女将鸡蛋吃了。荷花回村时心里还有些愧疚,赧颜,尤其走到那座巍峨、庄严、具有震慑力和穿越时空力量的牌坊前,荷花的脚由不得发软,荷花是高中毕业生,是个性格奇特不受拘束的人。但那座白色的冰清玉洁的牌坊依然使她受到震撼,受到重压,她几乎是闭着眼睛走过那座牌坊的,那牌坊却冷峻而清晰地凸浮在她的眼前,闭着眼也无济于事。她想挺起胸,阔步走过去,以她的性格她是可以无视这牌坊的。但这牌坊却坚韧地涵盖一切地压在她的心头，朝她发出怪异的冷笑。赤日当空，黄尘飞扬，白光炽炽.荷花在心里祈祷了，甚至有些忏悔了，那脚步才终于跨出牌坊的影子。现在，荷花心里又鄙视起那牌坊来。嫂子不知趣，伸出漆黑的锉刀样的手来摸荷花的衣服，荷花忙躲开。荷花坐也不是站也不是，土基砌的房子烟熏火燎，上了年岁的椽条滴着漆黑的烟子水，鸡在啄食拉屎，狗在刨地撒欢，猪在门口哼哼，苍蝇云团一样一层一层袭来，酸臭的猪食和地下蒸腾的臭气令人窒息。荷花莫名地烦躁莫名地忧伤，这个她熟悉得再不能熟悉的环境使她再也不能忍受。她抬脚去村里找她的小姐妹，给了小姐妹们一些零碎东西，大家又羡慕又惊奇，众星捧月一般把她围住。走了几家，荷花也就没有了兴趣，家家一样贫穷一样肮脏，小姐妹们个个穿着寒酸，头发很长时间没有洗，油腻腻的，脖子上的泥垢厚厚的，身上散发出一阵阵的酸臭味。牌坊村什么都穷，连水都没有，就是爱美的女孩又能怎样呢？没有水，整个村庄都是肮脏的。

阴错阳差，离开几个小姐妹的家，荷花又走到村头来了。白晃晃的太阳光照在光滑坚硬的牌坊上，整座白色的庞大的石牌坊像旷野里的一堆白森森的骨头，阳光强烈，但却像水一样冰冷，泛着冰块一样冷冽的光。荷花身上一激灵，腿软了下来，她几乎想跪在这座庄严的牌坊下，她再也不敢多看牌坊一眼，她转过身，趔趔趄趄地走了。走了一段，她不甘心，仍然犟过头去，狠狠地看了那在阳光下却冰凉纯白的牌坊一眼。这一犟头，脖子却疼了一个月，什么病因也没有，就是火辣辣地疼。

三奶奶穿上荷花给她买的那套衣服，这种老年人的衣服已经很难买到了。所有的服装商店都只出卖各种款式的新潮衣服，这种服装只有赶乡场的小贩才卖。穿上这种蓝不蓝、灰不灰、对襟大褂衣服的三奶奶非常高兴。荷花是三奶奶亲手接生的，荷花的娘是生荷花难产死的，荷花的爹隔了几年也死了，死于痨病，咳着咳着就死了。三奶奶从小心疼荷花，哥嫂不善待荷花，是三奶奶东家要把米，西家要件衣，尿一把、屎一把把荷花拉扯大的。小女子模样好，嘴又甜，扯着三奶奶的后衣襟走东家窜西家，见人就大爹大妈大婶喊得甜。三奶奶穿着荷花买的衣服特别高兴，左抻抻、右抻抻，见人就说这小女子有出息，有良心，进城做事有了钱，没有忘记老婆子。三奶奶只是不喜欢荷花买的奶糖，她吃不惯那东西，说腥气怪味的。吃了一块粘在她的牙床上，费了老大的劲才弄出来。

一个村子的人差不多或多或少地得过荷花的礼物，一个村的人对荷花都又热情又尊重。荷花走在坑坑洼洼的村道上，村道上全是猪屎、狗粪，垃圾成堆，气味难闻，荷花真不愿走在这样的村道上，高跟鞋踩在上面得格外小心，否则随时会崴了脚。但荷花又乐意在村道上走，荷花成了出于污泥的荷花，荷花喜欢满村道上的人对她的热情招呼和寒暄，荷花喜欢听老婆婆、大婶子、小媳妇、大姑娘对她的赞叹声。

毕竟牌坊村离城很近，一些人对荷花的收入就怀疑起来，在餐馆打工能得几个钱呢？啧啧，能买这样好的衣裳穿？能把人养得白白胖胖、水灵灵、鲜颤颤？隔了不久，牌坊村就有了风言风语，有人说荷花做的是鲜肉生意，那对高耸耸的奶不知被多少人揉搓过哩。有的婆娘说你看她那腰，那屁股，像黄花闺女么？老娘屙了几个娃娃还不像她那样哩。人们叹着气，咒骂着，怀念着她们坚贞的老祖先——村头那座牌坊的千古英灵。有几个婆娘嫌脏的朝荷花哥嫂的房子吐口水。有的一身清白地说人穷不能志短，不能做千人睡万人睡的草席子。有个小姐妹义愤填膺地将荷花送她的真丝围巾扯了丢在地上，更多的人却舍不得丢。一阵风将那块真丝围巾吹了去，丢围巾的小姐妹虽然心疼，却表现出令人佩服的坚定。等人散了她追出村去，那条真丝围巾却围在了一个剜野菜的姑娘脖上。她去索要，人家不承认，问她嘟能咬出血来。两个越吵越激烈，最后竟然动手撕打起来，那条真丝围巾在撕打中撕烂了，丢真丝围巾的小姐妹难过得一屁股坐在地上哭了起来。

荷花再次回到村里感到气氛完全不一样了，对她又热情又敬重的村民们见了她都避得远远的。有的露出半个胸口，将布袋似的软耷耷的正在奶娃娃的奶塞进脏兮兮的衣服，很贞节很庄重很自负地抱着娃娃进屋去；有的甚至还昂起了油腻腻的头，哼着鼻音扬长而去。只有三奶奶还在心肝长心肝短地喊荷花，三奶奶不相信荷花是干那营生的，三奶奶在她的土丘上的小屋里将全村人咒了个遍。一村人不敢顶撞三奶奶，让三奶奶苍老的声音在干燥的空气里完全消失。荷花回到哥哥嫂嫂屋里，哥哥和她点点头就去修理一把板锄去了，嫂子仍然肮脏着很矜持地将几个泥猪样的娃娃拢起来，老母鸡带崽样带着鸡崽出门去了，他们都还穿着荷花带来的衣物。荷花的脸潮红，心跳动，荷花啥也不讲啥也不说，很鄙夷地穿着高跟鞋和很露的超短裙在村道上昂首挺胸地走了几遭。原来还有些惭愧，有些歉疚，有些自责，现在她不欠人们什么了。她走到村口，朝又破又烂又脏的村子吐了几口唾沫，避开亮晃晃的牌坊，头也不回地走了。

荷花走了几个月没回来，人们依然在黄土地里刨食，依然在又脏又矮又暗的土基房里做饭、喂鸡剁猪食，晚上依旧很早很早就睡觉，没有电，煤油灯舍不得点。不睡觉干什么？睡觉就只有惟一的乐趣，做那事，娃娃就越穷越生。计划生育在这里特别难搞，罚款么，任你去罚，要钱没有，要命有一条。没有电的牌坊村在坝子里是一座没有标识的荒岛，人们熟悉它而又熟视无睹，就像人们在繁华的街头熟悉蓬头垢面、残腿少胳膊的叫花子一样。但村里的人们渐渐觉得少了点儿什么，如果没有鲜丽欲滴的荷花，如果没有荷花在村里的一套一套的时装展览似的身影出现，如果没有荷花那些说不清楚的水晶似的项链、耳环、真丝围巾，各种各样的洗发膏、护肤脂、化妆品，牌坊村的人也就完全默认和无奈地在原来的生活轨道中生活，但荷花在村里卷起了一股旋风，这股风在消失之后人们真的觉得生活中少了些什么。那些得过荷花种种好处而又贞洁地骂过荷花的婆娘们互相埋怨起来，互相揭短是谁带的头。现在没人送东西了，缺钱用也找不到人借，其实，说借，大家也晓得是无钱还的。荷花的哥嫂更是追悔莫及,荷花的嫂嫂责怪丈夫连自己的亲妹都不理,绝情绝义,荷花的哥哥骂她是扫帚星一辈子坑人害人,一个妹子小时候不善待,大了也隔膜,还人模狗样装样子。恰巧他家小三子犯了急病,抱到医院医生硬是不肯收,荷花的哥哥急得嘴唇上起了一层燎泡,求爷爷告奶奶只差没跪下去,但钱不够医院说不收就不收这是规矩这是制度。荷花的哥哥恨不得几把将自己的贼婆娘撕了,小三子是家里唯一的男孩,是命根子,几代单传。婆娘急得呜呜直哭,最后还是荷花的哥哥将娃儿交给婆娘,遍街遍巷去找荷花。好在这城太小太小,理着荷花打过工的餐馆的线索,终于在一家舞厅找到荷花。哥哥找妹泪花流,荷花打断他的叙述马上叫了辆的士直奔医院,侄儿已快不行了。交了款办了手续,荷花又将几个红包送给医生,这是昨晚一个大款玩得高兴给的一大笔钱。医生热情倍增,组织检查,采取各种医疗措施抢救,娃娃有了气息,转危为安。荷花将一沓钱拍在嫂子手上扬长而去,哥嫂半天才回过神感激涕零,浊泪直流,直唤荷花乳名,人情、亲情,血浓于水,感人至深。

荷花再回村时,一村人都不好意思。一些婆娘扭捏着不好意思,觉得自己真薄情寡义,不近人情,扭捏过后不好意思过后大家又恢复了对荷花的热情。这家要请荷花去吃凉粉,那家要请荷花去吃豆花,这些平平凡凡的食物在牌坊村是不轻易吃得到的。有的人家半夜就起来推豆浆、点卤水,做一锅豆花没有半宿的工夫是不成的。荷花捧着黑乎乎的土碗看着黏黏糊糊的筷子吃不下,但荷花在一阵感动中还是努力将它吃了下去。吃完佯装解手,到背静处将食物吐了个干干净净。自此荷花又不断地带东西送人,村人实在不好意思,扭扭捏捏中接受东西,有的急钱用也厚了脸皮向荷花借,荷花有求必应,从不言还钱的事。倒是三奶奶知道了荷花的钱来源于何处之后硬是不要荷花的一分钱和任何东西,倒是外村嫁过来的一个小媳妇硬是不要荷花的一件东西。小媳妇也读过高中,模样不俊才嫁过来的。牌坊村的人不敢骂三奶奶却敢骂小媳妇,说她猪鼻子插葱装象,狗脑壳插皂角装羊,牌坊村的人爱用歇后语,特别是骂人时爱用,于是骂模样不俊的小媳妇时连续使用了五个歇后语。

模样不俊的小媳妇不知不晓不恼,或者知了晓了也不恼。她完全没有时间去听人们的闲言碎语,她每天都要到那条废弃了的大堰沟里去刨沙坑,这条长六华里的大堰沟是“大跃进”的产物。那时人们听从调遣,上面一声号令,一天之内就来了上万的人,红旗漫卷西风,铁锹震动地球,人山人海的劳动大军一月就修通了这条大堰沟。通了大堰沟后牌坊村的人过了几年好日子,火烧梁子啥也不缺就缺水,有了水长长的一条卧龙似的梁子庄稼长得绿油油,有了水,梁子上将地改成田种水稻都可以。但那条堰沟毕竟是大跃进的产物.修得太毛糙太简陋,没有几年沟道垮的垮了,塌的塌了,淤的淤了,火烧梁子上的牌坊村再也富不起来了。

模样不俊的小媳妇特别勤劳,她发现大堰沟的淤沙潮湿,就来刨坑,每天刨一个坑,坑刨深了,总会从淤沙里漫出一些水来。她每天来挑水,她的衣服总比别人干净,头发总比别人干净,身上也没有难闻的酸臭味。她挑水浇她种的庄稼,一个村只有她种的庄稼长得粗壮,长得齐整。每天在大堰沟里刨沙坑,小媳妇总在想:要能把这条大堰沟修好就好了,牌坊村就不愁吃不愁穿了。但修这样的大堰沟要多少钱,要多少人力物力呵,这真是白日做梦呀。小媳妇天天想这事,想得有些痴痴迷迷、神神癫癫的。

三

秋霜每晚回来都要撒气,秋霜的脾气是越来越大了。秋霜才从山里嫁来时可是个低眉顺眼的人。牌坊村就是牌坊村,牌坊村有牌坊村的古训,男人为尊为大,天是天,地是地,清清楚楚的。那时顺子是个好小伙子,一家人的衣食吃穿都是他去挣,可现在颠了个儿,顺子一条腿做不了什么,只能在家里拾拾掇掇,家里的一切费用都要秋霜去挣。

"秋霜,村里分的两包化肥要过期了。"

"过期就过期,你有本事你自己去买,和老娘讲做啥子?"

"地太瘦,又干,再没化肥,那庄稼就没指望了。"

"你啰唆个啥,把单车气打足,老娘今晚整两包化肥钱。"

秋霜不是经常进城,进城一次秋霜恶心一次,惧怕一次。秋霜要进城,总是顺子先用单车将她驮进城。顺子一条腿骑车特别费力,脸挣得乌青,汗水滴滴答答直流,喘着粗气。秋霜先还心疼,慢慢就不心疼了。你只出力,老娘还要恶心呢。只要有钱,狗都要骑在老娘身上哩。渐渐地,秋霜甚至见到顺子这样吃力,这样痛苦,她心里才平衡一点儿,仿佛顺子顶她承受了许多痛苦。顺子将她送进城,顺子就在城边的石桥旁边找个地方蜷缩着,半闭着眼养精神,等到秋霜来了,顺子才忙着爬起来,把秋霜驮回去。每次进城,回到家后,秋霜的脾气都特别大,踢草墩,摔凳子,见鸡骂鸡,见狗骂狗。顺子不敢惹她烦,顺子低眉顺眼地把洗脚水端来,把舍不得吃的鸡蛋煮成荷包鸡蛋端来给秋霜宵夜。顺子家的生活确实比过去好多了,开春就请人拉了一汽车煤炭,成天火烧得旺旺的,那烟熏火燎的柴炭只用来引火用了。顺子家不再吃洋芋,苞谷饭也很少吃了,婆婆也吃得上油腥,三病两病有秋霜买药来。一家人的穿着也渐渐光鲜了,顺子也不再咂叶子烟,抽上带嘴的"龙泉"烟了,只是顺子从不递给人抽,他觉得这烟递不出手。

秋霜比过去老练多了,她和表姐已分开各干各的。表姐黑,每介绍一个客人表姐都要抽头。本来档次就低,收费也低,抽了头吃了回扣就没多大干场了。秋霜现在已经不和老头们干那事了,那些补锅的、修鞋的、杀猪的以及退了休来找补青春的糟老头们令她恶心死了。光是那脏，那馊臭，那锉刀一般皮肉，那糖饼一样黏糊糊油腻腻的脸和那缺牙少齿黑洞似的嘴，想起就叫人恶心。也有个把穿得齐崭、头发胡须理得整齐的老头还比较好一些，也就是让她陪着看录像，上电影院，用手摸一气完事。秋霜现在有了些钱，也买了几套好的服装，进城去还洗漱一番，到了城边找个角落给自己化妆。尽管那妆化得浓艳怕人，但毕竟人年青，吃得好了，该鼓的地方也就鼓了，该凹的地方也就凹了，身上洗清爽，也就泥鳅般滑腻腻的了。也就有些青年、中年客人来碰头，当然这些都是城附近打工的人，秋霜他们的地盘，就是这样的主儿。

这天秋霜正要进城去，八岁的儿子缠着要跟去。秋霜说："乖儿，在家跟奶奶睡觉，妈要去帮人干活，挣钱养你们哩。"

"你干啥活哩？人家说城里好玩得很，有电影看，有录像看，还说你演录像哩。"

"放屁，哪个嚼舌头，老娘演啥录像？老娘是下死力挣钱哩。"

"妈，人家说你是宰猪匠，卖鲜肉哩。"

"啪!"秋霜狠狠抽了儿子一耳光，打得儿子转个圈，半天才哇地哭起来。秋霜怒不可遏，一只手揪着儿子的头发，一只手扭着儿子的一只耳朵，逼着儿子讲谁说的。儿子抽抽搭搭地讲是张二毛的妈、朱发祥的姑姑、安秏儿家姐姐。秋霜听着，双手松开，一屁股坐在地下，想不到这些都是她平时要好的朋友。她进城挣钱不多，也不容易，不能和人家荷花比。人家荷花是啥档次？人家是黄花大闺女，人俊，又是高中生。她呢，一个山里嫁过来的一字不识的蠢婆娘。但她挣来的为数不多的钱，也随时支持着这些穷姐妹。安秏儿的姐被她穷疯了的爹妈一千元钱就许给一个瘸子，她死活不干，上吊，吃药，碰墙都没死成。秋霜狠狠心，将自己的血肉钱借给她才将亲退了；张二毛的妈背上生大疮，碗口大的疮流血流脓疼得死去活来，是她借钱给她上医院才医好的。这些人见了她菩萨一样敬奉着，一嘴的奉承话感激话听了叫人润心润肺，没想到背后却在嚼她的舌头，撒她的烂药，人心歹毒呵。她边想边流泪，想到最后不想了，她索性不进城，早早地睡了。睡了睡了，心中的事却没了，睡不着的秋霜在床上烙煎饼，翻来覆去睡不着，把个木床弄得咯吱咯吱响，心中的那个大疙瘩咋也解不了，梗在胸口上沉甸甸地让人心烦。她反反复复地自己安慰自己，想来想去越想越生气，那股怨气折磨得她一身火燎火烧挠那儿都不是。想到下半夜，她想出头绪来，情绪也就稳下来，她阴阴地笑了……

秋霜手里提着一个提包，里面装着毛线，信步在小城的街头徜徉。秋霜现在从外形到气质已看不出是乡下进城的女人，秋霜现在不浓妆艳抹，浓妆艳抹是自己和自己过不去，是自己给自己贴标记。秋霜现在老练了，安详地散步，目不斜视，良家妇女样稳重，手臂上抱个包，双手娴熟地织着毛线。秋霜只偶尔地漫不经心地看一眼，她用眼睛就可以把是不是客人判断清楚，绝不会有误的。

这天晚上，秋霜在半明半暗的街上走着，背后悄然跟了个年青人。秋霜慢慢地走，小伙子停几步，装模作样看街景。走走，停停，秋霜去看时装商店的服装，小伙子也去看，只是手在摸时装，眼睛却在看秋霜。秋霜专心致志，旁若无人。又走，又跟，去买水果讨价还价间，那人又跟，秋霜已经判定是客人。走到暗处，秋霜蓦然回首，与那人对视了一下目光，立即浮现出浪浪的笑来，两人站在街边暗处，恋人似的私语，那人用的是娴熟的“行话”，很快就进入主题，谈定价钱，那人说是二人。秋霜先走一步，二人隔了段距离，相跟而来。

到了秋霜租的房内，二人轮流行事。事毕，秋霜叫交钱，二人突然变了脸，掏出皱巴巴的袖套，说是联防队的，专门来抓她们这些“鸡”。秋霜嘴硬，说联防队的也不能搞烂事，玩了就得交钱。二人恼怒，谈“生意”的小伙子抬手给了她两嘴巴，打了又骂起来，接着动手搜了她身上的钱，扬长而去。

秋霜知道是遇到吃欺头的主了，这些都是些二混混，打着联防队的旗号，其实又不是联防队的人。真假难辨，有苦说不出，自认晦气。秋霜虽然听别的姐妹说过这种事，但头一回遭遇到，还是又气又恨，又惊又怕，连睡两天才恹恹起床，人也瘦了一圈。

秋霜现在有了点钱，实在不愿干这个营生了，但不干这营生也洗不清爽自己的恶名。秋霜想起那个背后嚼她舌头的女人，她的牙齿又恨恨地咬起来。凭什么我去干贱事，她们来借钱，隔三岔五地不知被这几个臭女人借了多少，从来不还？凭什么她们用我卖身的钱心安理得还要背后践踏我？对，我要让她们也下水，大家身上有了稀泥浆，谁也不说谁了。想到她们也和自己一样去尝各种酸甜苦辣，想到那些补锅、钉皮鞋、收破烂的糟老头子搂着她们，抖抖索索，歪歪倒倒，冲鼻的馊臭味，没牙的黑洞样的嘴在啃她们，秋霜心里就好过一些了，精神劲儿又有了。

牌坊村来了一支扶贫工作队。牌坊村穷，但牌坊村以前一直没有引起上面的重视，上面扶贫，最先想起的是什么什么山区，而近处却常常忘记了。这就是“盲点”，这“盲点”现在终于被发现了。

工作队进村那天，荷花还在家中睡觉。牌坊村的人是日出而作，日落而息，而荷花是日出而息，日落而作，她上夜班。荷花现在有钱了，荷花现在已不跟哥嫂住在那间黑漆漆、臭烘烘、又低又矮又破烂的土房里了。荷花请一个发了财的包工头帮她修了一幢小洋楼，那包工头原来是城边一个鸡贩贩，常常用单车驮一个硕大鸡笼到处收鸡去卖，也到过牌坊村，和荷花认识。发了财的包工头爱拈花惹草，还爱养外室，荷花不耐烦被养起来。荷花越是拒绝包工头，包工头越是欲火燃烧，越来越难割舍，包工头带人来给荷花修了幢小洋楼，修这样的楼在别处减点料偷点工就完了。小洋楼贴了雪白雪白的瓷砖，雪白雪白的小洋楼在灰扑扑、乱糟糟、东倒西歪的村舍里鹤立鸡群，格外显眼。工作队的队长看了这小洋楼眼都直了，都说牌坊村穷，穷得丢个石头进屋砸不到任何东西。这不，这里不就有一户富起来了的人家了吗？富起来的人家不正是带头致富典型吗？为什么不好好总结一下，帮助牌坊村的人理出一条脱贫致富奔小康的思路来？工作队长说完这话周围的人都“咕、咕”地笑起来。队长问笑什么，周围的人谁也不说，队长好生纳闷。

队长决定去搞调查研究，队长敲了半天的门，门总算开了，一个穿着鲜红如火的睡衣的时髦女人，长发垂胸、香味逼人、神态慵懒地出来了。队长好一阵回不过神，难道这小洋楼是城里的阔人来这里修的别墅？村里就是修得起这样的屋也养不起这样娇贵的人。队长再次凝视的时候，两人几乎都失了声。荷花看到这个穿着皮夹克、灰裤子、反帮皮鞋、一身尘土朴朴素素的人，竟是王丽霞介绍她的第一个破了她的身的人。而那男人，也想起了这艳丽的女人就是荷花，这个名字特别好记。男人傻了眼，冷汗从他的额上一层层渗出来，呼吸也紧张起来，嘴里嗫嚅着说不出话来。荷花见他倒退着要出门去，荷花厉声喝住了他，反手将落地的窗帘拉严了，让他坐在沙发上。荷花低沉而又严厉地问他来干什么，怎么跑到这儿来了，寻花问柳问到牌坊村来了？风尘女子荷花现在可不是当初半羞半嗔、半娇半媚、半掩半遮的荷花了。现在的荷花啥人没见过，啥事没经过，嬉笑怒骂，打情骂俏，忽喜忽悲，忽而风情万种、娇媚万分，忽而柳眉倒竖、骄悍无情。转眼间就能变幻几张脸。进了荷花屋里的男人冷汗直流，脸色苍白，小腿发抖，他万万没想到会在牌坊村遇到荷花，他最惧怕的就是人们对他隐私的知晓。现在要换届了，他想来牌坊村好好干一下，他的风流轶事已有风闻，不说升迁，至少要保住位置。荷花连连追问，他支支吾吾，闪闪烁烁，又惧又怕，仿佛面临着一场审判。惊恐之后，他冷静下来，很快在脑子里转开了圈。他知道他来这村里，身份是无法遮掩了，如果今天不搞清爽，就要栽在这女人手里。不如把事情抖开了，看她要什么条件，把这件事了了。荷花从他口中知道他是税务局局长，专门收各种税的，难怪王丽霞对他如此敬畏，但他从没有自个儿露面，收税什么的事都是手下人来干。他告诉荷花他到这儿来是定点扶贫，挂着队长的职务。荷花看怪物似的看着眼前这个局长、队长，突然哈哈大笑起来。荷花笑得肆无忌惮，笑得开心，笑得浑身乱抖，笑出了眼泪。队长被她笑得一愣一愣的，心里直发毛，笑得他身上的汗毛都竖起来了。突然，荷花戛然止住笑，倏地站了起来，怒目圆睁，脸色铁青，咬牙切齿，唾沫横飞，伸长手臂，将手指向队长：“你看你人模狗样的，装正经硬是装得住。你表面是人，暗中是鬼，你一肚子男盗女娼，比我这下贱女人还下贱。你说你说，你的事是说出来呢还是不说出来好？我是出了名的贱人，一个牌坊村的人都捧我，骂我，践踏我，我是没脸没皮的人，死猪不怕滚水烫，地狱也下得，油锅也下得。你呢，你的事咋办？”队长被荷花的话吓得冷汗直出，汗水一层一层冒出来，背脊冷飕飕的，头脑里一片空白。他知道这事的严重性，这种事对这女人没什么，大不了就是罚款的事。而对他来讲，前程就毁了。共产党的官最讲究的就是钱不可以装错袋，睡不可摸错床，而他摸的床，更是忌讳得很的床。

沉吟着，思索着，嗫嚅着：“你，你有什么条件？只要我办得到，我一定答应。”荷花又一阵哈哈大笑:“好,我不要你的钱,我现在干的是不要脸的事,钱够用了。吃的、用的、穿的、住的、戴的啥都有。我只要你答应,去整一笔款来,把这匹梁子上的大堰沟修好。牌坊村穷,穷在干旱上。”队长一脸难为情,他知道修那沟没有几十万拿不下来。送点化肥,送点捐款,送点衣物是办得到的。但要弄几十万,却不是轻而易举的事。队长正犹豫,荷花厉声问道:“你到底办得成办不成?办不成就算了,不要哼哼哈哈的,我只听你一句话。”队长想了想,一跺脚:“行,我一定想法去弄,但那事……”荷花说:“我虽然是女人,并且是下贱的女人,但我说话是唾沫钉钉,说了就算数的。那件好事做了,我俩的事一了百了。我虽卑贱,但我是牌坊村养大的,我心里也就坦然一些了。”

秋霜被抓起来的消息,使牌坊村的人震惊了一阵子,激动了一阵子。震惊了一阵子,激动了一阵子也就过去了,村里的人只有在墙口角晒太阳的时候,或者晚上在烟熏火燎的柴炭火边烧洋芋吃的时候才作为摆龙门阵的话题讲一阵,说一阵的。大家对秋霜被抓起来既不高兴也不憎恨。日子太漫长,生计太窘迫,穷家小户,操二角半还操不过来哩。愁完这样愁那样,谁还有闲心操别人的事?现在牌坊村的人似乎是什么都见过什么都不惊奇了,婆娘们只是觉得没有秋霜,要借点钱借点物不太方便了。接着听说荷花也被抓起来了,大家又激动了一阵子,议论了一阵子,高兴了一阵子,憎恨了一阵子,村里也就无故事了。

让大家激动的更大的一件事,是终于要修那条废弃了几十年的大堰沟了。扶贫工作队的队长倒是认认真真地去县里跑项目、要资金。他决心修这条大堰沟,一是对荷花有承诺,荷花虽然被抓起来了,但被抓起来的荷花对他威胁更大,一个风尘女子特别是被抓起来的风尘女子更是什么都敢做的。况且外面的信息荷花不可能不知道,她知道在欺骗她时,她就会破釜沉舟了。再者,现在上面强调做实事,如果这条大堰沟修起来,就是看得见摸得着的成绩。到时候开个庆祝会剪个彩什么的,把方方面面的头头脑脑请来,效果满好的。再说,牌坊村也确实太穷了,他也是农村出来的,深知贫穷的滋味,牌坊村比他生活过的村子穷得多了,看了令人心里发酸。只是那几十万的款项不是轻而易举要得来的,他虽然在一个要害的部门任职,有很多关系,不少部门不少人也欠着他的人情,但这几十万毕竟不是小数目。队长到处奔波,四处求人,为找“一支笔”县长,他连续几天早早地守候在政府门口。经过种种努力,总算弄到八万多元。无奈,他赶回牌坊村,召开了扶贫工作队和村委会的会议,讨论用这点面来做好这只饼子。七讨论八讨论,叶子烟熏得人昏睡,水烟筒吸得人心烦,总算统一了认识。用这笔钱来买工具,买水泥,运石头,工钱没有,全村出义务工,修多长算多长,上马不够的钱,才好再去要。反正是为村里造福,大家盼这条大堰沟把眼也盼直了,出义务工是应该的。

谁知动员大家修沟并非易事,村干部和扶贫工作队分头去作动员,大家听说没有工钱就不挪窝。蹲在墙根角晒太阳惬意地咂叶子烟、吐浓痰,说没钱修啥沟哩。

没有硬指甲不要揽剥蒜活，没有金刚钻不要揽瓷器活。在火塘边刨烧洋芋的婆娘，敞胸露怀给娃娃喂奶，说修沟没钱，鬼老二耐烦去。苦一天，累一天，钱苦不到，娃娃关在屋头。回来还要自家管自家的饭。尤其使人恼怒的是，队长派人去采购来的一汽车水泥，陷在村道上的烂泥塘里，叫村里人来推汽车，村里人问每人给几块钱？说没钱，大家就袖着手，在汽车边转悠，把队长气得七窍冒烟。

倒是那模样不俊的小媳妇天天背着娃娃去大堰沟出工，她的男人也被她骂着逼着来了，他男人又将他兄弟、老表也弄来了。村干部不去就不好意思，扶贫队员也参加进去，大堰沟工地上就稀稀落落有了人影。

队长最恼怒的是被秋霜带出去卖过淫的那几个妇女，张二毛的妈、朱发祥的姑姑、安耗儿的姐姐等。这些人出去几次后，尝到轻闲食的味儿，一发不可收拾起来。天才断黑，一个约一个地出门，穿了好衣服，洗尽脸和脖，胡乱抹些胭脂口红，像赶集似的邀约着进城去了。她们的服务对象其实就是那些糟老头子，也就是五元十元的，但她们满高兴。挑挑洋芋进城，累得吐白沫，也就十来块钱。这些人互相邀约，牌坊村像害了瘟疫一样，不少人都相跟着去了。村头那座洁白如玉的牌坊，在下过一阵黑雨之后就黑黑的了。这些婆娘在进过城之后，再也不愿下地去了，说怕晒黑皮肤，在家里威风得很，白天串门子、嗑瓜子，嬉笑打骂，仿佛天天过年一样，她们更不愿上工地。队长毕竟有经验，他派人把底一摸，把这些人集中起来办班，一个一个交代问题，末了叫写检讨，每人重罚三千。个个面如土灰、浑身发抖，涕泪交流，说卖了男人卖了娃娃也交不出罚款。队长让她们戴过立功，义务劳动，视其态度来考虑罚与不罚。个个愿意，按了红红的指印，作出保证。于是工地上的人数多了一些。

断断续续修了月余，大堰沟仍无大的变化。资金太少，堰沟太长，六里长的堰沟修了不足一里，钱就基本告罄。人也越来越乏，懒龙样蜿蜒成散乱的一线，看得人心焦。扶贫工作队队员小刘又爱舞文弄墨，写了篇牌坊村大堰沟在扶贫工作队的支持下顺利开工的报道登在报上。队长骑在马上，急得嘴皮起了一层大燎泡，人也瘦了一圈，天天去沟上转悠，越看越急，恨不得来场地震，这事也就了了。

忽一日，队长得了急病，腹疼，疼得遍地打滚，头上脸上汗水一样溢出来，脸色苍白，手脚痉挛，忙送到医院治疗。队长一去，再没回来。队长在医院将息，想想自己的苦肉计，虽然肉体吃了亏，但总算跳出泥塘，就浮一脸的笑了。

又隔半年，县政府的大门口来了个模样不俊的小媳妇。她天天在上班时赶来，在地下铺了一张用大白纸写的求助信：年年歉收，群众生活困难，连苞谷、洋芋也不够吃；穿的、用的、生产成本没有；娃娃无钱上学，失学儿童很多；谁要得了病，就只有小病拖成大病，大病等着拖死。日子难着哩，别说奔小康，连温饱都难解决哩。村里最大问题是缺水，修了个开头的大堰沟没有资金就撂下了，望各级领导开恩，拨点钱，把沟修好，牌坊村的农民世世代代念叨你们，为你们竖碑立牌坊。她那封求援信摆在县政府最显眼的地方，每天上班时间，大家走到那儿，把她和求援信围个水泄不通，念的念，看的看，议论的议论，把个政府机关搅得沸沸扬扬。政府办管安全保卫后勤的刘副主任气得发晕，带着人几次来撵，将她的求援信撕了。她第二天照样来，又写了新的求援信；撵走，撕掉，又写，又来。刘副主任气得晕晕乎乎，机关内议论纷纷，他操起电话，把望月乡的乡长吼了一通，乡长又将牌坊村的村长吼了一通，责令他们立即去把那小媳妇带回村，看好，不准再这样搞。村里见乡上、县里动怒，不敢违抗，带人进城连说带劝带拖将小媳妇弄走。小媳妇一路走一路哭，哭得村长心里也酸酸的。没隔几天，小媳妇又悄悄地进城了，还是那封求援信，只是换成一块白布了。这块白布她舍不得用来缝件汗衫却用来写求援信了。县政府门口又围满了人，办公室刘副主任火冒三丈，打完电话，丢了话筒，又带着几个人来抢小媳妇用来写求援信的白布，小媳妇紧紧抱在怀里，几个人围着拽的拽胳膊，捋的捋臂，拉拉扯扯，进进退退，搞得实在不像话，围的人也多得不行，议论纷纷，说啥的都有。恰巧县长走这儿过，县长拨开人群，阴着脸，对刘副主任说："你们像什么话？在街上这样搞，影响多坏。快放了，有话找我说。"县长缓过神来，笑着对小媳妇说："你就是宋桂花吧，牌坊村的，你的事我知道了，走，到办公室去谈。"

到了县长的办公室，模样不俊的小媳妇宋桂花看着亮铮铮的沙发不敢坐，县长亲切地招呼她坐，又叫秘书给她泡茶。端着雪白的茶杯，喝着清冽甘甜的茶水，小媳妇抽抽搭搭地哭起来了，哭得好伤心好伤心。她想起牌坊村的苦，牌坊村的穷，牌坊村喝的污浊的墨绿色的地窖水。县长温和地说牌坊村的事他知道了，这个村的穷穷在无水上，几十年了，这个问题还没解决，我们有愧于牌坊村的父老乡亲。但牌坊村由于长期养成的惰性，不思进取，只等着上面来建设，也是不对的。听说还有好些妇女进城卖淫，用这种办法来改变自己的生活状况，是可耻的。像你这样执着地为牌坊村请命，是难能可贵的。只是，修大堰沟的款数目太大，县里穷，唉……难办啊……

桂花灿然的笑一下僵在脸上，刚才，她好感动好感动。县长的话讲得太好了，人家毕竟是父母官，几句话就将牌坊村的症结讲清了。但说到底，还是无钱，无钱办不成事呵，就是大家不吃不喝不要钱，那石料，那水泥，那石灰等自个儿是解决不了的。小媳妇的心，一下坠到深渊去了。

县长抽了一支烟，烟灰老长老长也不抖，长长的一截烟灰掉在他深色的衣服上他也不去掸。县长抽完第二支烟后，打电话叫办公室主任来。胖胖的办公室主任来了，县长对他说那车不要买了，将这三十多万投入到牌坊村的大堰沟上去，这沟就有救了。主任急红了脸，说这怎么行呢？这怎么行呢？你那辆旧吉普实在太烂了，修修停停，停停修修，实在用不成了。再说，出去开个会，人家连停车都不准停，丢我们县的脸呢。县长愠怒："别说了，丢什么脸，群众还在贫困线上挣扎，那才丢脸。一屁股坐个学校，一屁股坐条水沟，那才丢脸，丢共产党的脸。行了，车不买了，就将钱直拨牌坊村。”

牌坊村毁了几十年的大堰沟这次真正地动起工来了。村里的土路拓宽了，成天轰轰隆隆地跑着一串串的农用汽车，这些车全是拉石头、水泥的。牌坊村无石头，得到十多里路的石湾去拉。牌坊村的村民全部上工地了，大家知道县长将买小车的钱拿来修堰沟，人心都是肉长的，谁还好意思不去？连那几个被秋霜带进城把心弄野、想吃轻闲食的女人也全来了。秋霜被关了几天，罚了一笔款，教训很深，回来哭了一天一夜，抹干泪，悄没声息地加入到修大堰沟的行列中去。只有荷花不知去向，大家也没心思去想这事。天天上工地，累得腰酸背疼的，管她呢，少个人也没啥的。

大堰沟工地上没有旗帜，没有标语，没有高音喇叭，没有文艺宣传队，没有“哼唷、哼唷”的号子，工地上也没有千军万马、轰轰烈烈的气氛。但那大堰沟，倒真的在不断延伸，砌的还是石头为基础、水泥勾缝、三面光的标准堰沟呢。

（选自《边疆文学》2002 年第 3 期）

夏天敏

1952 年出生，云南昭通市人。《昭通市报》主编，2002 年加入中国作家协会。现为云南省作家协会聘任制签约作家，云南昭通市文联主席、市作家协会主席。

1986 年开始文学创作。著有中短篇小说集《乡场上的皮匠》《乡村雕塑》《飞来的村庄》《好大一棵桂花树》，长篇小说《极地边城》，散文集《情海放舟》等。中篇小说《好大一对羊》获第三届鲁迅文学奖。

土炕和野草

胡学文

一

爹领回女人那天，我又尿炕了。海棠一摸我的褥子，照我屁股就是一巴掌，骂我驴大了不长记性。我边躲边还击，你嫁个男人没鸡巴生个孩子没屁眼儿……海棠杏眼圆睁，抓起鸡毛掸子就要抽我。说是鸡毛掸子，上面连二十根鸡毛也没有，整个一条棍鞭，落在身上，肯定能留下记号。

我缩到墙角，没处躲了，就把身子贴在墙上。海棠气呼呼地叫，看你钻地缝里去。我喊，娘哎，海棠要抽我。我的声音可怜巴巴，好像被海棠抽断了骨头。海棠的手僵在半空。这一招很灵验，我暗自得意。海棠青着脸说，不许再喊那个贱货，喊一声，抽烂你的嘴。我装出害怕的样子，不喊了，我的娘哎。

海棠眼角一挑，掸子晃晃悠悠垂下来。这时，小英子跑进院，急躁躁地喊，海棠，你爹又领回个女人。

海棠的脸唰地一变，鸡毛掸子从手中滑落。她死死盯着小英子，似乎要把小英子吸进眼睛里。

小英子的脑袋竖在窗户中间，真的，不骗你。

海棠没好气地说，喊啥喊？

小英子躲闪着海棠的目光，一副受了委屈的样子。

我趁两人磨牙的工夫，溜下炕，出了屋子。我从墙头跃上羊圈，那儿放着把破木梯。我蹬着木梯上了房顶，一眼就看见西边山梁上的那两个人。爹是个偏膀子，走路的时候好像一只脚在往上跷，村里没有第二个像他这样走路的。他身边那个女人比他高大，似乎随时要压在他身上。女人脖子上系的肯定是丝巾，那一抹蓝色被风拂来拂去的。爹特别爱给他领回的女人买丝巾，一律是蓝色的。爹是个执拗的人，他的许多做法让人费解。比如别人家给羊打记号，无非在不同部位画个圆圈或其他简单的符号，除了黑色就是红色。我家羊的记号则在鼻梁上，是蓝色的梅花图案。

不知海棠是什么时候站到我身边的，她两手搁在我肩上，要把我拥进怀里的样子。她好像不大相信，那是爹吗？

我说，当然是了，你没见他和女人挨得那么近？海棠在我肩上捏了一下，问，那是个女人？

我自信地说，不是女人，爹给她买丝巾干吗？

海棠不说话了，只是重重地喘气。过了一会儿，我俩垂头丧气地坐下来。海棠抚摸着我的头说，石头，没好日子过了。每次爹领回女人，海棠都特别温柔，再寻不到一丝凶样儿。我说，不知这个娘脾气咋样。海棠的声音突然提高了，不许喊她娘，娘早就死了。我翻她一眼，咱娘是跟人跑的。海棠说，跑了就是死了。我故意起哄，跑了就是跑了，怎么就是死了？海棠又凶了，我说死了就是死了，你不能喊那女人娘。我说，爹要我喊呢？爹领回女人，第一件事就是让我喊娘，他不敢指望海棠。海棠恶狠狠地说，他让喊你也不能喊。我追问，他要打我呢？海棠火了，你是死人呀，就不会跑？他还能打死你？海棠这么说就不讲理了，不打她，她当然不知道疼的滋味。

爹和那个女人进院了。爹的眼睛亮汪汪的，像在水里洗过，脸上则泛着少见的光彩；女人似乎比爹岁数还大，长得也不好看，脸上呈现出一种病态的土黄色。与我的想象差得太远，我大失所望。

爹做惊讶状，你俩咋坐房顶了，下来下来，我给你们找上娘了。

海棠没动，我自然也不敢动。

爹冲女人讨好地笑笑，大的是海棠，小的是石头，又仰起头说，石头，喊娘呀。

我扭头看看海棠，她的脸铁板一块，我就死死地抿住嘴。

爹生气了，大声说，喊呀，哑巴了?！这是爹送给女人的见面礼，我不喊，他当然下不了台。

女人说，算了，别为难他了。

爹的语气便温和了，石头，爹割了猪头肉，你下来，爹给你炒了吃。

爹一下就把我打倒了，我最爱吃猪头肉炒土豆片。我欠欠屁股，海棠狠狠拧我一把，可那句话已溜出嘴边，爹，少放点儿辣椒啊。

爹和那个女人都笑了。女人笑的时候，脸上浮现出一幅荷花样的图案，那黄色不太刺眼了。女人似乎怕笑出声，拽着脖子，要咽下去似的，可终是被卡住了，吭吭地咳嗽起来。爹用他黑瘦的手轻拍女人后背。

爹和女人一进屋，海棠就训我，馋相！没吃过东西啊。

我反驳，你不让我喊娘，又没说不让我吃东西。海棠说，猪头肉是给女人买的，你以为给你买的？没出息！

海棠不吃猪头肉，她当然不馋了。可她坐着不动，我就不能下去。我对爹频繁地找女人和海棠一样有意见，爹把钱都花在这上头了，我找他要钱买把手枪或动画贴片，爹总拿那句话打发我，石头，省省吧，爹攒够了钱，给你娶个娘。碰哪次我说不要，爹的脾气就躁了，不要咋行？你不要，爹还要呢。不过我绝不像海棠那样气得冒烟，更不让嘴吃亏。我的嘴主要是吃东西，海棠则主要用来骂人。

爹肯定炒菜了，肉味飘出来，小虫样钻进我的鼻孔。我连打了几个喷嚏，肚子里传出野鸽子般的叫声。海棠让我有点儿出息，我的鼻孔却越张越大。后来，陆续有人进来，他们是来看那个女人的。每次爹领回女人，我家都这么热闹。爹在这种时候总是很大方，给抽烟的散发过滤嘴香烟，不抽烟的则给他们分发糖果。当然，有些人不但要抽烟，还要吃糖，比如二扁嘴女人。陆三进去了，王阴阳进去了，石大嘴进去了……我数着一共进去九个人。第十个来的是王算盘，王算盘死不要脸，爱去别人家蹭饭，闻见谁家有油味，就涎着脸上门了。他在我家蹭过一次，吃了九张馅饼，第二次让海棠撵跑了。看见他，我一阵紧张，这家伙肯定是让猪头肉的香味勾来的。我瞄海棠一眼，海棠呼地站起来，大声说，王算盘，你又蹭饭来了？王算盘嘿嘿着，这闺女，咋说话呢？

王算盘没敢进院，因为海棠速度很快地溜下去。海棠的嘴不留情，王算盘惹不起。

那些人正开着爹的什么玩笑，石大嘴笑得牙床都鼓出来了。海棠一进屋，他们就不敢放肆了。海棠对这些人还算客气，叔长婶短的。但他们对海棠怵头，尽管海棠脸上挂着笑，他们还是没敢多待，相继溜走了。

没人注意我，我吃了几片猪头肉，嘴唇油汪汪的。

饭还是在一起吃的，海棠和女人没动手，都是爹弄的。猪头肉炒土豆片、炸花生米、炒鸡蛋，爹也就会这几样。女人吃得很慢，好像牙齿不好，爹不住地给她夹菜。海棠埋着头，一句话也不说。平时，她都是最后放碗，可今天她吃了几口就搁了筷子。女人看看海棠，又瞅瞅爹。爹说，吃，吃啊。海棠正要出去，爹喊住她，让她待会儿收拾一下。女人忙说，我收拾吧。海棠垂着眼皮说，我肚疼，还揉了揉。我知道海棠是装的，她不想侍候女人。没有女人的时候，海棠最勤快了，做饭洗锅、洗衣服喂羊，就连爹和我的被子都是海棠叠。没等爹说什么，海棠已闪出去了。爹的脸色很难看，女人安慰他，她还是孩子嘛。

那天晚上，爹早早把我的被子抱到西屋。平时我和爹睡东屋，海棠独霸西屋。我一点儿也不愿意和海棠睡一屋，她的毛病多，不是嫌我脚臭，就是嫌我说梦话。当然还有别的原因，她怕我发现她的秘密。比如她往胸罩里填棉花，往脚趾甲上涂指甲油，都是我在西屋睡的时候发现的。

我见她脸上依然挂着冰，就说，不是我要来的，是爹让我来的。

海棠问，你喊她娘没？

我说，没有。

海棠追问，真的没喊？

我说，真的，不信你去问她。

海棠脸温和了，不过声音依然严厉，别喊她，看见她那样儿我就恶心。

我躺在那儿，却怎么也睡不着。我不知咋回事，往常一闭眼就睡了。海棠翻来覆去，肯定也没睡着。折腾了一会儿，我想尿了，可地上没有便盆。海棠说，姐忘拿了，你出去尿吧。我趿着鞋出了屋子。

撒完尿，我的目光落在东屋窗户上。我顿了顿，轻手轻脚走到窗户根儿。爹的声音清晰地传出来，刘燕——女人颤颤地哎一声。爹又叫，刘燕哎——女人再颤颤地应一声。

回到西屋，我问海棠，你知道女人叫啥名？

海棠不理我，我得意地炫耀，她叫刘燕。

海棠问，你咋知道？

我说，我刚听来的。

海棠忽地在我腿上拍了一掌，骂，不要脸的货！

二

娘让人领跑那年，我五岁，海棠十一。娘的模样我已记不清了，只记得她下巴有颗痣，细腿，蜂腰，走路风摆柳似的。她从街上走过，孩子们都躲得远远的，只用目光追着她。娘有癔病，发作时就变成一个奇异的人。她的眼睛会射出手电筒样的亮光，一尺长的头发会直竖起来。两米高的墙头，她一跳就上去了，并且走得稳稳当当。她的力气也大得出奇，三个男人都摁不住。最让人害怕的是她竟借着村里死人的声音说怪话。娘的病只有爹能治，她一发病，就有人告诉海棠，海棠就往滩里跑。爹是羊倌，一大半时间都在滩里。爹拿针在娘头上或腿上一扎，娘立刻就好了。然后，爹就把虚软无力的娘背回家。后来，爹给娘抓了些药，娘的病就慢慢好了。爹承诺等娘病好了就给娘打个衣柜。他说话算数，果然就请了个木匠。木匠在我家住了十天，由娘侍候他吃喝。衣柜打好了，木匠没要工钱，但他领跑了娘。

那天，爹的眼睛像被炸烂了，红得怕人。他一遍遍问我和海棠，你娘说啥了？啥也没说？肯定是你们忘了，你们两个废物，咋不好好看着她，让她丢了呢？月娥呀，月娥呀。爹喊着娘的名字，嗓子喊哑了，他就蹲在墙角耸着膀子哭。我没见过爹这个样子，心里怕得要命，还尿湿了裤子。海棠把我揽在怀里，小声说，别怕，石头，可我觉出她抖得比我还厉害。

爹把羊扔给别人，出去找娘了，一走就是两个多月。海棠每天牵着我的手去村口等爹，等他牵着娘回来。我不起炕，海棠就哄我，说爹要回来了，我就再一次跟海棠站到村口。有一天，海棠还领着我爬上西边的山梁，依然没等上爹。

爹回来不成人样了，头发毡片样盖在头顶，胡子又乱又脏，脸好像让人割去一半，剩下那一半怕见光似的往里缩着。海棠带着哭腔喊了声爹，见我傻站着，推我，这是咱爹，喊呀。我吃惊地瞪着眼。爹在我头上摸了一把，上炕睡了。

爹睡了一天一夜。我大气不敢出，不小心弄点儿声音，海棠就瞪我。海棠坐在爹旁边，不时瞅爹一眼。我一觉醒来，海棠依然是那个姿势，又一觉醒来，她还是那样。爹睡醒后，躺在炕上不动弹。海棠让他吃他就吃，让他喝他就喝，之后就痴呆呆地盯着顶棚，半天怪笑一声。爹好像成了傻子——村里有个傻子就这样。等到第三天，爹早早起来，他剃了头，刮了胡子，眼珠子又能动了。

爹把我和海棠叫到跟前，平静地说，她不要咱们了。我往海棠怀里靠靠，又想尿了。爹说过这话后就沉默了，可他的样子又像还有话要说，只是一时想不起来。爹看了我和海棠一会儿，突然说，我一定给你们找个娘回来。爹的腮帮子鼓凸着，像嘴里装满了东西，脸上是我从没见过的颜色。

给你们找个娘回来！

多年后，我才领悟了爹的意思。这句话像根大铁钎牢牢钉进了我家的生活。

爹又去放羊了，他的膀子就是从那时偏的。爹放一手好羊，附近几个羊倌没人比得过爹。可自那以后，他总是丢羊，今天一只，明天两只。让人偷走了，还是被狼叼走了？他自个儿都糊涂。丢一只羊，就得赔二百多块钱，年底一结账，工钱远不够赔羊的。

第二年，爹不再放羊，而是去东窑背砖了，依然早出晚归。背砖累点儿，但再没人找爹算账了，说爹弄丢了砖。

爹没再提娶娘的事，好像忘了。第四年初冬，爹从砖厂回来，除了背着他的行李，还提了一块熏肉。天一冷，砖厂就停工了。爹把熏肉切下一半，另一半吊在房梁上。我问爹那一半是不是要留到过年，爹点点头，对，留到过年，你可不许偷吃啊。海棠还去打了半斤酒，没有娘，家里的事就由海棠做主了。爹喝了酒，微眯着眼睛，像守在老鼠洞边的猫。爹从怀里掏出最后一个月工钱交给海棠，问海棠多少了。海棠跟爹使个眼色，对我说，石头，买盒烟去。我知道海棠是故意支走我，她怕我知道藏钱的地方，当然也怕我知道有多少钱。我不去，海棠用一毛钱跑腿费诱惑我，我就乐颠颠地去了。

次日清早，我被海棠的尖叫惊醒。我有尿炕的毛病，所以对清早的事总是记忆犹新。我赤条条坐起来，看见海棠惨白着脸，说钱不见了。我说你还不赶紧找爹去，我以为爹搂发菜去了，每年冬天爹都要去滩里搂发菜。海棠说，爹出门了呀。说过这话，她猛地僵住了。她说你自个儿热饭吃，兔子般飞出院子。

海棠中午才回来，脸冻得青溜溜的。我问她找见爹没，海棠在我脸上摸了一把，突然搂住我，号啕大哭。我吓坏了，以为爹也让人领跑了。半晌，我问爹是不是不回来了，海棠抹把眼泪，很平静地说，不会的。

几天后，爹果然回来了。他身后多了个女人。女人个头不高，留着两个长长的辫子。爹进门就炫耀说，我给你们娶回娘了。爹的样子很像电影中那个排长，排长对首长说，我把三〇七高地拿下了。不同的是，首长拍着排长的肩，夸他好样的，我和海棠则傻站着。爹让我们喊娘，海棠低着头出去了，爹就明确地命令我，石头，喊娘呀。我往后退缩着，爹觉出我的企图，揪住我的领子拎到女人身边，喊娘呀。娘被人领跑后，爹还没这么凶过，我就短促地叫了声娘。女人被逗笑了，她像海棠一样把我搂在怀里。女人身上有股淡淡的香味，爹肯定是被女人的香味迷住的。我趁机往女人衣服上蹭了些鼻涕。

那天晚上，海棠第一次告诉我家里的核心秘密。她说爹娶那个女人花了八千多块钱。我盘算了一下，八千块钱能吃十年猪头肉，猛然想起东屋房梁上的熏肉，第二天一瞅，果然被爹和女人过年了。

女人挺勤快，就是脸皮厚。海棠给她脸色，她假装没看见，海棠长海棠短的。她还让爹扯了块布，给海棠做了件衣服。海棠试都没试就扔一边了。我喊了她好几声娘，她仅给我买了副鞋带。女人做饭一点儿也比不上海棠，不是咸了，就是淡了，可爹却吃得有滋有味，每次都要咂出响声。

爹像块橡皮糖，女人走到哪儿，他跟到哪儿，就连女人上厕所，他也要在远处站着。我看不过去，对海棠说，咱爹真没出息。海棠冷冷一笑，说爹是自找罪受。我不明白海棠的意思，但我看出爹很快活，自女人进门，他脸上就没断过笑。爹在家待了十多天，一天晚上，他来到西屋，说明天要去搂发菜，让海棠注意点儿，并指指东屋。海棠不情愿，还是紧着小心，自此就成了女人的影子，女人走到哪儿她跟到哪儿。女人嫌爹不信任她，一天夜里我和海棠都睡下了，听见她哭哭啼啼和爹闹别扭。

第二天，爹不让海棠跟女人了。他说，你娘不是那样的人。还说，一家人过日子不能隔着肚皮。可爹一走，海棠就对我说，你跟着她，她要出了村，你就喊我，八千块钱呢。于是，我就成了女人的尾巴。第四天头上，我跟着女人在街上遛了一圈，女人去小卖部买了把糖塞给我，而后说，石头，我回家了，你玩吧。女人回家就没我的事了，我就放心地玩。过了很长时间，海棠来找我，问女人哪儿去了，我说回家了。海棠一屁股坐在地上，冲我大叫，看爹不揍烂你。

爹没揍我，他拍的是自己的脑瓜子。

女人从来到逃走，总共四十一天。

三

刘燕是爹领回的第四个女人。

她是个病秧子，第二天我的猜测就得到了验证。一睁眼，满耳朵是她的咳嗽声，像灌了咸盐的蛤蟆。爹的眼光越来越差了，出去这么多天，怎么领一只蛤蟆回来？我碰碰海棠，问她怎么不起。海棠翻过身，叫我别烦她。正说着，爹进来了，海棠马上闭上眼睛。爹没看我，照直走到海棠枕边，说，海棠，起来烧饭吧。爹的语气是湿软的、恳求的。海棠没动，爹又说，别让爹为难，就这一次，爹再不找了。我知道爹说的是假话，刘燕逃走，他肯定又会领张燕、李燕回来。爹怕海棠，家里的事都是海棠说了算，只有娶个娘回来这件事，他不听海棠的，固执得发疯。海棠什么都能管住爹，就这个管不住，她不气才怪。爹也真是，娶了女人干吗还让海棠做饭？娶回来就得让她干活，等她跑掉那不是太亏了？

爹的脑袋垂下来，海棠，你是大闺女了，咋就不惦记爹的苦处？我忍不住了，说，我尿炕了。海棠突然睁开眼，往我被子里一摸，顺手拧了我一下。

海棠装不下去，就起炕了。她蹲在当院漱口，半个多小时也没洗漱完。

刘燕在灶边忙活。她做熟饭，海棠刚好洗漱完。海棠盛了一碗，独自去了西屋。吃饭的时候，刘燕又咳嗽了。这时，爹就放下筷子，在她背上捶着。刘燕咳出满脸红晕。不是看盘子里有几片肉，我早追海棠去了。刘燕似乎看破了我的心思，就把肉夹到我碗里。爹趁机说，看你娘对你多好。爹已经是满脸皱折了，却没长一点儿记性。他领回的女人哪个对我不好？到头还不是跑了？她们善于用假象迷惑爹，没有一个女人在我家超过半年。与往年不同的是，爹没等到砖厂收工就把女人领回来了。

爹对刘燕说，我出去一趟，你想出去转转就让石头领着，不想出去就歇着吧，两天的路，太累了。刘燕软绵绵地说，我不出去，那些人咋那样看人，好像我是怪物。爹嘿嘿一笑，村里来个生人，稀罕么。

爹轻轻瞟我一眼，我一慌，难道爹要将看守刘燕的重任交给我？这实在是个费力不讨好的差事，海棠不乐意干，我更不乐意干。第一个女人逃走后，爹提高了警惕，领回女人看得死死的。他不在，就让海棠盯着。爹不轻易用我，嫌我靠不住。但我也没闲着，一直给海棠当助手。海棠上厕所，或有其他着急事，就让我盯着女人。

我不愿揽这破事，趁爹没注意，搁下碗就溜到西屋。海棠正对着镜子用火柴棍压眉毛，她的眉毛常常刺猬一样竖起来。海棠问，怎么吃这半天？我说饿呀。海棠骂我小饭桶，又问刘燕说她什么没。我说她夸你的牙白净呢。海棠翻我一眼，你别瞎说，她是不是又给你肉吃了？海棠果然厉害，一下就说中了要害。我当然不肯承认。海棠又问刘燕让我喊娘没，我说没有。海棠问，真的没有？我说你去问她好了。海棠就说，你要坚持住，姐不亏待你。见我盯着她的眉毛，就背过脸。我说，你用糨糊刷刷，多省事。海棠的声音顿时提高了，滚一边儿去！

海棠让我滚，我就有了离开家的理由。我出屋时，正碰上爹背着他的羊皮袋子往外走。爹说，石头听话啊。爹竟然没嘱咐海棠，他真靠给我了？我琢磨了一会儿，悟出爹是要我传话给海棠。他被海棠的冷脸吓住了，还挺顾脸面的，好玩。我只好返回去，对海棠说，爹让你看着她呢。海棠轻轻呸了一声，我才不呢。我问，她要跑了咋办？海棠说，跑就跑，她要是棵白菜，能剁巴剁巴吃了，她是个活人，能拴住她的腿？

我以为海棠只是说气活，刘燕是爹用背砖的钱买的，她能看着刘燕跑掉？可等小英子找上门，她果真跟小英子走了。小英子是海棠的跟屁虫，总是跟在海棠后面，像海棠的影子。海棠往胸罩里垫棉花，她也跟着垫；海棠买双紫袜子，她也买一双；海棠着了凉打嗝，她必定也找理由打几个嗝。那天，海棠没出门就搂住小英子脖子，小英子受宠若惊，连路都不会走了，一跳一跳的。

海棠不管我才不管呢，我随后也跑出去。七月的阳光淌到脸上，我顿时热燥燥的。过一会儿，就能到河里游泳了。爹说我没出生的时候，河里到处是鱼，一逮一条，现在连蝌蚪也见不着了。但我还是愿意去，因为我没地方玩。

我边走边踢着石子，后来那石子就滚到一双脚边，是穿拖鞋的脚。我抬起头，看见秦寡妇那张雪花粉一样的脸。我想绕过去，秦寡妇拦住我，石头，你爹又给你领回娘了？我不愿理她。秦寡妇说，你怎么不看着她？我从另一个方向绕，秦寡妇说，我家有香蕉，你吃不吃？我飞快地看她一眼，她突然大笑起来，几乎岔气了。我明白她在嘲弄我，就说往你的眼儿里塞吧。秦寡妇想揪我，我狠狠甩开了。我听她在背后说，你爹是条好种驴，就是种不出骡驹子。我猛地回过头，你再乱嚼，我就告海棠。秦寡妇说，告去吧，我还怕个丫头片子。话虽如此，她的声音却小了许多。她不怕海棠？鬼才信。

爹执拗地从外面领女人，并不是在村里找不上，比如，秦寡妇就想嫁给爹。爹领回的第二个女人逃走后，秦寡妇常来我家借东西，和爹扯些废话。海棠摔了两次碗，她才不敢登门了。一天，秦寡妇把我叫进家，给我吃了好几根香蕉。秦寡妇的名声不好，据说那些好吃的都是男人们给她买的。我才不管呢，反正爹和海棠又不给我买。秦寡妇笑眯眯地问我好吃不，我嘴里堵得满满的，就连连点头。秦寡妇说你以后常来吃，我这儿有的是。后来，四爷就替秦寡妇提亲了。爹没同意，他说秦寡妇腿夹得不紧，他不光是找女人，是给海棠和石头找娘呢。

突然有一天，秦寡妇在街上拦住爹吵起来。我围上去时，秦寡妇正指着爹的鼻子，让爹说清楚。爹涨红了脸，说自己没说过那样的话。秦寡妇让爹伸出舌头。我不明白让爹伸舌头干吗？她还想揪下来？爹让秦寡妇逼得连连后退，丢死人了。海棠就在这个关键时刻冲到爹身边，她抱着膀子，冷冷盯了秦寡妇一会儿，然后点着秦寡妇眼窝子就是一顿臭骂。海棠骂得狠，打蛇打七寸，海棠掐的就是秦寡妇的七寸。秦寡妇撑了没一会儿，狼狈地逃了。那次海棠可露足了脸。

我本来把刘燕丢到一边了，让秦寡妇一搅，刘燕的影子又在脑里晃了。我有点儿担心,家里没人,她会不会趁机逃走?这个任务是爹亲口安排给我的,放跑了刘燕,他肯定收拾我。

我在河边遛了一圈,还是跑回家。我跑得上气不接下气,冲进院子,眼睛几乎黑了。

刘燕正踩着凳子擦玻璃,回头瞧我一眼,石头呀,快给娘扶住凳子。

刘燕的表现与爹前几次领回的女人差不多,她们总是做出死心塌地和爹过日子的样子,一有机会,就溜得鬼影儿不见。

我极不情愿地挪过去,我没扶,而是踩住凳腿儿。刘燕根本用不着擦,海棠早就擦干净了。

刘燕终于下来了,她在我脸上摸摸,瞧你晒得黑的,咋不念书?

我说,没意思。我懒得跟她说,我不喜欢学校那地方,一点儿也不喜欢,成天逃课,爹就干脆让我和海棠盯梢了。

刘燕说,我和你爹说说,你还去念书吧。

她想支走我,我心想,爹不会上你的当。

刘燕又咳嗽了,蜡黄的脸顿时涨得通红。我怀疑她嗓子里卡了什么东西,真想帮她掏掏。

刘燕停止了咳嗽,可能是我吃惊的样子逗笑了她。她说,吓着你了吧,往前站。

我反往后退了两步。

她冲我努努嘴,叫我一声娘。

这女人脸皮真够厚的,我紧咬牙关,一声不吭。

她催促,叫啊,我是你的娘了。

我说,我牙疼。

她又笑了,你喊一声,我给你一块钱。

我慌了,面对诱惑,我从来都是慌乱、软弱的。但我大声说,不……叫。

她似乎识破了我的伎俩,说,喊呀,我说话算数。

我回头瞅瞅,四周除了我和她,再没别人,便蚊鸣似的滑出一个娘。她说,好,一声了。第一个喊出来,就顺溜多了,我连喊了四声,一次比一次响亮。

刘燕笑得眼都没了,行了,行了,我可没那么多钱。然后,摸出皱巴巴的五块钱。

我不再监视她,一溜烟跑进小卖部。

四

爹领回的第二个女人叫陆梅,胖墩墩的,一张赤红脸,像关公的亲妹子。她是个风骚女人，当着我和海棠的面，就敢在爹的某个部位拧一下，撒着三十岁的女人不该撒的娇。这种时候，海棠就哼一声，毫不掩饰她的轻蔑与敌意。爹则红了脸，讪讪地说，别这样，娃看见不好。女人就噘噘嘴，倒不一味和爹使性子。

陆梅嘴馋，爱吃零食，瓜子、麻籽、豌豆，凡是能往嘴里填的，她都喜欢。她还爱喝酒，爱吃辣椒，尤其爱吃臭豆腐。我家饭桌上从来没有臭豆腐这类东西，海棠嫌臭，爹怕花钱，我喜欢也只是空喜欢而已。陆梅来了以后，改变了这种局面，我天天有臭豆腐吃了。吃饭时，我看着海棠捂住鼻子躲到一边，咂得越发欢实了。因了我和陆梅的共同爱好，她来我家第二天，我就避着海棠喊她娘了。陆梅不吃独食，吃什么总往我手里塞一把。海棠在的时候，陆梅不敢轻易支使我，如果海棠不在，陆梅说话的声调就很高，石头，给娘打斤酒去。我接过她的钱，飞快跑到小卖部。我打八两酒，然后到井口对二两水，二两酒钱自是落入我的腰包。陆梅抿一口酒，皱皱眉头，味道咋这么淡？像对水了。我说我亲眼看着小卖部的独眼儿对水来着。陆梅就骂奸商，下次依然让我替她打酒。我躲到西屋，享受着自己的胜利果实，有时忘了形，被海棠拧住耳朵，她气呼呼地问我，你又喊她娘了？我说没有……啊哎，疼死我了。海棠厉声问，你没喊，这些东西哪儿来的？我泪巴巴地说，爹拧我耳朵让我喊娘，你又不让喊，你们干脆把我耳朵割下来算了。海棠的手就松开了，她摸摸我的头，将我搂在怀里，叹几口气。因了刚才的粗暴，她会塞几毛钱给我。

陆梅和第一个女人一样，总是竭力讨好海棠。海棠没有我那么嘴馋，陆梅用食物笼络不住她，就给她买女孩子的饰物，今天一个发卡，明天一枚胸针，只是海棠瞅都不瞅一眼。海棠说女人是黄鼠狼给鸡拜年，没安好心。陆梅并不气馁，那天又托人买回一块红围巾。她特意在吃饭的时候拿出来，海棠，你试试合适不。海棠正欲离开，看见围巾，顿住了，目光似乎跳动了一下。爹说，看你娘多好。仿佛怕海棠离开，爹挡在门口。海棠缓缓接过来，很快就丢到地上，冷冰冰地说，一股臭豆腐味。爹火了，啪地把海棠的碗摔在地上。海棠冷冷地看着爹，眼里没有泪水，也没有怒火，而后擦着爹的身子出去了。陆梅劝爹，慢慢就好了。看得出来，陆梅怕海棠，爹领回的女人都怕海棠。比如吃臭豆腐，先前陆梅揭开瓶盖，瓶口就敞着，后来她夹一块，马上把盖子扣上。海棠软硬不吃，那些女人和海棠的关系都不好。

在女人面前，爹永远是软骨样。对于陆梅的要求，爹总想方设法满足。她爱吃臭豆腐，他就让她吃；她爱喝酒，他就让她喝。有天半夜，陆梅突然想吃炒大豆，爹敲醒邻居，借了二斤大豆并炒熟。我想象不出半夜三更两个人挤在被窝吃大豆是什么情形，这个女人太能折腾了。爹似乎怕我和海棠有意见，逮住机会就替陆梅找台阶，她是个苦命人，咱不能亏了人家。留住你娘，这个家才像个家。

但不管爹对陆梅多好，他对她是防备的。有了第一次的教训，爹不再轻易让我和海棠盯梢，陆梅走到哪儿都有爹的影子。陆梅噘嘴，你不放心，怕我跑了？爹说，我离不开你呀。陆梅就哼一声，爹什么都依她，就是这个不依。爹实在有要紧事，就将这个任务交给海棠。海棠对陆梅反感透了，但盯梢从不马虎。在这点上，海棠和爹是一致的。海棠不屑地说，你以为我盯的是她？我盯的是钱。我不知爹领回这个女人花了多少钱，但绝对不是小数目。

爹领回女人的第三十九天，一封电报传到我家。陆梅一看上面的字就哭了。她母亲得了重病，正在医院抢救，电报是她弟弟拍的。爹对电报内容将信将疑，反对她回去探望。陆梅闹别扭了，她躺着不起炕，饭不吃，酒不喝。爹慌了神，可怜兮兮地向海棠讨主意。海棠让爹陪她回去，并嘱咐爹寸步不离。海棠早不是黄毛丫头了，说出那样的话，她的目光生冷、坚硬。

爹陪着陆梅回去了，走前，还借了不少钱。在县城车站，陆梅上了趟厕所，就永远从爹眼前消失了。路费原本在爹身上装着，陆梅靠着爹的脑袋哼哼两声，爹就受不住了，轻而易举让她哄了去。爹身无分文，一路饿着肚子走回来。海棠一瞅爹的架势就明白了怎么回事，可还是盛气凌人地问，人呢？爹哇地哭出声，我把你娘弄丢了。到了这个时候，爹依然称陆梅是我们的娘。他把责任归咎于自己，是他弄"丢"的。

爹消沉了一段，很快又振作起来。爹的膀子越来越偏了，可眼睛贼亮亮的，像搜寻猎物的狼。

一年后，爹领回了第三个女人。她比爹前两次领回的女人都小，也就二十几岁。爹是从东滩的二皮那里搞到手的。说穿了，爹搞了一个被拐卖的女人。我不知道她叫什么名字，只记得她眉心有颗痣。

眉心痣性子刚烈，一进屋就又哭又闹，还用脑袋撞门。我和海棠听得心惊肉跳。我想过去看看，海棠扯住我，咬牙骂，自找罪受，活该！海棠对爹有怨气，我听见她牙齿撞得咯咯响。

眉心痣从窗户跳到院里，爹眼疾手快，一把拽住她。眉心痣一边甩，一边大声叫骂。

爹满脸涨红，气喘吁吁。我趴在玻璃上看热闹。爹扫见了，叫，石头，给爹拿根绳子来。

我还没动弹，海棠断喝，不许出去！

我提醒她，爹花了钱的。

海棠骂，把嘴闭上，没人当你是哑巴。与前两次不同，海棠是真生气了，她好像不再在乎爹花了多少钱。她青着脸，抱着膀子竖在那儿，像一株没熟透就被冻硬的玉米。

爹终于把眉心痣弄回屋了。那一夜，不知爹和眉心痣折腾到什么时候，我和海棠虽然没当爹的帮手，但也没得消停，从东屋传出摔东西的声音不时割着我的耳朵。后来，我实在困了，用被子蒙住头。第二天，我看见爹的脸上、脖子上有几个血印子。爹没有一点儿羞愧的意思，他给东屋安了把锁，在窗户上钉了几根木条，眉心痣就是插上翅膀也飞不出去了。

爹把眉心痣关在屋里，只有吃饭和睡觉时候，他才进去。平时，他就蹲在外屋的门槛上，空洞的目光一寸一寸舔着我家的破院子。我不知他在琢磨啥，有时碰上我的目光——也只能碰上我的，爹领回眉心痣，海棠的眼皮基本上耷拉着——他就嘿嘿笑一两声，你这个娘，不大懂事。

我不知眉心痣在屋里干啥，我很少见到她。她不再大叫大闹了，只有她的哭声从门缝流出来，像只挨了打的小猫。

爹和海棠谁也不理谁，气氛沉闷极了。我不想在家里待着，吃了饭就往外跑。那天，我从外面回来，爹没在门槛蹲着，东屋的门虚掩着，我以为爹在里面。听了听，却是海棠和眉心痣说话的声音。我好生奇怪，海棠去东屋干啥?

我紧着小心，还是弄出了声音。屋门突然打开，海棠站在门口，瞪着我，鬼鬼祟祟的，干啥呢?

我说，我以为爹在屋里呢。我扫一眼眉心痣，她双眼红肿，两手使劲绞着。

海棠说，他不在。

我问，那你干啥呢?

海棠气呼呼地说，一边儿待着去，别来添乱。

海棠出来，重新将门锁了。她叮嘱我别告诉爹，我说我偏要告诉。海棠一脸凶相，你说出一个字，我就敲掉你两颗牙。当然，她不光使横的，还塞给我五毛钱，我的嘴巴就这样被封住了。我猜海棠在说服眉心痣，海棠死要面子，做爹的帮凶，却不让爹知道。

几天后的一个傍晚，几个大檐帽冲进我家。爹吓蒙了，半天说不出一句话，直到他们要带走眉心痣，他才反应过来，扑上去奋力抢夺。两个大檐帽毫不客气地将爹拖开。

满院都是爹破锣样的嗓子，我花了四千多块钱呢。

大檐帽说，再拦，连你一块儿带走。

爹叫，我没睡过她，一夜也没睡过哇。

那时，海棠靠门框站着，她脸色煞白，气力不支似的。她没帮爹，就那么站着。眉心痣上车的时候，扭头看了海棠一眼。除了我，没人注意她的眼神，那眼神很特别。

警车走了，爹还在干号。

五

那天，爹到镇上抓药去了。

营盘镇有位老中医,医术很高,妇女不孕,他三服药就能让你怀上孩子;而你如果想把孩子拿掉,他一服药就能搞定。他性格怪僻,据说城里的医院花大价钱请他,他不干。他每天看病不超过五个人,这个规矩营盘镇的人都晓得。爹到了镇上,老中医早关门喝茶去了。爹没有知难而退,他扣着门板一口一个米中医。喊了半天,屋内没有任何动静,米中医像仙逝了。爹就靠在那儿,他的声音恬不知耻。米中医,我知道你定了规矩,我明天来抓药也误不了事,可我就是等不及。我是给海棠和石头他娘抓药,她咳嗽五六年了,我可以没女人,海棠和石头不能没娘呀,你就破个例,给我抓几服吧。半晌,屋内飘出一个轻烟般的声音,你早干啥去了?爹怔了怔,突然看到了希望,米中医,我昨天才把她娶进门,五六年以前她还是别人的女人,我没法替她看病啊。然而无论爹怎么说,屋内没有任何动静了。

米中医的住处挨着一家豆腐店,买豆腐的人都看见了爹抵着门板的样子。有位妇女看爹可怜,劝爹早点回去,明天五更来等。她说米中医的规矩坏不得,你就是磕头也没用。

我揣着刘燕给的五块钱,在小卖部买了干脆面、泡泡糖、日本豆、烤黄鱼。小卖部的独眼儿说,石头,过年了啊,后娘对你不错嘛。我纠正,钱是我爹给的。独眼儿嘿嘿一笑,你爹才没这么大方呢。

我在河边将那些东西吃得干干净净,躺在那儿睡了一觉。我已将刘燕彻底丢在脑后,往回走的时候,才感到害怕。刘燕会不会逃走?

刘燕没逃,或者没来得及逃。爹已从镇上回来了,他抓着刘燕的手,正给她讲米中医的事。看爹的表情,就像抓了两个牛肉包子。看见我,爹一动没动,倒是刘燕不好意思,将手抽了出去。

爹说,最好的中医也不过悬丝把脉,可米中医不用,一说症状就知道你得的什么病。你放心,他治你的病容易着呢。

刘燕泪汪汪地望着爹,早知道你去镇上,我就拦住你了,我也就咳嗽几声,没啥大事,用不着花这冤枉钱。

爹做出生气的样子,那怎么行?不管大病小病,有病就得治。你放心,我不会让你受罪。你去村里随便打听打听,我丁大山的人品没得说。

刘燕生涩地笑了,我打听啥?信不过你,就不跟你来了。

爹拍拍刘燕的手背,好好和我过。

刘燕似乎生气了,蜡黄的脸掠过一丝阴影。我咋不好好和你过了?不是我信不过你,是你信不过我!

爹连声说,没有,没有,我把你当宝贝呢。

刘燕说肉麻,她大概想做个亲昵动作,有我这个电灯泡在,她抽回手捂住嘴咳嗽起来,屋子顿时充满蛤蟆的叫声。

尽管刘燕和以前的女人路数不一样,但目的是一样的,哄骗住爹,伺机逃走。

连我都瞧得出来，爹竟被迷住了眼。爹的脑子真是有病了，他应该给自己抓几服药。蛤蟆终于消停了，爹从刘燕后背放下胳膊，像刚刚看见我，怎么才回来？看你娘这罪受的，喊娘呀。

我的嘴唇一碰，那个字就跳出来。

刘燕哎了一声，冲我眨巴眨巴眼。爹满意地点点头，说我懂事了。爹以为只要我喊娘，女人就会留下来，真是笑死人了。然后，他咦了一声，海棠呢？

海棠回来，爹已经不在家了。吃过晚饭，爹就去了镇上。他怕抓不上药，决计在米中医门口守候一夜。海棠没看见爹，问爹怎么还没回来。没等我回答，刘燕抢先说，你爹去镇上了。刘燕扑出满脸笑，目光挂在海棠脸上，似乎想和海棠说下去。可海棠冷着脸不理她。刘燕赶紧从锅里端出饭，讨好地说，还热着呢。海棠用筷子一下一下地挑着。刘燕问，干活了？海棠轻轻点点头。这些女人见了海棠就像耗子见了猫，也真是怪了。我明白海棠根本没去干活，地早就锄完了，还不到收割庄稼的时间，这一段正是消闲的时候。她八成和大青约会去了。别看她领着小英子，那是她打掩护呢。

刘燕又咳嗽了，海棠皱皱眉，刘燕马上躲到院子里。海棠不领她的情，一推碗回西屋了。

我躺在那儿，拍着肚子，盘算这一天吃了多少东西。让海棠和刘燕闹别扭吧，我是不让嘴吃亏的。我一得意，就失去了警惕性。海棠在我肚上瞄了几眼，问，你都吃啥了？我说吃饭呗。海棠呸了一声，你吃零食了。我说没有。海棠说我现在就去问独眼儿，你要买了东西，我撕烂你的嘴。海棠穿上鞋当真要去。我慌了，吞吞吐吐说出一样。海棠好生厉害，断定我瞒着她，让我老实交代，我只好实说了。海棠问我钱哪来的，这才是她真正关心的。我说捡的，海棠照我身上就是一巴掌，钱是土坷垃，你随便捡？说！我说是刘燕给的。海棠咬着牙审我，你是不是喊她娘了？我不承认，海棠说，你不喊她娘，她凭啥给你钱？你个没骨头的东西！我泪汪汪地说，姐呀，我实在想要个娘啊。

海棠怔了半晌，她的手微微抖着。随后，她劈头盖脸就是一顿臭骂，娘是随便喊的？娘就那么不值钱？你恶心不恶心？

海棠是故意骂给刘燕听的，我不再害怕，老实躺着。海棠越来越凶了，对前几个女人，她都没这样。

东屋那边没有任何动静。海棠的叫骂倒是治咳嗽的良药，过了很长时间，我听见东屋门响，提醒海棠，她别跑了吧。

海棠说，跑了正好。

我愕然，她跑了，爹的钱不白花了？

海棠说，活该他白花，有钱就让他花吧。反正早晚也是跑，不如早跑了省心。瞧她病歪歪的样儿，没准还要赖在咱家呢。

我说，她不走，爹能攒下钱了。

海棠不屑地哼了一声，之后突然说，石头，她这个样子，咱不能让她留在咱家，一定要想办法气跑她。不然，没咱好日子过。

我吃惊地看着她，爹咋办？

海棠眼里射出凌厉的光芒，他会死心的。

刘燕像没听见海棠的叫骂，第二天我和海棠还睡着，她就喊我俩吃饭。海棠躺着不起，也不让我起。我的肚子咕咕叫着，都撑不住了，海棠依然让我坚持。

院子里传来爹喜滋滋的声音，刘燕哎，我抓回药了。

六

海棠跑起来鞋底几乎不着地，像兔子一跳一跳的，村里的男孩也比不过她。爹能及时从滩里赶回来，在娘身上扎一针，全亏了海棠。海棠和我一样贪玩，娘不发疯，海棠也是满街胡闹。

娘被人领跑，海棠突然就长大了。她不再和女孩子疯玩，她取代了娘的位置，操持着我和爹的一切。清早，我和爹还在被窝里，她就将便盆拎出去，然后扫院、喂羊、掏灰、烧水。她做好早饭，给爹备好中午的干粮。开始她做得一点儿也不好吃，不是过火，就是半生不熟。但她长进很快，一年以后就超过了娘。海棠成了主角，大到家庭决策，小到缝缝补补，可以说除了爹执拗地往回领女人这件事，什么都是海棠说了算。邻居到我家借东西，都向海棠张口，仿佛爹不存在。海棠手里总有活干，实在没事了，就用破布粘对在一块儿，给我和爹缝鞋垫。她坐的位置也是娘过去坐的，我怀疑娘附在了她身上。

海棠的神态、说话的腔调也变了。先前，她站躺坐卧没什么姿势，像一瓢水，流成啥算啥，你分不清她的姿势是躺还是卧，现在她坐就是坐，躺就是躺，一眼就能看出来。她说话的声音还是那么脆，但口气变了，过去我尿了炕，娘在我屁股上拍巴掌，海棠总要劝娘，现在她亲自把巴掌拍到我身上。不光对我，她对爹也是那样，不时唠叨几句，哎呀，你注意点儿，刚洗的裤子咋弄成这样；或，头发都成毡片了，也不懂洗洗。爹不愠不恼，嘿嘿干笑一阵，就干他的去了。

爹对海棠有几分惧怕。那年春节，海棠给我们买回一个猪头，二斤瓜子。海棠洗猪头，让爹炒瓜子。爹没经验，把瓜子炒黑了，轻轻一捻就成了碎末。海棠将爹好一顿训，爹不安地说，咋就这样了呢？咋就这样了呢？吃猪头肉时，爹吃了几口就搁了筷子。海棠给他夹了半碗，我就说几句，你还生气？爹一面说没有，一面端起碗，他不敢和海棠闹情绪。

海棠像只母老虎，我听见人们这样评价。她是厉害了点儿，可正因为这样，村里没人敢欺负我家。海棠用和她年龄不相称的刁蛮捍卫着我和爹，捍卫着我们的穷家。

村人第一次领教她的厉害因我而起。我和三毛打架，把他的鼻子打出了血，他爹踢了我一脚。踢得一点儿也不疼，可我还是哭着跑回家。海棠放下手里的活计，牵着我的手，怒冲冲地找上门。海棠叉着腰，破口大骂。我不知道那些刻薄话是什么时候装进海棠肚里的，听着就是解恨。三毛那个胖蛋娘听不下去了，冲过来要打海棠。我吓坏了，海棠单薄瘦弱，绝对不是这个女人的对手。我牵了海棠一把，海棠挣脱我，朝那女人的肉胸脯直顶过去。那女人一屁股坐在地上，半天没起来。围观的人把海棠拉开，海棠还不罢休，躺在三毛家的院里装死。我都没想到海棠还有这手绝活。三毛那个松爹到底服了软，承认踢我不对。

另一次是村里几个男人在场院里取笑爹。那时，爹领回的第一个女人已经失踪了，他们问爹那个女人有什么特殊的地方，夜里叫唤得凶不凶，爹怎么就拴不住女人。三发子闹得最厉害，他问爹一夜搞几次，还有模有样地盘算爹究竟搞了多少次，赔不赔。爹一脸窘态，嘿嘿傻笑。当时，我就在旁边，恨不得爹扇他几个嘴巴子，至少要唾几口才是。可爹没有，他试图逃离，那几个家伙拦着不让走。我跑回家把海棠喊来。海棠一露面，那些家伙都讪笑着散开了。可海棠没放过他们，尽管爹一再声称是说着玩的，海棠依然一顿臭骂。尤其对三发子，海棠更不客气，她跟在三发子屁股后头骂。三发子逃回家，海棠一路追去，站在门外骂了好一阵才作罢。自此，就没人敢明目张胆取笑爹了。

可是海棠无论多凶，也阻止不了爹一次又一次往回领女人。

第二个女人失踪后，海棠和爹有过一次艰难的对话。那时，爹刚刚缓过秧，刚刚从女人的阴影中走出来。海棠特意买了瓶酒，外加一对猪耳朵——我猜海棠是治我的，猪头上的东西我最不爱吃耳朵。

爹惊讶地问，今天过节了？

海棠说，不过节。

爹说，不过节买这些东西干吗？

海棠不动声色地说，要是不花冤枉钱，天天能吃好的。

就这么一句话，爹的嘴就被塞住了，锈脸上卷过一抹灰白。

海棠给爹捡起筷子，总算过去了，以后你可别胡闹了。

爹瞄她一眼，没个女人，不叫家呀。

海棠说，我呢，我不是女人？

爹嘿嘿笑了，你终归要嫁人嘛。

海棠说，我不嫁，就侍候你和石头。

爹说，女大留不住，到时候就由不得你了。

海棠说，我招个上门女婿。

爹愣住了，大概惊讶于海棠的不害羞。女孩子们说到嫁人都羞答答的，而海棠的表情严肃得像木板。

海棠说，这回你该消停了吧。

爹无奈地说，好吧。

海棠漾出一脸灿烂的笑，她以为说服了爹，其实这是爹的缓兵之计，所以爹领回第三个女人时，她一下就傻眼了。

第三个女人让大檐帽弄走后，爹还在悲伤、绝望中，海棠就开始了对爹的说服教育。她的口气甚是严厉，你真是不长记性，外头的女人能靠得住？

爹拍打着炕沿，我太心软了，早知道……我就……

海棠说，总有一天她要跑的，你能拴住她？

爹说，我倒霉呀。

海棠说，左一趟，右一趟，让人笑掉牙了。

爹似乎被这句话刺着了，灰蒙蒙的目光突地跳了几下。然后，他摇摇头，没女人才让人笑话呢。

海棠生气了，咋？你还想往回领？

爹不说话，眼睛盯着某个地方，好半天，才幽幽地说，我就不信姓丁的土炕拴不住女人。

海棠说，我白费唾沫了？你咋就听不进人话？看她那样子，眼前要不是爹，她就甩他耳光了。

爹说，我给你娶个娘，你就不用天天忙活了。

海棠决然道，我不要！你要再往回领，她不跑我也把她赶跑。

爹摆摆手，算了算了，我不弄了。

爹依然是缓兵之计，这件事他不会听海棠摆布。海棠也不是省油灯，要气走刘燕，她总有办法。我怀疑第三个女人是海棠给报的信儿，村里的人虽然嘲笑爹，绝不会乱管闲事。向政府报告，除了海棠还能有谁？当然，我仅仅是怀疑。反正不管咋样，第三个女人没了，爹又领回第四个。海棠和爹的较量由暗的变成明的。

七

村子上空飘着苦涩的中药味，浓浓烈烈，如阴雨绵绵中盛开的鸡冠花。

那是从我家院子漫出来的。爹从米中医那儿抓了药，还特意从镇上买了个药壶。他在院里支起炉子，像个道士守在旁边。刘燕嘴上说那些药管不了她的病，可爹抓药回来，刘燕眼睛依然亮亮的，问米中医真那么神？爹说当然，镇长的老娘一年四季喘不上气，硬是让米中医治好了。刘燕又假惺惺地问，那药一定很贵吧？爹说，你甭管了，安心养你的病就行。刘燕就擦擦没有眼泪的眼睛说，遇上你，也算我没白活这半辈子。爹美得直咂巴嘴。

九服药喝完了，刘燕并不见好，依然不分时间、地点地咳嗽，我家成了蛤蟆窝。爹再次去米中医那儿抓药，米中医说啥也不抓给他。米中医要见病人，上次如果不是爹苦求，米中医也不给抓。爹嘴唇都磨出血了，米中医还是不理。爹蔫头耷脑地回来，他不敢轻易带刘燕出去，他让女人们"丢"怕了。可不带刘燕去，药就抓不回来。爹权衡再三，还是决定带刘燕去见米中医。

爹和刘燕是傍晚时分离开家的，不一会儿，就有人来我家报信儿了。他们说，你爹咋不长记性，谁知那女人的病是不是装出来的，她说跑就跑了。海棠，赶紧派个人盯住，别让钱打了水漂。海棠无所谓地说，跑就跑呗，早晚的事。那些人热脸焐个冷屁股，悻悻地走了。海棠关死门，冷笑着说，她怎么会跑？治不好病，她才不逃呢。

果然让海棠说中了。第二天，刘燕跟在爹屁股后头回来了，鸡公样的长脖子上依然系着蓝色丝巾，我家的院落又弥漫着药味了。

海棠怕爹让她煎药，每日早出晚归，除了吃饭睡觉，基本不在家露面。海棠不煎药，爹不生气，海棠不干活，爹有意见了。那天吃过晚饭，海棠又要出去，爹喊住她。

海棠看着爹，有事？

爹问，你又要去哪儿？

海棠应句废话，出去。

爹说，都这么大了，还疯跑！

海棠反问，我疯跑啥了？

爹嚅动着腮帮子，要发脾气的样子，可最终又低声下气地说，你娘拖着个病身子，你得帮她干点儿活。

海棠冷冷地说，你不是说娶回娘就不用我忙了？

爹的脸上有虚汗淌出来，你看你，算爹求你。

海棠似乎被爹的神态触动了，那天晚上没出去，不过早早就睡了。

第二天，海棠很晚才起。那时，爹已将药煎好，正往外倒。听见刘燕咳嗽，爹跑过去，一边拍刘燕后背，一边喊海棠，海棠，帮爹把药倒出来。

海棠慢腾腾走过去，拿起药壶。她似乎被烫了，手抖了一下，药壶摔在地上，裂成一堆，药液往四下流去。

爹嗷地叫了一声，扑过去，跪在地上，要用手捞的样子。可药液已渗得干干净净，爹什么也没捞着。

海棠呆住了，爹的样子恐怖极了。

爹跳起来，血红着眼，重重给了海棠一巴掌，指着海棠的鼻子，哆嗦着嘴唇却说

不出话。

刘燕跑过来拉住爹，算了，和孩子生啥气呢。

海棠没哭，也没像电影里挨打那样捂住脸，她盯了爹好一会儿，然后噔噔走进屋，提了菜刀出来。

刘燕松开爹，挡住海棠，颤声道，他可是你爹啊。

海棠狠狠一拨，把刘燕甩到一边。但她不是拿刀砍爹，而是把刀摔在爹脚底。她说，用这个解恨。

刘燕忙把刀捡起来，一个劲地说，都怨我，都怨我，谁让我得病呢。

爹在海棠的逼视下，腰慢慢躬了，然后他蹲在地上，一片一片捡药渣。

海棠昂着头离开院子。

我终于相信海棠要气走刘燕是动真的了。爹有了这次教训，再不轻易用海棠。在刘燕的劝说下，当天晚上爹就给海棠道歉了。海棠装聋作哑.后来干脆拿被子蒙住头。爹可怜巴巴地看着我，我突然大叫一声，蛐蜒！海棠嗖地坐起来，在哪儿？在哪儿？她最怕蛐蜒了。我说飞了。海棠知道又一次上了我的当，没等她拧我，我就躲开了。爹僵硬的表情终于有了裂缝，他说石头别闹了，让你姐睡吧。爹走后，海棠骂我是叛徒。她说，那个女人留下来，有你好日子过！我说，你嫁人的时候把我带走。海棠绷了脸，不让我乱嚼。我只好闭嘴。

八

那几天，我被海棠押着上学。爹对刘燕言听计从，刘燕说别让石头这么晃了，送他去学校吧，爹就让海棠押送我了。这是海棠唯一和爹配合的地方。我对刘燕很不满意，我都喊她娘了，又不给她添麻烦，她还算计我。

我对学校厌烦透了。我比别的孩子都高，混在中间，活脱脱是羊群里的骆驼。老师说我这样的插班生没谁愿意要，也就是海棠的弟弟了。

我央求海棠，你就饶了我吧，老师还没我水平高呢。

海棠骂，少说两句，要不扇你。海棠是吓唬我，她从来不真打我。

我威胁，你再送我去学校，我就喊那女人娘。

海棠喝道，你敢？

把我送进那个监狱样的地方，海棠转身走了。我坐在最后一排的三条腿凳子上——那条让我砸断了，什么也听不进去。老师把我叫起来回答问题：树上有三只麻雀，打掉一只，还有几只？这不是小瞧人吗，这种问题还想考我？我故意说，两只。耳边一阵哄笑。老师得意地说，你还天天装聪明，枪一响，那两只麻雀早飞了。我说，老师你错了，那两只麻雀又聋又瞎，听不见也看不见。老师恼羞成怒，让我去院里反省。他辩不过我就罚我。一出门我就逃了，我正愁没机会离开呢。

我溜溜达达往河边来，远远扫见海棠的影子，一闪就没了。河南岸是茂密的杨柳树，是个藏身的好去处。海棠不会一个人钻树林，八成大青在那儿等她呢。海棠嘴刁，但长得蛮好看，村里好多后生都喜欢她。海棠从来不拿正眼瞧他们，高傲得像个公主。爹领回女人后，海棠就是另外一副样子了，她的目光会落在后生身上。后生们都不敢轻易接近海棠，似乎让海棠的厉害和高傲震慑住了，只有大青例外。爹领回刘燕，算是帮了大青的忙。

我悄悄钻进树林，想看看海棠搞什么活动。走到深处，终于逮住了海棠，果然和大青在一起。两人紧紧抱着，嘴像被胶水粘住了，我看出海棠想拽开，可怎么也拽不出，只是发出一些含混的声音。我伏在一棵杨树后面，抓住海棠的秘密，我就能跟她提条件了。

好半天，海棠推开大青，靠在树上，半喘着说，不要脸，就知道干这个。

大青嬉皮笑脸，这个好么。说着又要动手。

海棠严厉地说，再不老实，不理你了。

大青就老实了。

海棠说，跟你说个事，我出嫁得把石头带上。

大青急了，带他算咋回事？

海棠说，我就这个条件，你不同意就算了。

大青顿了顿，我得和家里商量商量。

海棠说，瞧你这点儿出息，该做主就得自个儿做主。那好，你先商量吧。

大青突然漾出一脸坏笑，手伸到海棠胸脯上。

海棠叫，干吗干吗？

大青央求道，我摸摸，就一下，一下行不？

我想海棠肯定不让大青摸，况且她胸罩里还垫了棉花。出乎我的意料，海棠竟然同意了。大青急三忙四地解海棠的扣子。

海棠说，瞅你那笨样儿。

大青说，我高兴呢，哎哟，真好！

我突地跳出去，大喊一声。海棠满面通红，一边系扣子一边责怪我，咋又逃课了？而大青垂着他的鸡爪子，一副不过瘾的样子。我说你们跑到树林里耍流氓，真不要脸。海棠装着追打我，我几下就蹿到了树上。

我没把海棠的秘密抖落给别人，作为交换，海棠再不押送我去学校了，我又成了无拘无束的野小子。碰哪天觉得无聊，不想出去，我就趴在窗口看爹熬药，听他给刘燕讲他放羊时打狼的经历。我没想到爹也学会吹嘘了，好像他多了不起。而刘燕一惊一乍的，似乎狼扑进了院子。我想她不会听不出爹的破绽，只是不戳穿罢了。

米中医说刘燕必须吃七七四十九服中药。吃到三十服时，刘燕的咳嗽减轻了许多，至少吃饭时控制住了。我想，刘燕的病一好，就该离开爹了，根本用不着海棠气她走。可爹没表现出丝毫担心，他满脸喜色，眼睛发亮，吐痰的声音都大了许多。煎完药，他就一趟趟往外跑，后来我才知道，爹又去找村长了。

爹心里始终拴着一桩心事：请干部来家里吃顿饭。我娘还没跟人跑时，镇上的干部经常下乡，到了哪个村子都是逐户派饭。镇上的干部来吃饭，是天大的荣耀，派到谁家，都要拿最好的东西招待。快派到我家时，娘让人拐走了，这事就搁下来。一个没有女人的家，村里不会派饭。爹耿耿于怀，每次领了女人回来，他都和村长打招呼。村长就拍着爹的肩说，没问题，镇上来了人，我就领到你家，你可得好好准备哟。爹激动得满脸通红，我肯定好好准备，好好准备。可没等镇干部下来，爹的女人就跑了。村长见了爹就责备几句，你看你这事闹的，我都和人家说好了。爹就讪讪的，许诺娶了女人一定请镇干部吃饭。这不，刘燕病一见好，爹那个念头又冒出来。

爹说明来意，村长斜睨着爹，莫名其妙地笑了。爹一阵心慌，他说，我准备好了。

村长拉长声调，算了吧，就不给你添麻烦了。村长后来对别人讲，现在镇干部早就不吃派饭了。

爹说，不麻烦，这有啥麻烦的？

村长问，你保证女人不跑了，别又和上几次一样，闪了干部们的嘴。

爹说不跑了，她要死心塌地和我过日子呢。

村长说，听说她有病？我都叫她咳嗽得睡不着了。

爹说，米中医下的药，快好了。

村长说我考虑考虑，然后像往常一样数落爹，丁羊倌，你咋就拴不住个女人呢？

村长没有回绝爹，爹就一趟趟往村长家跑。求别人来家里吃饭，这事也只有爹做得出来。那天，爹起个大早，他没煎药，先去了村长家。村长女人正要倒便盆，爹不由分说抢过去，替村长女人倒了。村长被爹缠得没办法，终于答应了爹的要求。

爹和海棠商量请客的事。海棠让爹想怎么折腾就怎么折腾.但不同意杀羊。海棠说，平白无故的，凭啥杀羊？又不是请神仙，你真是疯了！爹确实疯了，他像缠村长一样缠海棠，海棠无可奈何地同意了。

爹宰羊，让我和海棠按住。海棠扭过脸不敢看，我则心不在焉，结果爹的刀子一挨羊脖子，羊突然挣脱跑了。刘燕正在煎药，她试图把羊拦住。羊擦着她的身子蹿过去，炉子被撞倒，药壶摔得粉碎。刘燕想去扶炉子，还没碰着，自己反跌倒了，蛤蟆样的咳嗽再次扑满院子。爹扔掉刀子，抱起刘燕，在她背上奋力拍打。

我和海棠追出院子，那只羊早没了踪影。

那天，爹费尽心机的宴请就这样流产了。村长领人进来，爹正栖栖惶惶地捡药渣儿。村长不听爹解释，拂袖而去，好你个丁羊倌，就凭你，还想捉弄人？

爹的脸顿时绿了。

九

刘燕吃了七七四十九服中药，咳嗽还没治好。爹去找米中医，打算再抓四十九服。米中医说啥也不抓给爹了，他说他看不好刘燕的病了，再吃九九八十一服也是这个样儿，他已把所有的招数都使出来了，实在是没办法了，让爹另请高明。在爹眼里，米中医就最高明了。爹以为米中医想提高药价，说要么一服药再加三块钱？米中医很生气，你以为我嫌钱少？你这是毁我名声呢。爹苦苦相求，米中医不再理睬他。

爹沮丧地回来。刘燕问明情况，倒松了口气，她说，也好，那药太苦，我实在喝不下了。爹要领刘燕去城里的医院，刘燕不同意，她说我这病就这样了，城里的医院还能咋的？再说咳嗽也不是啥大病，不影响吃不影响喝的，你该忙啥忙啥吧。爹没再坚持，一来凑不起进城看病的钱，二来刘燕的话起了作用，她就是咳嗽几声，也没个大的影响。爹为了让刘燕咳得理直气壮，咳得坦然顺畅，特意给我和海棠开了会。我很少见爹这么严肃过，他说，你娘不是非要咳嗽，她憋不住，你俩别嫌弃她。爹主要是说给海棠听的，刘燕一咳嗽，海棠马上皱着眉头离开。我也讨厌刘燕咳嗽，我没有走开，是想从她那儿搞一两块零花钱。末了，爹不放心地问，记住了？我点点头，海棠始终是那副桦皮样的表情。爹说，等你娘病好了，咱家菜里就能见到肉了。他赤裸裸地诱惑我们。可海棠根本没把爹的话放在心上，刘燕一咳嗽，她依然皱着眉头走开。爹铁青着脸，喉结一上一下地窜动，似乎想做个什么动作，刘燕及时拽住他。

爹沉寂了两天，又开始频频往外跑。他反常的举动引起了我的注意，平时他很少去别人家，尤其是娘跑了以后，外交上的事都是海棠的。后来我才知道爹是挨家挨户找偏方去了。偏方治大病，爹信。

爹倒腾的第一个偏方是二扁嘴提供的，把川贝、冰糖、梨一块儿蒸熟吃。每天早中晚刘燕都要吃一个掺着川贝、冰糖的熟梨。刘燕吃了一个星期，除了闹肚子，什么作用也没起。爹就改用王算盘的方子：把鸡蛋、蜂蜜放在羊肚子里，先煮烂然后再蒸。这几样东西我都爱吃，口水流了几尺长。爹怕我偷吃，就锁在柜里。刘燕一天三顿吃的全是这个，后来她说恶心，怎么也吃不进去了。那时，我盼望爹说一声，你不想吃，让石头替你吃吧。可爹说出的却是，刘燕哎，为了治病，你就忍忍吧。刘燕就极其艰难地吞咽下去。爹似乎怕刘燕塞给我，他一直在旁边守着。吃了七八天，也没见效。爹一点儿也不灰心，又用下一个方子。爹除了在本村找偏方，还去外村找,见着谁家有日历,就一页页翻个遍,抄上面的小偏方。每天等刘燕吃完,爹就出去了。有些药得去镇上买,有些药爹自己搞。不知谁说用马蜂窝熬车前草可以治咳嗽,爹就四处找马蜂窝。他捅下两个,脸让马蜂蜇成了大麻包,整个没了人样。刘燕抱着爹哭,让爹别费心了,她不治了。爹咧着面包样的大嘴嘿嘿笑,没啥,一点儿也不疼。

爹给偏方编了号,专门在小本本上记着,密密麻麻的,有几十页。那句话就在他嘴边挂着,硬让碰了,不能误了,万一治好了呢。就为了这万一,爹几乎着魔了。

吃了不少偏方,刘燕的咳嗽也没有停止。那天,不知谁透露给爹,说秦寡妇那儿有治咳嗽的偏方。那个家伙可能是玩弄爹,爹却当了真。村里他就没找过秦寡妇。爹不想放过这线希望,又怵头秦寡妇,就带了我去给他壮胆儿。

秦寡妇很是意外,神经兮兮地说,丁羊倌,啥风把你吹来了?听说你现在成了医生,我又没得病,你来干啥?

爹嘿嘿笑着往前推我,叫姨,叫姨呀!

我讨厌秦寡妇装腔作势,可还是喊了一声。

秦寡妇问,石头吃香蕉不?斜了爹一眼,意味深长地笑起来。

我没理她,把头扭到一边。

爹低三下四地说,他姨,求你个事。

秦寡妇怪声怪气地说,不是让我给你那病老婆治病吧?治好了,不怕她踹了你?

爹好像听不出秦寡妇的嘲弄,依然摆出贱样子,听说你这儿有治咳嗽的偏方?

秦寡妇一怔,随即很干脆地说,没有!

爹嘿嘿笑着,过去都是误会,这个忙你得帮帮。

秦寡妇瞪着眼说,我说没有就没有,你别把胡说当真……就是有我也不给你。

爹依然赔着笑,你就让我用用吧。

秦寡妇呸了一声,你真不要脸,我凭啥让你用?

爹的脸腾地红了,我不是那个意思。

秦寡妇一个劲儿骂不要脸。

爹的声音小下去,把你的偏方给我吧。

秦寡妇问,凭啥?

爹说,咱们是邻居嘛。

秦寡妇盯了爹一会儿,我给你偏方,你用啥报答我?

爹稍一迟疑,下了很大决心似的,你提啥条件我都答应。

秦寡妇问,你敢?

爹说,敢!

我看见爹的腿抖了一下。

秦寡妇忽然哈哈大笑，你为那个病女人真是啥都舍得出，不过你听清楚了，我没偏方，最好的偏方就是把她打发走。

爹的眼睛几乎红了，他姨，求求你了。

无论爹怎么央求，秦寡妇只说没有，到最后，秦寡妇都生气了。也许她确实没有，我拽爹一把，爹抹抹头上的汗，膀子更偏了。

我和爹正要离开，秦寡妇突然说，你等等……倒是有个方子。

爹的眼睛再次射出惊喜。

秦寡妇说，用尿熬香蕉皮，熬得越烂越好，一天三次，要童子尿。

秦寡妇眼里闪过一丝似笑非笑的东西，我意识到秦寡妇是要爹，这算啥偏方？秦寡妇把吃剩的香蕉皮给了爹，她说爹要是买了香蕉，她吃瓤，皮留给爹熬药，算是她提供方子的报酬。爹连声答应。

我提醒爹，秦寡妇会不会捉弄你？爹根本听不进去，他说不管行不行，先试试。爹不让我告诉刘燕和海棠药方是从秦寡妇那儿搞的，并塞给我一块钱。从那天开始，爹就用尿熬香蕉皮了，我家整天飘着一股尿骚味。刘燕喝得脸越发黄了，她一说喝不进去，爹就眼巴巴地望着她，得病乱投医，万一治好了呢？你就忍忍吧。刘燕拗不过爹，她大概确实想治好病，就捏着鼻子往嗓子里倒。尿自然由我提供，爹为了多让我尿，把我关在家里，不停地让我喝水，我的肚子整天蛤蟆样鼓着。我家四个人，倒有一对蛤蟆。

这个“偏方”还是没治好刘燕的咳嗽，爹不泄气，过了几天又搞来一个。把麻黄、胡椒、车前草、杏仁、生姜、红糖混在一起，捣成粉末，用水拌匀，装进塑料袋，再装进少女胸罩，九天后再泡水喝。

那几味东西好弄，唯一难办的是最后一道工序。爹和海棠商量，想把药放在她胸罩里。海棠不干，她说爹是鬼迷心窍了。爹叹口气，为治你娘的病，咋也得试试。海棠没好气地说，你让她戴，自个儿给自个儿造药多好。爹说，她奶过孩子了，必须闺女戴才行。海棠说，村里那么多闺女，你去找呀。爹说，你就能戴嘛，干吗找别人？那不是找挨骂吗？海棠不屑道，你还怕挨骂？脸都让你丢尽了。爹尴尬地搓着手，爹拖累你们了，只要治好你娘的病，爹不怕人说三道四。

海棠不答应，爹天天到西屋做海棠工作。爹不像个爹了，他的背犁弯一样。爹求你了，帮帮爹这个忙。海棠先是不说话，之后硬邦邦地说，装了那些东西，我咋见人？海棠大概是怕大青抓坏了。爹说，你在家里待几天。海棠说，那不憋死了？爹说，你就忍忍。爹总是劝人忍忍。那天我实在忍不住了，劝海棠，反正你胸罩里也是垫棉花，垫上那个撑得更高。海棠大怒，闭上你的臭嘴！

爹走后，海棠点着我脑门骂我叛徒。她说爹为了这个女人，要把家折腾垮了。我张着臭嘴说，爹怪可怜的，你瞧他越来越矮了。海棠愣怔了半晌，说你去把那东西拿过来吧。不知为啥，海棠眼里竟有一层泪光。

十

爹终是没治好刘燕的病，第二年春天，一次剧烈的咳嗽之后，她的眼睛就没再睁开。我一直猜想，如果爹治好她的病，她是否也像别的女人那样逃走？她的死使这件事成了一桩悬案。逃也罢，死也罢，爹身边反正是没女人了。刘燕是在我家待得最长的。爹悲恸欲绝，那么能折腾的一个人，突然被抽去了筋骨，他不吃不喝，好像刘燕把他的魂带走了。爹的样子是预料中的，我一点儿也不担心，每次没了女人，他都要绝望一阵子，用不了多久，他就会恢复过来，然后给我和海棠寻找下一个娘。

海棠又成了我和爹的家长。吃喝拉撒睡，油盐酱醋柴，都是海棠说了算。我尚在睡梦中，海棠的吆喝就在头顶飘了，起吧，石头，天不早了。我懒一会儿。屁股就会挨她的巴掌。她对爹温和极了，但爹做了错事，她也会训斥。爹出去转一圈，头发弄得脏兮兮的，海棠就数落，这么大岁数了，怎么也不看着点儿，快洗洗吧，随后将一盆水搁在爹面前。爹不好意思地笑笑，乖乖洗头了。

海棠也不再出去疯跑，她和大青的关系疏远了。有一阵子，海棠每天都在说服大青，她出嫁时一定要带上我。大青的父母坚决反对，海棠那么厉害，娶过去就够他们受了，再带过去石头，家还不成土匪窝了？有娘出嫁带儿的，还没有姐姐出嫁带弟弟的。海棠和大青就这么来回拉拽着。海棠不钻杨柳林，大青急了，那天径直跑到我家。海棠把我支出去，我躲在门后，两人的话听得清清楚楚。

海棠，啥事？

大青，我想你么。

海棠呸了一声，哄鬼去吧。

大青，真的，要不你摸摸，想你都想瘦了。

海棠，你爹娘同意了？

大青，你爹孤单单的，留下石头和你爹做伴不好？

海棠，我说呢，你屁颠屁颠的，原来打的这种算盘，出去！

大青，一个村里，带不带还不一样？

海棠，瞧你肚里那点儿货水。

大青，你同意了？

海棠，这事往后推推吧，我得照顾爹和石头。

大青，你别让我等空地吧？

海棠，那没准儿。

大青嘿嘿笑。

大青要想改变海棠的态度，除非爹再领女人回来。不过，也用不了几天。

海棠执政后的第一件大事是请镇干部来家里吃饭，以了却爹的心愿。爹持怀疑态度，问人家能来吗？海棠蛮有把握地说，让他白吃白喝还不容易？海棠办事干练，说干就干。她和村长一说，村长很痛快地答应了。上次逃脱的那只羊这回没能改变它的命运。

那天，村长领着毛镇长和秘书一进院，爹的眼珠都快掉出来了。镇长驾到，爹做梦也没想到。海棠瞅着爹慌乱的样子，一脸得意。爹领回的女人哪个有海棠能干？没有！海棠虽然也有些紧张，但举手投足稳稳当当，大大方方的。

毛镇长和秘书下午方恋恋不舍地离去。他说他好几年吃东西没这么香了，肚子都快撑破了。海棠除做了手把肉、杂碎汤、羊血饼，还做了莜面窝窝、雀舌面、荞面丝。毛镇长夸海棠利落手巧，窝在村里可惜了。毛镇长唯一没夸海棠的俊俏，他在海棠身上瞄来瞄去，却把这个忽略了。毛镇长问海棠愿不愿意去镇上找份工作，海棠犹豫了一下，摇摇头，我得照顾爹和石头呢。毛镇长连声说，难得啊，难得啊。

过了几天，毛镇长还是派秘书把海棠接走了，据说毛镇长给海棠找了个差事。海棠临走安顿我和爹，你俩互相照顾点儿，我去几天就回来，毛镇长安排了，我不去不合适。

我是个没心没肺的家伙，不可能照顾爹。爹已经从悲痛中走出来，开始去东窑背砖了，每天走前先给我做饭，然后带上中午的干粮。爹雄心勃勃，两眼有神，想来已有了再给我和海棠找个娘的计划。我已经麻木了，爹爱领多少就领多少吧，不就喊几声娘吗？我还能套出些钱呢。我自在极了，每天想睡到几点就睡到几点，想怎么尿炕就怎么尿炕，没人再拍我的屁股了。

尽管这样，我还是挺想海棠。除了我，还有大青。大青一见我就问你姐怎么还不回来？后来不问了，狠狠盯我一阵，说些莫名其妙的话。

海棠说过几天就回来，可直到一个月后她才露面。她比过去有派头了，把一个装满各种食品的塑料袋往炕上一扔，说吃吧。我扑过去，眼睛都看花了。她还给爹带了烟和酒。爹不住地责备她，买这些干啥？怪贵的。

海棠把我和爹召集到一起，说那份工作还不错，她准备先干一阵儿。爹眼窝子里都是笑，你好好干，别辜负了人家毛镇长。海棠严肃地说她这次回来，一是看看爹和我，二来也是处理处理家里的事。她说她走了，没人照顾我俩，所以她让爹再续个女人。

我大大吃了一惊。海棠简直疯了，她怎么冒出这么个念头？她可是一直反对爹娶女人的。

让我更为吃惊的是爹的态度。他生气地说，你娘刚死，我娶什么女人？她死了，也是你们的娘，我不会再娶了。

这恐怕也是海棠没想到的，她迟疑了几秒，耐着性子说，总得有个女人照顾家呀。

爹坚决地说，不用。

背过爹，海棠对我说，咱爹脑子是不是有病了？

我说，你们都有病了。

海棠无奈地说，我不能守你们一辈子，我不去挣钱，谁给你买吃的？

我的舌头顿时短了半截。

海棠分析说，爹可能是不好意思，这事由她来操办，这次一定找个靠实的，没病的，她也就能安安心心在镇上工作了。

我相信海棠的能力。过了几天，海棠果然领回个女人，是镇上的寡妇，她老相了点儿，穿戴倒还利落。爹沉着脸，一言不发，实在耐不过才唔一声。海棠对女人解释，爹不喜欢说话，心里啥都明白。她生怕女人把爹当成傻子。女人是个急性子，问爹对她有啥看法，都是过来人，有一说一，有二说二。爹说，我不打算娶了。女人尴尬地定在那儿，直拿眼睛戳海棠。海棠说，爹，你这么大个人，咋不懂事？爹一反往常的温顺，我有一个女人就够了。女人嘴上说没关系，脸色却极为难看，饭也没吃就走了。

海棠抱怨爹，不让你找，你三天两头往回领，现在找个照顾你的，你倒把人家气走。

爹霍地站起来，我不用谁照顾，偏着膀子出去了。

海棠叹口气，那个女人把他搞出病了。

夜色一层层厚了，爹还没回来。海棠不住地看表，一脸焦急。后来她不满地训斥我，你就知道个吃。我说，你着急有啥用？海棠说，这么晚了，他能去哪儿？我见海棠嘴唇起泡了，才说，跟我来。

爹一准去了那个地方，这些天他常去那个地方。我带着海棠出了村子，跌跌绊绊向野外走。海棠问，你往哪儿领我，黑灯瞎火的？我说你不是想找爹吗？那就别害怕。

爹坐在刘燕坟前，黑暗中，唯有他的烟火一闪一闪的。刘燕没像别的女人那样逃走，爹终于留住了一个女人。

海棠下意识地抓住我的胳膊，我都让她抓疼了。然后，她牵着我，慢慢退回来。

灯光下，海棠脸色惨白，像挨了打。我问她没事吧，海棠摇摇头。我说，那就睡吧，咱爹说不定啥时候回来。海棠摸摸我的头，以少有的温柔口气说，石头，你先睡，毛镇长可能要来接姐。

半夜，我一觉醒来，摸摸身边，没有爹，也没有姐。我翻个身，又昏沉沉睡了。

（选自《青年文学》2005 年第 1 期）

胡学文

1967年9月生，河北沽源人。毕业于河北师院中文系。中国作协会员，河北省作协理事，张家口市文联副主席、作协主席，河北省文学院合同制作家，著有长篇小说《燃烧的苍白》《天外的歌声》，中篇小说集《极地胭脂》《婚姻穴位》等。小说曾被《小说月报》《小说选刊》《中篇小说选刊》《新华文摘》《中华文学选刊》《作家文摘》等报刊转载。其中《极地胭脂》获《中国作家》大红鹰杯佳作奖，《秋风绝唱》获《长江文艺》2000年度方圆文学奖，中篇小说《一棵树的生长方式》《飞翔的女人》《极地胭脂》《婚姻穴位》等多部作品被改为影视剧。

七 月 黄

陈中华

一

狮子口村的人都知道,村支书王耀州的习惯像太阳,他只要往村头的白果树下一坐,天就过晌了。天一过晌,阳光就改变了方向。太阳一改变方向,村头大片大片的烟地就反亮。烟地一反亮,村子就被反得金碧辉煌的。所以,当村庄突然变得如烟叶一样的颜色时,日照就猜得王耀州在白果树底下哩。

日照拨开院门闩,饿羊夺门而出,宛若一道白色的瀑布急遽漂出。饿羊顺街狂跑,羊真饿坏了,一只只全是细细的腰,细细的肚子,细细的脖子,细细的下巴,你看不清楚容易看成一群饥肠辘辘的下山虎。

日照和饿羊打白果树下经过时,看到了王耀州。王耀州半仰在帆布躺椅上,正专心致志地卷一支烟卷。他连头也不抬一下,仿佛他是个瞎子,瞧不见日照和羊。但日照猜他看见了,谁不知他王耀州精得脑袋后都长眼。村里人还说:"王耀州的眯缝眼里端着望远镜哩。"

羊跑过白果树,就到了王耀州的砖窑。跑过王耀州的砖窑,就到了日照家的烟地。到了自家的烟地,日照挥起鞭来。日照的羊鞭可是个宝物,柄是粗藤拧的,绳是麻辫的,鞭梢接了条尺长的牛皮条,粉丝也似粗细。羊冲进烟地,逮住烟棵子就咬就吞。这一切都是日照早已算计好了的,日照为此颇感到有些兴奋。他高喊了一声:"调整喽!调整喽!"遂扬起鞭,在空中甩了一个漂亮的弓也似的弧形,鞭声极清脆炸响了,空旷的烟地里有了极清脆的回音。

日照看到白果树下背着身子的王耀州哆嗦了一下。他知道,王耀州尽管害病似的低着头,但自己的举动他肯定全看在心里了。想到这日照竟有些激动,甚至热泪盈眶了。

他在肚子里说:三叔,俺响应您的号召了。

狮子口村太小了,也太偏僻了,鲜有稀罕事发生。电视仅能收一个台,遇到节目不好看,村民一般就看刘五的"波尔山"公羊"打炮"去,"打炮"就是配种的意思。

那公羊每打完一次炮，刘五就给它灌枸杞汤，边灌边说："乖乖，这是补肾的哩，再喝一口。乖乖，这是补肾的哩，再喝一口。"费老劲了。狮子口有歇后语说："支书的砖窑'波尔'的屌——狮子口就这俩值钱的营生。"除了刘五的羊，也就是看王伟耍摩托车了。王伟是个年轻的退伍兵，退了伍也不说媳妇，买了辆摩托车里外地耍，耍得那摩托车像头被打驯的叫驴，让它怎么跑它就怎么跑。就是说狮子口平时没什么稀罕事，遇日照赶自家的羊啃自家的烟叶就是稀罕事。何以稀罕？一是羊本来是不啃烟叶的，日照的羊怎么就改了肠？二是要啃也得啃别人家的烟叶，哪有啃自家烟叶的？日照不成了傻子了？所以，当日照那清脆的鞭声在村头炸响时，耳朵灵的村民打老远就听到了。人说听话听音儿，鞭也是听音哩。会听音的村民一听那鞭音儿就知道狮子口要出稀罕事了，都往村头跑，果然就看着日照正赶着自家的羊吃自家的烟棵子。

一下子成了狮子口村的新闻人物，日照显得比他正开怀大吃的羊还兴奋。村民刘胜利问："屌操的日照，你使的什么计谋，那羊怎么啃烟叶了？"

日照起初不想回答，这个计谋嘛可是他的秘密，转念一想，你不说出这个计谋，人家就体会不到你的聪明。日照便说："这还不简单？把羊圈起来饿呗。"

"唷唷唷，可不是？这么简单。"刘胜利说。

刘胜利问："日照你把羊饿了多日？"

日照说："一日零半日，羊眼珠子都饿绿了，尽掏老鼠洞，想掏出个老鼠剥巴剥巴吃了哩。"

一会儿，刘胜利大惊小怪地说："日照日照你快看，那羊吃得直打嗝。"

日照说："那有啥稀罕，俺那烟是好品种，是七月黄，广告上怎么说的？吃了七月黄，通屁通气润胃肠，打嗝就是通气。"

刘胜利说："日照日照你快看，那羊吃烟吃得直跳大神哩。"

日照说："那有啥稀罕？广告上怎么说的，吃了七月黄，喝酒一瓶不醉，打牌一夜不困，这东西就是提神哩。"

刘胜利说："日照日照你快看，你那羊吃烟吃得撅起尾巴，发情了呢。"

日照看过，有只母羊尾巴翘得如孔雀开屏，屁股上湿乎乎的，果然是发情状。日照想不出广告上有关于母羊发情的词儿，发了呆。

刘胜利临时编了句词儿说："吃了七月黄，刘五送来公羊——让人家操了。"

村民大笑不已。

那一会儿，日照对刘胜利有问必答，唯独问道："好好的烟咋让羊啃了？"日照缄口不语。咋？为了结构调整呗。王耀州说了，结构调整，咋挣钱咋种，咋挣钱咋干。咋挣钱？种粮不如种烟，种烟不如烧窑。这次调整的目标就是规划出部分烟地给窑场，让窑场取土用。王耀州说了，规划到谁的烟地，谁就得服从规划，不服从规划的就是破坏调整，不光要铲了你的烟，收了你的地，还要多收你的税，让派出所严打你。谁服从规划,就安排谁到窑场当工人,一月三百多块钱的工资,表现好的还让他当经理。王耀州还说了,他的窑场马上要开夜班了,正缺一个夜班经理。

俺是想表现好哩,俺是想给王耀州当窑场的夜班经理哩。

日照为自己的计谋感到激动。

二

日照与王耀州签了协议,烟地归了王耀州。推土机隆隆响了几天,日照的烟地变成了一个大坑,变成了谷壑。掘出的土堆在窑场的一侧,使窑场储土变成了山。真成了座山呀,黄黄的,金子堆的一样。虽然日照的烟地成了谷壑,王耀州砖窑的储土成了大山,但是王耀州只字不提日照去窑场当工人的事。那几天,王耀州的砖窑就在日照的心头上烧呀,烧得他坐立不安。他自己对自己说:“你王耀州就这么完事了吗?”他不停地喝酒,不停地抽烟。他想去王耀州家问问去窑场的事,又莫名地不敢问。他如一只丧家的狗在村里转,希望撞上王耀州,王耀州会说“你那事”如何如何。

那一次,日照在街上撞上王耀州,日照火焰般的眼睛急切地寻找王耀州的眼睛,为此他把身子佝成一只羊的高度。因为王耀州正低着头走路,若让他看见就得低下身子。结果王耀州真看到了日照,那一刻,日照全身的汗毛孔都如同花朵一样绽开了,全因为紧张。果然,王耀州嘴唇嚅动了一下,给他说了句话就过去了。

因太紧张,日照竟没听清王耀州的话。他掉过腚追上王耀州问:“三叔,您说什么?”

王耀州不耐烦地说:“我问你吃过了?”

回到了家,日照喝酒,酒瓶子一甩甩进羊圈,仰天骂道:“王耀州,俺日死你亲娘呀!”

日照的老婆叫秀秀,秀秀怕人家听了去,用榆木棍顶了院门,日照抬脚踢翻顶门棍。秀秀探了头到街上,吓唬日照说:“三叔正往这儿走哩。”

日照果然就吓哑了,三脚并两脚进了屋。

秀秀深叹了口气。她叹自家的烟地哩,种了好几年的烟地,说卖就卖了。

三

王伟在院内修摩托车,秀秀过来借油,说是为了日照去砖窑的事炸油条给王耀州送礼。王伟一手油垢,让秀秀自己进屋倒油。秀秀倒了一矿泉水瓶的花生油,并不急于走，蹲在一旁看王伟修车。

王伟与秀秀是中学同学，后来王伟去戈壁滩当了兵。王伟给秀秀写信，每写完“秀秀”两个字就写不下去了，就没话可说了。其实，王伟对秀秀有一肚子的话。他当的是炊事兵，每天骑着摩托车去远处驮水。每在河边舀完水，就擦摩托车，把车擦得鲜艳无比，像活的一样。王伟就禁不住对着它说话。王伟说：“秀秀。”他给摩托车取名叫“秀秀”。他说：“秀秀，俺的秀秀，俺给你洗澡哩。俺给你打扮哩。俺要让你成为世界上最漂亮的姑娘哩。秀秀，你真漂亮呀，你真俊呀，俺真想搂了你，真想亲了你呀。”说着王伟就搂了摩托车，照后鞍上美美地吻了一口。他说：“秀秀，俺想死你了，戈壁滩上的一天跟沭河边上一年一样长，可是再长俺也不能偷跑回去看你呀，因为现在俺是解放军战士了，解放军战士是不能当逃兵的。”他说：“俺恨死自己了，恨上学时不好好写作文，俺有满肚子的话要给你说，一拿起笔就什么也说不出了。秀秀，诗人不是说有情人不在朝朝暮暮吗？你等着俺吧，等着俺吧，等俺退伍就把你娶回家。”五年后，王伟退伍了，但秀秀已嫁给了同村人日照。许多人为王伟提亲，都被他拒绝了，那样子似乎要打一辈子光棍了。后来，王伟就用退伍金买了一辆摩托车，给它取名叫“秀秀”。

秀秀来王伟家借油，心里也是装着心事，她惦念着王伟的事。据说这一回王耀州规划窑场用地，把王伟的烟地也规划进去了，但王伟就是不同意卖地，闹得王耀州扬言要用推土机推了王伟的烟，王伟则要去上访。可是你王伟就是一个农民，能斗得过他一个干部吗？

秀秀担忧地问王伟：“王伟，你真要去告吗？”

王伟不回答秀秀。

王伟说：“好漂亮的秀秀呀。”

王伟说的“秀秀”，可不是眼前这个大额头黑眼睛的人儿，而是他的摩托车。他对车说话哩。但秀秀听得出他实际上还是对她说话。秀秀早晨来借油没顾上洗脸，穿着件人造棉睡裤就来了。睡裤很薄的，像一层皮儿似的，贴在腚上。秀秀还有一个毛病，天生扭腚。秀秀进来时尽量避免扭腚，可还是扭了，这从王伟的眼睛里可以看出，王伟老是偷睃她哩。所以，她知道王伟口中的“秀秀”并不是摩托车，还是她，但她假装听不出来。

秀秀说：“王伟呀，你能告赢吗？听说王耀州上上下下都使了钱的，听说镇长冬天穿的皮袄就是王耀州送的。”

王伟还是不搭理秀秀，他仍对着摩托车说：“秀秀，俺要亲你一口哩。”

秀秀再也不能装糊涂了，她说：“俺可生气了。”

秀秀说：“人家跟你说正经事，你再胡亲，人家可生气了。”

秀秀说过，王伟斜睇了秀秀的腚，然后弓起腰吻了摩托车，边吻边喊：“秀秀。秀秀。秀秀。”

这下秀秀看着像真生气了，站起来拍拍腚，急急地向外走。王伟张开污黑的双手拦住她，涎着笑脸说："俺不亲了还不行？俺不亲了还不行？"

秀秀重新蹲下看王伟修车。

王伟说："现在俺回答你的问题。第一，他王耀州只要霸俺的地，俺告他就告定了。第二，俺一定能告赢，俺偏不信，难道这个国家不姓共产党了，姓王耀州？"

四

当王伟骑着摩托车驰出自家的院门时，满街都变成了烟叶一样的颜色。天过晌了，烟地反光了。街尾白果树下蜷着一团黑影，王耀州准时在树下卷烟。村民看到了王伟斜挎的军用包，便猜着王伟又去告王耀州了，他们知道王伟军用包里挎着照相机。

王伟是狮子口村第一个上访的，反映的是王耀州的砖窑。王耀州的砖窑建在村口上，把附近的村民害苦了。民谣说："王耀州，烧砖窑；夏天烤，夜里噪；一天到晚黑烟冒，白羊穿上黑皮袄。"信访办的人听罢歌谣，问道："怎么还白羊穿上黑皮袄?"王伟解释说："烟囱掉黑灰，染得呗。"他知道人家不重视他反映的问题，他想怎么才能让人家重视？想呀想，想到了照相，让他们都看看冒的黑烟。王伟第一次持着照相机在窑场转悠时，在窑场干活的村民以为王伟考上了记者，争着让王伟拍照。一个个都黑乎乎的脸，白白的牙齿如瓷儿涂了。还有半大的孩子当童工，都让王伟拍上装机匣子里了。王耀州知道后火冒三丈："八辈子没照过相呀？当是上光荣榜呀?"他给了每个窑工一个耳光，嘱咐说："这个小舅子再来拍照，别给他好脸，把腚掉给他，让他拍腚。"

"五个大地主也不抵王耀州哩。"村民都羡慕王耀州富。但富人王耀州从不买烟抽，只抽自己卷的烟。王耀州卷烟时仰在帆布躺椅上，他的跟前是一叠烤得焦黄的七月黄，和一口铁制的小切刀。王耀州每次切烟丝并不多切，仅够卷一支烟卷的。他把烟丝团到纸条上，十个指头一捏一捏，舔上点唾沫黏上，就成了一支喇叭状的烟卷儿。然后，王耀州划上根火柴点上，往椅上一仰，一口一口，一口一口地抽完，再重新切烟卷烟抽烟，直至太阳将落，整整一个下午。王耀州的位置处于街尾，从那里可以看到整条街，看到整个村子。村里谁放羊去了，谁锄烟去了，谁上县城了，谁和谁在墙角嘀嘀咕咕，谁打工去了，谁乘人家外出打工，钻人家老婆的院子里了，等等，尽收眼底。那个时刻是狮子口村村民最提心吊胆的时刻。村庄静谧非常，街上罕有人迹。村民说："王耀州的望远镜又端出来了。"这话传到王耀州的耳朵里，王耀州在心里冷笑了。王耀州说："重要的不是你看到了什么，听到了什么，而是你要思考。思考才有权威。你们当我在那里吃烟是歇着？我那是在思考。我的大脑可没歇呀。那坏人不怕你咋呼，就怕你思考。”村民背后说：“啧啧啧，思考更吓人。”

唯王伟鄙夷王耀州的思考。每经过白果树下，别人都早早与王耀州打招呼，王伟则相反。他戴着大红头盔，斜背军用挎包，驾着摩托车，突然就加大了油门。飞驰的摩托车掀起的浓烈的尘土，顿时把正卷烟的王耀州淹没了。王耀州每眺见王伟驾车驰来时，不得不早早趔趄了身子，伸出蜘蛛爪似的十指罩住烟叶，心里骂道：“这个小舅子羔子。”

这一次，王耀州用眼角的余光一瞥，瞥见了街上愈来愈近的一个红球，他知道那是王伟的头盔。他便习惯地趔趄了身子，伸出蜘蛛爪似的十指挓挲在烟叶上，等待着王伟驰过。但这一回摩托车猝然在他旁边停住了，唬得他一愣。王伟直截了当地说：“三叔，俺要和你谈谈哩。”

“谈谈好，谈谈好。”王耀州已反应过来。他心想：小舅子羔子的，口气跟镇长似的。

王伟说：“能谈好，我们就不必找上级找法院了。”

王耀州心里想：当了几天熊兵，还学会找上级找法院哩。

王伟说：“中央要求保障俺的土地承包权，你可是和中央的政策唱对台戏哩。”

“奶奶个腿的，别给我来这个。”王伟一开口就使王耀州恼了。他才要骂下去，见王伟的衣兜鼓鼓囊囊的，便产生了警觉，怀疑王伟揣着录音机偷录他的话。他随即改变了口吻道：“可不是，三个代表就是好哩。”

王伟说：“政策上说，你烧砖窑用土用地，属于土地流转，要根据承包者的志愿，承包者不愿意流转给你，你没权利收回人家的承包地。”

王耀州说：“可不是？三个代表代表群众的根本利益哩。”

王伟说：“你的错误不能再继续下去了。”

王耀州说：“可不是？三个代表就是全面奔小康哩。”

王伟说：“我的烟地你一分一厘也不能动，俺要年年种七月黄。”

王耀州说：“可不是？三个代表就是要招商引资哩。”

王耀州的话让王伟有些摸不着头脑，他说：“三叔，你怎么说话驴唇不对马嘴？”

“小舅子羔子，我寻思你揣着录音机，都给我录了去！”

王耀州一只粗短的手爪猛地钳住王伟的胳膊，另一只手掏他的衣兜，掏里面鼓鼓囊囊的东西，结果掏出的不是录音机，是喝水瓶子。

王耀州略显尴尬地说：“你王伟给我好声听着，县里镇里的领导都托我警告你一声，你年纪轻轻的有个毛病，一天到晚揣着个录音机，弄得人家领导都不敢给你说话哩。”

确信王伟没揣录音机，王耀州恢复了常态。他把烟丝团到纸条上，十个手指一捏一捏，耐心地卷一支烟卷儿，慢吞吞地说：“大侄子呀，我是又气你又心疼你呀。

今年二十几了？二十五了，属羊的。二十五好呀，人过二十五，力气猛如虎呀。听说咱村有个叫刘建国的吗？文革那会儿也就比你小几岁。那可是个圣人蛋哩，老天爷老大他老二，没有他怕的，专门跟领导作对，领导说东他指西，领导说驴他道马，时机一到，就出来造反了。造了反怎么样？进了监狱。进了监狱怎么样？罚劳改炸石头，炸死个熊的了。二十郎当岁，媳妇还没娶，连个女人是盐是淡都没捞着尝尝，值不值哩？你算算这个账吧。”

话不投机，王伟起身欲离开，王耀州赶紧把要说的话说完：“大侄子，我再给你出个账你算算，你只要听你三叔的，当个顺毛驴，别当倒毛驴，我聘你做个窑场的夜班经理。这个位置很多人都盯着，我为啥一直空着？就是给你留的哩。别人都没这个能力，就你有这个能力哩。干上一段时间，情况都熟悉了，我把整个窑都交给你。你当总经理，我当董事长。我当董事长就是挂个名，大小事都是你说了算。你印个名片，买上手机，出门办事打的，一月千把块钱，年底再来个分红，这不比你整天当上访户强？你算算这个账吧。”

什么都成了账了，真理可不能当成账算。王伟这么想着，就重新坐上了摩托车，准备去县里上访。

他回答王耀州说：“多少钱俺也不能出卖俺的人格。”

五

王耀州家的门楼子是贴了彩瓷雕了花纹的，不仅阔、漂亮，而且是狮子口村最高的门楼子，九尺九寸九。王耀州讲究门楼子，他说：“门楼子就是个风水，就是个气呀。”王耀州对村民建门楼子搞统一管理，把村民分成四个级别，村支书一级，村委干部二级，村民小组长三级，一般村民四级。门楼子按高矮亦分成四级，支书级的最高，一般群众级的最低。一般群众若想盖高门楼须给王耀州使钱，使了钱他就批你个：“享受某级待遇。”允许加高门楼。王耀州解释“门楼级别”说：“咱就让这个操心多的、贡献大的体现出这个操心多、贡献大。”

秀秀家的门楼子是一般群众级的门楼子，比王耀州家高阔巍峨的门楼子，秀秀总感到是狗的一双腿比之人的一双腿。她不愿意进王耀州的家门，还因为她讨厌对方那副眯缝眼。银针般纤细的目光，如扑来扑去的蝇拍，绕得她很不心宁。她是被日照硬拖着来的，求王耀州让日照进窑场。日照每遇为难的事，总拖着秀秀。

王耀州的老婆笑吟吟迎上来，王耀州的老婆就这样，只要见人来她家时提着东西，就格外热情。她接过日照手中的东西，才看清是一小捆油条。油条用一根细麻绳扎着，还包了一层草纸。王耀州老婆的脸骤然拉长如一根黄瓜。她不悦地说：“俺家一般不吃这种油条，老油炸的，黑不溜秋，硬得屎橛子样，对肾不好。”

说过，顺手丢在一边。

确实，炸油条时，秀秀没舍得全用新油，掺了些以前炸油条剩下的老油。没想到王耀州的老婆眼尖，一看就看出来了。秀秀有些尴尬，她看看，油条被王耀州的老婆丢磨盘上了。磨盘边是两只满登登的泔食桶，聚着一些蝇子。泔食是从饭店收集来喂猪的。在狮子口村，每户村民一年一般至少请王耀州一次客，有钱的或有事求他办的请两次，王耀州让他们到饭店请。都知道王耀州的老婆爱吃辣子鸡，一上来辣子鸡，请客的就说："别动筷了，打包回家给三婶吃。"吃剩的其他菜肴，则统统倒进泔食桶里，帮王耀州提溜着回家喂猪。所以，秀秀一看油条给丢在磨盘上，就猜出油条要被王耀州的老婆喂猪了，有些心疼。正发呆，王耀州的老婆催她和日照走："你三叔让镇长喊走了，不在家，你的问题俺处理不了。"

说完，女人端着茶碗往猪圈那里走。秀秀听着猪圈里有人干活。

秀秀就想这么走了，但日照不甘心这么走掉了。他想说不定王耀州并没让镇长喊走，而是这老婆为撵他走而编的瞎话。说不定王耀州就在猪圈里干活哩。日照悄悄挨近猪圈，鹅一样伸长脖子往里瞅，见干活的竟是刘胜利。刘胜利把裤管绾到小腿肚子处，赤脚踩在稀猪粪里，光着白白的胸脯一锨一锨往墙外掘猪粪。王耀州的老婆把斟满水的茶碗搁在半截子墙头上，探进一个脑袋给刘胜利说话。只听她甜蜜蜜地说："齐鲁药厂出的那个六味地黄丸，效果很好，你三叔见天吃那药。"

日照对着猪圈："呸！"

他说："怪不得。"

秀秀说："啥？"

日照说："呸！"

他说："怪不得。"

秀秀说："你别老怪不得怪不得的。"

日照说："怪不得三叔还不给我下通知。"

他说："刘胜利这屌操儿也想进窑场哩。"

他说："刘胜利这屌操儿与我竞争一个名额哩。"

日照连忙踢掉脚上的胶鞋，两下就把裤脚绾到了小腿肚子上，满院子找铁锨，要帮王耀州掘猪粪。

六

秀秀赶着羊群出了村，羊群突然乱了。羊的眼睛里噙的都是迷茫，羊迷路了。羊怎么会迷路呢？秀秀正为此百思不得其解，倏地意识到自己也迷路了，不知往哪里撵了。她顿了顿神，仔细回忆并思考了一会儿，才醒悟到，她和羊的迷路，都是失去烟地的缘故。有烟地那会儿,羊每出了村子,直奔烟地。羊儿围着烟地撒欢,围着烟地溜溜达达,食草是假,让烟地勾去了魂儿是真。遇别的羊群打地边经过,羊儿停止溜达停止啃食,一齐看人家。脖子溜直,胸脯如姑娘的胸脯。“跟人一样学会骄傲了。”秀秀如此想着,听羊群咩咩对叫,听它们对话。“烟长得真好哩。”“可不是,七月黄哩。”“打杈了吗?”“打过了。”“打过了就长得快了。”“可不是,你听哗哗地响,是长骨节哩。”这些隐秘、奥晦而又生动的羊语,别人是听不懂的,秀秀绝对听得懂。她对羊语有研究。现在,失去了烟地,羊和她一样,迷路了。秀秀赶着羊群循着小路走,漫无目的地。羊儿一只只耷拉着颈,缩了尾巴,皮毛暗淡无光,与其他羊群擦肩而过,都哑了,没了话语,情绪低落。

听着有摩托车在身后驰近了,秀秀轰了羊往路边避,给摩托车让道。但摩托车并不通过,故意追着羊屁股,一只只都给吓得跳进沟里。缺八辈子德呀!秀秀才要骂,却看见驾车人红灯笼似的头盔,才看出是王伟。她又气又笑,冲上去逮住王伟的背捶打起来。

王伟一转身攥住了她的手。

秀秀惊叫起来:“快松开,快松开,大白天里,大露天里,让人看去了。”

王伟不松她的手,说:“走,俺带你找个地方说话去。”

“有什么话这儿不能说?”

秀秀使劲要挣脱王伟的手,身子扭动得似一条咬了钩的鱼,仍挣不脱王伟钳一样的手。秀秀央求说:“王伟,求求你了,快松开俺吧。”

王伟以命令的口吻再次说:“你坐后鞍上,俺带你去个地方说话。”

“俺的羊怎么办?”秀秀犹豫了一下,同意了,“俺不坐你的摩托车,你告诉俺那个地方,俺赶着过去还不行?你那个地方还能有多远?”

“没多远,就是俺的烟地,那里僻静。”王伟松开了秀秀的手,叮嘱道,“俺在地沿上等着你。”

王伟驾着摩托车,如一只色彩斑斓的野兽,循着田埂,一跃一跃,被茂密的烟地淹没。

秀秀驱着羊群赶到时,王伟已在自家的烟地埂上等她。秀秀将羊鞭插田埂上,羊鞭如一棵亭亭玉立的树苗。对羊来说,直立的鞭子是在此安营扎寨的命令。羊群停止赶路,四散开觅食。秀秀坐在王伟旁,烟长得半人高了,坐在田埂上,人完全被烟掩住,远处看不见。

有好一会儿,王伟只是绞着手沉默,好像并没什么话要说。

秀秀说:“要给俺说啥?快说呀。”

王伟说:“求你帮俺个忙。”

秀秀等他继续说。

“帮俺抄上告信,告王耀州的。你知道的,俺的字太坏。”

秀秀答应了。

“再帮俺改改，你知道的，俺的作文太坏。”

秀秀答应了。

王伟又不语了。

秀秀说：“就这话?”

王伟依然不语，但喘息声变响了，如一只风箱，呼哧呼哧的。

七月黄散味了。烟农说，七月黄是从六月成熟的。六月怎么能成熟了？还是绿绿的叶子，嫩嫩的叶，还没长开哩。烟农说，你闻闻那个味吧，七月黄散味了。那是啥味呀？在六月的烟地里，所有的叶儿所有的茎儿都舒开身子往外散味。秀秀闻着感到特别奇怪，一闻那味就心里慌慌的，不敢闻哩。不敢闻它也是直钻你的鼻孔，直钻你的衣服，让你喘不过气，让你不得不张开嘴巴呼吸，让你浑身发烫，四肢轻飘，整个身子都不是自己的了。这是什么味呀？如甜如辣如香，非甜非辣非香，就是呛人哩。烟农说，就是熟了的味呀，什么熟了就这个味，女人熟了就这个味，自己闻不到，男人鼻子可是灵的，一闻就闻得到，如往外散粉往外散露。此刻，秀秀又闻到这种味了，闻得她心里慌慌的。她莫名地害怕起来。

这时，王伟蓦地抱住了她，扳倒了她。秀秀蹬也蹬不开，挣也挣不脱，急得声音变了腔。她说：“王伟，你可别要坏呀，你可别要坏呀。”

王伟说：“俺不要坏，俺只是审审你。”

“审俺啥?”

“你为啥不等俺？为啥不给俺写信？为啥就嫁给那个一身娘们儿气的日照?”

秀秀只字不回答。秀秀不回答并非理屈，秀秀心里说：为啥不等你？你说让俺等你了吗？为啥不给你写信？你为啥不给俺写信？俺一个姑娘家能主动给男人写信？为啥嫁给日照？还不是日照住得和你近？还不是为了能经常见到你？秀秀委屈得要掉泪了，但再委屈她也不表露出来。她岔开话题说：“王伟，俺也要审审你。”

“审俺啥?”

“你为啥还不说亲？你想打一辈子光棍吗?”

“俺想打一辈子光棍？俺回答你，俺不想打一辈子光棍。俺为啥还不说亲？俺回答你，俺还没遇上中意的。”

“啥样的才是你中意的?”

“和你一模一样的才是俺中意的。”

“……”秀秀问不下去了。

七月黄的气味更浓烈了。她觉得浓烈的七月黄气味全是从与她挨着身的这个男人身上散出的。她的眼睛变得迷离，全身灼热而又酥软。她放松了自己的身体，闭上眼睛，含混不清地说：“王伟，俺给你了吧，俺给你了吧，你愿意怎么日俺就怎么日俺，但是你得答应俺一个要求，你日完俺就别再缠俺了，俺就不欠你了，你得说亲娶媳妇，好好过日子。”

听了秀秀的话，王伟突然松开了紧钳着秀秀的双臂，坐直了身子，认真而严肃地说：“秀秀，你误会了俺，这样让俺日你俺是不日的，俺不是只想和你做一对偷偷相好的，也不是只想和你好一时，俺不偷你，俺要抢你，俺想让你给俺做老婆，俺要娶你，俺要摆三十桌酒席明媒正娶，你等着吧秀秀，俺说到做到，俺今生一定要娶你做老婆呀。”

七

王耀州给秀秀回话了，说暂时还不能让日照进窑场，因为他听说秀秀在背后骂他哩，他得查查秀秀为什么骂他。

那晚，日照的酒肴就是一包葵花子。他每喝完一盅酒，就嗑几枚瓜子。每嗑一枚，唇就努成鸭嘴形，隔老远吐向秀秀，骂：“你个×嘴，你个×嘴，你个×嘴。”

秀秀不还嘴，她回忆分析是哪句话被王耀州听去了。她说过只要给王耀州使了钱，不够十八岁就能领结婚证。只要给王耀州使了钱，生了两个娃了，还能再给你娃娃证。只要给王耀州使了钱，人死了不必火化，村里能给你划墓地。在狮子口村，他王耀州就是皇帝。她还说了王耀州砖窑的事，但秀秀并不是乱嚼舌头根的长舌妇。这些话基本上都是关上门偷偷和丈夫说的，怎么会传至王耀州的耳朵里？后来秀秀想起了，有一次，她与刘五的老婆一起，说起刘胜利夫妻闹矛盾王耀州帮着调解的事，秀秀说：“他喜欢调解这事哩，一调解就和人家老婆调解上了。”想过，秀秀猜着这话可能传到刘胜利老婆耳朵里了，又被刘胜利老婆学给王耀州了，因为刘胜利正跟日照争窑场的一个名额。想到这，秀秀的耳根子如毛虫子蜇了，灼灼的。自己毕竟称呼王耀州“三叔”的，让他听了去可羞死人了。

那夜雷雨交加。日照喝罢酒就冲出门，过了好久才回来。日照进了门则狂笑不已，眼如兔眼般红亮，头发和衣服精湿，鞋沾满了泥巴，酒气和汗气使屋内充盈着一股恶臭。日照的笑是那种如痴如疯的笑，那种骇人的笑。笑着笑着，日照的脑袋如一棵折断的高粱，偏着偏着，突然倒伏了。日照就这样睡着了，无声无息了。秀秀猜着日照怕是乘着酒劲出去惹祸了。秀秀忧虑得一夜都睡不安稳，还净做噩梦。

白天里传出消息，王耀州的烟让人砍了。王耀州种的七月黄，已长成羊身那么高了，过了大暑就可以收第一茬烟了。王耀州的老婆昨天才拾掇了烤烟房。被砍的烟地如羊圈般大小，烟棵子被从根处齐茬茬砍了去，横七竖八躺着，其状甚惨。王耀州的老婆喊魂也似扬开双臂：“俺当干部得罪人呀。”

秀秀一猜就是日照砍的。她给日照说这个消息时，日照已经醒了酒。他一声不响，两眼圆睁，里面都是恐惧的光芒。然后，日照拾起镰刀往羊圈里掖藏，掖来掖去，最终在羊粪下掘了个坑埋了。

王耀州的烟果然就是日照砍的。

下午，派出所来了人，警车呜呜响，犬吠声不绝。日照不许秀秀放羊去，让她在家帮自己壮胆。他搂了秀秀在床上，如溺水者搂住了一只救生圈。听到警车声和犬吠，日照便哆嗦不已。他不停地问秀秀："我砍王耀州的烟，不会有人看到吧？不会有人看到吧？"

秀秀既可怜他又恼怒他，还鄙夷他。她说："你真是光着腚戳马蜂，能戳不能撑。"

第二天早晨，大喇叭里通知青壮年男性村民到窑场踩脚印。王耀州恶狠狠并有点得意地说："老鼠爬灯油，留下屎了。"

日照听后，知道自己的脚印留在烟地里了，脸如摘过的烟叶，焦黄焦黄的，赖在床上不敢出门。

秀秀说："你不去踩，人家一点名就猜出是你砍的，做贼心虚哩。"

秀秀想了个办法，让日照穿她的鞋踩脚印。日照穿了秀秀的鞋，挤得脚疼，连说："不好受，不好受。"

秀秀说："总比进公安局好受吧。"

日照在院里走了儿圈，走得脚在小鞋里有些适应了，才如怀揣着兔子，惶惶然去了窑场。

八

集合踩脚印那会儿，狮子口村气氛节日般热烈。窑墙上贴着标语："擦亮眼，绷紧弦，坦白宽，抗拒严。"大喇叭里放着蒋大为的歌曲《在那桃花盛开的地方》。因刚码过窑，坯场正好空了，便铺了细沙土，供村民踩脚印。村民六人一组，听派出所魏所长发了令，一溜儿踩着沙土走。几个警察跟着量脚印，使相机拍脚印。

日照和刘五、刘胜利一组。刘胜利着短裤、背心，胶鞋里还穿了袜子，像参加运动会似的，还踢腿做准备活动。

刘胜利问刘五："刘大老板亲自来了？"

刘五打着哈哈说："政治任务，义不容辞嘛。"

刘胜利说："刘五你撵不上我。"

说着刘胜利如受惊的兔子，腾地蹿出。

刘五往手心吐了口唾沫，搓了，骂了声："小舅子羔子，我若撵上你你输我一瓶酒。"

刘五跟着刘胜利的屁股就追。日照一时惊惶失措，才随着刘五跑，就听身后魏所长喊："停!"吓得他出了一身冷汗，裆里也有些湿。

魏所长说："不许跑，一步步走。"

日照等退回原地。警察重新耙平了沙土，等魏所长发过令，几个人一步步走了过去。并没有异常事情发生，日照的脚印也未引起特别注意。日照暗暗得意，心里感到对秀秀的鞋亲切无比，心中说："小鞋呀小鞋，真想把你煮巴煮巴下酒哩。"

后来，日照还是被警察带走了。

晚上，秀秀正为日照的事忧心忡忡时，日照竟出乎意料地回家了。更奇怪的是，日照不仅不沮丧，不狼狈，甚至还有些兴奋。他叼着半截烟卷进的屋，然后他深咳了两口痰，将烟卷儿在鞋跟上捻熄了，一屁股坐马扎上，喝道："拿酒来!"

秀秀想象不出让警察押了大半天怎么能不悲反乐，更想象不出怎么又给释放了。

日照对秀秀说："俺宁死不屈，他们定不了罪呗。"

日照猛灌了几口酒，向秀秀讲述这大半天的经历："一进村委会他们就审问俺。俺说不把铐子卸了俺就是只字不说。他们不卸铐子，扇俺的脸，踹俺的腿，解下俺的腰带抽俺，想让俺屈服。俺说打吧打吧，打死了俺告你们去。没办法，他们只好卸了俺的铐子，逼俺承认砍了王耀州的烟。俺说俺没砍，俺倒是想砍了，不知让哪个小舅子羔子抢了先。他们诈俺说有证人看见俺砍了。俺说谁是证人呀？让证人站出来，俺要和这个熊东西对质。熊东西怎么不站出来呀，没种了吧？他们拿不出证人，无可奈何，又问俺为啥穿秀秀的鞋踩脚印。俺说俺爱穿谁的就穿谁的，管天管地还能管人拉屎放屁呀。俺说法律也没规定不许穿老婆的鞋呀。说得他们哑口无言，直叹气，不得不放俺回家。"

日照一番讲述，令秀秀感动。她想丈夫关键时刻还真算是个男人，还真有点骨气，不像先前那么窝囊了。日照一直干喝酒，一点菜也没有。她便趿起鞋，要给日照炒鸡蛋。

日照拉住她说："炒鸡蛋不忙。告诉你个事，关于请王耀州吃饭的事，他说省两个吧，不用去饭店请了，就在咱家里请。他说我还得让秀秀陪两杯哩。俺寻思着，只要他来咱家喝了酒，俺去窑场干工的事就八九不离十了。"

秀秀听后不悦，脑中莫名地闪出王耀州的眯缝眼。

日照劝道："请吧请吧，在自家请省钱，剩的菜也不用喂人家的猪，还都留给咱自家吃。"

九

在狮子口村，男人不下灶房。但日照瞅空就往灶房钻，想替下秀秀陪王耀州喝酒。秀秀不愿意陪，与日照争下灶房。她说：“我去熬鱼，你不会熬。”

王耀州说：“让日照熬去，会熬不会熬的呗，熬腥了腥吃，熬煳了煳吃。”

但秀秀仍坐不定，起来坐下，坐下起来，出出进进，进进出出，不愿意单陪王耀州。王耀州揣出了秀秀的心理，说：“你秀秀就别扭吧了，谝腚哩？坐下吧。”

说得秀秀臊红了脸，坐住了。

王耀州又说：“女人少喝点儿酒没个坏处，滋阴，雨露滋阴禾苗壮呀。”

和秀秀在一起，王耀州说起话来特别兴奋：“昨晚和姜乡长一块喝五粮液，现在胃还难受，像生了个炉子，灼灼的。”

他说：“我那窑呀，临沂、日照、沂水、蒙阴，这沭河上下你走遍了，论大小，我是大脚指头，那些都是小脚指头。我的窑东西南北四面，一面八个门，分别对着天上的朱雀、苍龙、白虎和龟蛇四象，风水通畅，财门开阔呀。四八三十二门，一门码一万块砖，转着圈烧，半个月就是一圈，就是三十二万块砖。一块砖挣二分钱，一圈下来就是五六千块钱。秀秀，你算算这个账吧。”

秀秀心里说：钱再多，也不是俺的，俺算账管啥使？

王耀州说：“不是三叔夸口，别的窑是啥砖？三叔的窑是啥砖？别的窑烧出的砖又脆又酥，还灰不溜秋。我的窑烧出的砖又韧又硬，又红又亮，一敲，声如蛐蛐鸣叫。陈副乡长娶儿媳盖房，我给送去五万块砖，那屋砌得呀，白灰溜缝，红砖到顶，阳光一耀，谁不说辉煌如宫殿？他县政府的大楼也就这个层次吧。把个陈副乡长喜得直问我老王，你用啥法烧出那么好的砖？啥法？咱狮子口的土好呗，土里含有金属，叫什么氧化什么的。咱这哪是砖块？是金属块，是铜块哩。秀秀，你算算这个前途吧，你算算这个账吧。”

秀秀心里说：铜也好，金也好，也不是俺的，俺算账管啥使？

每煎出一道菜，日照便歇歇灶，坐下喝一通酒，劝王耀州一通酒。日照劝酒缺少辞令，仅两句话，一句“恭喜发财”，一句“寿比南山”。重复多遍，连自己都感到无味了，遂自己独自喝开。这也是他平时劝酒的风格：自己喝，自己先喝，自己多喝。待最后一道菜熬鱼端上，日照已是七分醉意。这时候，王耀州便看自己的手表。

王耀州看自己的手表。王耀州看手表看得很夸张，弯着腰，撅着腚，脸贴在腕上，像看一口深井那样。他说：“我不能再喝了，我还有很多事没办哩。”

说罢王耀州站起身，说走就要走的样子。

日照慌了，这算什么喝酒？远没达到效果，窑场的事提都没提。日照慌了，慌了的日照双手拽住王耀州的裤腰带，不让他离开。

“这算什么喝酒？”日照说。

王耀州说：“三叔要去窑场，七号窑门的灯坏了，得通知电工修。天气预报有雨，得通知窑上该盖的盖盖。”

日照说：“这算什么喝酒？”

他说:“三叔不能走。”

王耀州说:“三叔不能走,难道你替三叔下通知?”

日照说:“俺替你去。”

日照真要替王耀州下通知去,他为这个想法感到无比振奋。他对秀秀耳语说:“三叔这是试用俺哩。三叔这是考验俺哩。”

日照生怕王耀州改变主意,麻利换胶鞋,他换鞋时蹲在门槛上阻着王耀州。王耀州把手电筒递给日照,说:“把这个拿上,快去快回,咱爷俩还得弄几盅哩。”

日照招呼秀秀到门外,对她耳语道:“让三叔喝足。”

“这回就看你的了。”他说。

日照兴冲冲走到街上,阖上院门,“咔嚓”一声把门反锁了,从街上喊:“三叔,俺不回来你可别走呀。”

秀秀追上去,门已拽不开。秀秀焦急地嘟囔道:“你锁啥门呀?你锁啥门呀?”

日照一走,秀秀就不敢坐下了,仿佛那马扎是一只火炉,一张针毡,一口陷阱。她借口“倒茶去。”“热菜去。”屋里屋外来来回回地走,屁股很少着马扎。

“又谝腚哩?”王耀州不悦地说。

秀秀又一次臊热了脸,只得又坐了。

王耀州卷烟卷儿,他从胸兜里捻出张纸条,从荷包里捏出烟丝,摊到纸条上。十指团揉团揉,长久团揉不出一支烟卷儿,因为他的手哆嗦了。后来,他变得气喘吁吁的,嗓子还变哑了。

他说:“秀秀,让三叔摸你一回腚吧。”

秀秀吓得跳起来,立在桌子另一沿儿。

王耀州说出憋在心里的那句话,手就不再哆嗦,很快卷成了一支烟。他使劲吸了一口烟,嗓子也不哑了。

他说:“你秀秀也不要跑,也不要躲,你就坐在这里。三叔也不是一般农民,也不是那些没文化没知识的老把子,你不愿意让三叔摸,三叔也不会硬摸。三叔是干部,干部要做个君子,君子动口不动手。三叔历来动口不动手,让你自觉自愿。凡事讲究个自愿,你不自愿,三叔也不能强迫,强迫的也没意思,强按牛头不喝水,强拧的瓜儿不甜。”

秀秀愤怒地说:“你还是当三叔的,你怎么想的咪?”

王耀州说:“这怪不得三叔,怪你秀秀,谁让你在三叔面前老谝来?不过,也不能怪你秀秀扭巴扭巴地谝,秀秀的腚就是美哩,爱美之心人皆有之,三叔也有呀。秀秀一扭腚,整个狮子口就是天昏地暗呀。”

秀秀坚决地说:“俺不能让你摸。”

王耀州说:“为啥不让三叔摸?你秀秀说话也太绝对了吧?你秀秀的腚就是金就是玉做的?摸一回少一回?其实在狮子口,三叔什么样的腚没摸过?三叔也不

是非摸你秀秀的腚，三叔是要看看你秀秀的态度，看看你秀秀对三叔的态度。别看就是摸一回腚，不疼不痒的，也没少了啥，事情虽然不大，但它能看出一个人对另一个人的态度哩。它就是一杆秤呀，秀秀那腚就是秤盘，三叔的手下就是秤砣，能称你的心，称你的肺，称你的肠子你的胃呀。”

王耀州说：“秀秀，你别把它想得太复杂了。你算算这个账吧，就是摸一回腚，还能怎么着？三叔也是六十多岁的人了，也是摸一回少一回的了。摸完了，你什么也不少。提上裤子，跟没摸过一样，还是刚出笼的暄馒头。可是在狮子口村，你就是经过考验了，你就成了人上人了，什么重要的工作都能放心地交给你秀秀去做。你可以当妇联主任，当计生员，当村会计，月月领工资。日照就能进窑场，当夜班经理，也成了人上人了。秀秀，你算算这个账吧。”

秀秀心里想：“秀秀，你可不能答应，你若答应了，让王耀州这个熊人摸了你的腚，就是给你个金山银山，给你整个狮子口村也是没用的了，你在狮子口就没法做人了。”秀秀愈加坚定了信念，内心愈加平静。

秀秀说：“三叔，你愿意喝酒，俺陪你喝几盅酒，俺可不能让你摸。俺不图当妇联主任，当会计，俺日照也不图进窑场，进不了窑场就放羊，放不了羊就进城打工。俺就是去卖豆腐，收破烂，俺也不能做让人戳着脊梁骨骂的事哩。”

王耀州又卷一支烟卷儿。他卷这支烟卷时手指又哆嗦了，但这回他是因为得意而哆嗦。他说：“你以为你日照进不了窑场还可以进城打工卖豆腐收破烂？告诉你吧，不进窑场就进监狱。两条路任你秀秀选，决定权全在你秀秀了。他砍了三叔的烟，这叫侵害他人财产罪，论罪至少判五年。你秀秀让他穿你的鞋踩脚印，这叫包庇罪，也能判三年。一进监狱，这个家就完了。以后即使出了监狱，也是臭名远扬，这日子也是无法过了，一辈子就算完了。可让不让日照和你秀秀蹲监狱，全在三叔我一句话了。因为砍的是我三叔的烟，我若不追究，国家就不追究。我若追究，国家就追究。秀秀，你算算这个账吧，是进监狱好还是进窑场好，你算算这个账吧。”

秀秀让王耀州说得心里一紧一紧的，她记起日照说过警察是没有证据的，她希望王耀州是妄猜。

“说日照砍了你三叔的烟，三叔有啥证据？”

王耀州开心地笑了，把脸笑成了一只大蜘蛛，全是网。他拉开随身带的黑夹包，从中摸出一摞纸来，甩纸牌似的摔在桌面上。

“你秀秀自己看看吧，看三叔是不是吓唬你。”

秀秀翻阅那摞纸，见是派出所讯问日照的笔录。从笔录上看，日照把雨夜砍王耀州烟的事全承认了，还检举说穿秀秀的鞋踩脚印全是秀秀的主意，甚至说砍烟也是秀秀唆使的。秀秀翻阅过后，想起日照那晚吹嘘自己如何英勇不屈，自己又如何如何为丈夫的气概而激动，此刻则失望伤心无比，嘤嘤地哭了。

秀秀哭着说:“俺现在不能让你摸。俺来例假了,等俺好了……”

王耀州当即表示:“秀秀你别哭,三叔就信你的,三叔这回就不摸,就等着你。三叔是个守信用的人,秀秀也要守个信用。人生在世,信用可是立身之本呀。”

十

正是由绿往黄变的时候。这个时候的烟不是绿,也不是黄,是一种谁也说不清楚的颜色。“就叫辉煌吧。”王伟心里说。王伟看一会儿烟,就闭一会儿眼睛,不然,眼睛就耀得冒金星,冒完金星就是一片漆黑,什么也看不到了。烟农称它叫“烟盲”。

辉煌哩,王伟看一会儿烟就不得不闭一闭眼睛。

除了烟,还是烟,远处近处。这使王伟想起当兵时的戈壁滩,除了沙漠还是沙漠,金光灿灿的,你的眼睛想躲也躲不开。在这里,你的眼睛想躲也躲不开的是烟。躲不开还不想躲哩,看也看不够哩。王伟每天都来看烟,一看就是一个上午或一个下午,痴痴的。有路人从田边走,问:“王伟看什么呢?”“看烟。”“这个烟什么看头?”王伟不回答了,眼睛继续一睁一闭地看烟,看和看可不一样哩。王伟毕竟是当过兵见过世面的人,学会了思考,有时就在心里分析看与看如何的不一样,就总结出:有的人看烟就是那种随便一看,如下雨时匆匆看一眼天空那样,只用眼睛不用心。而王伟的看是那种用心看的看,看不够的看。仿佛一个人和另一个他所爱的人在一起,看那个他所爱的人,比如他看秀秀,那么长久地看。那不光是看呀,那看里包括了所有的内容,那看和看不一样呀。

但今天王伟立在烟地里没有以往的好心情。早晨有村民悄悄告诉他,王耀州近来放出话说,无论如何要收他的地。他听到这消息内心特别压抑,他心里计算着:距上回上访已经几天了?该批下来吧?有一封信可是要求转给县长的,县长该看到了吧?县长看到会不会管呢?还有一封信他可是要求转给镇长的信,镇长也该收到了吧?若县长暂时没空镇长是不是能先管一管?为什么王耀州还不纠正自己的错误呢?会不会是自己的字写得太坏,人家看不懂?不会呀,信是秀秀帮着抄的。秀秀抄得极认真,一笔一画,没有连笔的,如绣成的,又漂亮又整齐。

王伟的思绪被羊的咩叫声打断了。

是秀秀赶着羊来了,与秀秀一块儿赶羊的还有一位姑娘。秀秀把羊鞭仍像一棵消息树似的插在田埂上,羊四散开了,秀秀就坐到了王伟的身边。那位姑娘也挨着秀秀坐在王伟的身边了。

姑娘叫燕子,十九岁,是秀秀的妹妹。燕子与姐姐秀秀长得很像,一副大脑门,一双黑眼睛。别人都说:“一个模子倒出来的。”那一天,王伟说要找一个与秀秀一模一样的对象，让秀秀的内心一动。她想到了燕子，为了安排燕子与王伟的今天的初次见面，她特意使燕子的装束与自己的一致：浅色棉布裤，碎花的半袖衫，头发梳成了马尾巴那样在颈后垂拉着。

但秀秀很快发现事情并非自己想象的那么简单。尽管燕子的相貌、穿着与自己一个样子，尽管燕子比自己还年轻，可王伟似乎视而不见，两只贼眼睛只顾在自己身上转悠，反而把自己看臊了。看得秀秀的心里头竟有了对不住燕子的感觉，好像她秀秀故意以燕子为幌子，而行与王伟幽会之实似的。

秀秀因此严肃起来。

她对王伟说："烟都打顶了吗？让燕子帮你打打顶。"

"早打过了，再不打顶，烟棵子还不长成树了？"工伟说。

"锄几遍草了？让燕子帮你锄锄草吧。"

"早锄过了，再不锄草俺不成了种草了？"

"拣石头了吗？让燕子帮你拣拣石头吧。"

"早拣过了，你没看俺的地，土像豆面那么细？"

确实，莫看王伟年轻，却是一个优秀的农把式，只要是翻过地或下过雨，他就拣一遍石头。起先拣鸡蛋那么大的，拣光了再拣花生米那么大的。再拣光了就拣豆粒那么大的，拣得那地里的土确像豆面一样细。

燕子看出了王伟对她的态度，坐在田埂上，头低得厉害。

见状，秀秀认真地对王伟说："燕子今年刚高中毕业，在家闲得慌。俺对她说别闷在家里，出来学学活吧。俺说俺有个老同学叫王伟，种烟烤烟都是一把好手，还会修摩托车，就让他当你的师傅，你当他的徒弟，学学种烟，烤烟，不然就学学修摩托车，以后还能开个修车铺哩。王伟，你就收下这个徒弟吧。"

王伟不表态，他只是冷笑。他的冷笑就是说了话，就是表了态。

王伟脸上分明在说："你秀秀枉费心机吧。"

这时，日照就来了。

日照喊："王伟！"日照喊过王伟就从地头上闪出身子。日照走来时是一摇一摆地走来的，胳肢窝里夹着一张白纸。日照喝了酒，日照如果不喝酒就不敢来找王伟，也不敢喊："王伟！"日照喝过酒就敢放肆地喊："王伟！"就敢一摇一摆如跛腿的鸭子一样来找王伟了。

日照走近时冲着秀秀和燕子"哼"了一声，声音是从鼻孔里发出的，显得很轻蔑。秀秀把背对向他，还以轻蔑。自从王耀州那晚到秀秀家喝酒，两个人一直进行着冷战。

日照的模样有些奇怪：面颊消瘦，眼睛突凸，比山羊的脸还消瘦，比山羊的眼睛还突凸。这副模样完全是王耀州"试用"的结果。王耀州试用日照当夜班经理，日照便夜间干活，白天睡觉。但日照白天里睡不着，心里如夯大锤似的，咣咣咣响，惶恐不宁。为什么？因为王耀州同时还试用着刘胜利当夜班经理哩。依王耀州的话说："竞争出人才呀。"所以，日照最关键的是与刘胜利竞争，竞争一个夜班经理的名额。因为竞争，日照白天里想睡也不敢多睡，醒来脸不洗就往窑场跑，围着王耀州转悠当听差。王耀州撵日照回家睡觉："不睡觉怎么行？人是铁，饭是钢，一天不睡困得慌。身体可是窑场的本钱呀。"撵着日照也不走，他不围着王耀州转悠就围着窑场坯场转悠，说："逮偷砖的。"几天下来，日照就成这副模样了。刘胜利比他嗜睡，刘胜利嫉妒他，因为嫉妒，骂他骂得更恶毒："你日照脸瘦得像屌，眼珠子胖得像蛋。""蛋"就是睾丸。

"王伟，给你下通知哩。"日照说。

日照看出王伟有点激动，便不敢再多说话，把夹在胳肢窝里的白纸扔给他，扔到了王伟的怀里，便匆忙往回走。

王伟看白纸上写：

王伟同志：

为保证狮子口村产业结构调整的顺利进行，限你接到本通知三日内到村委会签订土地出让协议。逾期不签，一切后果自负。

狮子口村村委会

某年某月某日

秀秀看到王伟愤怒了。王伟冲着日照的背影喊："日照，你是王耀州的一条狗！"

十一

王伟站在乡政府大院里，他已经如此站了两个多小时了。王伟能觉出自己的样子很滑稽，很傻：穿着褪了色的黄军裤，斜背着军用挎包。脸面黝黑，脑门油亮，他不得不如此长久而警惕地站着，因为他要找的所有乡干部都没找到，或者"不在"，或者"开会去了"。凭他的经验，他知道这些人并非真的都不在，或者都开会去了。有的就藏在某间不挂牌的办公室里。乡政府就是这样，真正管事的官，办公室都是不挂牌的，对农民是保密的，仅仅机关的人知道。而挂了牌的屋，如这办公室那办公室里，你却找不到能管事的官。在里面坐着的是聘来的"秘书"、"通讯员"或杂工之类，他们的工作就是给那些隐蔽起来的官传递信息，挡驾上访的农民。遇到上面来人了，通知管事的官立马出来迎接，若是农民来上访就说："不在。"王伟上访次数多了,便琢磨出寻找管事干部的窍门:盯紧院内各个办公室的门。尤其是盯紧去厕所的路,因为那些管事的当官的隐藏得再深,也得上厕所。尤其他们在深屋里不停地喝茶,就得不停地上厕所。而乡政府的厕所就在大院的西北角,谁去厕所都得被王伟发现。一旦被王伟发现王伟就找到了他。

和王伟同时等候的还有两个农民,是爷儿俩。父亲六十多岁,头上扎着绷带。儿子三十多岁,腿跛着,拄着拐。说是被村主任打的。村主任弟兄五个,号称“五虎”,在村里实行铁拳管理,谁不服就打谁。王伟上访次数多了,看到的上访人各种惨状、怪状就多了,已见怪不怪。比如一个村被乡里建市场占了土地,牛无地可耕,农民赶了牛到县城上访。每天每天,牛皆习惯成自然:坐农用车而至。打开厢板,搭上板子,牛们四蹄拄板,依次顺板子滑下。上访完,牛们则有序地攀板而上,乘车回村。王伟还记着一个上访农民,因爱给村干部提意见,被定为“严打分子”,拘留了半年,拘疯了。农民出了狱每天来县政府上访,见有轿车开出就往车轱辘下拱,说是“死给腐败看”。吓得所有司机出政府大门时,车速比人徒步行走还慢,生怕疯子死在自己的车轮下。王伟在戈壁滩当了五年兵,五年没回家。那五年他对农村的了解就是通过电视,他看到电视上所有的农民都开心地笑。他没想到,如今他亲眼看到和亲身感受到的和电视上放的完全不一样。“电视吹牛不上税哩。”王伟想。

王伟正想着时就发现了陈副乡长。陈副乡长上厕所时像被霜打似的,耷拉着头。他是不想被王伟看见,但王伟还是发现了陈副乡长。陈副乡长一出厕所,王伟就跟了上去。陈副乡长装作没发现王伟这个人,边走边抽烟边吐着痰,吐痰的声音如大干部似的,很洪亮。他在前后几排平房之间转圈子,想甩掉王伟,他不想暴露自己的办公室哩。但王伟如陈副乡长的影子一般,甩也甩不掉。急得满头是汗的陈副乡长最后倏地在院子中间站住了,转身对王伟说:“王伟,天那么热,你别跟这么紧!”

陈副乡长说:“不就是你那烟地的事?给你说过了,乡里管不着,你找村委会去,现在都实行自治了。”

王伟说:“村委会成了王耀州自己的。”

“看你说的。”陈副乡长说。

陈副乡长说:“真成了他自己的,就是违反法律,你去法院告他。”

王伟说:“法院不立案哩。”

陈副乡长说:“法院不立案你找法院去,我也不是院长。”

王伟说:“法院也让王耀州使了钱哩。”

“看你说的。”陈副乡长说。

陈副乡长让毒太阳晒得难受,想脱身回办公室,便对王伟说:“你那个事呀,你别着急,回家等着去吧。”

王伟说:“我哪能不急?王耀州通知我,三天后就要铲我的烟,推我的地。我不能等哩，我急哩。”

陈副乡长说：“你那里急，我这里比你还急哩。东伏山那个王乐军，腰带上别着炸药，正坐村支书家里等着哩，这个事急还是你那个事急？”

陈副乡长说罢转身走了，这回王伟没再跟他。他知道，他的事在乡里再也处理不了了。他计算着上一次去县里上访的时日，心想：趁着还未到收烟的时候，抓紧去县里催一催。

十二

那个傍晚，太阳将落未落之时，一半是夕照的缘故，一半是七月黄的缘故，狮子口村沐浴在一派彩色的烟霭中。王耀州仍然半仰在白果树下的帆布躺椅上卷烟卷儿，边卷边欣赏着街上的风景。以往的这个时辰，该是王耀州收拾了切刀，收拾了烟丝，迈着八字步，回窑场上转上一圈，倒背着手回家喝稀饭的时辰。今天，他有意延宕了时间。他粗短的十指团揉着烟卷，耳朵却支棱着，使劲听呀听。终于街上传来“啪”“啪”的声响，明脆着哩。王耀州知道，那明脆的声响是日照甩羊鞭的声响。但这会儿日照甩羊鞭不是抽羊，他家的羊一个时辰前就由秀秀驱回圈里，王耀州看着哩。日照甩羊鞭是抽人，他正在家里抽秀秀哩。那明脆的声响是秀秀遭受皮肉之苦发出的声响，是羊鞭儿甩到秀秀光滑的腚锤子上发出的声响。那声响让王耀州感到身体上的某个部位有种快意的不安的躁动。想到这儿，王耀州阴险而又满足地笑了，把腹中的烟雾畅快地吐到空中。

起因都在那个下午。当时，乡通讯员给王耀州送来一叠材料，那材料原本是王伟去县里上访的材料。县里转给乡里，让乡里处理。乡里转给狮子口村村委会，让狮子口村村委会处理。几易其手，转到了王耀州手里。王耀州翻阅着材料，既气愤又得意。他的心中不断重复着两句话：“你王伟要和我王耀州坚决到底了！”“你王伟再能也是孙悟空翻跟斗，跳不出如来佛我的手心呀。”整个下午，王耀州边卷烟卷儿边翻阅材料。材料里有照片，拍的都是王耀州的砖窑或者王伟的烟地。文字材料则列举了王耀州强占农民承包地等各种“罪状”。王耀州逐条逐条地读，逐条逐条地研究。逐字逐字地读，逐字逐字地研究。知己知彼，百战百胜哩。王耀州研究着，研究着，突然就研究出了问题：这可不是王伟的字哩。

是秀秀的字。

王耀州认出了秀秀的字，王耀州认得秀秀的字。那年，搞人口普查，新媳妇秀秀被村上抽出搞人口普查，王耀州从此就认得了秀秀的字，心里还说：“这个媳妇的字和她人长得一个样，骚着哩。”此时，王耀州怒火中烧，冲着窑场吼了一声：“把日照个小舅子羔子给我喊过来！”

日照正在坯场上数坯，没听见王耀州的吼，别人通知了他。日照往白果树下走，不知王耀州为啥召他，心里七上八下。

王耀州把那叠材料摔给他，说："你自己看看吧。"

日照看了第一页，看出是告王耀州的材料，吓得不敢细看，不敢再往下翻："全是胡说八道哩！"

"胡说八道定了，不是让你看这个。"王耀州用食指鸡啄米似的戳着信纸："你看看这个字吧。"

日照看了好一会儿，看不出名堂来，只好痴痴地看王耀州。

"这是秀秀的字。"王耀州说。

日照与秀秀结婚几年，从未见过秀秀的字，也就不认识秀秀的字。

"啧啧啧，你这个丈夫算是白当了，这是秀秀的字呀。"

王耀州说："这个秀秀帮着王伟告我哩。"

日照才感到自己刚刚明白过来，忙表白说："三叔，俺可一点儿不知道这事呀，秀秀帮王伟可是一声没告诉俺。"

"你还是没明白过来呀，"王耀州焦急地说，"秀秀这么做实际上是坏你的事。"

他强调说："她告我是白告，那都是无所谓的事儿，我让人告得多了。她可是坏你日照的事哩。"

日照仍然一脸懵懵懂懂，他还是听不明白。

"狗黑子它娘怎么死的？笨死的。"王耀州干脆把话点透了，"怎么坏你的事还想不明白？你日照在窑场可是试用期呀！"

日照终于听明白王耀州的话中话了，终于理解这个利害关系了。弄不好，王耀州就要辞退俺，就成了电视上说的"让人炒了鱿鱼了"。想到这儿，日照明白自己该如何做了。他习惯性地紧紧裤腰带，把肚皮紧成一个蛤蟆肚似的，鼓鼓的。

他郑重地对王耀州说："三叔，您放心吧，一切都交给俺了。"

这以后，狮子口街就传来了"啪""啪"的声音。

那个傍晚，日照仿佛被王耀州提溜着小腿甩窑炉子里了，身上燃了一团火，烧得他耳鸣脑涨，脚步踉跄，他急乎乎回家寻找秀秀。那时，秀秀刚刚放罢羊归来。日照见到秀秀即破口大骂，他把秀秀的手和脚都给捆住了，捆住秀秀后又剥光了秀秀的衣服。剥光了秀秀的衣服后，日照就挥起羊鞭来。他把羊鞭在空中挥了个美丽的弧形，甩到了秀秀身上。

几鞭子下去以后，秀秀的身上生出许多血道子。但秀秀不哭，不骂，不吱一声。她甚至连躲也不躲，任凭日照甩鞭子。这倒使日照有些慌了，他甚至有些害怕起来："你这个婊子，怎么不哭？难道你不疼？"

日照又下力气打："你哭呀，你哭呀！"

秀秀就是不哭，秀秀的眼睛干干的。

日照无奈，他把腌咸菜的粗瓷缸搬到屋中央，对秀秀说："俺现在抽缸十鞭子，抽你一鞭子。你得哭，哭得让三叔听见，让他知道俺打你了，让他知道俺日照和三叔他没二心。你得哭，你哭了，俺就轻轻打你。你不哭，俺就使劲打你，就像打一条蛇，打一只老鼠。俺就打死你。"

日照说过就更加使劲地甩鞭子，打缸十鞭子，打秀秀一鞭子。

但秀秀依然不哭。

日照甩鞭子时同时数："一，二，三，四……"在紧闭的院门外，早有村民聚着，也有人从开始就替日照计着数："……三十一，三十二，三十三……"有人说："就是一头驴也禁不住这么打哩。"有人使劲摇晃院门，喊日照住手。这时候，人们听到身后摩托车的声音，回身一看，王伟来了。人们自动闪开条道，王伟便发动了摩托车撞日照家的院门。王伟的脸让头盔遮着，看着像个阴森森的警察。村民因他像警察有点振奋，也为他撞门而振奋，他每撞一次门大家齐声替他数数。大家数："一！二！三！四！……"门被撞得颤颤悠悠，连墙连屋子都晃。

日照冲到院子里，心疼地大呼道："我的柏木大门呀！"

日照慌不迭地开开门，王伟驾着摩托车，如一头缤纷的豹子跃入院子，在院内转了个圈儿停住。

日照看清是王伟，不知所措，提溜着羊鞭不敢上前，远远地说："俺就知你心疼哩。"

他又说："挑着俺告三叔，你给多少钱？"

王伟停了车，正要冲过来，只听背后王耀州喝道："把这个熊东西给我绑了！"

随即，刘胜利、刘五等冲上来掰了日照的胳膊，用一根拴牲口的缰绳绑了日照。

王耀州说："送大队部去，给他醒醒酒！"

日照分辩说："俺没喝酒，俺一点儿没喝。"

王耀州不听他的分辩，说："给他灌上一瓶子醋。"

日照被拖拉着走了。王耀州第一个进了屋，见到了秀秀被捆着的白花花的身子，如一条被网住的白鳞鱼。王耀州的心跳动得紧了，嘴唇颤抖了："这个日照作孽呀！"

村民跟进屋，女人喊："男人都闭眼，要看回家看自己的老婆去。"

王耀州倒背着手向外走，心眼子里不断地叫唤着："秀秀呀秀秀，秀秀呀秀秀……"

十三

秀秀和妹妹燕子在葫芦谷里牧羊。葫芦谷是秀秀娘家双山涧村的一条山谷。

秀秀是三天前回到的娘家，她是为躲避王耀州而回娘家的。日照打过秀秀的第二天早晨，秀秀浑身灼疼，躺在床上，筋骨如被拆散了一般，不能动弹。日照正悄没声儿地熬药。刘五的姑夫在镇上开了个中药铺，日照听他的从药铺里抓了些地榆根、三七等草药，说可止血凉血，熬了给秀秀敷伤。日照与秀秀闹仗后表示服软的方式即如此：闷头儿干活。今天上午他已把院子扫了两遍，院子里一星点儿鸡屎都没有了。这时候，王耀州便咳嗽着进来了。王耀州对日照说："大侄子，你得去沂水一趟，找那个张光东，把欠咱的那个砖钱要回来。"秀秀看出，日照今天不太情愿接受王耀州的支派，因为他还没哄好秀秀。但王耀州的口气似乎不容日照推辞，他说："他不给钱你就住他那里不走。一天给你报销二十块钱的饭钱，再报销两盒'大鸡'烟。"日照终究是害怕王耀州生气，还是夹着个人造革黑包，去乡上赶车去了。秀秀知道王耀州故意支走了日照，知道王耀州过后要来寻她，知道王耀州是想摸她的腚。秀秀赶紧洗了把脸，赶着羊群回到了五里外的双山涧，她想过几天安静的日子。

葫芦谷是放牧的好地方，这里成片的庄稼地较少，果树多，荒地多，草场多，草儿肥。才三天，秀秀就发现羊儿胖起来了。胖起来的山羊皮毛光光亮亮，肚子滚圆，走路都变得懒洋洋的。

打赶羊出了娘家的门，秀秀就一直追问燕子一句话，燕子始终低头不语。现在，秀秀又一次问她："燕子，我这是第一百遍问你了，那个王伟，你到底是愿意不愿意？"

这一叫，燕子开口。

燕子说："俺不愿意。"

燕子的回答令秀秀错愕不已，难道王伟配不上你？你个死妮子哟。

秀秀说："王伟可是当过兵，见过世面，谈吐言语都很有气质。难道你踩着个葫芦想上天，不照镜子就以为成了天仙女，不知自己轻重了？"

燕子小声道："这个俺知道。"

秀秀说："王伟是个能人，聪明，眼活络，干活过日子都是一把好手。"

燕子小声说："这个俺知道。"

秀秀说："嫌他年龄大？大也大不多少。王伟跟姐姐是同学，同年，都是属羊的，二十五岁。你十九岁，属牛的，配着合适着哩。羊和牛都是食草动物，性格上也合得来。"

燕子说："这个俺知道。"

秀秀不解地问："那你为啥不愿意？"

燕子嗫嚅着说："俺现在不想谈对象。"

看看燕子的脸，如糊了一层红布，连脖子都变了色。秀秀一下子看穿了妹妹的心，她的心有些舒然，便不再问下去。

山风拂面，秀秀嗅到了一种淡淡的辛辣。她嗅出，这是七月黄的气息。她断定，这气息是从狮子口村飘来的。这一带，只有狮子口村种有大片大片的七月黄。只有狮子口村的七月黄味道足，能弥漫五里十里。

秀秀不禁想起省城来的一个教他们种烟叶的老师，想起老师教他们背诵的种植歌谣。她不禁小声哼唱起来——

进入现蕾期，
烟叶成熟快；
防治叶斑病，
等级上台阶。
始开二朵花，
打顶别等待；
适时多留叶，
产量增得快。
……

这时候，逶迤的小路尽头出现了一个红点，红点在阳光的照耀下闪射着金光。秀秀预感到什么，果然，她听见了静谧的峡谷间由远而近的“突突突”的声响。红点也迅速变成了一辆摩托车，上面驮着一个人。

王伟驾着摩托车停在羊群中央。

打过招呼，王伟向秀秀说明来意，说要请秀秀去县城信访办作个证明。

“证明个啥?”

“证明我王伟告王耀州的上访信落到了他王耀州的手里。证明王耀州打击报复，证明你秀秀是因为帮我王伟抄了上访信而被打，是被王耀州挑拨挨了打。”

听罢王伟的解释，秀秀内心甚至连一丝的犹豫都没有就答应了。

王伟熟练地把摩托车掉转了方向，右脚用力向下踩，发动了摩托车，示意秀秀骑上后鞍。秀秀把羊鞭扔给了燕子，细软的双臂从身后环住了王伟的腰，箍得很紧很紧。

这以后，车屁股一颠一颠，驶走了。

秀秀这才想起回望一眼妹妹燕子。她看到燕子呆呆地如一株树干，呆呆地攥着羊鞭，呆呆地盯住他俩远去。她才感到自己的唐突，真是神差鬼使了，怎么把燕子和王伟的事都忘干净了呢？自己是否对王伟表现得太过亲热了？燕子会怎么想呢？怎么一见到王伟就身不由己了呢？

十四

从双山涧到县城八十多里，王伟的摩托车一路上熄了几次火。每熄一次火，王伟总要捣捣一阵子，这样就耽误了时间，走走停停，到了县城却再也捣捣不好，只好送到修理铺去了。和修理铺老板谈好，傍晚前交钱领车。

太阳已经偏晌，想想正是城里人午休的时候，信访办还未上班。王伟和秀秀便一同去饭馆吃饭。

王伟问："秀秀，你喝啤酒吧？"

秀秀说："你喝我就喝，我平时不爱喝。"

王伟说："你喝我就喝，我平时也不爱喝。"

两人要了些啤酒喝了，喝得两人的脸都如搽了胭脂，绯红绯红的。王伟担心下午去信访办，人家不接待喝酒的。两人遂停止了饮酒，谈起了要秀秀作证的事。原来是王伟昨天到信访办反映王耀州打击报复举报人一事，信访办的王主任将信将疑，说："你让挨打的自己来反映。"王伟就把秀秀喊来了。两个人分析王主任的态度，认为总的来说王主任还是同情王伟的。秀秀提议要不要给王主任送点礼？比如送一箱娃哈哈饮料，或者送两瓶沭河大曲？王伟则认为绝对不能送礼。因为送礼就是行贿，而一般是贪官才行贿，内心有鬼的才行贿，你一行贿人家对你就有怀疑了，本来是有理的，人家就会怀疑你没有理。本来你反映的都是事实，是实事求是，人家就会怀疑你是撒谎，是编造，是诬陷王耀州。本来该给你处理的，反而不给你处理了。秀秀认为王伟分析得有道理，王伟看问题与狮子口村那些没文化的农民就是不一样，就是让人信服。两人决定一不送礼，二不请客，堂堂正正地上访，堂堂正正地告状。

吃过饭，王伟说："秀秀，你的脸太红，人家不接待喝酒的。咱得逛一逛，醒醒酒。"

于是，两人顺着县城的街道走，沿街看装饰得五彩缤纷的商铺。秀秀感觉挺好，她回忆起与日照一同逛过临沂市的商业街，但从未有过这种感觉。现在，她逛商店也仅仅是走马观花，看也好逛也好也只是漫不经心，也只是心不在焉。她大多数的时间实际上是偷偷瞅王伟，瞅他的各种表情，瞅他做出的各种惊奇或犯傻的表情。以前，她总觉得她比较了解这个王伟了，而现在在县城繁华的街道上，她觉得自己一点儿都不了解王伟。她那么想偷偷瞅他，瞅也瞅不够。

"怪了哩，"秀秀心里说，"都是喝酒弄的鬼哩。"

逛了一条街，两人相互看看，脸都褪了色，便去了信访办。王伟对信访办负责登记的同志说找王主任。负责登记的问找王主任干吗？事先约过吗？王伟便说找王主任什么事什么事，说事先约过了。那人便进了接待室汇报去，一会儿出来说：“只能进去一个。”

秀秀看看王伟，不知所措。王伟对她解释说信访办不许群体上访。群体上访就是等于游行了，游行就是扰乱社会治安了。所以，只能进去一个人。他说自己是老上访，多次见过王主任，多见一次少见一次都无所谓。关键是秀秀，是证明人，必须得进接待室。王伟给秀秀交代了几句，秀秀忐忑不安地进了接待室。

王主任是个下眼睑浮肿得很厉害的瘦男人。秀秀讲述了自己如何帮王伟抄写上访信，如何帮助他改写了错别字，如何因此被日照用羊鞭打了。秀秀发现王主任表情很冷漠，往本本上记的字也很少。这使得秀秀的情绪很受打击，后来她踌躇再三，问王主任要不要看她肩膀上、胳膊上的鞭伤。她甚至都想好了，如果需要看鞭伤，她只撸袖子让王主任看她胳膊上的鞭伤，不暴露肩上的和背上的。因为天热，她今天连胸罩都没戴。但是听到她的问话，王主任摇了摇头。这样，秀秀的上访就算结束了。她内心一星点儿或亢奋或激动或紧张的感觉都没有，她有些失落地走出了接待室。

这时候，太阳已坠落到县城大大小小的楼房后面去了，街道已成了长长的阴影。骑自行车的人及匆匆步行的人渐渐多起来，是县城人下班的时辰了。王伟和秀秀赶到修车铺取摩托车，不料，却见摩托车已被拆得七零八落，空架子支在院落里。修车铺老板告诉王伟，摩托车坏得厉害，修理铺缺少零件，只能等明天早晨到临沂批发市场买。买了后再装配上，怎么也要等明天下午才能取车了。

已是晚上七点，公交车站所有县际班车及发往乡镇的班车都已停运，今晚无论如何也回不了家了。两人无奈，随便找个地方吃了点饭，便寻找旅馆。但找了几家旅馆，都因秀秀未带身份证而被对方拒绝接纳。人家都说：“这几天查得紧，没有身份证让你住了，逮一罚十。”

到了晚上十点，好容易找到一家小旅馆。老板同意让秀秀住，可是整个旅馆只剩下一间空房，秀秀和王伟只能合住。秀秀长到二十五岁，从未在外住过旅馆，更没有与一个不是自己丈夫的男人合住过一个房间。她感觉碰上了世界上最大的一个难题，无从选择。

这时，她看到王伟掏出了自己的身份证，往登记簿上填写。

十五

秀秀和王伟住进的客房一共四张单人床，四张床都让他们两人包了。屋内很热，蚊子很多。好在床上支着蚊帐，天花板上还吊着个蝙蝠状的吊扇，也算比较舒适。

在这么个夜晚，这么个环境，使一对一向玩笑嬉闹的青年男女突然拘束起来，突然窘起来。他俩和着衣，各自躺在各自的床上，隔着蚊帐说话，话题自然离不开王伟的告状。

秀秀说："俺担心你告不赢。"

秀秀说："人都说官官相护。"

王伟一直都不说话，他思考秀秀的话哩。

秀秀说："你若真告失败了可怎么办？"

王伟说："那我也有办法。"

秀秀说："你有啥办法？你总不至于杀了王耀州吧，你总不至于拿炸药包炸了王耀州的砖窑吧。"

王伟说："那也说不准。"

秀秀说："你可别干傻事！"

看到秀秀的脸如瓷碗一样的白了，王伟有点儿开心。

笑过之后，王伟认真地说："秀秀，我是吓唬你玩的。我王伟是当过兵的人，我有那个觉悟，我有法制观念。我年轻，我是个好人，他王耀州是个坏人。我好人的一条命比他坏人的十条命都值钱，我不会以命换命，我不会干傻事的。我若真告不赢，我也把退路想好了。"

王伟顿住了，故意卖关子似的不说了，看着秀秀笑。

秀秀憋不住，催他说自己打算的退路。

王伟说："我出去包地去。我要去黄河口，那里有我的战友，他们会帮助我。那里人少地多，很多土地都荒芜着。我到那里承包地，种烟叶，种七月黄。挣很多很多的钱，然后，我再回狮子口，来竞选村主任，继续跟王耀州斗。我发现，如今，你若跟坏人斗，没有钱也是不行的。但是我走之前，一定要办一件大事。"

"啥大事？"

"我要把你抢走，我要娶你。"

秀秀内心一下子就湿润了，她觉着自己全部浸到一条汹涌的大河里了。但是她强抑住自己的激动，装作很平静很冷漠地说："你别乱寻思了，我这辈子不会嫁给你。"

秀秀想到了燕子。

她说："燕子看上你了。"

她说："你做我的妹夫吧。"

她说："燕子比我好，比我学习好。她也就是不屑考大学罢了，她一考准考上了。"

她说："别看燕子小，其实燕子很有女人味。人都说我的眼睛是一条河，而燕子的眼睛是一口井，井比河深哩。还有，你不是喜欢扭巴腚的吗？别看燕子小，她可更会扭巴哩。"

王伟不耐烦地说："别给我谈燕子。"

秀秀自顾自地说："燕子真看上你了，一看她那双眼睛，就是秋天的井哩，幽幽的，我就看透了她，她真的看上你了。"

王伟说："别跟我谈燕子，否则我可要……"

秀秀说："啥?"

王伟咽了半句话回到肚子里，他趿着鞋，拱进了秀秀的蚊帐里，抱住了秀秀，把秀秀压在了身子底下。秀秀感到王伟如一堵烧热的磨盘覆在她的身上。只听王伟恶狠狠地说："你若再跟我谈燕子，我就先把你日了。"

秀秀心想：俺可不能让你日了。现在不是那时候了，不是在你家烟地的那个时候。那时候俺让你日，是因为那时候没有燕子。现在有了燕子，一切都变化了，俺就不会再让你日了，俺这辈子都不会让你日了。若不，俺还算当姐姐的吗？想到这，秀秀便努力缩紧了自己的身子，攥牢了自己的衣襟，攥牢了自己的腰带。但是，她仍然没忍住，仍然说起了燕子。她说："王伟，俺不能让你日了，俺不能让你日，那样，燕子会骂俺这个当姐姐的，燕子不会原谅俺的，一辈子都不会原谅俺的。"

话刚说出口，王伟真使出蛮力解秀秀的裤腰带，秀秀拼命攥住腰带不让王伟解。两人正争夺着，突然，秀秀身上某个部位尖锐地疼痛了。是鞭伤被王伟触着了，被王伟抓着了。秀秀不禁尖叫起来，唬得王伟住了手。

秀秀捂住肩膀呻吟起来。

王伟知道不小心弄疼了秀秀，他不知所措地看着秀秀，听她呻吟。他小心翼翼地说："让我看看好吗？秀秀，让我看看好吗?"

秀秀不许他看。

王伟说："我只要看你的伤，又不是看你的奶。"

秀秀破涕为笑，说："去你的。"

王伟继续说："我说日你是吓唬你哩。你放心，你不答应嫁给我王伟，我王伟是不会干那种坏事的。"

他说："现在是暑天，温度太高，伤口不能老捂着，老捂着容易出汗，伤口见了汗就容易发炎，就总形不成干疤，就总不会好。你还是敞开晾一晾吧，我是不会耍坏的。"

秀秀依然拗着不让王伟看，但抵不住王伟的力气，还是被解了布衫子的纽扣，露出了伤痕累累的肩膀……

这时候，房间的门闩被人从外面打开了，一伙人突兀地闯了进来。

十六

秀秀和王伟因“非法同居”被派出所拘留，派出所通知了狮子口村。而后，王耀州揣着现金和村委会的公章去了派出所。一番交涉后，王耀州只保了秀秀出来，拒绝保王伟。他对派出所的人说：“秀秀那个娘们儿傻呀，人家把她卖了，她还帮人数钱哩。”

秀秀返回狮子口村的第二天，白果树的树干上贴出了一张白纸，上面用黑毛笔写着——

当前，社会治安形势不容乐观。为了维护农村长治久安的大好局面，保持社会稳定，上级特分配给我狮子口村“严打分子”一名。经村两委会研究，现将候选人公示如下：

王伟，男，25岁，狮子口村第三生产小队人，未婚，主要犯罪事实：一、对抗党的产业调整政策，拒不服从两委会的统一规划，多次违反上级指示精神，越级上访，诬蔑诽谤县乡村干部，并挑拨引诱其他村民越级上访，破坏农村安定团结的大好局面；二、道德败坏，流氓成性，拐骗妇女，造成恶劣影响。

公示期七天。在公示期间有继续检举揭发候选人其他罪行者，请与村委会联系。

特此公示。

狮子口村村委会

二〇〇三年八月九日

秀秀一下子成了狮子口村的坏女人，但不知何故，秀秀反而一身的轻松，一身的坦然，她唯一感到不安的是不知如何对燕子解释。

日照刚见到秀秀的那一刹，日照的脸黄得如一根烤过的烟棵子秆。他二话没说，就倒背着手去羊圈里找羊鞭。因羊鞭让秀秀拿到娘家没带回来，日照就把院子里支着丝瓜架的竹条子拔出，扇乎着，汹汹地凑近秀秀。但秀秀耷拉着眼皮，一副不屑的神情。日照没敢打秀秀，他席地一蹲，故意说气话要气一气秀秀。

他说：“俺去沂水找了小姐哩。”

他说：“小姐可漂亮哩，两个奶子比你的白，又大又暄哩。”

他说：“俺找小姐的费用，三叔都给俺报销哩。”

秀秀终于说话了，她说：“咱们分开铺窝吧。”

“分开铺窝”是狮子口村的俗语，即“离婚”的意思。仿佛这句话就是羊鞭梢，抽在了日照的身上，抽得日照哆嗦了一下。他把竹条子隔着墙头掷到街上，脸更窄、更黄，更像一根烤过的烟楪子秆了。

他嘟囔道："你是癞蛤蟆要吃天鹅肉哩。"

他沮丧地在屋里赖了一会儿，什么也说不出，便郁郁地走了。

后来，王耀州就来了。王耀州进门连门都没敲，他用钥匙从外面直接把门捅开了，好像这里成了他家。秀秀猜出，是日照把王耀州这个"大救兵"搬来的，家门的钥匙也是日照给的。

"扎煞了！"王耀州说。

"扎煞"也是狮子口村的俗语，即"翅膀硬"的意思。

不知为什么，经历了这场变故，秀秀也不再怕王耀州。此刻，她只是浑身恹恹无力罢了，她只是不愿意搭理王耀州罢了。

王耀州背着手在庭内来回地走，咚咚咚，如一只丧家的狗。滑稽的是王耀州的腋下还掖着个黑色的皮包，仿佛他来秀秀家开会似的。

他说："三叔为保你出来，使了多少钱，你秀秀是不知道呀。"

他说："是头牲畜也懂得个报答哩。"

他说："是头牲畜也懂得个守信用哩。"

秀秀知道，王耀州说的"报答"是个啥意思，王耀州说的"守信用"是个啥意思。

摸俺的腚呗，秀秀想。

"娘那腚！你秀秀真成了石头人哩。"

王耀州嘟囔道，嘟囔过后，王耀州便扒拉黑皮包，从中掏出一张纸，在秀秀面前抖搂开，硬往秀秀眼下塞，秀秀还是不看。王耀州说你不看三叔念给你听。他咳嗽了一声，润了润嗓子，念道："经研究决定，聘任孙秀秀为狮子口村计划生育委员会主任。狮子口村党支部、村委会。某年某月某日。"

王耀州说："三叔给你下聘书哩。"

他说："三叔聘你当狮子口村计划生育委员会主任哩。"

他说："月薪三百六，月头上领。"

他说："报销安电话。"

这时候，秀秀说话了。秀秀说："俺现在不好受。三叔你过晌再来吧。"

秀秀的话外音王耀州自然是听懂了。听懂了秀秀话外音的王耀州极力掩饰住内心的喜悦，嘴绷得如抽了风，歪歪着。他怕再得罪了秀秀，怕秀秀再反悔，便很听话地走了。

王耀州走后，秀秀快步去了村头小卖部，打了公用电话，让安防盗门的来给她家安防盗门。很快，干活的就来了，噼里啪啦一阵子，防盗门安好了。

过晌，秀秀正迷迷糊糊睡着，听见院门"吱拉——"一声响了。她知道是王耀州进了院子。果然，王耀州一看到防盗门，一切都明白了。他气急败坏地晃门，骂道：

“你怎么不给你的腚也安上个防盗门?”

王耀州照防盗门上踹了几脚。

他说:“你秀秀真成了茅坑里的石头,又臭又硬了!”

他说:“我知道你躲在里面偷偷恣哩。你尽管恣去吧,你不是惦念那个王伟吗?告诉你吧,三叔暂时不治你,给你留个悔过的机会。但三叔可得先治治那个王八羔子,那个小舅子羔子。三叔明天就铲那个小舅子的烟,明天就使钱,让公安局逮捕了他,劳改他,判他个三年五年的。我要让你心里流血、淌脓、发炎、变腐变烂、生蛆、遭苍蝇。我要让你秀秀后悔,后悔得叫唤,像只没猫要的母猫那样干叫唤,后悔得对着老天干叫唤呀!”

十七

王耀州定着要铲王伟烟地那天天气很黏。村民猜着离立秋没几天了,越是挨着立秋近,天气越黏。然后黏着黏着,立秋了,天气一下子就不黏了,就爽了。

那天,当太阳升至村头白果树上端时,沉寂多日的大喇叭突然“啪啪啪”响开了,一遍遍播放着蒋大为的《在那桃花盛开的地方》。这歌曲王耀州最喜欢,是狮子口的迎宾曲和欢乐颂。除了公家有事播放,谁家儿子结婚或为儿子摆百日宴,给王耀州使上钱也播放,弄得全村喜洋洋的。王耀州也特别崇拜蒋大为。一次,电视台远道请来蒋大为做节目,王耀州还专门使了钱,当了一回现场观众。今天,村民不知喜从何来,纷纷寻到街上,就见日照从村街的另一端走来,边走边吆喊:

“调整喽!”

“调整喽!”

村民方才知道要铲王伟的烟了。

日照今天的衣着有点特别,准确讲,特别的倒不是衣着,衣着还是那衣着,洗污的白汗衫和大裤衩子,特别的是胳膊上的红袖章和手中的小三角旗。尤其小三角旗,黄布底儿镶了红布边儿。有的村民驾农用车进城时遭遇过这种小三角旗,持这种小旗的人往往猫在城里繁华街道的路口,突然就冒出来截他们罚款。村民说:“那些干部忒厉害。”村民由此羡慕起日照,这个日照也不知用的啥法,几天就当了村干部。所以,当日照挥舞小旗沿街走来时,有的村民想巴结一下日照,给日照递烟卷儿,但日照一概不受。他吮奶似的偏着头,示意他的耳朵。人们见他左耳朵上夹着根烟卷儿,再一偏,右耳朵上还夹着烟卷儿。

日照说:“三叔给的,云烟哩,顾不上抽哩。”

随即,他以一种干部的口气呵斥道:“谁在街上晒的麦子?快收起来!不然,一律让推土机碾了!”

说推土机，推土机就隆隆响着出现在街头。午饭前的空儿，推土机围着狮子口村街来回驶了三趟，威风凛凛。沿街的屋檐都让它震得掉泥巴，满街的狗都围着它吠叫。村民奔走相告：

“游行喽!”

“游行喽!”

王耀州中午在村里的一品香饭店请了两桌客。派出所的魏所长带着几个警察出现在酒桌上，魏所长坐在了主宾位，两桌喝酒人都竞相敬他酒，竞相恭维他。他总是皮笑肉不笑地说：“为经济建设保驾护航嘛。”

几个警察则不苟言笑，显得老成持重的样子。他们认出了酒桌上显得有些活跃的日照，前几天还审过他，现在却与他同桌喝酒。他们不太高兴，便不与日照碰酒。魏所长和警察饭菜是吃了，但下午没跟着去铲烟。魏所长私下与警察议论说：“咱别踩这个烂泥坑，这些事也不归咱管。”

席上还有一位风水先生，姓胡，鹰钩鼻子，山羊胡须，脑门上扎着红布条。他不喝酒，不吃荤，只拣点拌黄瓜吃，说：“必须戒斋。”

王耀州将拌松花蛋移至他面前：“松花蛋能吃。”

他坚辞不受，说：“沾一点点腥都不行。”

“胡先生学的是周易哩。”王耀州向桌上的人介绍道，“胡先生测得今天是好日子呀。”

确实是个好日子，农历七月初八，大暑第十一天，距立秋还差四天。晨雨初过，艳阳当顶，空气弥漫着浓郁的水汽，庄稼喝着风长喝着水长，一天犹如一年。村民走出村子，一下子堕入金黄色的雾中。黄雾如丝如绸如粉如絮，无所不在。黄雾使许多村民迷了路，找不到王伟家的烟地，只能凭着前面村民的吆喊声和喧哗声辨别方向。后来，村民来到王伟家的烟地边的阡陌上，被眼前的景象惊呆了。那烟棵子真高呀，都高过了半大小伙子。那叶儿真大呀，都大过了蒲扇。那色儿真黄呀，仿佛是染成的。这哪是人种的，这是神仙种的哩。这哪是种的烟呀，是种的黄金哩。那一瞬间，村民全都理解了王伟为啥死活不愿意交出自己的地了。他们心里掠过一阵深切的悲哀，暗暗替王伟叹息。

太阳最毒的时刻到了。风水先生站在一块土崖子上，以一种公鸭般尖细的嗓音呼道：“未时三刻到——”

他随即眯起眼睛，在半空中展开巴掌，振振有词地诵道：“癸未七月，天道北行，月建在申，霹雳火至，青龙赍临，吉神呵佑，禄马同行，凶煞退避，修造动土，一本万利……”

日照听不懂胡先生的话，听不懂也无妨，依事先的约定，只要胡先生一住口，发令官日照即甩下小旗令推土机铲烟。此时，日照专心盯住胡先生的嘴巴，小旗亦早悬在半空等待。因为有甩羊鞭的基础，他半举小旗的姿势亦有些优美。

日照正要往下甩小旗的时候，旷野上突然响起大喇叭里王耀州说话的声音：“铲烟的先停停，我先说几句话。”

狮子口村的大喇叭蜚声全乡，蜚声不仅仅因喇叭大，还因为多。八只喇叭分四组分别竖在村庄的四个角落，四只面向庄子，四只面向庄稼地。所以，只要你在狮子口村的地界里，你的耳朵就逃不掉这大喇叭。王耀州以此夸耀他为狮子口村民办了件实事，说：“这等于给每个村民装了部电话哩。”此时，狮子口的村民都在王伟的烟地边上围观，唯王耀州舒舒服服仰在白果树下，慢慢吞吞地卷着烟卷儿，麦克风及扩音器都撂在脚边儿。这场景这气氛都是王耀州早就谋划好的，可谓殚精竭虑。他不能不殚精竭虑，因为王伟是他三十多年权威遇到的最大挑战。他必须打倒他，必须让狮子口的百姓眼睁睁看着王伟被打倒的惨状，让他们记着王伟的伤，王伟的血，王伟的惨叫。再问问自己的心，以后谁还敢？

王耀州说他要说几句话。

大喇叭里响起了王耀州那沙哑的声音：“王伟大侄子呀，你就好好想一想吧，好好想一想，为什么非铲你的地？狮子口就差你这二亩三分地？没你这二亩三分地就烧不成窑了？没你这二亩三分地狮子口就搞不成调整了？不是呀大侄子……”

村民起初听到这几句话竟有些糊涂了：王伟？大侄子？难道王伟没被铐在派出所里？难道王伟给放出来了？难道王伟就在烟地里？许多村民踮着脚看，寻找王伟。当然王伟很好找，王伟一年四季都始终穿着黄军装。狮子口村就王伟一人穿军装呀。王伟身材魁梧，胸和背都直溜溜的。王伟如果在这里，村民们一眼就看出来了。但村民们没找到王伟，没发现王伟。他们确信王伟仍然被关着，没有放出来。旋即，村民们明白了，王耀州就这么个说话习惯：唤着张三实际上给李四说话。现在，他嘴里唤着“王伟”，实际上是给村民们说话。

王耀州继续说：“王伟大侄子呀，狮子口那么多村民都争着给窑场献地呀。人家献的那地都是好地呀，黄黏土，老厚厚，一点儿石头渣子没有，咬到嘴里都不牙碜。可咱不能要人家的地呀，咱都得婉言拒绝。为什么？它不是那么个理，村里没规划到人家，咱得按规划来。不按规划来，这个要盖屋，那个要挖沟，张三要这么，李四要那么，那不乱了套了？所以，产业结构要调整，村村都要搞规划，规划到谁，谁就要服从。人家全狮子口的人都服从，就你王伟不服从，就你非对着干，就你当刺头，当钉子户，当这个圣人。人家村民都愚昧，就你有文化，见过大世面？人家都不懂政策，就你懂政策？人家都是国民党，就你是共产党？所以，理不是这么个理，狮子口不是非要你那二亩三分地，而是要那个理。人可以三天不吃饭，但一天也不能不讲理，对不？所以，不能说你不愿意就不愿意了，你说抗就抗过去了。不然，那个影响可就太坏了，那个副作用可就太大了，以后都跟你学怎么办？以后都跟支部对抗怎么办？这个支部说话不就成了放屁了？这个支部还要不要工作了？这个支部还要不要权威了？王伟大侄子，三叔多少次苦口婆心劝你，让好好想一想，你想好了，回心转意了，悬崖勒马了，不再与支部对抗了，支部也给你留条生路，留个面子。只要你签了合同，三叔就不铲你的烟，不推你的地。等你把烟都收完了再交地也不迟。那是多么好的烟呀，一亩地就是几千块钱，三叔也替你可惜呀。王伟大侄子呀，你好好考虑一下吧，你好好算算这个账吧，现在后悔也晚了呀……”

十八

就在王耀州定着要铲王伟烟地的那天上午，一辆小汽车停在了狮子口村的村头，车上下来了二女一男三个人。三人没让村干部陪同，径自打听着找到秀秀。秀秀把三人让到院中的槐树荫下乘凉，还给每人盛了一碗绿豆水。三人自我介绍说，他们是县妇联的干部和县电台的记者。

秀秀纳闷：妇联找俺干啥？记者找俺干啥？

一位戴眼镜的中年妇女说：“你不是去县信访办反映过问题吗？我们是来核实的。”

秀秀顿然明白了是县信访办王主任派来的。她有些激动，觉着王伟的事有救了。她便一口气将她家的烟地如何被迫卖给王耀州，王耀州如何强买强霸王伟的烟地，王伟如何上访，她如何帮王伟抄了上访信，如何帮他改了错别字，王耀州如何唆使日照打了她等等都给三人说了。

她央求说：“你们快去吧，去晚了王伟的烟地真被铲了。”

但三人似乎并未为秀秀的谈话所动。他们也只是交换了一下眼色，说了几句“真不像话。”“真是无法无天。”“现在这样的事太多了。”之类的话。然后，戴眼镜的妇女向秀秀解释，他们不是管土地承包的，也没权管，想管也管不了。建议秀秀还是到县里有关单位反映，他们这回来找秀秀，只是为家庭暴力。

秀秀不懂啥是家庭暴力。

“就是丈夫打老婆。”

一个年轻男人补充解释说：“夫妻生活在一个家庭应该相互尊重，不能动辄拳脚相加。将妻子扒光衣服用羊鞭抽打更是令人发指的家庭暴力。”

戴眼镜的妇女希望能看看秀秀身上的鞭伤。

秀秀终于明白了对方的来由，明白了对方对王伟的事半点儿也帮不上。他们是想让自己和日照的事上报纸，上电视，上电台。

秀秀心想：还不丢死人啦。

她说：“俺谢谢老师了。俺家的事外人就别掺和了，越掺和越乱。”

看到对方执意的样子，秀秀干脆说：“俺告诉你们吧，俺丈夫没打俺，没抽俺，俺以前的话都是瞎编的。”

送走县里的人，秀秀感到特别失望，也特别疲倦，便歪着身子睡着了，睡着后则梦幻不断。

她先是梦见和王伟一起从狮子口村出走。那个黎明是五彩的，朝霞似锦。七月黄完全熟了，旷野一片灿烂，大地处处飘香。王伟驾着他的紫色摩托车，戴着红头盔。秀秀则凹着腰撅着腚坐在他身后，搂着旅行包。就这么一颠一颠，驰入了斑斓的田野。乡亲们在身后羡慕地啧啧自语："这一对是私奔了呀。"

秀秀还梦着黄河三角洲平原上一片广袤的烟田里，七月的风掀起无垠的细浪，鸟儿啁啾，蜂蝶翻飞，植被溢香。她和王伟正锄烟，锄着锄着两人就老想亲嘴。突然警笛呼啸，沙尘大作，一辆警车开来停在地边上。几个警察跳下车，绑了王伟就走。一个警察厉声宣布说："把拐骗妇女的罪犯王伟正式逮捕！"秀秀跟着警车追，一直追到监狱大门外。警察不许她进大门。她对警察央求说，她是自愿的，她自愿跟王伟到天南海北，哪怕跟着他坐牢。她说王伟是个好人，王伟发誓不日她就不日她。她央求警察放了王伟，莫要"严打"王伟。警察说你这些话跟你们村支书说去吧，跟王耀州说去吧。只要王耀州说他是好人，他就是好人，只要王耀州不"严打"他，俺们就不"严打"他，只要王耀州带着公章来保他，俺们就放了他。这时候，王耀州突然穿着一身警服出现了。王耀州一脸的狞笑，乜斜着眼睛，屁股上挂着个茶碗大的橡皮公章。王耀州对秀秀说："你秀秀的腚不是金贵吗？我可就对王伟不留情了。"说着王耀州一挥手，几个警察端着王伟的胳膊，将他推至高墙前跪着。王耀州端起了屁股后的公章，那公章突然变成了一支枪。只见王伟猛然转过头来，直视着秀秀，绝望地喊道："秀秀快救我！秀秀快救我！"只听"砰！砰！砰！"一阵乱枪响，秀秀蓦然被吓醒了。

吓醒的秀秀听见屋外有人呼唤她的名字，她意识到，梦中的乱枪响，原来是敲门的声音。她开开门，刘五的老婆闯了进来。

刘五的老婆说："秀秀快去劝劝你妹妹燕子吧，她正往推土机车轮子底下拱哩。"

刘五的老婆讲述了刚刚发生的一段故事：午时正晌，风水先生念叨完，日照甩动了三角小旗，推土机隆隆驶进烟地。突然，一位姑娘仰面躺在了推土机的轱辘前，阻住了它的驰动。姑娘自称是王伟的老婆，来保护自家的烟地，谁也不许铲她家的烟，除非推土机从她身上轧过去。姑娘长着一副大脑门，一双黑幽幽的眼睛，乌辫扎成一把羊尾。许多村民没见过这姑娘。也有村民见过这姑娘，知道是秀秀的妹妹。但村民们纳闷哩，秀秀的妹妹何时与王伟定亲了呢？刘五老婆说，她来喊秀秀这会儿，燕子正与日照厮打着哩。秀秀如果劝不住燕子，可要出大事哩。

秀秀呆了好久。

她呆了好久什么也没说。

她要好好想一想。

秀秀是要好好想一想，因为她的心乱极了。本来心里装着一个王伟就够乱的了，现在燕子又闯了进来。秀秀努力想把最近发生的所有事情，把她和王伟和燕子之间的关系，把她和王耀州之间的关系好好梳理梳理。

但是，她梳理来梳理去，越梳理心中越乱。

她想啊想啊，怎么也想不出办法来。

她真不知该怎么办了。

（选自《十月》2004年第4期）

陈中华

1957年出生于山东滕州，原籍沂蒙山区莒县。1975年下乡插队至鲁南抱犊崮山区，担任过乡政府文化干事和通讯报道员，当过某柳琴剧团编剧。1982年毕业于山东大学中文系，在新华社山东分社任记者。此后担任过《当代企业家》编辑部主任，《作家报》总编助理、副总编，《农村大众报》编辑、编委，现为《大众日报》高级记者。

1975年开始文学创作，1981年发表小说处女作《海棠果熟了》。迄今已发表中短篇小说30部（篇），另有散文、诗歌、报告文学及戏曲作品。《黄儿》获齐鲁文学奖，部分作品获省级文学期刊奖，部分作品被转载。

我们的成长

罗伟章

我老家在四川东北部群峰簇拥的大巴山区，我们落脚的这面山名叫老君山，村子悬在山腰，海拔千余米。山下有一条浩荡的大河，河对面是杨侯山，许朝晖的家就在杨侯山的腹部，那里有一所村小，叫石船小学。她爸从部队复员回来后当了教师，但没在石船教书，而是派到我们村的鞍子寺小学当了校长。站在鞍子寺的操场上，可以望见许校长家门前那丛水竹林，也可以望见他家做饭时升起的炊烟，但要回去一趟，则须把一个"U"字形从头走到尾，这没有大半天工夫绝对不行。当地流传着这样一首民谣："两家相隔一条河，打情骂俏任吆喝，要想过去亲个嘴儿，哥你莫怕走断脚。"

许校长家很穷，按村民们的说法，穷得"舔脚板"。猫舔脚板是为了洗脸，人舔脚板，就是吃脚板上沾带的猪屎牛粪——这是穷得没办法的意思，也是穷得绝望的意思。但许校长似乎一点儿也没绝望，他从家里背到学校来的粮食，不是红薯就是南瓜，但他吃得津津有味。每次吃罢，我们都见他嘴唇湿润，鼻子里喷着热气。当时的鞍子寺小学，加许校长在内共有三个民办教师，老的姓吴，少的姓江。吴老师和江老师都不是我们村的，家境很宽裕，他们不仅把大米带到学校来，还经常吃肉，如果肉断了顿，就到我们村里去买狗。那时候，家家都养狗，有的还养了两三条，只要出高价，吴老师和江老师总能吃上狗肉。贫富的悬殊使三个人自然而然地分成了两个灶，许校长一灶，两个教师一灶。这里的"灶"是合伙的意思，其实学校只有一眼灶，敦敦实实的土灶，被一间破破烂烂的木屋围住。每次做饭，吴老师和江老师都率先抢占位置，许校长从不说什么，不过他也有怨气。他有怨气不是因为两个教师总是抢占厨房，而是他们炒肉时留下的香味，在灶台边久久不散，仿佛故意折磨他，让他心里怨自己太穷。

有一阵，许校长工作忙不过来，就跟两个教师达成协议，合伙开饭。既然合伙，柴米油盐就称斤论两地平均支出。这可苦了许校长，他再不能全交粗粮了，全交粗粮人家就不跟他搭伙。更让他苦恼的是，轮到他做饭时，加菜油只是有那么点意思就行了，可吴老师和江老师就要抱怨，说老许，这到底是猪草还是人食？有时甚至愤愤然地把干巴巴的菜叶倒进潲水桶，自己重新炒，随便炒份儿小菜都加半铁瓢菜油，满满当当的一壶油，没多久就见了底。关键是他们还要吃肉，但许校长交不起肉，他不交肉，两个教师也忍着不吃。许校长半年不吃肉也很精神，两个教师却熬不住了，忍了一段时间，就自己带肉来吃，当然不放在公菜里，而是单独做出来埋进两人的饭碗底。许校长闻到了肉香，也看到了他们从碗底下迫不及待地抠出肉片送进嘴里，但他装着没闻到，也没看到，三扒两扒把饭吃完，就走出那间木屋。他往往深深地吸一口气，他吸进了油菜花的闷香或者成熟稻谷的清香，有时还有农人烧庄稼秆的烟味。这些气味很快让他忘掉了吴老师和江老师碗里的肉，忘掉了他们吃肉时油汁从嘴角边流出来的样子。

许校长不吃肉却还是那么精干，他在部队当的是仪仗兵，身坯高大挺拔，我们从没见他把手反剪到背后，也从没见他站着或坐着时把腰塌下去。

然而，三人合伙不到一个半月，到底还是分了灶。

分开的前一天，他们去乡上领了工资，回学校后，吴老师对许校长说，老许，今天领了钱，就奢侈一回吧。许校长问怎么个奢侈法。江老师说，我从家里带来了两斤酒，可惜没肉，喝酒不吃肉，酒也就白喝了。许校长说，那怎么办呢，我也没有肉。吴老师说，我们知道你没肉，不过没关系，可以进村买嘛。许校长的脸涨得通红，他是在愧疚，对家人的愧疚。这段时间，他的脸上经常出现这种颜色，特别是当他吃着用很多菜油炒出的青菜萝卜时，这种颜色就很久不退。吴老师开导他，说老许呀，人活一世，不要把金哪银啊看得太重，该用就用，用了还会来的，不用它永远不会来，是吧？这种话许校长并不乐意听，它的意思等于说：你这辈子就是一副穷相，想靠节约致富，没门儿。许校长为争口气，脖子一梗就同意了。放学后，三人走进村里去买鸡。穷得舔脚板的许校长也舍得买鸡吃了，让村民感到格外新鲜。问了十余家，不是鸡太小，就是母鸡正下蛋。许校长说既然这样，就以后再说吧。这时候，不知哪个村民点拨了一句：符代珍家里有只大公鸡，四五斤重呢。

符代珍是我母亲，我们家的确有只大公鸡，但我母亲不愿意卖，说什么都不卖。

许校长说，嫂子，我们出市面上的价钱，你为啥不卖呢，都说鸡要涨价，我看至少要等十天半月才涨得起来呢。母亲笑道，这只鸡我都喂一年多了，十天半月还等不起？两个教师听出许校长其实是在劝说我母亲不要卖鸡，非常生气。吴老师说，谁说鸡要涨价？邻近几个乡镇都发了鸡瘟，鸡瘟是跟风走的，马上就要传过来，十天半月后别说涨价，怕是送人也没人要。这消息我母亲今天上午就听说了，尽管消息明白无误，但母亲还是不卖。三人无奈，只好走了。他们刚出脚，母亲就捧出一把玉米，并把街檐下的碎石子儿混合在玉米里，给那只大公鸡吃。吃了一阵，母亲撒腿就往外追。我们家离学校有二里多地，母亲追到半道才把三个老师叫住了，母亲撩了一把额上的汗，很是委屈地说，算了算了，就卖给你们吧，谁叫你们是娃的老师呢。

回来，鸡早把那堆玉米加石子儿吃得精光，嗉子硬如卵石。江老师先把鸡提起来，见那么重，乐呵呵的，又传给吴老师，吴老师一样乐。接着许校长接了过去，许校长第一个动作就是去摸鸡嗉子。许校长咧了咧嘴，脸又涨得通红，说，这鸡……好肥。

许校长摸鸡嗉子的时候，母亲的眼光拧成了一条绳，待许校长的话出来，她就笑逐颜开了。母亲是感念许校长没把她点破，一边给鸡过秤一边说，许校长，听说你家女子很不错呢。

许校长的脸不再红了。说到女儿，他立即忘记了自己是在奢侈，忘记了自己正遭到鸡主人的暗算。他开始以故作谦虚的口气滔滔不绝地谈起他女儿。其实他女儿我早听说过，知道她跟我读同一个年级，知道她的成绩好。我们那时候经常举行全乡统考和单科比赛，每次我都发誓拿全乡第一，但每次都有个叫许朝晖的人磐石一样压在我的头顶。我开始不知道许朝晖是谁，以为是个男生，后来才听说是许校长的女儿。我比不过一个女生，一度让我很泄气，但母亲安慰我说，人家有她爸每周回去指点，你有啥想不通的？你爸虽然识得些字，可他长年累月在外面打工，管不了你，你已经很不容易了。今天我母亲又这样说，她说许校长，要是我们家也有人给娃指点，你女子不一定考得过他呢。对此，许校长当即否认了，他说自己根本就没给许朝晖指点过，没时间啊。许校长说，砍柴的活儿，犁田耙地的活儿，都给我留着，我还没进家门，干不完的活儿就埋到脖子上了，哪有时间指点朝晖啊。

他这样一说，不仅我母亲不高兴，吴老师和江老师也不高兴，尤其是江老师，因为他正教我。许校长说到兴头上的时候，江老师拦住他的话头说，老许，我先把钱垫付了，回去再结账行不行？可是许校长根本没听江老师的话，他还在说他的女儿。他说我们朝晖没别的，关键是她把读书当成快乐，这让我太满意了。她才多大年纪啊，我像她这么大的时候，父母让我念书，我就像喝黄连一样呢。说罢许校长嘿嘿地笑。母亲见说到许朝晖的年龄，就问你家朝晖今年多大？母亲的心思我明白，她这样问，是想让我从年龄上把许朝晖比下去，因为我在我们村里发蒙算早的，而且中途从没留过级。

当许校长说出他女儿的年龄之后，母亲顿时泄气了。

许朝晖比我小了整整两岁！虽然她跟我读一个年级，却比我小了整整两岁！

泄了气的母亲反过来指责我：你看看人家！

即使母亲不这样说，我自己也羞愧得耳根发烫。但我暗想，反正还有一年就毕业，到时候看谁能考进县里最好的学校。

江老师付了钱，他们就把鸡提走了。母亲好像是因为占了老师们的便宜，心下不安，就装了大半篓子土豆，还从屋梁上剪下一串干辣椒，让我背到学校里送给老师。母亲说，鸡肉炖土豆，再撕几个干辣椒进去，味道特别鲜。走在野花怒放阒寂无声的山道上，我想母亲这是何苦呢，给鸡喂的东西，绝对值不了五毛钱，可这半篓土豆加一串干辣椒，几块钱都搭了进去。到学校时，见许校长蹲在灶房外杀鸡，他即使蹲着，腰板也挺得笔直，他仿佛时时刻刻都在向人们提示：我是仪仗兵出身。看见我，许校长说，天都快黑了，你来学校干啥？我把母亲的话转述了，许校长很高兴，忙把篓子从我肩上接下来。这过程中，吴老师和江老师出来了。他们已经听到了我的话，也很高兴，但他们说，既然背来了，就收下，只是不能白收，必须付钱。我当然不能收钱，手插进包里不停地往后退。江老师摸出一张五元的票子，严肃地对我说，拿着，够不够就这点儿了。吴老师过来搂住我说，听话，把钱拿回去，告诉你妈，她的心意我们领了。这时候，江老师举着票子走到我面前，我猛地挣脱吴老师的胳膊，把篓子里的东西往地上一倒，就急忙跑下了土坡。

回家后，我把经过告诉了母亲，母亲问道，他们给钱的时候，许校长怎么说？我说许校长没吭声。母亲叹了口气：许校长就是不会做人。母亲的话代表了我们村多数人的意见。尽管大家都知道许校长书教得好，也知道他最有责任心，可就是很难找到一个人喜欢他，哪怕是他正在教的孩子。

他们彻底分灶，就是因为吃了那顿鸡肉，其中的原委，过了十多天我们才知道。那天江老师进村来找我邻居下棋，我也去了。棋盘还没铺开，江老师就说到了那天吃鸡肉的事，只说了半句自个儿就笑得前仰后合。他说那天鸡肉刚下锅，三个人就开始喝酒，其实就是他和吴老师劝许校长喝酒。许校长酒量不大，但他没改军人性子，劝他喝他就喝，而且是老老实实地喝，吴老师和江老师却只沾了沾嘴皮。许校长空着肚子喝了半斤左右就不行了，当即倒了下去。他倒下去不久，鸡肉也熟了，于是两个老师就着炖锅，从从容容地啃，几斤重的鸡肉啃了个精光。收拾了碗筷，许校长还没醒来，他们想把许校长搬到他房去，但他个子太大，搬不动，也就只好不管他，关了厨房的灯，各自回屋睡觉去了。

许校长是后半夜醒来的。江老师说，他起来上厕所，看到厨房的灯亮着，就轻手轻脚地走到窗口前张望，他看见许校长低着头，正捧着一碗土豆在吃。

讲完江老师又说，老许不把他女儿带到鞍子寺读书，说是因为他女儿放学后要做家务，其实是怕我和吴老师教不好。哼，教得好教不好，幸好不是他说了算，幸好有学生为我说话！言毕，江老师亲热地拍了拍我的头。我当时想，要是母亲不让我送土豆去，许校长醒来后吃什么？

散伙之后，许校长上街请人为他敷了个土炉，从此，他把锅碗瓢盆包括土炉都堆放在自己那间窄小的寝室里，做饭也是在寝室门外。为什么不早用这办法呢？许校长一定是这么想的。他终于能够单门独户地开伙了，为此，他觉得很幸福。

那年秋季，我进入毕业班，许校长成了我的老师。与此同时，许朝晖成了我们班的插班生。

江老师说许朝晖以前不来鞍子寺读书，是许校长怕他和吴老师教不好，现在看来像真有这么回事。

注册的前一天我就听说许朝晖来了。那天晚上，我翻来覆去睡不着。说真的，我早就希望许校长教我。我曾经在教室外面听过他朗读课文，他读课文的时候，虽是挺拔着身姿，声音却起起伏伏，很有感情，不像吴老师和江老师，尽管手舞足蹈，念出的句子却干瘪瘪的——可是，他为什么要把许朝晖带来呢？许朝晖在对河的时候，就压得我窝窝囊囊的，现在跟我在同一个班，我恐怕连气也喘不过来了。我在黑暗中想象着许朝晖的样子，包括她的长相和写字的姿势，可想了大半夜也想不明白。直到鸡啼二遍，我才转而给自己打气：许朝晖算什么，我一定要把她比下去！

谁知道，见到许朝晖的第一眼，我就不想跟她比了——她太漂亮了。不想跟她比的理由是因为她漂亮，这听起来有些古怪，但当时我的确是这么想的。她虽然比我小两岁，个头却跟我差不多高。她的脸很圆，眼睛水汪汪的，头发松松散散地垂着。她最漂亮的地方就是她的头发。我们那地界，女孩子的头发一旦长过耳根，好坏都要弄成辫子的，但许朝晖的头发已经齐肩了，却没编辫子，风一吹来，发丝自由飘动。最招惹人的，是她的头发随风乱舞，她并不理会，直到山风止息，她才把遮住眼睛的部分往旁边一撩，露出好看的额头。

正式上课那天，许校长就让许朝晖跟我坐一排，他的意思是让两个成绩好的互相促进，但对这种安排，许朝晖和我似乎都不太愿意接受。从她的眼神看出，她也早就把我当成了竞争对手，我们都不希望与自己的竞争对手靠得太近。但不管怎么说，两人还是坐到了一张桌上。坐到一张书桌上我与许朝晖根本就没有交流，她对其他同学很柔婉，很亲切，在我面前却十分傲慢，似乎也不愿意正眼瞧我。有时候，许校长在黑板上写出一道题，先不讲，而是让同学们相互讨论——其实也就是让我和许朝晖讨论。班里共有十二个学生，老实说，除了我和许朝晖，其他人想考上重点中学根本无望。如果上了普通中学，想凭读书走出大山的路基本上就断了。既然如此，何必去花这个冤枉钱？我们那里的人大多是这么思考的。因此班上那十个同学和他们的家长，几乎都在算计小学毕业后到底是出门学手艺还是回家种田。对许校长的用意，我和许朝晖都一清二楚，我也曾试图跟她讨论，但她披散开来的头发总是遮住她的脸——我只好作罢。

正如许校长所说，许朝晖把学习当成一件十分快乐的事情，有好几次，我看到她演算题目的时候，竟然对着题目偷偷发笑。她好像把那些题目当成了有生命的东西，题目在跟她捉迷藏，而她的任务，就是把谜底揭开，让题目乖乖地投降。

上了一个月的课，许校长进行了语、数两科单元测验。测验的结果是许朝晖两科成绩都比我好。她的卷面没有任何一点儿污迹，一步紧接一步，就像水往低处流那么自然。见到这样的卷子，就如同裁判见到美丽舒展的俄罗斯体操运动员霍尔金娜一样，第一感觉就想给她打高分，何况许朝晖的解答完美无缺。说真的，我都差不多要服输了，差不多认为自己真的不如许朝晖了。

正是在这样的时候，我很快发现了许朝晖的弱点，她之所以常常比我考得好，是因为她比我细心。跟我相比，她的反应说不上快。单元测验之后，许校长总是抽许朝晖上黑板答题，有好几次，她都用小小的手握着粉笔，老半天才写出一个字。这期间，许校长走到我旁边来，他看见我很快就把那道题明明白白地做出来了，可他女儿还没完成一半。

有一回，我休息了好一阵，许朝晖还没列出第一道算式，许校长忍耐不住了，走上讲台，低声喝道，下去，没出息！许校长失望得脸都变形了。许朝晖转过身，把粉笔搁在教桌上，跑下来之前，她迅速地瞟了一眼教室的同学，而且特别把目光在我的脸上停留了一下。同学们都望着她，证明大家都听到了许校长的话，她的脸红得像是要把头发给烧起来。

这样的事情接连发生了五六次后，许朝晖对上黑板做题产生了明显的恐惧，许校长一点她的名，她的身体就一抖。她向上走的时候，动作比以前迟缓，拿粉笔也很犹豫，刚把白色粉笔拈起来，又换成蓝色的，蓝色的还没拿稳，又去找红色的。在她翻找粉笔的过程中，许校长拿着教棍，明目鼓眼地瞪着她。我们都为她捏一把汗，但许朝晖侧对着她父亲，看不到她父亲的眼神，她还在挑选粉笔。当她拿起一支黄色粉笔时，盒子里所有的颜色都挑尽了，我们想她应该做题了吧，然而她没有，她把黄色粉笔放下了……

就在这一瞬间，许校长手里的教棍啪的一声落在了她的脊背上。

全班都怔住了。

许朝晖痛得身子一缩，拿起最初选定的白色粉笔迅速转身面向黑板。她像她父亲一样站得笔直，可是，这次拖了将近十分钟，她也没写出一个字。

许校长又在她背上抡了一棍，大声喝道：滚下去！

许朝晖下来，伏在书桌上哭了，娇小的身体一耸一耸的。教棍是用操场边的斑竹条做成，竹身柔软而质地坚硬，我曾尝试过母亲手里的斑竹条，知道那东西抽在身上有火烧火燎的感觉。但许朝晖哭，大概不仅因为痛，还因为她当着全班的面受了父亲的凌辱。

我们都以为，从此以后许校长不会再让女儿上黑板做题了，谁知许朝晖越做不出题来，许校长越是把她挂到黑板上；越是让她挂黑板，她就越做不出题来。这样，她挨打的次数成几何数增长。每次她在讲台上挨了教棍，当时不哭，下来伏在桌上哭，声音虽然很小，但我知道她哭得很厉害，因为她的脖子在颤动。

从此，许校长的眼里经常布满血丝，像一夜没睡好觉似的……

转眼间冬天到了。我们那里的冬天很冷，朔风翻越秦岭直插巴山，带来彤云和大雪。除了刮风下雪，还打黑霜，清早起来，田地树身房顶到处都涂抹上光滑油亮的乌膏。黑霜一化，青瓦和石头都能冻裂。每遇这样的日子，大人就为我们上学准备一只火笼。为携带方便，大多是在废旧的瓷盅里装上燃烧的木炭，上面系一根细长的铁丝。上课的时候，我们可以把脚放在火笼上，下了课就用它煨手。全班十二个同学，除许朝晖外，都有一个这样的火笼。我不知道她是否羡慕，但知道她一定很冷，虽然她比我们穿得整洁，可衣衫单薄，下了课，她的脖子就缩起来，头发铺在桌面上。其间，我听到她的牙齿总是不由自主地磕碰出响声，咯咯咯的，两只手还交换着抓挠，那是手背上的冻疮在痒。她上黑板做题的时候，我看见她的手肿得发泡、发青，手指也很难捉住粉笔，挨打之后，一痛，一哭，就痒得更难受了。

十二月底的一天，实在是太冷了，我们班按常规坐进教室准备上最后一节课的时候，其他班级的学生却喧喧嚷嚷地到操场上集合放学了。我们也想放学，可是，许校长已走上了讲台，扫视同学们一眼，说，大家把桌子挪一挪，坐在一起听讲吧。这已经是严苛的许校长对我们做出的最大让步，大家以最快的速度，高高兴兴地在腾出的空地上围成了一圈。十一只火笼放在面前，散发出的热量尽管不多，但已经让土墙屋里温暖了许多。许校长见几个同学的火笼快熄灭了，还回到寝室拿来火钳，把碍于通风的死炭夹出来。课上到中途，许朝晖旁边一个女生见她的鞋腾腾地冒着热气，知道肯定是上厕所的时候被水打湿了（雨天和雪天我们都有胶鞋穿，但许朝晖只能穿她母亲做的布鞋），就指了指火笼，意思是让许朝晖把脚放上去。许朝晖不好意思地笑了笑，将湿得最厉害的那只脚塞进了两根铁丝之间。

她刚刚塞进去，许校长就扬起了铁火钳。那真是迅雷不及掩耳，当我们反应过来，火笼已被打扁，炭星四溅——好在许朝晖的脚抽得快，否则后果极其严重。

许校长憎恶女儿居然经受不住这样的寒冷，他是要把女儿锻炼成钢筋铁骨，以便将来能抵挡来自外界的所有伤害。

许朝晖好像真的成了钢筋铁骨，从那以后，不管许校长怎样打她，她都不哭。她的眼里没有了傲慢，只有戒备，只有对别人包括对她父亲的不信任。女儿不哭，许校长就抡圆了胳膊，斑竹条落在许朝晖身上，她身上就把那斑竹条完整地复印下来。可她就是不哭！有几次她还擅自跑下讲台，回到座位上，许校长跟下来，接着打。许朝晖把肩耸起来，可怜得像还没飞起来的一只小鸟，令人恐怖的风雨雷电在她耳边呼呼炸响，她却只是闭着眼睛，仿佛在冥想别的事情。

她在想什么呢？是不是在想她爸为什么这样厉害地抽她？那时候，她，还有我们，都理解不了。许校长这样做，是因为他把所有的希望都寄托在女儿身上——可女儿却辜负了他的期望！

有时候，被打得实在太狠了，许朝晖还是要流下眼泪的，这是一种无声的眼泪。那些眼泪好像是因为怜惜许朝晖自己跑出来的，因为它们一出来，许校长挥舞的手就在空中戛然而止。

许朝晖的身体似乎已经麻木了，或者说坚硬了，但是她的心却被父亲的棍子打空了。半年时间后，她已经再也不是我的竞争对手。全乡举行的期末统考中，我成了第一，许朝晖根本就没有名次，因为乡上只统计前五十名。她在班上当然有一个名次，第二名，她这个第二名与我这个第一名相比，语、数两科加起来，少了整整六十多分。当许校长在班上公布统考成绩时，念到许朝晖的名字，他咬牙切齿地停顿了很久，但许朝晖则突然让我们陌生和吃惊，她眼睛里黯然无光，很快又平静如初，继而是一副完全无所谓的样子。

后来我才听说，许校长春节前去乡中心校阅卷组问了情况，回家后，他让女儿在雪地里站了几个钟头，冻得眉毛都结了冰。这且不说，正月初一，许朝晖也没吃成汤圆。那时候，为了等每年正月初一的那顿汤圆，我们从半年前就掐着算日子了，汤圆可是糯米做的啊。

新学期开始，许校长就不让许朝晖跟我坐一排了，说是怕她影响了我。下了课，她都是孤零零的一个人，贴墙而立。她再也不跟同学们玩了，连班上成绩最差的同学，也已经看不起她了。

三月中旬的某一天，放学之后，许校长在操场边把我叫住，语重心长地对我说，朝晖看来今年是不行了，但你一定要为我争口气！许校长说完，抬头望着远处。远处是另一座山，在那座山上，有他贫穷的家。

五月初，上面传出消息：鞍子寺小学的三个教师之中，有一个将有机会在秋季转成公办。按文凭、水平和业绩，自然是许校长了。许校长是高中毕业生，江老师只念过初中，吴老师连小学也没毕业。许校长以前教的毕业班学生，虽然还没有一个考上县里最好的一中，但县二中和三中每年都有。二中和三中也是县重点，即便乡中心校的学生，能上这两所学校也并非易事。要是今年他班上还有学生考上县重点，将他民转公可以说就铁板钉钉了。吴老师和江老师预感到了这种结果，不希望这预感变成现实，就找许校长的岔子。

在我毕业前的最后两个月里，几乎天天都能听到老师在吵架。有一次，其他班级都按时放了学，我们毕业班还没放，许校长觉得有一道题很重要，就翻来覆去地讲，还出了几道类似题目让我们做。这样，我们班就比正常放学时间拖延了四十多分钟。下课后，才发现教室门打不开了，门上发出叮叮当当的响声。原来是吴老师和江老师把门偷偷地锁了。许校长对着门缝大声叫门，但两个老师早已不见踪影。许校长没办法，就拾一块烂了的凳腿，从门缝插过去，敲那把锁。幸好是一把小锁，敲了十多分钟就连同锁鼻儿一起敲断了。第二天我们上学，还在山峁上就听到了吵架的声音。我听到吴老师说，许校长犯下了两重罪恶，一是违反教育部规定，擅自延长学生的学习时间；二是作为校长，带头破坏学校公物——这种对事实的陈述是很短暂的，主要内容是骂。吴老师很会骂人，可是许校长不会骂，他讲课时一句接一句的，骂人却像结巴一样。在这几分钟里，吴老师不知又发射了多少利箭。那真是利箭，句句穿心，好些我们根本不知道的事情，吴老师也骂出来了。比如他说许朝晖的妈妈得的是绝症，三天两头就会死，而我们以前就根本一无所知。

许校长被吴老师骂急了，他只好说，你是地主！

吴老师家的确曾经是地主成分，但许校长也不想想，这都是什么年代了啊，地主早就摘帽了啊，地主不摘帽，吴老师能到村小教书吗？许校长实在是没招儿了。

但吴老师好像被戳到了痛处，因此回击得也更狠。他说，你跟你女儿，舂蒜、漱口、屙尿，都是用同一个东西。你以为我不知道？他又问江老师，你知道吗？江老师说，谁都知道嘛！

那时候，我一直注视着许朝晖，她睁着惊恐的大眼睛，一声不吭，她的身体紧紧地贴住教室外的土墙，好像希望墙壁能帮助她抵挡一下……

第二天，我把母亲藏得好好的葵花子偷了一大把，带到学校后，我见许朝晖又在教室外的墙角站立着，就走过去，猛然间将那把葵花子塞进了她的荷包。

她疑惑地望着我，她似乎需要我的解释，但我对自己也无法解释。

小学毕业，我以全乡最优异的成绩考进了县一中，而许朝晖则听说被一所名叫苏湾的普通中学录取。我们那地方，山高路陡，谁考上了谁没考上，不可能挨门挨户通知——没有电话，连寄信也不可能。在我们这里，凡是遇到考学、参军一类事情，都是在乡政府正墙上张榜公布。我去看榜那天，很想碰到许校长和许朝晖，可等了几个钟头，也不见他们的身影。世间的任何一种结局都是双刃剑，我考上了县一中——这在全乡村小学生中绝无仅有——应该高兴，然而，我跟许朝晖再不是同学了，又令我惆怅。

还没开学的时候，我就知道许校长调回了石船小学。回石船后，由于别人对他的家境知根知底，也由于他把许朝晖这个好学生带走了，致使石船那年没一个考上重点的学生，更由于他把许朝晖带走，不仅没让她变得更优秀，反而使她的成绩急剧滑坡……诸多原因，许校长依然受到贱视。不过我关心的是他是否转成了公办教师。直到我在县一中念了一个学期，才知道他根本就没转成公办。他还是民办，而且没再当校长。按理他完全有资格转成公办的，之所以没转成，是吴老师和江老师告了他的状。至于我考上了县里头号重点中学，也不是他个人的功劳，因为他只教过我一年，何况他教的这一年中，还把一个好端端的苗子许朝晖给毁了。

我父亲腊月初去杨侯山上做过木货，见过许朝晖的妈妈，他说许朝晖的妈妈是个又漂亮又能干的女人，而且特别爱好看，再没吃没穿，也总是把自己收拾得干干净净利利索索。可生下许朝晖不久，就得了风湿性心脏病，得那病一时死不了人，但干不下重活，而且离不了药。母亲闻言，说许校长那么穷，原来就为这？父亲说不是么，听说那女人怕拖累丈夫和女儿，有好几次都想喝农药。有一次还真喝了，抢救及时，没死成。杨侯山上的人都说许校长对他女人好，说天塌下来有许长子顶着，你怕什么？许朝晖开始没来鞍子寺，要干农活不假，但主要还是守着她妈；许朝晖进了毕业班，为女儿的前途着想，许校长被迫把她带过来了，行前他对女人说，你要再做傻事，我也和你一起死，没人管朝晖，看你心痛不心痛！他女人那一场哭，说你放心，再苦再难，我也要跟着你活下去……母亲听后，拍了自己的大腿一掌，眼泪悄悄地流了出来，她大概想起了那次用玉米和石子儿填鸡嗉子的事情。

更让我吃惊的是，许朝晖根本没进苏湾中学读书，而是在石船小学复读。

那边的毕业班不是许校长教了，因此许朝晖免去了在课堂上挨打的不幸，然而，每天放学回家，许校长都要亲自为她出一套题。那些题目，如果不是许校长守着她，她都能够解答的，但许校长总是坐在她的身后，她动作稍有迟慢，许校长就发出响亮的咳嗽声，许朝晖知道这是在警告自己，心里很急，一急，脑子里就一片空白，最简单的加减乘除也不会了。不会就要挨打，许校长抽她的耳光，抽得很厉害，啪啪啪的，许朝晖的头发飞扬着，一会儿向左，一会儿向右。许朝晖的妈妈向丈夫求情，说再这么下去，你就要把女儿打坏啦！但气头上的许校长，任何人也劝不过来，他一边打女儿，一边还把女儿和我进行比较。他说你想想，你的成绩以前比他好哇，你怎么就落到这步田地了呢？你为啥就这么不中用呢？

许校长每这样比较一次，许朝晖的泪水就婆婆娑娑地流一次。许校长打肿了她的脸，她没有掉一滴眼泪，许校长的几句话，却让她的泪水在脸蛋上纵横。她说爸爸，对不起，是我不中用，我让爸爸失望了……

这时候，许校长就把自己的手使劲往水缸上砸，以此来惩罚自己。

然而，当新的一天来临时，他还是打女儿，还是把女儿和我进行比较。比较得多了，许朝晖就再不说对不起爸爸的话了。

在石船小学复读一年之后，许朝晖不仅没上重点线，而且比去年的考分还低。由此，她连苏湾中学也没上成，而是被录到了离家很远的金叶中学。

我知道，为了保证升学率，县里所有的优惠政策都朝重点中学倾斜，包括去普中选拔二年级优秀生。虽然名额非常有限，却是许校长押的最后一宝。许朝晖上学的那天，许校长对她说，无论如何，你要在初二考到重点中学去，县一中考不上也就算了，二中、三中必须上。许朝晖没回父亲的话，也没点头。许校长紧了紧腮帮：你听到没有？许朝晖低着头，声音很小地说，听到了，我考到二中或者三中。许校长怒火中烧，大声说，为什么不争取考到一中？许朝晖就像在课堂上挨打一样，吓得身子一缩，急忙回答，好，我考到一中。

许校长这才如释重负，松了口气。

金叶中学属我们普光乡管辖，但在大山区里，一个乡管辖的宽度，城里人是无法想象的。何况金叶地处普光乡的边陲之地，靠近我舅舅所在的黄金镇。从杨侯山去那学校，需下山，上行四十里水路，再走三十里旱路。这么远的路程，许校长再不可能盯着女儿学习了。

如果是以前的许朝晖，她会好好地管束自己的，可眼下的许朝晖变了。她最需要的不是管束，她心里知道自己现在需要的是轻松与自由，甚至是那种别人很看轻的放纵。许朝晖去那里上学的前两年，我去舅舅家的时候，曾经跟表哥一道去金叶中学玩过。那是一所建在山上的学校，山虽然远不如老君山和杨侯山大，但也是竹木丰茂，景色佳美。学校之外除稀稀落落的农田，就是莽莽丛林，加之校园无围墙，管理也很松懈，学生要私自上山，要做违规违纪的事情，实在太方便了。许朝晖一来到这里，就有一种被解放的感觉。当时我邻村有个男生跟许朝晖一同考进了金叶，尽管许朝晖在三班，他在一班，但毕竟家住河对面，而且那男生也是在鞍子寺念的小学，只是比我们低一个年级，许朝晖在鞍子寺念书的时候，他就认识她了，到了金叶两人就算正宗老乡，因此他对许朝晖的情况很了解。听那男生说，许朝晖在很短的时间内，就熟悉了学校附近的地形，知道哪条小路能把她领到农民的黄瓜地，哪片林子能为她提供映山红和马桑泡。许朝晖偷黄瓜，吃野花野果，并不是饿，她爸怎么舍得让她饿饭呢，他爸还等着她到初二的时候考到县一中呢！许校长那点微薄的工资，几乎全给了许朝晖，许朝晖母亲吃药的钱，只能靠卖粮食，粮食卖一斤就少一斤，许校长让妻子吃饱，自己却勒紧裤带。很多时候，正要舀米做饭了，许校长就捂着肚子，说他的肠胃不好，吃不得，嘱妻子往锅里少加点儿粮食。一次这样，两次还这样，妻子就看出了苗头，就悄悄缩减自己的药量……许朝晖对这些事情当然一无所知，她偷吃那些东西仅仅是觉得刺激。吃黄瓜和映山红倒没害处，马桑泡却是有毒的。这东西结在大巴山区遍地都是的马桑树上，成串成串的，红得发紫，甜得透心，少吃一点儿倒无所谓，吃多了，就会中毒。中毒的初期征兆是嘴皮发青，再严重点儿就口吐白沫，昏倒在地，甚至不治而死。在我们那里，每隔那么两三年就会听说哪家的孩子被马桑泡毒死了。

许朝晖就经常去林子守着一棵树吃马桑泡，虽然没吃到口吐白沫的程度，嘴皮却常常发青。

有一次，她整个下午没来上课(迟到早退，这在她已成为家常便饭)，直到快放学的时候，她才从林子里钻出来，正准备跑过操场溜进教室，却被校长逮了个正着。校长一看她的嘴，就知道她干什么去了，直接将她带进了办公室。下课的前夕，校长让政教主任通知各班班主任，马上组织学生去操场召开大会。

所有的学生都站好队列之后，校长出来了。校长不是一个人出来的，她扭着一个女学生的胳膊，把她往高出地面两米左右的主席台上拉。这个女学生就是许朝晖。许朝晖弓着身子，脚蹬着不走，校长虽也是女性，但正值盛年，许朝晖怎能抗得过她，何况许朝晖的班主任还在后面帮着推搡呢。快拉到学生队伍面前时，许朝晖哇的一声就哭起来了。许朝晖说，我不了，我以后再不了……她不知道这一哭，一喊，劲儿就松了。在主席台站定之后，许朝晖的头垂着，蓬松的头发一直垂到前胸。

这时候，松松散散的头发成了她的遮羞布。可是校长抓住她的后领，猛地往后一扯，她的头就扬起来了，头发自然地向两边流泻，脸就暴露出来了。她的眼睛向上翻着，望着碧蓝碧蓝的天空，泪水慢慢浸出来。校长说，同学们你们看看她这张嘴！后面的看不清楚，就把脚踮起来，好好看，仔细看！后面的同学果然把脚踮起来，发出“噢——噢——”的惊叹声。

校长松了手，许朝晖反而不再把头垂下去了，眼泪也不再流了，只有悬在腮帮上的一颗泪珠子，久久地不愿掉下去。

校长首先批评了三班的班主任，然后申明纪律，说谁再进林子吃马桑泡，吃死了活该！听清没有？同学们说听清了。

当天上晚自习课，许朝晖在班主任的带领下，去各班做了检讨。她的检讨词差不多就是校长说的那些话，只不过变成一种哀婉的语气罢了。

从那以后，许朝晖果真很少走出校园了。不要说走出校园，就连操场上也很难看到她的身影。她希望改过自新——这当然只是我的猜测，但我有理由这样猜测。我的理由是我曾做过她的同学，另一条理由是被拉向主席台的时候，许朝晖喊了一句“我以后再不了”。事过多年之后，也就是我从成都回到故乡，听说许朝晖那个“坏女人”搭上了命案的时候，我总是一个人想，要是那一次校长和班主任放她一马呢……

金叶中学由于远离普光乡场，距黄金镇的集市也有相当路程，购买一应物品很不方便，老师们为此怨声载道，稍有些办法都调走了。为留住人，学校只好让一些教师家属来校舍里开小卖店。在金叶中学里，小卖店所占的面积，比教学区所占面积还大，货品也相当齐全，当然主要是卖零食和香烟。金叶中学的许多学生都抽烟，包括初中一年级的学生，男生女生都有。许朝晖班上就有女生开学不到一个月就学会了抽烟。那些店主为了赚钱，肆无忌惮地向学生卖烟，学生们通常不买整盒，因为怕被老师查出来没收了，店主就把烟打散，零售给他们。某个学生想抽烟了，店主就卖一支两支，让他们躲进帘子后面抽。除了抽烟，还打牌赌博，赌博的场所也是店主提供。初入学的许朝晖，没有像别的同学那样抽烟和赌博，她只不过去偷了几根黄瓜，去吃了映山红和马桑泡，而且她吃马桑泡的时候，明显是有节制的，她并没吃到口吐白沫的程度，更没吃到昏迷过去的程度，这证明她心里还在守着一种东西。当她把这段时间放纵过去，那被守着的东西说不定就会凸显出来，让她成为以前的许朝晖，成为对着一道题目也要偷偷发笑的许朝晖。

然而，这些都只能是假设。事实上，许朝晖被拉到台上亮了相，而且去各班做了检讨之后，她就开始抽烟了，开始赌博了，而且还喝酒。遇到星期天，她就喝得醉醺醺的，虚着一双美丽的眼睛，在寝室里又哭又笑。她像所有走上这条道路的学生一样，体验到了真正的放纵。

那时候，县重点中学的学生一学期只能回两次家，普通中学则无定规，只要愿意，每周回去一趟都行。金叶中学的学生基本上都是每周回去一次，但许朝晖没有。由于同路，有好几个周末，我那邻村的男生都去约她，许朝晖的回答都只是摆手。

期中考试过后，许朝晖再不回家就说不过去了，而且她对自己久不回去也很担心:父亲来了学校怎么办？她虽然知道视责任为生命的父亲不会为了自己的事情耽搁他的学生一节课，可她的生活费只给了两个月呢，虽然她赌博赢了，不缺钱花，可父亲不知道啊……普光乡场上那个在人们看来可有可无的邮电所，自从许朝晖上了中学，就成为许校长心目中的圣地，他从那里给女儿发出了无数封信，也从那里收到女儿的回信。许朝晖在信中说，自己成绩很好，老师们都夸奖她。如果父亲真的来了学校，不是原形毕露了吗？这么一阵思量，她还是决定回去。

她跟我那邻村人在普光乡场的牛市码头下船，准备穿过街道，去下游三里处的新桥码头换船。走到一家中药铺前，许朝晖猛然刹住脚步，迅速退到附近一堵败墙后面躲起来。她的同伴觉得奇怪，追过去问她怎么啦。许朝晖神色很紧张，说我爸在前面抓药，我不回家了，你自个儿走吧。男生转过墙角，举目一望，果然看到了许校长。他问许朝晖，你爸知道你在学校的事了？许朝晖摇了摇头，直催他快走。男生更觉得奇怪了，既然不知道你在学校的事，期中考试的成绩又没公布，你又何必紧张呢？他只知道许校长跟吴老师和江老师吵架的事，不知道许朝晖挨打的事。他说那我就走啦？迈了两步，许朝晖却又叫他回来，对他说，你去给我爸打声招呼吧，问我妈的身体咋样了……如果我爸问我为什么一直没回家，你就说我留在学校补习英语，说我的成绩很好，非常好，好得不得了！说到自己的成绩，许朝晖显得恶狠狠的，要是他让你给我带生活费，你就说我们学校的伙食便宜得很，我不需要钱。同伴说，你不要钱哪行？许朝晖几乎发火了，她说你没看到我爸在抓药吗？是为我妈抓药，我妈是病人。

这样，那男生就走了。当他走了几步回过头去的时候，看到许朝晖目不转睛地望着她父亲，手指抠住残壁，牙齿死死地咬着嘴唇，泪水泼也似的流。

男生去给许校长打了招呼，而且把许朝晖交代的事情向他转述了。听那男生说，许校长比在鞍子寺教书时显得瘦，腰板虽依然是挺直的，脸上却很疲惫。不过，当他听说女儿的成绩那么好，而且还自觉地留在学校补习英语的时候，他立刻两眼放光，不停地搓手。男生离开时，许校长果真让他给许朝晖带生活费，尽管他一再说明许朝晖不缺钱花，许校长还是掏出了七十三元钱塞给他。其中二十多元都是元票和角票凑起来的。拿了钱，男生辞别许校长，绕了一个弯子，从另一条道回到那堵败墙之后，想把钱直接交给许朝晖，可是许朝晖已不见了踪影。

男生回到学校的当天，许朝晖就来找他，许朝晖首先问了她妈的身体，再问她爸说了些什么，男生特意把许校长听到女儿成绩那么好时的样子描述了一番，许朝晖听了什么也没说，只是掐着自己的手。

在这之后，她有所收敛，但收敛了不到一个星期就故态萌发，依然抽烟，依然赌博，依然在周末喝酒，酒后又哭又笑。有一次她正在寝室发酒疯，不知是谁去报告了班主任，班主任来后，以不可思议的目光打量了她老半天，说许朝晖，我看你要成女流氓了。

许朝晖像被“女流氓”这个词烫伤了，身体本能地抖了一下。

学期结束，许朝晖拿到成绩通知单的时候，发现自己没有一科及格，而且她专门留在学校“补习”的英语，只得了几十分。许朝晖就要拿着这张单子回去见她的父母。

同学们那么盼望的春节，在许朝晖的眼里成了鬼门关。她把通知单叠成飞机，从寝室的这头扔到那头。飞机本是昂首向前的，一撞上墙壁，就栽倒了。她把飞机拾起来，手心里就像捧着滚烫的火球。怔了许久，她终于将其拆散，像她的有些同学一样，去教师家属开的店里复印了一份。复印之前，她把分数和老师的评语用白纸盖住，然后再在复印出来的空白处填写。她给自己打的最低分是语文，八十八分，语文有作文，得分稍低一点儿很好解释。分数能自己填，评语却不能，因为字的形状不管怎么变，骨架是变不了的，教了十多年书的许校长，一眼就能识破。于是，许朝晖又找到了我那邻村的男生，让他帮忙填写。老师给许朝晖的评语，连她自己也没瞧一眼就揉掉了，现在的评语，是那男生照着自己的成绩单写的：“热爱祖国，团结同学，表现良好，成绩优异。只要下学期继续努力，考进县重点很有希望。”

男生在帮忙填写评语的时候，许朝晖突然表现出一种厌恶。不知她厌恶什么，反正她很厌恶，还真的呕了几口。然后她把成绩单收起来，怔怔地对男生说：你能答应我一件事吗？他问什么事，许朝晖说，你如果碰上某某某，千万不能把这些事情告诉他。

这某某某，指的就是我。

听了这句话，我心里五味俱全，过一阵就只剩下难受。我不知道许朝晖为什么要那么在意我……

回家之后，许朝晖把虚假的成绩单递给父亲。

成绩单的分数和评语，对许校长是多么巨大的安慰！

复印纸应该是看得出来的，细心的许校长更应该看出来，然而他却根本没提出异议。他太需要女儿的高分数了，他和许许多多的家长一样，爱的就是高分数，对高分数的喜爱和渴望蒙蔽了他的眼睛。再说，那个在一班读书的男生不是证明过许朝晖的成绩“好得不得了”么。

听许校长的邻居说，许朝晖那次回家，她爸妈死活不让她下地劳动，连宰猪草的活儿也不让她干。许校长对女儿说，朝晖呀，我本来想再出一套题考考你，可是初中课本上的那些东西，爸爸已经忘得无影儿了，爸爸比不上你了。他甚至还第一次向女儿说起自己当年做仪仗兵的事情。仪仗兵训练很苦，寒天暑地，腰带里都插上木板，衣领上别上铁针(为防脊椎弯曲和脖子扭动)，走正步，长长的一段距离，走过去多少步，走回来还是多少步，一步不能多，一步也不能少，这不仅考体力，还考心理承受能力；每天这样训练到晚上十点过了才回营睡觉，次日早上四点钟必须起来，睡觉的床是硬板，还要将双腿捆起来……那时候，他希望自己成为最好的仪仗兵，将来争取被选进北京天安门国旗班去。然而最后的结局是他不仅没能成为国旗卫士，三年服役期满后就很快复员了。许校长对别人说，等我女儿有了出息，说不定能带我去天安门看看升旗呢……

我考虑是不是应该把许朝晖的真实情况写信告诉许校长，考虑来考虑去，觉得不妥。我不敢想象许校长接到这封信后会是多么绝望，会对许朝晖做出多么可怕的举动。但我还是给许朝晖写了信，我没在信中透露出我知道她那些事的任何信息，只是以一个老同学的口吻鼓励她。

但是许朝晖根本没有理睬我。

国庆节前，普通中学的老师就要选出参考的学生——这是他们教学生活中的一件大事，因为他们的任务，或者说他们的光荣，不是向中专或大学输送人才，而是向重点中学输送人才。凭许朝晖的成绩和表现，她不可能被选上，但国庆放假回家，她对父亲说自己被选上了，收假后就去县城参加考试。许校长多么高兴啊，许校长说，女儿呢，我知道你能行，你考上了重点中学，将来就一定能考上大学！当时有人在帮许校长家上草树(把稻草集结在一根树桩上)，那人说，听了父亲的话，许朝晖哭得伤心断肠的，她母亲陪着她一起哭。母亲说，妈妈死熬活熬，就盼着你考上大学的那一天啊……

收假那天，许校长摸了一百元钱给女儿。许朝晖的生活费已经给过，去县城只考一天，本来不需要这么多钱的，但许校长实在太高兴了。

许朝晖拿着钱，走了。大约半个钟头，她又回来了。那时许校长已经去了学校，许朝晖的母亲也扛着锄头正准备下地薅草。看见女儿打了转身，母亲很吃惊，问怎么啦？许朝晖嗫嚅着说，我笔带掉了。母亲说哪会呢，我昨晚上就给你收拾得好好的，说罢放下锄头，在女儿的包里掏，轻易地就把笔掏了出来，不是一支，是两支。那支“长江”牌铱金笔，是许校长前几年得的奖品，昨天他送给女儿的。他说，考试的时候，把两支笔都吸得饱饱的，免得中途断了墨水，耽误时间。母亲把笔举在手里，嗔道，死女子，不都在这里吗？许朝晖无言以对，只绵绵长长地叫了一声妈。母亲把女儿搂进怀里，帮她撩了一把头发，说这是咋啦？妈好好的呢，从你生下来妈身体就没好过，都熬到我女儿有出息了，妈现在不想死了，你放心去吧！母亲笑起来，催促女儿赶快下山，要不然搭不上去县城的船了。许朝晖默默地接过母亲手里的包，再次出了门。刚走几步，母亲喊了一声：朝晖！许朝晖猛然止步，回头望着母亲。母亲说，考上了，就马上给你爸写信，到时候，看不把你爸高兴死！

许朝晖没再迟疑，向山下走去。

她没有回学校。

谁也不知道她去了哪里。

秋天走向深处，当农人们把稻谷搬回村庄，把成熟的果子搬回村庄，秋风就放心大胆地从这片土地上经过，呜呜呜的，到处都在响，不要说林梢山洞，就是光秃秃的一个山峁，孤零零的一片石头，也能吹奏出各种声音。在大巴山区，真正的秋天是从声音开始的。在我们看来，这声音是空洞的，没有意义的，但树们草们不这样看，飞禽走兽也不这样看，树叶和野草由青转黄，由黄转红——那一山紧一山的红叶，美得让人惆怅，让人叹息——飞禽走兽或者远离这片山野，或者加紧储备粮食。它们都听得出秋风给予的指令并且一丝不苟地执行。

这时节，普光乡场上有了一个女人，隔三岔五就从上街走到下街，边哭边说她的故事，说了几百遍了。开始我并不知道，直到十一月末的某一天，我和邻村的那个男生(他考进了县二中)一同回家取冬衣，在船上才听人说起。我们坐的是小型帆船，在这条河上跑的，除了乌篷船，基本上都是这种帆船，遇县城开展销会的日子，或者下游的真佛山赶庙会的日子，河面上的帆船就像暴雨前遮暗天空的蜻蜓。乌篷船也罢，帆船也罢，都是摇橹的，橹声轻重有别，缓疾有别，却组成和谐的橹歌。那一天风特别大，且是顺风，船飕飕飕地往前射，我的心情本来格外松快，听说那个女人后，突然间烦躁郁闷起来。

我们可以在老君山脚直接下船，不必坐到乡场上去，但我坚持去那里看看。街道上的秋风比河面小不了多少，树叶飞舞，连摊子上那些没照管好的衣裤鞋袜，也被风扬得满地都是。那个被传说的女人在百货大楼前面哭。我一看她的长相，心里就打鼓。她面色发黄，身体瘦弱，然而那张脸……她一把鼻涕一把泪地在向七八个陌生人述说，她说国庆放假那天，她下到半山腰又回来了，回来可怜兮兮地叫一声妈，我都没引起注意，接着她撒谎说笔带丢了，我把笔为她搜出来，她一点儿也不欢喜，我也没引起注意。她第二次出门，我喊了她一声，她猛地把头转过来，待我把事情交代完，她才走了，下梯坎的时候，腿打闪闪，差点儿跌了一跤，我还是没引起注意！……是我害了她呀，我的上辈子，不知道是放过火还是杀过人，反正是作了孽的，老天爷惩罚我了，可是，为啥要惩罚我的孩子呢……到这时，女人脖子上的青筋直蹦，说不出话来，也哭不出声了。

毫无疑问，这个女人正是许朝晖的母亲。

回学校后，我无法抑制自己的痛苦。我总觉得，许朝晖的失踪，我似乎有着不可推卸的责任。比如，我当时为什么那么快就把题目做出来了呢？许校长为什么总是拿我和她比较呢？我的痛苦当然不仅仅因为这些。我始终记得许朝晖那松松散散披垂下来的头发，记得她把头发撩开时露出的好看的额头，记得她对着题目发笑的样子……我怀念她！那些天，我总是利用中午短暂的休息时间往县城码头上跑。码头离学校很近，出了大门，过两条马路，就是开批斗会年代遗留下来的一个大操坝，操坝底下就是码头。我坐在浅草平铺的河滩上，只要有船来，就目不转睛地盯着那些上上下下的客人。我幻想从中发现许朝晖，可是人散了，船去了，港空了，许朝晖并没出现。被船只涌荡起来的河水，一浪一浪地浸漫着滩草，湿了我的裤腿，但我毫无知觉。望着天上成丝的白云，我想许朝晖究竟到哪里去了呢？她失踪之初，就有人说她坠崖死了，但许校长不仅排查了杨侯山的山谷，还排查了老君山的山谷，结果连许朝晖的一片衣服也没找到。说她跳河吧，河里也没发现尸首。又有人说她可能是被山中的野兽吃掉了，这几乎是不可能的。我们那里虽然山大，但能够吃人的野兽，在我们出生之前就灭绝了，而且，就算凶残的野猪和老虎，也不会嚼人衣服的。那么许朝晖又到哪里去了呢？

一个活生生的人，突然就消失得这么彻底。

我不敢想象许校长会是多么绝望。许朝晖在的时候，不管怎么说，他的心里就像表面荒芜的土地里埋藏着种子，现在，他不仅没得到希望中的花朵和果实，那粒种子也被掏走了……

没有一种怀念能与时间抗衡的。一年半载之后，许朝晖在我心里慢慢淡去了，偶尔想起她来，也如烟似雾。我读完了初中，又读完了高中，并且考上了大学。大学里崭新的学习环境和自由自在的学习风气，让我有一种脱胎换骨的感觉。到这时候，我哪里还想得起什么许朝晖，那个已经消亡了的人，与我已经没有任何牵连了。

上大学后第一个寒假回家两天之后，我背一花篮土豆上街去卖。从村里去乡场，需下千余米高山，再坐船，下船后还要步行三里地才到，母亲不放心我背六七十斤重的东西单独上路，就嘱同去赶集的邻居照管我一下。邻居就是常跟江老师下棋的那位，四十大几还没结婚，是一个单身汉。他赶场根本没事，只不过凑个热闹。在他的帮助下，上街不到半个钟头，我就把土豆卖出去了。邻居说，我们去兽防站看看。我知道他的想法，取笑说，现在又不是那个季节。他扭了扭脖子说，管他是不是那个季节，去那里歇口气总可以吧。

从百货商场和派出所之间插过去，就是兽防站。兽防站前面有一个门厅，厅后有一条深深的巷道，过了巷道，就是一个足够容纳数十人或蹲或坐的宽大土场。我邻居之所以喜欢往那里窜，倒不是因为宽敞，而是因为在土场的角落里，养着一头骨节硕大体态优美的公牛。一年中的某个季节，总有人在赶场天拉着发情的母牛来找它配种。这不仅能满足我邻居的好奇心，还时不时地给予他做好事的机会。养配种牛的是兽防站站长的老婆，站长经常下乡，人家拉母牛来配种，多数时间只有他老婆负责这档子事。所谓负责，就是一定要想方设法让母牛配上，配一次五块钱，配不上就收不到钱。而之所以发生配不上的情况，主要原因是母牛惧怕公牛的硕大，出于害羞也未可知，身体忸怩，让公牛在关键时刻偏离了轨道。这时候，我那常在现场观战的邻居就会帮忙用木杠一类东西把母牛固定住。

那天我和邻居从兽防站的前厅穿过，直接朝后面的土场走去。正要拐进巷道，我就看到巷道口的角落里有一个女人，将米黄色的毛衣耸起来，低头奶孩子。见到这个女人的第一眼，我没在意，只是对她奶孩子的姿势有点儿兴趣：她一条腿跪着，一条腿撑着，那么冷的天，她却不仅将毛衣耸起来了，连内衣也完全拉上去了。大半截白嫩嫩的腰露在外面不说，散布着静脉血管的乳房也暴露于外。对喂奶的女人，我当然不能久看的，瞟一眼就过去了。可走出几步，我的神经突然铮的一声，心也提起来了：那个人怎么跟许朝晖长得那么像？

我突然感到有很多蚊虫在我的面皮上爬。

邻居已迈着大步去了土场，我故意落后一步，在巷道中央停了下来，再次转过头看。女人在巷道口光线很足的地方，那是不会错的，她绝对就是许朝晖！那张满月似的脸，还有她以前就习惯的发型，都明明白白是她！

那一刻，我头脑是清醒的，身体却发虚，或者身体是强健的，头脑却是一片空白。

我想走近一步，再仔细看看，但这合适吗？我想叫一声许朝晖，又怕万一认错了人：如果真的认错了，那女人就有理由认为我是故意装蒜，真实意图是想看她喂奶。

正在犹豫不决的时候，女人抬起头来。她望了我一眼，与我望她一样，开始是漫不经心的，很快把眼光移开了，可就在移开的一刹那，她又把目光集中到了我的脸上。她依然一条腿蹲着，一条腿跪着，将乳房暴露于外，望我的时候，先是有些诧异，慢慢地，就成为挑衅了。她微微上翘的嘴角仿佛在说，小伙子，想看吗？想看你就尽管看好了。她甚至还把衣服向上捞了一下。

这怎么可能是许朝晖呢？我耳根发烫，既觉得自己很卑琐，又觉得被这个大胆的女人给耍了一样，心里很不是滋味，因此转身就朝土场上走。

巷道是弯曲的，前面有一堵墙，既把土场遮住，又可以让那个女人看不到我。我就在那堵墙后再次停步。说真的，要说那个女人不是许朝晖，我一万个不信，世界上不是没有长得相像的人，尤其是漂亮女人，几乎总是相像的，但眉宇间潜藏着的情态，却是不能复制的，是独一无二的。给孩子喂奶的女人尽管做出那副天不怕地不怕的样子，但在她感到诧异的瞬间，我看到了她眼神中那粒闪烁的火星，这粒火星让我想起了许朝晖的过去，让离我最近的大学生活退到了远处，使我陷入无穷无尽的回忆之中。我好像正跟许朝晖坐在同一张书桌上，也看到她孤零零地贴墙而立，我甚至还下意识地看了看自己的手心，觉得那里痒酥酥的，因为我在给许朝晖那把葵花子的时候，我的手心无意中碰到了她的手背……她刚才会不会把我也认出来？我想不会，这么多年过去了，她没变，我却变了，变化最大的就是我比以前胖了许多,关键是戴上了眼镜;再说,巷道中央的光线也很暗。

可她真是许朝晖吗?许朝晖不是从这带山川上消失了吗?她是什么时候回来的?而且,她怎么可能就有了孩子?!那时候,我刚满十九岁,比我小两岁的许朝晖只有十七岁,十七岁就有孩子,也就是说,十六岁她就结婚了,甚至不到十六岁就结婚了。这简直不可思议……

我没有看到那个孩子的脸,因为孩子的脸几乎完全被女人的乳房捂住了。我只看到那孩子长不盈尺,身上裹了床红线毯。

邻居在那边喊我了,我恍恍惚惚地走了出去。

土场上已有不少办完事务来这里闲聊的人,看见我进去,男男女女都站起来,用欣羡的目光迎接我。这也难怪,那时候的大学生,在城里差不多遍街都是,可在偏远的大巴山区还是稀罕之物,谁家的孩子考上了大学,最多半天,十里八村也都知道了;不仅人知道了,连狗也知道了,比如我的高考分数下来那天,我们村的狗就狂吠不止,像在为我庆贺。我走到他们中间,那些人就真诚地夸奖我。为此,我的邻居仿佛也沾了光,站在一旁乐呵呵的。遇到这种情况,我的任务应该是谦恭地微笑,并不时地回答他们提出的问题。然而此刻我没法做到,我的脑子被巷道里的那个女人占满了。我在想,如果她是许朝晖,她怀里的孩子真是她生的?但凭我生物课上学来的常识,知道女人不生孩子,是不会生产乳汁的,而那个女人是在给孩子喂奶!

谁都看出了我的心不在焉。我那邻居真是个好人,他溜空儿把我拉进牛棚边的厕所,对我说,你对农村人谦和一分,他就对你好十分,你对他骄傲一分,他就不再尊敬你了,还会到处传你的坏话!你在农村生活这么多年,未必不知道?我不耐烦地说,不要再说了,谢谢你。

那头健壮的公牛把头伸过来,想吃我们拉出的尿,邻居让它吃了,拍拍它粗壮有力的脖子说,小伙子,你这辈子咋这么好的艳福?说罢朝着我嘿嘿地笑。我没笑,邻居见我的情绪实在反常,就说我们不回土场了吧。

我巴不得这样,跟着他从牛棚的侧门穿出去,从另一面绕到了兽防站的前门。

我站在那里,朝里面望,可是前厅里已挤了很多的人,挡住了我的视线,我望不到巷道口,也望不到那个女人。我想进去看看,然而,一种非常抗拒的心思阻止了我的脚步。说不定她已经离开了,我想。

为感谢邻居帮我卖土豆,我带他去吃了两笼包子,就一同往新桥码头走去。

对此时的我而言,三里路就像十里百里,每向前迈一步,都有一种力量把我往后拽,催促我返回去看看那个女人,因而让我步履维艰。那时候,我是多么恨自己,恨自己太没胆量太没出息了,但最终我也没回去。

新桥码头上布满了店铺,凡去码头等船的人,都习惯于去店铺里坐坐。我和邻居本来是不准备进去的,可走过一家糖酒店,我突然看见了许校长!他独自坐在柜台前一张条凳上。以前，也就是在许朝晖失踪的最初一年里，我好几次都想在乡场上碰到他，对他说一些安慰的话，但都未能如愿。在我的整个初中和高中阶段，就没有碰到过许校长一回！然而今天，在我偶然发现一个长得像许朝晖的女人时，却跟许校长不期而遇了。

我的心跳得怦怦怦的。

邻居已走过了糖酒店，我让他先下码头去等着我，邻居说快点儿啊，船不一会儿就来了。我应了一声，跨进屋喊道：许校长。

许校长迟缓地抬起头，站起身，以看一个陌生人的眼光打量我老半天。我报了自己的姓名，许校长像回忆起了什么，又像什么也没回忆起来，总之，他嘴角牵动了一下，又自顾自地坐了回去。他的腰再不是那般挺直，而是深深地弯下去，额头都快顶着膝盖了。

我坐到许校长旁边，小心翼翼地问他家里的情况，企图把话题慢慢引到许朝晖身上。但许校长不理我，我跟他说话，他不是很冷漠很简洁地应答，就是根本不睬。看他那样子，他根本就没听我说话，甚至没注意到他身边坐着一个人。

十余分钟之后，我站起来说，许校长，我先走了。许校长抬了抬眼睛，仅此而已。

我还在码头高高的石梯上，船就靠岸了，那是能装上百人的汽划子。这条河上现在已经没有乌篷船了，也没有摇橹的帆船了，全都换成了不会唱歌只会嚣叫的汽划子。汽划子是不等人的，因此邻居在下面焦急地朝我跺脚，还骂了几句很难听的话，大意是说我在兽防站做出那副大甩甩的样子，以为我不愿意听恭维话呢，结果是到桥上来装洋相。他一面骂，一面跟船主交涉，让他等等我，还说我是大学生，脚步子比农村人慢。其实我一点儿也不比他慢，要不是背着花篮，几步我就可以飞纵下去的。可是那天也怪，我的两条腿像灌了铅，越想快越快不起来，还差点在石梯上绊倒，惹得一船的人都看着我笑。

邻居已为我抢占了座位，但我不想坐，而是开了舱门，站到船舷上去。

冬天里，似乎什么都是衰败的，唯有风分外强硬。两岸满是枯瑟的芦苇，风从地心里升上来，从芦苇根升上来，在宽阔的河面上厮杀怒吼。河水被汽划子摇动，被风摇动，肋骨似的波纹次第铺开。河也是一面身体，一颗被动的生命。它以前的水清澈得让人发愁，现在虽还是蓝幽幽的，却明显浮动着一层油脂；以前的河是野鸭的天堂，现在，野鸭虽还在群起群飞，但叫得再不似那么欢畅，飞行能力也减弱了，刚刚启翅，就迫不及待地在芦苇丛或者岩石上靠下来，可翅膀一收又被迫起飞，因为沿岸六七艘采砂船发出的隆隆巨响，加上汽划子的鸣叫声、马达声，使它们惊慌失措。

下船上山的时候，我禁不住向邻居问起许校长的情况。

邻居好像已经忘记了许校长是谁。这也难怪，除许朝晖失踪的前几个月里，我们村已经没有人再议论他了。各人都有各人的事情，各人都要为自己的生活算计。就连我的母亲，几年来也从未提到过许校长的名字。我读初中二年级下期回家，倒是向母亲打听过许校长，她除了知道许朝晖还是没找到，别的一无所知……我对邻居说，我刚才进店子，不是去装洋相的，是去跟许校长打招呼的，他现在已经苍老得不行了，许校长你不记得了吗，以前在鞍子寺教书的那位！邻居终于反应过来，噢，你是说许国庆啦？他多年就没当校长，而且两年前就没教书了，你还叫他校长呢。

许校长没教书了？我大吃一惊，问他是自己不愿意教，还是别人不让他教。当然是别人不让啊，邻居说。

两年前，我们乡的村小都实行了承包制，国家不拨款，村小教师自己招生，学生招得多，参与分钱的人少，收入相对就高。石船小学以前跟我们鞍子寺小学一样，都是三个教师，搞承包之后，那两个教师就排挤许校长，想把他赶走。这很方便，因为他不是校长，而现在校长的职权不像他当校长时那样完全是个虚名，现在的校长就是工地上的包工头，说不要你就不要你。再说，这几年的许校长，也不是当初的许校长了，他花费了很多时间找女儿，很多个晚上和整个周末，他都在树木蒙茸的山上乱跑，连一只宿鸟也可能被他当成女儿，站下来跟那鸟儿说话。如此，他上课时免不了神思恍惚，别人不要他也有了充分的理由。

就这样，承包之初，许校长就被赶出了学校。

那两个教师把许校长赶走不久，两人内部也发生了矛盾，没搞上半年，另一个教师也出门打工去了。最近一年多，石船小学的校长就领导他一个人，他除了领导自己，还独自教六个年级的课。邻居说，以前是找不到教师教书，现在是有教师不让教，我们鞍子寺小学不也是这样么。前年村民才集资把学校翻修得漂漂亮亮的，推倒了土墙，建起了红砖房，学校的照片还上过市里的党报。可从去年开始，也只有江校长（以前的江老师）一个人守庙了。不要说五六年级他根本教不下来，低年级他也没法照管，六十大几的吴老师倒是希望跟着江校长来挣点钱，江校长也同意，但他身体不行，来干了两天就走了，这样，又只剩下江校长一个人了。学生上学的主要任务，就是在教室里关大半天，很多家的孩子，读到二三年级就停了学。

不再教书的许校长，比以前更穷了。他家里还有个病人，生活不允许他穷。因此，在他下岗那年，他贷款造了一艘采沙船，本想凭它赚点钱的，没想到船刚造好，水管局就禁止在河上采沙。这样，他只好把船折半价卖给了别人。邻居感慨地说：你说这人到底是咋回事呢，平心而论，在我们这一带，许国庆也算个能干人，可他就是混不开！我活了四十多岁，知道穷是打不倒一个人的，但穷带来的另外的东西可以把你打死，像许国庆，大家就是看不起他！再说他造船的事，上面不许采沙，他就把船折价卖了，他倒是听话，可人家照样采。那些采沙船你刚才都看到了，只要给水管局的头儿送点（邻居右手的食指和拇指捻了几下），不就过关了嘛，许国庆为啥就转不过弯来呢？是不是他命里该受穷呢？

我无法回答。

我想问他是否知道许朝晖，但内心又不愿意他谈论这个话题。如果兽防站的那个女人真是许朝晖，那么，刚满十七岁就给孩子喂奶，在我看来应该是一个女人的秘密，更应该是许朝晖的秘密。我不希望别人来议论这个秘密。

但邻居之所以最终想起许校长就是许国庆，而且有兴趣谈论他，除了我提醒他许校长在鞍子寺教过书，更重要的原因，正是许校长的女儿许朝晖！

兽防站那个女人的确就是许朝晖，她是两个多月前才回来的。

许朝晖离家出走以后，根本没在大山上停留，而是去乡场上坐汽车到了市里，然后再坐火车去了福建。此前两年，金叶中学曾经跑过一个女生，据说那女生就跑到了福建，许朝晖出走时只有十二岁，关于外面世界的全部概念，大概就只有"福建"，于是她就去了。

她在福建的哪里落脚，又是怎么活下来的，谁也不知道。大家唯一看到的是，她回来的时候，背上背着一个牛仔包，怀里抱着一个婴儿！

听人说，许朝晖回来的那天，以为父亲还在教书，因此选择在下午两点左右从一条很少人走的小路进了村。可那时候，许校长被赶出学校已将近两年，女儿上院坝的时候，他正坐在青石坎上用篾条编花篮。许朝晖看见父亲，扑通一声跪在了土坝上。

一块篾条划破了许校长的手，鲜血一滴一滴，掉在他破了洞的裤腿上。他的眼珠抠进了眼窝里，凝神看着女儿和她怀里的孩子。

半个时辰过去，许朝晖没有起来，许校长也没去拉她。眼前的景象，让许校长反应不过来。他看清了跪在土坝上的人就是他日思夜盼的女儿，可是他反应不过来。与此同时，他也像在等一个人，就是女儿怀里那孩子的父亲，然而他女婿始终没有出现。这时候，许校长才问女儿，他说你是朝晖？许朝晖说，爸爸，我是朝晖。许校长像突然间患了疟疾，全身打着摆子。他说你还活着？许朝晖说，爸爸，我还活着。许校长粗大的结节上下扯动，过了好一阵，又问，那是谁的孩子？许朝晖说是我的孩子。许校长说他爸呢？许朝晖就哭，她说他没有爸。许校长说是在路上捡的？许朝晖说不是，是我生的。你生的他咋没有爸？许朝晖无法回答了。许校长这才摇摇晃晃地站起身，走下青石坎，把女儿拉起来，回屋去了。

父女俩进屋之后，是如何度过了相见的第一关，没有人说得清楚。大家唯一可以见证的，是他们没有吵，也没有闹。许校长本是多么爱他的女儿啊，因为爱，他不敢再责备女儿，同时他也知道，女儿带回的那个黑人口本身是无辜的，他更没理由责备那个什么也不懂的孩子。他只是告诉女儿，你母亲十个月前去世了。听到这个消息，许朝晖同样没有哭，没有闹。屋子里静悄悄的，他们似乎都很平静地接受了自己的命运。许校长接受的，是失踪几年的女儿带回了一个没有爸爸的婴儿。许朝晖接受的，是她的母亲死了。她母亲没能等到女儿考上大学的那一天，甚至也没能等到女儿活着回来的那一天，就死了。她是在向人述说女儿失踪那天的经历时，心力突然衰竭死去的。她的心脏停止了跳动，眼睛也闭上了，然而她的脸上，还焕发出一个历经苦难的母亲动人的光辉……

当然，需要父女俩接受的，比这还要多得多。

一个十七岁的女孩，带回了一个没有爸爸的婴儿——这样的新闻在乡村发生，即使掘地三尺也是埋不住的。许朝晖回来的头一个月里，父女俩像被围攻的老鼠。但真正变成老鼠的，只有许校长一人，他缩在屋里不敢出来，一听见屋外有人说话，立即就跑到堆放杂物的偏厦里躲起来。那偏厦里除了锄头铁耙，还有两件蓑衣，蓑衣只在抢春水时才披的，一年中的三百多天，它都闲在那里，因而成了老鼠结婚生子的乐园，每隔些日子，蓑衣里就发出幼鼠的吱吱声。躲藏进偏厦的许校长，就跟这些老鼠为伍，直到人声远去，他才又钻出来。许朝晖却不，她只在给母亲上坟的时候，才伤伤心心地哭了一场，之后，她就像所有回到娘家来的女人一样，在自家里是待不住的，而是抱着那个长不足尺的婴儿，到处晃荡。不仅去邻居家玩，还去村子里最远的人家串门，不到十天，几乎家家户户都被她走遍了。她是那么漂亮，公平一点儿说，即使走在都市的大街上，许朝晖也称得上是一个标致到极点因而格外吸引男人眼球的女人，而且她又是那么落落大方，她把孩子捧在双手之间，一下一下地抛，对孩子快乐地说着母亲们都会说的痴话、傻话。如果孩子哭了，不管周围有些什么人，她都把衣服向上一撩，将乳房拉出来就塞进那张颤动着绒毛的小嘴里。

见她这副形象，有些男人免不了会产生一些心思，一递一进地跟许朝晖调情。哪知许朝晖根本就不怕你这一套，她粗话随口就来。她说的那些粗话是如此新鲜，乡村男人们闻所未闻。乡村男人再野，说到性的话题时也都以动物作比的，再直接点儿也不过唱唱山歌民谣。比如我们那里山上有首歌是这么唱的："太阳落土四山黑，我给娇娇借个歇，大床窄来铺盖短，娇娇睡得我睡得。"河坝有首歌是这么唱的："情妹当门一条河，情妹洗衣打湿脚，衣服沉到河里头，莫沤莫沤我来摸，摸了衣服不过瘾，情妹你可知哥的心?"而许朝晖对这些根本就不屑一顾，在她看来，这些歌谣都已经太老土了。她说的野话要直接得多，弄得那些自以为见多识广的男人无不耳热心跳。

毫无疑问，许朝晖已不是当年的许朝晖了。消失了几年再回到村子来的许朝晖，是一个彻头彻尾的坏女人了。大家都这么说，连她以前在石船小学的同学也这么说。她的那些同学，不论男女，以前都把许朝晖看得那么不可超越，不仅学习成绩，还有她那清纯宁静的神态。

以前提到许朝晖，人们会说：嗨，那女子！而今也是这样感叹，只是把"女子"换成了"女人"。她失踪那么几年，都说她死了，没死也不知道她的去向，现在竟有人说自己曾经在福建的泉州看到过她。杨侯山和老君山都有人去福建打工，主要是在泉州、漳州和厦门。说自己看到过许朝晖的，是杨侯山上一个中年男人，他本来在漳州搞建筑，当了个小小的包工头。他说，去年春天他跟老板一起去泉州购材料，在一家夜总会里看到了许朝晖。许朝晖正和一个男人跳舞，说是跳舞，其实脚步并没动，只是双方的身体一鼓捣一鼓捣的。不过说这话的男人同时声明，夜总会里用的是彩色滚灯，只有滚灯的红光对准某个人的时候，才能勉强看清那个人的脸，他只是觉得那个鼓捣着身体的女人像许朝晖，但不一定准确。

不管他怎样声明，大家都相信那个不要脸的女人肯定就是许朝晖了，同时也知道了她出走之后所从事的职业是当了“小姐”。可是，她出走那年才十二岁啊，十二岁就能当小姐吗？如果她开始并没当小姐，又是靠什么活下来的？她是在什么时候，又是以什么方式，迈出了当小姐的第一步的？人们对这样的话题当然很感兴趣，遗憾的是只有许朝晖自己才说得清楚，但她怎么可能主动说起呢？再感兴趣的人，又怎么好拿这样的话去问她呢……

许校长听到了人们对他女儿的议论吗？我想是听到了，因为女儿回来一个月之后，也就是人们已经失去了兴趣不再议论他女儿的时候，他才出门了。此前，尽管许校长遭受一连串的打击，但他的腰没有弯过，现在女儿回来了，许校长在家里躲了一个多月，突然就不行了，他的腰塌得那么厉害，致使人们再也想不起他曾经做过仪仗兵。

那年春节前夕，江老师到了我们村。他是来为下期招生做动员的，听说我在家，他首先就进了我们的家门。成了公办教师又当了校长的江老师，看上去比以前更精神，因为穿着西服，头发背梳，使他显得沉稳了许多。他总是那么热情，对任何一个村民说话都笑呵呵的，不要说对我这个曾经让他念叨过多次的学生了。母亲给我和江老师各煮了两颗荷包蛋，吃过，江老师才说，他之所以这么早就来村里动员学生，就因为听说我回了家。他希望我跟他一道，对那些有孩子上学的人家逐门逐户家访。我说我还是学生呢，这样做合适吗？江老师说你不是一般学生，你是大学生，你的话比我的话有分量。接着江老师开始埋怨，说他在鞍子寺教了这么多年，不知带出了多少子弟，但我们村的人不记他的恩，他承包这一年，学生流失相当严重，辍学的那部分也就不说了，关键是有些人把孩子送到了别的村小，经济宽裕些的还送到了乡完小，总之是想方设法不照顾他的生意。

他用了“生意”这个词，让我感到异常惊讶。

沉默良久，我说，江老师，是不是人家觉得学校教师太少，怕你一个人照管不过来？江老师用手指梳了一下头说，不是那回事，现在全乡的村小，有几所学校还配备两个以上的教师？再说，我不是没请过人，可那些人不是身体支持不住，就是水平不够。我想了想说，听说许校长现在没教书？江老师说他早就没教了。我说，可不可以请他来？我知道这样说话是冒风险的，可能惹恼了江老师，但自从江老师迈进我家的门槛，我就想到了这句话。我希望江老师能够接纳许校长，我了解许校长，我相信只要允许他再次站上讲台，再大的困难他也能够顶过去的，要不了多久，他的腰板又会挺得笔直的。说不定，也只有讲台才能够拯救他。

可是江老师摇了摇头说，老许不行了，为他那个女儿许朝晖，他差不多已经废了。

接着，江老师给我讲了许朝晖回家来后的情形，跟邻居告诉我的基本差不多，但江老师也补充了一点儿信息，说许朝晖只有上院坝的时候才把许校长喊了几声爸爸，此后再也没有喊过。她恨她爸爸。江老师说，无风不起浪，许朝晖在外地当小姐没得说，那个孩子肯定是不小心才怀上的。她之所以不做人流，而是把孩子生下来，还抱回家，就是要向许校长表明她的态度。她的态度就是她什么事情都做得出来。

说完这些，江老师叹息道，不是我不让老许来教，就算以前跟他关系不好，毕竟有过几年同事的经历，我不请他是因为他真的不行了。放假前我们去乡中心校开会，听石船小学的华校长说，有次他看到老许去许朝晖的母亲坟上哭，泪水倒没怎么流，只是用双手拍着坟头。这种哭法哪里像一个男人？这是婆娘的哭法。而且，他像失去了记忆一样，连本村人也认不全了。说到这里，江老师无可奈何地笑了笑，他说你想想，见了几十年的人也不认识，忘了那么久的字还认识吗？我把老许请到鞍子寺来，还不误了这一方的子弟？

我想起在新桥码头遇到许校长的情形，便没说什么，但我也没陪江老师去家访。我实在对不起他，但我没有办法，我的心情坏极了。

可以说，那是我至今为止过得最糟糕的一个春节。白天，照例有许许多多的人来家里玩，其中有亲戚，有村里人。我记住邻居在兽防站牛棚边教训我的话，这些人来了，我都是笑脸相迎。这笑脸是装出来的，因此我很累。我的眼前总是交替晃动着两个许朝晖，一个是在鞍子寺念书的，一个是现在的。我始终觉得，现在的许朝晖，是一个不真实的许朝晖，因此尽量去回想以前那个许朝晖。这样，我每天都要遭受记忆的围困。本来，我从大都市的高等学府回到偏远落后的故乡来过春节，多多少少也有点儿衣锦荣归的意思，没想到许朝晖的出现，却在我快乐的生活中打上了一道显眼的补丁。

好在寒假很短，正月初七那天，我就下了老君山。

我所读的大学虽然算不得名校，晚饭之后，我习惯于独自走过中心花园去图书馆看书。中心花园有一座假山，花园四周都是草坪。草坪里，四季鲜花盛开，香气盈溢，那些弹吉他的，看书的，三五好友相聚的，散坐在草坪之上——以前我没认真想过，现在我发现，这样的生活，许朝晖应该是有份儿的！从小学一年级到五年级，她都比我的成绩好，都是全乡第一名，我能够进来，许朝晖为什么就不能呢？她是在哪一点上被错过了呢？她不仅没能跨进大学的门槛，而且变成了一个十七岁就有孩子的小妇人，一个粗话野话随口就来的“荡妇”！

有时候，我甚至还想，要是许朝晖跟我一道考进了这所大学该有多好！如果是那样，我会不会也搂着她的肩膀，跟她闯进这神秘之地……我的这种幻想，很快就无情地破灭了。许朝晖裸着半截身子给孩子喂奶的情景，活生生的，好像就在眼前。而且到底是一个什么样的男人，让许朝晖刚满十七岁就有了孩子？

我无法想得明白。

虽然远在千里之外，关于许朝晖的消息，我倒是能够得到一些的，为我提供消息的是我的父亲。自从我考上大学，父亲背着他的木工用具在外面奔波的时间更多了，因为他要养活上大学的儿子。但不管他走了多远，总在相对固定的时间回家一趟，收取我写给他和母亲的信，同时给我回信。只要我在信中问到了许朝晖，父亲总是尽量为我提供许朝晖的最新情况，哪怕自己不甚了然，他也会去打听。

许朝晖在家里并没待多长时间，又带着孩子去了远方。她对人说，如果她母亲还活着，她会将孩子留下的，就像我们那带山川上所有外出打工的女人一样，之所以回家，就是为了把生下的孩子弄回来，将孩子扔给老人后，就再一次踏上征途。许朝晖也是这么想的。有人问她，说你之所以回来，恐怕不仅仅为这个理由吧，恐怕还是想看一眼父母吧。许朝晖虽然红了眼圈，口头上却坚决不承认。可是母亲死了，她总不可能把一个婴儿扔给父亲。许朝晖出门的时候，许校长什么也没说，只是站在家门前的那丛水竹林边，望着女儿一步一步走下山去。许校长把路都望断了，他希望女儿留下来，不管生活给予了什么，他都希望自己吞下苦的，把甜的留给女儿。然而他不知道生活中是否还有甜的部分，因此他不敢叫住女儿。他更不知道的是，在外漂泊了几年的许朝晖，已经不习惯家里的生活了，不习惯那架大山上的日子了。她回家的那段时间，频繁地换衣服，她回来那天背着的那个牛仔包里，装的全是她的衣服。大冬天的，她只穿着薄薄的一层毛衣，多数时间，下身还穿着裙子！虽然她穿了裤袜，但乡里人穿得最长的袜子，也至多笼到膝盖之下，不知道许朝晖的袜子同时也就是裤子，因此认为她仅仅穿着裙子。乡里人是实用的，那些为了显身材而不怕得感冒的女人，在他们眼里啥也不值……许朝晖所做的这一切，仿佛都在为别人对她的传言做注脚，但她无所谓，别人爱怎么想怎么想，爱怎么说怎么说，那都是别人的事。从回家那天到她离开，她从来没下地干过活，她好像看不起她从小就帮母亲干的农活；再说，穿着那样的衣服和裙子，她也无法下地干活。

这一次离去，又过年余许朝晖才回来的。她的怀里，依然抱着那个孩子，不过，那孩子长大了，已将近两岁。

除这点变化，许朝晖还少去了一个背包。也就是说，除了她身上穿的那套依然有别于山野妇人穿的衣服，她已经没有多余的衣服了。

而且她变得很憔悴，超过了她年龄的憔悴。上次回来，她过两天就到处串门，这次却没有，不仅如此，连给村里人打声招呼，她也有些生涩。

由此，人们对她离家出走后的命运有了另一种推测，说她并不是当小姐去了，而是被人包了，当二奶了。包她的人本来希望她帮忙养一个儿子的，没想到生下了一个女儿（这时候，我才知道许朝晖的孩子是一个女儿），于是就不要她了，于是她只好回来了。然而她不甘心啊，就再次去争取，争取了一年多，还是没个结果……

许朝晖这次回家三五天之后，就扛着锄头，带着孩子，上山锄地。精神已几近麻木的许校长看到女儿的举动，像被吓住了似的，急忙把女儿肩上的锄头卸下来，说就那么点田地，我一个人做得了。在这时候，许校长触到了女儿的手，那是一双白嫩小巧的手。许校长说，看把你手弄坏了，反正……你还会走的。许朝晖说，爸爸，我不走了。许朝晖又说，爸爸，我从今往后守着你，跟你一块儿过日子，过一辈子。许校长愣愣地看着女儿，干裂的嘴唇剧烈地抖动起来。

许朝晖说话算数，果真没有离开大山，跟她父亲一块儿生活了。

她像她母亲一样，鸡叫三遍就起床煮猪食，她把自己回家时穿的那套垂满流苏的服装藏起来，穿着母亲留下的大垮垮的衣裤——那些把女人的身材没收得干干净净的衣裤，系着蓝布做成的围裙，手挽着木桶，把煮熟的猪食泼泼荡荡地倾到猪槽里去。半夜三更，她迷迷糊糊地诓着被梦魇住了的孩子，孩子尿床了，她一面收拾，一面挥着巴掌，啪啪啪地打在孩子的屁股上；孩子说了一句哪怕是相当稚嫩的话，她会认为那是一句了不得的聪明话，而且当着人的面夸耀孩子的聪明。她下地薅草的时候，会把草根上的泥土挞掉，捆成一束，背回来给牛吃，如果从土里刨出一粒以前没掏尽的土豆，她就将土豆扔进地边的花篮里，带回来当粮食。回家途中，如果在路上碰到横躺着的干树枝，甚至是一根草绳，她也会弯腰将其拾起来。干树枝可以当柴烧，草绳暂时可能派不上用场，就存放在偏厦里，说不定哪个时候，就可以把它拴在两根竹子或两棵李子树之间，晾那些切成片集成串的萝卜卷或者准备放进坛子的青菜。她还会为了一堆掉在路边的牛粪究竟是你的还是我的跟人吵架……

许朝晖变成了大巴山区一个真正的农妇。

正是在这样的时候，许校长才感到刻骨铭心的疼痛。他迅速地苍老了，精神大不如前，扛着犁头走几步，也吭哧吭哧地喘气。他那挺直的、带有标志性的腰板，自然已经不属于他。我在新桥码头碰到他时，他的腰是塌下来的，但他还可以随时挺起来，现在是完全挺不起来了。他佝偻了，由于个子高，佝偻得就更加厉害，更加触目惊心。在故乡的两架大山上，没有人能够理解他这种疼痛，失踪的女儿不是回来了吗？尽管回来得不够体面，但她毕竟回来了，而且既不缺胳膊也不断腿儿，你还有什么不满意的？再说，她现在不走了呢，她要守你一辈子呢！

然而我理解许校长内心的疼痛。在我看来，他这种痛苦的深度，不亚于当年许朝晖失踪。

晚上，许朝晖有时候还是要把那套藏起来的衣服拿出来看一看的，当然只是看一看，又收起来了。她的过去，遥远的和切近的过去，都只是一个梦境。她是这个家里唯一的支撑了，她再也不可能离开这个家了，再也不可能走出那架大山了。父亲迅速老去之后，她就不仅要干地里的活，还要像男人一样干田里的活。她的头发不再是松松散散的了，她跟这里所有的农妇一样，不是弄两条又粗又壮的辫子，就是干脆自己拿起剪刀，对着镜子一阵乱铰，铰得不碍事为止。这是没办法的事情，山里的田地上上下下地摆在那里，但要从田地里收获庄稼，却不是轻而易举的，都是要流汗水的，不流汗水你就收不到庄稼，就吃不饱饭，更不要说兴房起屋买电视。如此，头发不收拾利索，汗水就钻眼睛。一般女人，那些有父亲、兄弟和丈夫的女人，都只干地里的活，因为地里的活相对轻松一些，田里的活却很重，而许朝晖没有兄弟，没有丈夫，当父亲不行的时候，她就不得不下田去，压着铁铧吆牛翻土，挥着铁耙抓松田里的疙瘩，甚至还要搬着石头，把被山水冲毁的田埂砌起来。干这种活的人，怎么还可以让头发松松散散的呢？

许朝晖也想找一个丈夫，但谁敢要一个不明不白就抱着孩子回来的坏女人？有人给许朝晖介绍了一个比她大二十岁的男人，许朝晖也同意，只是向媒人提了一个条件：让那男人当上门女婿，好照顾她的父亲。谁知那男人听说女方是许朝晖，一口就回绝了。我母亲也曾经想把许朝晖说给我那个打光棍的邻居，我的邻居一听，就笑呵呵地谢绝了。

这样，许朝晖就继续没有丈夫，就继续干着女人的活，也干着男人的活。

听着她这样的消息，我说不出什么滋味。那些琐碎、艰难甚至血腥的生活，我能够想象得到，却不能从骨子里去体味它。当我听说母亲想把许朝晖介绍给我们邻居的时候，我真是有些恨母亲！尽管我知道邻居是个好人。不过说真的，事情已到这一步了，我还是为许朝晖高兴的，因为她到底安下心来了，她以前是一棵漂泊的浮萍，现在找到了生根之处，这样就好了。尽管给予她的土地很贫瘠，很瘦弱，然而世世代代的山里人，都是这样走过来的。

从此，我不在信中问及许朝晖的事情了。老实说，我是不希望许朝晖长久地干扰我的生活。慢慢地，我又将她忘记了。

进入大四上期，我爱上了同班一个女生。在我准备去向那女生表明心迹的时候，许朝晖又突然跳进我的脑海里。我爱上了这一个女生，可是那另一个女生，我曾经给了她一把葵花子的女生，现在正干什么呢？我说过，我还差她一个解释，就是为什么要给她一把葵花子，然而，疑问还没有真正答案的时候，我就爱上了别人。

但冷静下来想，我也不可能去爱许朝晖。我忘记她是有理由的，因为她而今是远山上的一个农妇，而且带着一个不知父亲是谁的孩子。她的未来是看得见的，其过程是无穷无尽的辛劳，其终点是在芜杂忙乱的生活中老去，死去。而我现在爱上的这个女生，就跟我一样充满了变数。四季更迭，大河奔流，对有些人来说是不可更改的自然规律，而对有些人，却知道怎样留住春天。

那女生同意了我的求爱。过年的时候，我带着她回家去，父母亲都喜欢得不得了。

毕业之后，我被分到成都一所高校任教，去单位报到之后，我独自回家探望父母。

谁知道，刚走到乡场上，却听说许朝晖搭上命案了！

老家已不是旧时的模样，由于位处下游的县城修成了一个国家二级水电站，河水受阻，河面抬高，河床也宽阔了许多，以前的芦苇地，包括一些农田和灌木丛生的坟地，都变成了大河的一部分。变化最大的是河两岸的老君山和杨侯山，这两架大山在川东北沉睡了千万年，现在地质勘探队在这里发现了油苗，据说两架山的腹部蕴藏着丰富的天然气。为了运送钻井设备，两架山都有了盘山公路，公路质量很差，但毕竟可以在上面跑大卡车，大卡车上山时装货，下山则捎带赶集的村民。如果村民不想爬山也没关系，乡场上有二三十辆摩托车，专门经营送人上山的业务。那首唱了多年的“两家相隔一条河”的民谣，不久将从这一带人的生活中彻底消失了……公路两边的树林子里，拉满了粉红色的电线，田边地角也插上了“×××号井”的木牌。其实还远没进入实质性的开采阶段，只是开进来为数不少的钻井队员，在高山荒地里搭上帐篷，白天黑夜，都能听到他们放炮时发出的巨响。

许朝晖搭上的命案，就与钻井队有关。钻井队是从外省来的，队员都是离妻别子的男人，他们常年在外，生理上的事没法解决，就去找“小姐”。去乡场或县城找小姐很困难，甚至下到山腰或山脚去也不可能，因为他们几乎没有休假的时间。好在有乡场上的那几十辆摩托车，可以把那些希望凭借身体讨取生活费的女人拉到钻井队搭在高山上的帐篷里去。

那一群女人当中，就有许朝晖。

那天是七月十三号，晚上十点多，许校长睡了，许朝晖的孩子也睡了，不远处公路上的摩托车摁响喇叭了，许朝晖静悄悄地出了门。

她坐上那架等候她的摩托，沿着坑洼不平的土公路往山上奔去。

车开得很快，不到二十分钟就接近目的地了，再翻上一重石岩，就是钻井队的帐篷。开摩托的年轻人大概想把这趟生意做了，马上下山做第二趟生意，因此越开越快。

事情就在这时候发生了，只听砰的一声，摩托车撞到了停靠在路当中的大卡车上。

许朝晖被颠簸滚下车，昏迷了，但她很快苏醒过来。除了手肘擦破了皮，她并没有大碍。她脑子里一片空白，不知道发生了什么事。当她借着石岩上方照下来的微弱灯光，看到前面几米处翻倒的摩托车，又看到摩托车旁边蜷曲着一个人，她爬起来就往回跑。她已经跑了不下两百米，可是她停住了，转身回来，摸了摸蜷曲在地上的摩托车司机。她摸到了一摊血，她吓得浑身发抖，但她知道自己现在必须做一件事，那就是喊救命。

救命啊——救命啊——

呼喊声在山里回荡，比钻井队弄出的雷管炸药声还要惊心动魄。歇在帐篷里的钻井队员听到了她的声音，打起双节手电筒下来了。

看见手电筒的亮光，许朝晖才慌忙地向山下狂奔。

摩托车司机当场就被撞死了。第二天中午，远乡近邻都知道了那家伙是为什么被撞死的，而且也知道了喊救命的那个女人就是许朝晖。

出事的第二天，摩托车司机的亲人拥到了许朝晖家里，要让她这个“娼妇”偿命。

这就是事情的全部经过。

回家之后，母亲向我证实了这一消息，还说公安局已经认定了那摩托车司机的死因，也认定了喊救命的人是许朝晖，但许朝晖不对死人的事负责。可是……母亲沉痛地说，许朝晖那女子啊，我是把她看错了，我没想到她果然是那样的人！我知道你穷，知道你难，知道你没法过下去，又要还母亲吃药的债，又要还父亲造船的债，又要养家糊口，咋不穷呢，咋不难呢……嗨！就算穷得舔脚板，也不该去做那丢人现眼的事啊！

母亲感叹了好一阵，泪水禁不住悄然滑落，对我说，人家那司机的家人现在还不依呢，还跑到许校长家里，要许朝晖偿命呢！

次日上午，我独自登上了对河的杨侯山。

许校长家的破败在我意料之中，让我吃惊的是许校长一见到我，立即从屋子里冲出来，把我朝山下推，血口喷人，你们血口喷人！他这样朝我怒吼着，那不是我家朝晖，不是！

我说许校长，我是你学生，我是来看你们的。许校长这才停止推搡，蹲下去哭了。让他哭一下吧，我这么想着，直接进了他的家门。要让许朝晖偿命的，此刻都不在，只有许朝晖抱着她那个已有几岁大的孩子坐在灶孔前。我喊了她一声，许朝晖抬头看我。她的目光里没有惊慌，也没有恐惧和羞耻，只有冷漠。她说你来了？我说是的。她说你跟我们不是一类人了，我这家不配你来。我说，我早就想来看看。谎话，她说（声音和表情一点也没变），三年前在兽防站，你招呼也懒得给我打。

这时候我才知道，她在兽防站给孩子喂奶的时候，是认出了我的，她以奇特的方式迎接我的目光，内心深处却渴望着我去招呼她，但我没有。她在那巷道里等着我回来，可是我从另一条道走了……

那个女孩睁着大眼睛好奇地打量我。那是一个跟她母亲长得非常相像的漂亮女孩。我蹲下去，摸了摸孩子的脸，然后，我把早准备好的一把葵花子揣到了许朝晖的上衣口袋里。

许朝晖一动不动,慢慢地,泪水无声地爬出了她的眼眶……

我想,这就是我给予她的解释,也是她十年前就希望得到的答案。

只是,仿佛一切都来得太晚了。

罗伟章

1967 年出生于四川省宣汉县,1989 年重庆师范大学中文系毕业,曾在达竹矿务局子弟教书,后在达州广播电视报社从事编辑、记者等工作。2000 年辞职专事写作。2006 年至 2008 年就读于上海首届作家研究生班。现为四川达州市创作办公室专业作家,四川省巴金文学院签约作家。

20 世纪 90 年代开始发表文学作品,出版有中篇小说集《我们的成长》《奸细》,长篇小说《饥饿百年》《寻找桑妮》《妻子与情人》《不必惊讶》《磨尖掐尖》等。